Signé A

Dorothy Koomson

Signé A

Traduit de l'anglais par Muriel Levet

Titre original : *The Flavours of Love*
Publié par Quercus, Londres.

Édition du Club France Loisirs,
avec l'autorisation des Éditions Belfond

Éditions France Loisirs,
123, boulevard de Grenelle, Paris
www.franceloisirs.com

ISBN 978-2-298-10820-0

Pour M & G & E

J'aime à penser que nous sommes tous ensemble dans cet avion géant.

Prologue

« Est-ce que tu vas le dire à la police ? me demande-t-elle.

— Il le faut. » Ma bouche est sèche, mon esprit fonce vers tant de lieux, de pensées et de décisions à la fois que je n'arrive pas à suivre le mouvement. Je ne peux retenir une seule pensée dans ma tête sans qu'une autre se précipite pour prendre sa place. L'air râpe ma trachée en entrant et sortant de mes poumons, si bien que je n'ai pas pu prendre une seule respiration normale depuis que ma fille s'est mise à parler, et mon cœur se glace à mesure que je prends conscience de la vérité : je sais qui a tué mon mari et pourquoi.

Il faut que je dise ça à la police, naturellement qu'il le faut.

« S'il te plaît, maman, non.

— Mais, Phoebe…

— Fais pas ça, maman. S'il te plaît. S'il te plaît. S'il te plaît. » Son petit corps de fillette de douze ans, niché sur mes genoux, est secoué de sanglots nerveux. « S'il te plaît. S'il te plaît. S'il te plaît. J'ai peur. J'ai trop peur.

— Phoebe, on ne peut pas…

— S'il te plaît, maman. Je suis vraiment désolée, mais s'il te plaît, fais pas ça.

— Chut, chuuuuut», dis-je en la berçant pour essayer de l'apaiser. Ce n'est pas juste. Rien de tout cela n'est juste. «N'en parlons plus pour le moment. Tout va bien se passer. Je vais m'arranger, tout va bien se passer.»

I

1

Quelle est la différence entre amalgamer et incorporer ?

Je suis sûre de l'avoir sue, je suis sûre que quelqu'un me l'a expliquée. Il existerait un moyen de déterminer si un ingrédient a été amalgamé ou incorporé. Cela étant, j'ai toujours eu des doutes là-dessus ; je me suis souvent demandé s'il ne s'agissait pas là de l'un de ces détails que les chefs cuisiniers ajoutent à leurs recettes pour les rendre plus intéressantes ou plus compliquées qu'elles ne le sont en réalité.

Amalgamer ou incorporer. Incorporer ou amalgamer.

« Hum ! Hum ! » La personne qui est assise en face de moi, de l'autre côté du bureau, et qui, par sa silhouette et ses vêtements, évoque clairement un homme profondément enlisé dans la crise de la quarantaine, s'éclaircit la gorge d'un air gêné. Il a de toute évidence quelque chose d'important à me dire. Il a besoin de mon attention. Et pourtant, chaque fois que je la porte sur lui, chaque fois que je tourne mon regard vers lui, il se tortille nerveusement sur sa chaise. Il ne sait pas comment se comporter face à la femme dont le mari a été assassiné. En l'occurrence, moi.

Je sais que c'est ainsi qu'il me voit dans sa tête, que c'est ainsi qu'il m'appelle quand il parle de moi aux autres, parce que c'est comme ça que tous les gens qui ne me connaissent que de vue me désignent. J'ai entendu les murmures devant les deux écoles où je dépose mes enfants, dans les couloirs, au bureau, j'ai surpris des conversations dans les magasins du centre-ville, au supermarché. Ce n'est pas dit méchamment. C'est juste une façon simple et concise de me désigner. Maintenant encore, dix-huit mois après, je reste « la femme dont le mari a été assassiné ». Ou plus exactement « la femme dont le mari a été assassiné par quelqu'un qui n'a jamais été retrouvé ».

« Hum ! Hum ! » Nouveau raclement de gorge. Nouveau changement de position au moment où je le regarde.

La dernière fois que je suis venue voir cet homme, il n'avait pas commencé sa crise de la quarantaine, et nous avions discuté de la façon dont nous pouvions aider ma fille à se réinsérer dans le circuit scolaire après ce qui venait de se passer. Peu sûr de lui et manifestement angoissé par la situation, il n'avait pas pu me regarder dans les yeux, il avait remué des papiers sur son bureau, débouché et rebouché son stylo, bredouillé et cherché ses mots. Et aujourd'hui, ça recommence : même bureau, même nervosité anxieuse, mais vêtements différents et professeur différent à côté de lui.

Ce professeur, posté à la droite de son supérieur comme un garde du corps silencieux, est un homme. Je le connais de réputation : c'est « le » M. Bromsgrove, l'article ayant été ajouté comme un symbole de sa jeunesse et de sa beauté par des mères d'élèves (pour la plupart mariées) qui semblent prendre un malin plaisir à en faire le sujet de commentaires scandaleusement scabreux et complètement délirants.

En face de lui, du même côté du bureau que moi, assise sur une chaise qui ne pourrait techniquement être plus éloignée de la mienne que si elle était à l'extérieur de la pièce, ma fille. Phoebe Mackleroy. J'ignore encore ce qu'elle a fait, pourquoi on m'a convoquée, en ce premier jour de congé que je prends depuis près d'un an.

C'est une fille bien. Je ne sais pas ce qu'elle a fait, mais je suis certaine que ce n'est qu'une passade ; c'est une fille bien, je vous assure. Voilà ce que je voudrais dire. Mais je ne suis pas en mesure de le faire. Les gens comme moi ne peuvent pas affirmer ce genre de choses.

« Hum ! Hum ! » Le principal s'éclaircit une énième fois la gorge avant de commencer à parler : « Madame Mackleroy, la nouvelle que j'ai à vous apprendre est assez difficile à annoncer. Mais il se trouve que Phoebe a fait une confidence aujourd'hui à M. Bromsgrove, son professeur principal. » De ses mains pâles et grasses, le principal me désigne l'homme dont il vient de parler. J'ai envie de le reprendre, de lui faire savoir qu'il s'agit en réalité « du » M. Bromsgrove, mais je sais que ce serait extrêmement malvenu. Je m'autorise donc à adresser un bref coup d'œil à l'homme en question, qui s'efforce pour sa part d'éviter mon regard. Le principal prend de nouveau la parole : « Comme il ne savait pas quoi faire, il est venu me voir. Nous avons jugé opportun de vous appeler aussi rapidement que possible. Notamment parce qu'il nous semble qu'il s'agit d'une situation qui pourrait nécessiter l'intervention des services sociaux. »

Mon cœur s'arrête au moment où il prononce ces deux derniers mots. J'ai eu très peur quand la secrétaire du collège m'a appelée. J'ai reposé le tas de recettes griffonnées sur des bouts de papier disparates que j'étais en train de feuilleter sur la table, et je me suis attendue au pire. Mais quand j'ai compris qu'elle me demandait de venir ici, et non pas à l'hôpital, quand je suis arrivée et que j'ai vu Phoebe assise sur une chaise, quand j'ai constaté de mes yeux qu'elle bougeait, respirait, était en vie, je me suis laissée aller à me détendre un peu… presque totalement en fait.

Comment ai-je pu me montrer aussi idiote ? Comment ai-je pu oublier qu'un simple souffle d'air pouvait se changer en ouragan dévastateur, qu'une petite tape amicale pouvait devenir un véritable coup mortel ? Même quand on prête une attention toute particulière à notre vie, on ne peut pas tout percevoir : il est parfaitement possible de manquer une infime coupure dans une artère majeure.

« Je ne sais pas comment vous dire cela, madame Mackleroy. » Le principal continue de parler, comme si l'évocation des services sociaux ne méritait pas de me laisser un petit moment pour réfléchir, imaginer le pire puisque tout semble avancer vers une destination certaine : l'Enfer. « Je suis navré qu'il vous faille l'entendre de ma bouche, plutôt que de celle de Phoebe, mais comme elle ne vous en a pas parlé, il nous a semblé qu'il valait mieux que nous nous retrouvions tous les trois dans cette pièce pour vous le dire. »

Il a fallu deux officiers de police pour m'expliquer que le mot « incident » signifiait que je ne reverrais plus jamais mon mari. À quoi dois-je m'attendre s'il faut trois personnes pour m'expliquer ce que ma fille a fait ?

Je me tourne sur le côté pour l'observer. La posture qu'elle a adoptée sur sa chaise tulipe ressemble à celle d'un tournesol qui se tournerait vers le soleil situé dans la direction opposée à l'endroit où je me trouve, m'empêche de voir la partie supérieure de son corps. La jupe plissée grise de son uniforme expose ses genoux ; ses longues chaussettes grises bordées d'un liseré turquoise dissimulent toute la surface de la peau de ses mollets, avant de disparaître dans ses chaussures plates noires. Ses cheveux, qu'elle me présente en lieu et place de son visage, sont divisés en deux sections égales et attachés par des élastiques noirs identiques en deux parfaites couettes afro. Elle n'a pas l'air d'avoir fomenté des troubles, elle n'en a jamais eu l'air. Elle a l'air d'une jeune fille qui se conforme aux règles, fait ce qu'on lui dit de faire et se sent humiliée d'avoir été convoquée dans le bureau du principal.

Je sais ce que tu as fait, lui dis-je en moi-même.

« Hum ! Hum ! » Le principal se racle de nouveau la gorge, et je me tourne vers lui. Je connais son nom, mais je ne m'en souviens plus. C'est une information qui m'est sortie de la tête au moment où j'ai pris conscience de ce que ma fille de quatorze ans avait fait. Ça y est ; je n'ai pas besoin qu'il me l'explique ; je sais de quoi il retourne.

Mais il le dit tout de même, parce que c'est une chose qui doit être affirmée à voix haute, qui doit être confirmée.

« Madame Mackleroy, j'ai le regret de vous dire que Phoebe est enceinte d'environ quatre semaines. »

2

Seize ans avant «ça» (juin 1995)

Le dos enfoncé dans mon siège, je serrais de toutes mes forces le bout des accoudoirs. Dans un vacillement à vous donner des haut-le-cœur, l'avion, le vol 4867 pour Lisbonne, a oscillé à gauche, puis, immédiatement, à droite. C'était pour cette raison que je détestais tant prendre l'avion. C'était pour cette raison que j'avais passé tant de temps à me demander si j'avais vraiment, vraiment besoin de «tout plaquer». Je n'étais pas sûre que mon désir d'échapper à l'anxiété et au stress de la maison de mes parents vaille la peine de m'enfermer dans cette boîte en métal qui tremblait dans les airs et ne me donnait aucune autre possibilité que d'attendre qu'elle regagne des cieux plus calmes et espérer qu'elle ne chute pas brutalement, m'obligeant alors à hurler, pleurer ou prier pour conjurer la mort.

Va au Portugal, m'étais-je dit. *Ce n'est qu'à deux heures d'avion. Tout ira bien. Deux heures, c'est seulement cent vingt minutes. Quelles sont les chances de subir des turbulences en un si bref laps de temps? Il y a des films qui sont plus longs que ça. Tout ira bien, Saffron. C'est certain.*

Tout allait mal. J'étais agrippée aux accoudoirs d'un siège d'avion, déterminée à ancrer mon esprit dans le présent, à refuser de laisser ma vie se rejouer devant mes yeux, persuadée que, si je pouvais empêcher que cela se produise, le reste – les hurlements/prières/pleurs pour conjurer la mort – ne se produirait pas non plus.

L'avion a basculé comme un fou. Au même moment, l'homme qui était assis à côté de moi, et dont la main gauche semblait sur le point d'être broyée par celle de sa petite amie, s'est tourné vers moi. « Vous pouvez vous accrocher à celle-là si vous voulez », m'a-t-il dit en me tendant sa main droite. Mon regard est passé de sa grande main aux ongles nets et coupés au carré au visage de la fille qui l'accompagnait. Ses yeux verts étaient écarquillés de terreur, ses cheveux roux et raides humides de sueur, mais elle a néanmoins réussi à m'adresser un bref hochement de tête, comme pour me dire : *Vas-y, imbécile, prends-la et accroche-toi. On est dans la même galère tous les trois.*

L'avion a brusquement plongé dans un trou d'air, et sa petite amie et moi avons toutes deux fermé les yeux en laissant échapper des « Ooooooh » simultanés. Je me suis immédiatement emparée de la main qui m'était offerte et m'y suis accrochée comme si ma vie en dépendait alors que l'avion continuait de brimbaler vers Lisbonne.

Je suis tombée dans une faille temporelle, j'ai plongé dans mon passé avec Joel et je suis revenue dans le présent avec une houleuse sensation de nausée au creux de mon ventre. D'ordinaire, les poches mémorielles dans lesquelles je retrouve Joel et notre vie d'avant « ça » ont tendance à me donner un petit coup de fouet inespéré, un petit quelque chose qui me permet de continuer mon chemin dans le présent. Pas cette fois-ci.

Cette fois-ci, le contenu du chaudron d'incertitude et d'inquiétude qui se trouve là où mon estomac devrait être continue de remuer frénétiquement. Pourquoi ? Parce que je suis désormais l'un de ces parents. Ceux sur qui on lit des articles dans des journaux en secouant doucement la tête ; ceux qui nous font dire : « Mais où étaient-ils ? » quand on entend que quelque chose d'horrible est arrivé à un enfant. Je sais que je suis désormais l'un de ces parents, parce que je suis assise ici, les mains croisées sur les genoux, le visage figé dans une expression neutre, à ressasser les révélations qu'un étranger, à peine quelques secondes plus tôt, vient de me faire concernant ma propre vie.

Je déteste avoir la nausée.

Je déteste avoir la nausée plus encore que je ne déteste vomir, parce que, au moins, quand on vomit, on extirpe le contenu de notre estomac, et, hormis la douleur au niveau des côtes ou de la gorge, il ne reste plus rien ; c'est réglé. La nausée, en revanche, s'installe au creux de votre être, remonte de temps à autre, menace de déborder avant de s'apaiser à nouveau, comme si quelqu'un cherchait à l'amalgamer et l'incorporer, l'incorporer et l'amalgamer, sans jamais vraiment y parvenir.

En ce moment précis, j'ai la nausée.

Ma fille, qui porte un uniforme de collégienne, que je dois encore aider à choisir ses chaussures, qui a toujours des ours en peluche dans son lit, est enceinte.

« Comptes-tu nous dire quelque chose, Phoebe ? » lui demandé-je en me tournant vers elle.

Au son de ma voix, son corps svelte de jeune fille de quatorze ans, qu'elle vrille pour ne pas avoir à me regarder, se tasse très légèrement. Mais, à part cela, aucun signe qu'elle m'ait entendue.

« Phoebe ? » Je prononce son nom gentiment, patiemment.

Rien.

Je porte mon attention vers les hommes qui sont en face de moi et me concentre sur le plus jeune, celui qui est beau. « Le » M. Bromsgrove. Pourquoi est-ce à lui qu'elle a parlé ? Parmi tous les habitants de cette ville, pourquoi lui ? Il est jeune, certes, mais pas tant que ça ; il doit probablement avoir mon âge, d'ailleurs. C'est-à-dire être assez vieux pour être son père. Ses cheveux sont coupés très court, ses traits sont un peu durs : il a l'air d'un homme qui ne se laisse pas faire facilement, mais qui peut se montrer doux et compréhensif quand il le faut. Il est mince, à la limite de la maigreur, et il porte une chemise blanche, une veste de costume bleu marine et un pantalon en velours côtelé beige. Ses yeux, de ce que je peux en voir derrière ses lunettes cerclées de métal doré, sont de la même couleur noisette que sa peau et paraissent bienveillants. C'est la première fois que je le regarde vraiment, que je le remarque, et, du coup, je comprends mieux pourquoi les autres mamans parlent autant de lui. Pourquoi elles sont attirées par lui. Pourquoi je serais attirée par lui si j'étais une adolescente. Ma fille est-elle attirée par lui ? Est-ce pour cette raison qu'elle s'est confiée à lui en premier ? Pensait-elle pouvoir créer un lien entre eux de cette manière ? Et si c'était pire que cela ? Et s'il avait quelque chose à voir avec son état ?

Je tourne mon regard vers le principal. *Comment avez-vous pu laisser une chose pareille se produire ?* ai-je envie de lui dire. *Quand elle n'est pas à la maison, elle est au collège. C'est donc forcément ici que ça s'est passé, derrière les murs de cet établissement.*

Furieuse, je contemple de nouveau « le » M. Bromsgrove. N'aurait-elle pas parlé de lui un peu trop souvent ? N'aurais-je pas vu son nom écrit quelque part dans sa chambre quand je suis allée vérifier son ordinateur ? Non, j'ai beau fouiller consciencieusement ma mémoire pour essayer d'y trouver quelque chose qui le désignerait comme le père de l'enfant que porte ma fille, il n'y a rien. Rien ne me vient à l'esprit, rien ne jaillit du fond de ma mémoire. Rien ne me laisse penser qu'il aurait pu se passer quelque chose entre eux.

Cela a pu se produire n'importe où, me dis-je en moi-même. *Cela a pu se produire n'importe où parce que je ne sais pas ce que fait Phoebe entre le moment où elle quitte le collège et le moment où elle rentre à la maison.* À la maison, elle est toujours en train d'étudier, ses notes le prouvent. Ou alors elle est assise dans le salon, dans un coin du canapé, son téléphone à la main, à envoyer des textos, des tweets, des statuts Facebook, et tous ces autres trucs auxquels je n'ai jamais vraiment prêté attention. Dans mon esprit, elle est à la maison, donc, en sécurité. Les mauvaises choses ne peuvent se produire qu'à l'extérieur. À partir du moment où elle est à un endroit où je peux la voir la plupart du temps, elle est en sécurité.

« Phoebe a refusé de nous révéler l'identité du père », affirme « le » M. Bromsgrove, coupant court à mes pensées. Du coin de l'œil, je la vois tourner légèrement la tête vers lui. Est-elle embarrassée qu'il m'ait dit cela, ou surprise, pour la simple et bonne raison qu'ils savent l'un comme l'autre que, en réalité, c'est lui ? Il m'est malheureusement impossible de le déterminer, puisque je ne peux toujours pas voir son visage.

« Madame Mackleroy, je ne sais pas ce que vous voulez faire, maintenant… » Le principal laisse cette phrase en suspens comme s'il s'attendait à ce que je la complète.

« Allez-vous prévenir les services sociaux ? » dis-je, dans l'intervalle qu'il m'a laissé.

Le principal se met à regarder « le » M. Bromsgrove, et je me demande si l'un d'entre eux a entendu l'inspiration légèrement trop forte que vient de prendre Phoebe. Ont-ils remarqué qu'elle retenait désormais son souffle ? Ont-ils conscience du fait que nous avons déjà été dans le collimateur des services sociaux, et que c'est exactement le genre de révélation qui pourrait tout faire repartir de zéro ?

« Le » M. Bromsgrove tourne son regard vers le principal, puis vers Phoebe, puis de nouveau vers le principal. Il ne me prend pas en compte dans son évaluation de la situation ; en réalité, il a consciencieusement évité de me regarder depuis que je suis entrée ; l'attention visuelle qu'il m'a accordée a brillé par son absence. *Pas de problème*, ai-je envie de lui dire, *je sais que je suis une mère indigne, vous n'êtes pas obligé d'éviter de me regarder par crainte que votre expression ne révèle votre dégoût. J'ai assez de dégoût de moi pour deux.*

Le principal finit par revenir à moi. « Je crois que l'on devrait commencer par essayer de faire sans. Nous pensons qu'il serait préférable que vous ayez d'abord une discussion avec Phoebe, afin de déterminer ce que vous souhaitez faire. Nous nous réunirons ensuite pour discuter des différentes solutions. » Son visage devient soudain cramoisi. « Je voulais dire, des différentes solutions concernant sa scolarité, naturellement. » Il recommence à déplacer nerveusement des papiers.

On amalgame, on incorpore. Le contenu du chaudron nauséeux, au centre de mon être, s'agite plus rapidement.

Seize ans avant « ça » (septembre 1995)

« Qu'est-ce que tu voudrais que je te prépare, ma belle ? » me demandait Joel. Nous sortions ensemble depuis deux mois (je ne compte pas le mois qui s'était écoulé sans que nous nous voyions après notre rencontre dans l'avion pour Lisbonne), et c'était la première fois que nous ne pratiquions pas ensemble une activité physique quelconque. Il y avait déjà eu bowling, randonnée (désastreux), roller, escalade, ski sur piste sèche et boîte de nuit. Ce soir-là, donc, il avait insisté pour que nous passions un moment calme et serein en dînant à l'appartement qu'il partageait avec son colocataire à Hove.

« Rien. Je ne pense pas que je pourrais avaler quoi que ce soit, lui ai-je répondu en massant mon ventre pour souligner mon propos. J'ai mangé toute la journée ; je n'ai plus de place pour rien.

— N'importe quoi. » Comme du sirop d'érable chaud, les douces tonalités de sa voix grave semblaient s'insinuer délicieusement en moi. « Tu peux choisir tout ce que tu veux dans la vaste sélection qu'offre mon frigo. »

Joel a ouvert la porte de son grand réfrigérateur blanc, révélant à mes yeux tout un monde de plaisirs : légumes frais, pâtes fraîches, pommes, mûres, fraises, myrtilles, beurre, fromage, jambon, poulet, saumon avaient été soigneusement disposés sur les trois étagères, la viande, la volaille et le poisson ensemble, les fruits et les légumes ensemble, le reste méticuleusement regroupé. Pas de boîtes de conserve aux couvercles à moitié ouverts dont le contenu s'encroûte un peu plus à chaque minute qui passe ; pas de restes qui laisseraient une flaque de décomposition visqueuse en disparaissant progressivement ; pas de pots aux couvercles rouillés et aux étiquettes tachées et à moitié décolorées.

Le reste de la cuisine, assez spacieuse pour un deux-pièces, était tout aussi impeccable. Et pourtant, tout semblait indiquer qu'on y cuisinait, mangeait, vivait. Sur le mur auquel était adossée la gazinière se détachaient deux longues étagères. Sur celle du haut, qui contenait des bouteilles d'huiles diverses et variées, étaient suspendus des piments, des tresses d'ail et des herbes. Sur celle du bas, on pouvait voir plusieurs bocaux transparents remplis de différents types de pâtes, riz, haricots secs et lentilles. Et en dessous, sur un râtelier, étaient disposés des flacons d'herbes séchées et d'épices. Alors que je passais en revue l'un des plans de travail, mon regard s'est posé sur un bloc en bois dont dépassaient six manches argentés de couteaux (de tailles différentes, ai-je imaginé). Et sur le rebord de la grande fenêtre qui permettait à la lumière de se déverser dans la pièce, j'ai remarqué des herbes aromatiques qui poussaient dans de petits pots en terre cuite (j'ai reconnu de la lavande, du basilic et de la ciboulette).

« Alors comme ça, toi et ton pote Fynn vivez ici tout seuls ? lui ai-je demandé.

— Oui. On s'est installés là quand on a terminé nos études et décroché de vrais boulots.

— Et vous êtes tous les deux dans la cuisine ?

— Non. Ça, c'est mon truc à moi. Fynn fait plus dans les voitures. Et les filles. Plutôt les voitures que les filles.

— J'avoue que j'ai du mal à comprendre comment deux individus si différents ont pu devenir si bons amis.

— On n'est pas si différents. Comme je te l'ai déjà expliqué, on s'est rencontrés à une journée portes ouvertes à Cambridge. Le courant est tout de suite passé, parce qu'il nous a fallu à peine dix minutes pour nous rendre compte qu'on était tous les deux là pour faire plaisir à nos parents.

— Et tu as pris le risque de les décevoir, c'est ça ?

— Non, j'ai pris le risque d'avoir une vie. Je n'avais pas vraiment envie d'y aller et je trouvais que ç'aurait été injuste de prendre la place de quelqu'un qui ne rêvait que de ça. Pareil pour Fynn. On s'est rencontrés de nouveau au moment des entretiens et on a échangé nos numéros. Après le bac, on a décidé de s'enfuir pour aller vivre au bord de la mer, histoire de ne pas avoir à entendre les lamentations de nos parents. Pendant toute une année, on n'a littéralement rien fait d'autre que de travailler et de festoyer. Et puis on a tous les deux repris des études techniques à Brighton. »

J'ai refermé la porte du réfrigérateur, je lui ai pris la main et l'ai regardé pendant quelques secondes. Il était de loin le plus beau de tous les garçons avec qui j'étais « sortie ». Il devait faire plus d'un mètre quatre-vingts, et était solidement bâti, avec de longs muscles noueux que je n'arrêtais pas de mater chaque fois qu'il était en manches courtes. À ce moment-là, je n'avais pas encore vu le reste, mais j'espérais bien que cela ne tarderait pas à arriver. Ses yeux, c'étaient deux lacs d'acajou liquide bordés de cils noir de jais. Son visage aurait pu avoir été sculpté dans du bois de noyer, si doux et sombre. Et sa bouche… Elle était toujours en train de me sourire. Chaque fois que je le surprenais à me regarder, soit il souriait, soit il semblait s'apprêter à le faire.

« Rien dans le frigo qui te ferait envie ? m'a-t-il demandé, en faisant mine de reposer sa main sur la poignée de métal.

— Pas dans le frigo, non », lui ai-je répondu. Et pour détourner son attention et l'inciter à se concentrer sur moi, je l'ai conduit jusqu'au spacieux salon, où je l'ai encouragé à s'asseoir afin de pouvoir me laisser tomber sur le canapé à côté de lui. « Je préférerais que tu me racontes ce que tu as fait au cours de cette année que tu as passée à travailler et festoyer.

— Ça t'intéresse vraiment ? »

Son sourire, de nouveau, a illuminé son visage de jeune homme de vingt-six ans. J'ai senti mon cœur fondre. Et au même moment, comme j'espérais tant qu'il le fasse, il a passé son bras autour de ma taille et m'a attirée contre lui.

« Oh ! oui, beaucoup. »

Nous sommes à l'arrêt de bus près du collège. Après le coup de téléphone de la secrétaire du principal, je tremblais trop pour envisager de me rendre à St Allison en voiture. J'ai donc dépensé presque toute la monnaie que j'avais pour prendre un taxi. Il me reste juste assez pour rentrer en bus, et Phoebe a son passe.

Sur le banc de plastique moulé, sous l'abri, nous sommes séparées l'une de l'autre par la distance que pourraient occuper deux personnes de corpulence moyenne. Nous sommes en avril, et, comme tout le monde, j'attends toujours les premiers signes annonciateurs du printemps, mais le temps ne se montre pas très coopératif. L'air autour de nous est frais, mais pas hostile. Je le préférerais néanmoins plus chaud. Il me serait certainement plus agréable d'attendre le bus si sa fraîcheur ne s'infiltrait pas sous ma veste.

« À un moment ou à un autre, il faudra bien que tu me parles. »

En guise de réponse, elle me présente sa nuque, se tordant le cou pour regarder non pas vers l'endroit d'où le bus doit venir, mais vers celui où se trouve la maison, puis, de nouveau, vers le collège.

Comprenant qu'elle ne m'accordera pas la moindre attention, j'arrête de l'observer pour me concentrer sur la route par laquelle le bus doit arriver. *Que signifie son attitude ? Qu'elle préférerait retrouver la sécurité du collège ou celle de la maison ? Ou bien simplement qu'en cet instant précis, elle préférerait être n'importe où plutôt qu'avec moi ?*

3

Il y a une tache violet clair sur le dallage blanc de notre cuisine. Une tache à la forme irrégulière que j'ai essayé de faire disparaître au cours des quinze derniers mois, mais en vain. On dirait que je suis la seule à la voir, ou alors, peut-être, qu'elle ne gêne que moi. En tout cas, je n'ai surpris personne à la regarder. J'ai essayé le vinaigre blanc, l'eau de Javel et divers détergents pour la faire disparaître mais aucun n'a fonctionné. Elle est toujours là, étalée sur six carreaux, à me rappeler ce jour où j'ai laissé tomber un bol de mûres et n'ai pas eu la présence d'esprit de nettoyer avant que le jus noir et visqueux s'infiltre sous la surface des carreaux blancs pour laisser un hématome sombre et permanent sur le sol de notre maison.

Chaque fois que j'entre dans la cuisine, c'est la première chose que je regarde. Je la regarde et je me souviens de l'engourdissement qui, avec une effroyable rapidité, s'est emparé de mon corps à ce moment-là ; des mûres s'écrasant sur le dallage ; du bruit du vieux bol, déjà abîmé et ébréché, se brisant sur le sol ; de cette curieuse sensation d'avoir expulsé tout l'air de mes poumons d'un seul coup.

Les pieds toujours enveloppés dans ses chaussettes grises, ma fille traverse la cuisine en marchant sur la tache comme si elle n'existait pas. Après s'être laissée tomber sur une chaise, celle qui est à côté de l'évier, celle sur laquelle elle s'est toujours assise, elle s'empresse de sortir son téléphone de la poche de sa veste. Elle ne devrait pas porter sa veste à la maison, mais, compte tenu de la situation, j'imagine que ça n'a que moyennement d'importance.

« Zane va rester chez Imogen ce soir. Ernest et lui voudraient essayer un nouveau jeu », lui expliqué-je. Je lui parle normalement, bien qu'elle m'ait royalement ignoré depuis sa convocation dans le bureau du principal. Néanmoins... se pourrait-il que les origines de son mépris soient plus profondes et plus anciennes ? Que j'aie cessé d'exister à ses yeux le jour où je me suis pliée à sa volonté en acceptant de ne pas parler à la police ? Et si c'était à ce moment-là qu'elle avait perdu tout respect pour moi ?

Zane, mon fils de dix ans, est avec Ernest, son meilleur ami. Ils se suivent de classe en classe depuis le CP. La mère d'Ernest, Imogen, s'est toujours montrée très gentille et compréhensive avec moi, notamment au cours de ces dix-huit derniers mois. Et pourtant, je ne lui ai pas raconté ce que j'ai appris aujourd'hui. Je n'arrive pas à trouver les mots pour me l'expliquer à moi-même. Alors à une femme qui a élevé trois enfants, dont deux ont passé le cap de l'adolescence en réussissant brillamment à éviter ce genre de scandale...

Quatorze ans avant « ça » (juin 1997)

Je traversais en courant notre appartement de Hove, les battements de mon cœur résonnant dans mes oreilles comme le bruit des sabots d'un troupeau de buffles. J'avais jeté la lavette avec laquelle j'étais en train de nettoyer les plans de travail pour répondre aux cris insistants de Joel, à l'autre bout de l'appartement que nous avions loué dans un très bel immeuble Art déco, sur le front de mer, et j'étais presque obsédée par l'idée de garder les lieux aussi propres et rutilants que possible.

« Quoi ? Qu'est-ce qui se passe ? » lui ai-je demandé. Il était debout dans la salle de bains, seulement vêtu d'un slip blanc, si serré, si moulé sur son corps que je me demandais comment son sang pouvait circuler entre son torse et ses jambes.

« Je crois que le moment est venu, Frony : il faut que tu me rases le dos.

— Et c'est pour ça que tu criais si fort ? J'ai cru qu'il y avait un problème. Ou au moins un truc important. »

Comme un léger voile de tulle noir, les poils de sa poitrine recouvraient le lavabo devant lui, et son torse était lisse et glabre. Ses abdominaux étaient encore plus proéminents et formidablement dessinés.

« Mais c'est important », m'a répondu Joel. Et il a froncé les sourcils en me regardant dans le miroir, son beau visage déformé par un sentiment de consternation feint à l'idée que je n'aie pas compris cela. « Et même extrêmement important. Il faut que tu me rases le dos.

— Euh... Je crois que je vais dire non », ai-je répliqué en m'asseyant sur le rebord arrondi de la baignoire blanche aux pieds en forme de patte de lion en cuivre. J'avais beau n'avoir aucune intention de raser quoi que ce soit, je comptais bien profiter de l'occasion pour admirer mon petit ami. J'adorais observer la façon dont ses muscles roulaient sous sa peau, ainsi que les minuscules et en apparence insignifiantes expressions qui passaient sur son visage sans se matérialiser sous forme de mots ou d'actions. J'adorais le regarder.

« Excuse-moi, mon cœur, mais je crois que ça fait partie du *deal* "pour le meilleur et pour le pire", a-t-il insisté d'une voix enjôleuse. Allez, il n'y en a pas pour longtemps. Un petit coup vite fait, et ce sera terminé.

— À combien de filles as-tu déjà dit ça ? » lui ai-je demandé en riant.

Un sourire aux lèvres, il s'est tourné vers moi et, après m'avoir attrapée par les bras pour me relever, m'a mis le rasoir électrique dans les mains.

« Et d'abord, pourquoi veux-tu que je te rase le dos ? Ça ne me dérange pas que tu sois poilu.

— Peut-être, mais tu ne peux pas t'imaginer à quel point c'est gênant d'avoir le dos velu. Surtout quand il fait chaud. »

J'ai regardé le rasoir : les lames semblaient malveillantes et dangereuses, comme si elles s'apprêtaient à trancher des morceaux de chair. « Attends, on est ensemble depuis deux ans, on vit sous le même toit depuis deux mois, comment se fait-il que ce soit la première fois que tu me demandes ça ? » La réponse, naturellement, m'est tout de suite venue à l'esprit : « C'est Fynn qui te rasait le dos jusqu'à présent ? Et toi, tu t'occupes du sien ?

— C'est un truc entre lui et moi, Frony. Il y a des choses qu'il est préférable que tu ignores.

— Vous deux, je te jure... Je me demande si je dois être jalouse ou admirative. Vous êtes tellement proches.

— Pas tant que ça. Allez, mon cœur, aide-moi. »

J'ai appuyé sur le gros bouton en caoutchouc, et le rasoir s'est allumé en vibrant violemment dans ma main.

« C'est un moment très important de notre vie commune, Frony. Je ne demande pas de me raser le dos à n'importe qui. D'ailleurs tu es la toute première femme à bénéficier de ce privilège. Attention, tu es sur le point d'être intronisée dans le grand temple de Joel.

— Le grand temple de Joel, bien sûr. » J'avais l'air confiant, mais, en réalité, je tremblais d'anxiété. Je ne voulais pas lui faire mal, jamais. Ma main a tressailli au moment où je l'ai posée au-dessus de son omoplate droite.

« Ne t'inquiète pas ; tu ne me feras pas mal », m'a-t-il dit d'un air grave. Ses yeux ensorcelants étaient fixés sur les miens dans le miroir. « Je sais que tu ne ferais jamais ça. »

J'ai immobilisé ma main, me suis obligée à arrêter de trembler. Il avait raison : je ne lui ferais pas de mal et j'étais parfaitement en mesure de l'aider. « O.K.

— De toute façon, tu ne pourrais pas : il y a une sécurité », a-t-il ajouté, et il a tellement ri que cinq bonnes minutes se sont écoulées avant que son corps redevienne immobile et que je puisse me mettre à l'ouvrage.

« Je comptais faire du poulet au pistou avec de la purée et des légumes pour le dîner », dis-je à ma première-née. Joel et moi avons mis ce qui m'a semblé être une éternité pour la créer. Chaque fois que mes règles se déclenchaient, la déception que je ressentais était extrême, mais à la seconde même où les deux barres du test sont devenues bleues, je me suis sentie totalement submergée par un sentiment de terreur et de panique bien plus violent que tout ce que j'avais pu connaître jusqu'alors. « J'ai déjà fait le pistou. Qu'est-ce que tu dirais de le manger avec des gnocchis à la place ? Ça irait plus vite. » Elle a la tête baissée, et son pouce droit est suspendu au-dessus du clavier sur lequel elle continue de taper. Comme si tout était normal, comme si rien n'avait changé.

Après avoir jeté un bref coup d'œil dans ma direction, elle hausse les épaules, comme pour me signifier que ça lui est parfaitement égal. Puis elle retourne à son téléphone, à sa vie réelle et importante. J'ai mal à la langue, à force de la mordre pour retenir le cri qui menace de s'échapper de ma poitrine. Avec ce hurlement qui continue de frémir à l'arrière de ma gorge, je me retourne vivement vers la casserole chromée, que j'apporte à l'évier. *Je ne crierai pas, je ne crierai pas, je ne crierai pas.* La phrase, comme une ballerine automate, ne cesse de pirouetter dans mon esprit.

Treize ans avant « ça » (août 1998)

« Tu préférerais que ce soit une fille ou un garçon ? me demandait Joel en posant sa main sur le renflement encore très léger de mon ventre de femme enceinte de trois mois. Je sais que tu seras heureuse dans un cas comme dans l'autre, mais, dans l'idéal, qu'est-ce que tu préférerais ?

— Un humain ? ai-je répondu en plaçant mes deux mains sur la sienne pour le rapprocher de notre enfant et, par la même occasion, m'accrocher à lui.

— Un humain, par opposition à… ?

— À un Klingon ? »

De sa main libre, il m'a attirée plus près de lui, et au moment où nous nous sommes allongés sur notre canapé, il a enfoui son visage dans le creux de mon cou, là où il pressait toujours ses lèvres fraîches. Je me suis mise à frissonner et à glousser. « Qu'est-ce que tu as contre les Klingons ? a-t-il marmonné.

— Rien du tout. D'ailleurs, je m'apprête à en épouser un. N'est-ce pas, monsieur Tête de cône ? »

Comme si je ne l'avais jamais appelé comme ça avant, il a aussitôt porté sa main à sa tête. « Je n'ai pas un grand front !

— Non, bien sûr que non », ai-je répondu en gloussant.

Il s'est mis à rire. « Ne l'écoute pas, bébé. Ton père n'a pas un grand front.

— C'est vrai, ai-je concédé. Il a un front énorme.

— Je vois bien ce que tu essaies de faire, Frony, mais ça ne marchera pas. Tu ne peux pas éluder la question. » Il s'était brusquement arrêté de rire.

« Désolée », ai-je marmonné. J'ai fermé les yeux pour essayer de réfléchir à l'avenir : lui, moi et un petit bébé. Et aussitôt, la peur incandescente de l'incertitude s'est emparée de mon esprit, déclenchant ainsi l'avalanche des innombrables inquiétudes qui reposaient toujours au fond de moi dans un équilibre précaire comme une pile de tasses à thé :

qu'est-ce qui allait se passer, qu'est-ce qui pouvait mal se passer, qu'est-ce que je pouvais rater ? Je ne voulais pas parler de mes pensées, de mes besoins, de mes rêves pour l'avenir, parce que j'avais peur que cela ne me porte la poisse, qu'en donnant un contour précis aux choses, je ne finisse par courir le risque de me les voir arracher. « Je ne sais pas ce que je veux, Joel, vraiment.

— N'aie pas peur », m'a-t-il dit. Et comme il savait à quel point j'étais inquiète, il a enroulé ses bras autour de mon ventre, et non pas seulement du bébé. « Tout va bien se passer.

— Tu ne peux pas le savoir.

— Si. J'en suis sûr.

— Et toi, qu'est-ce que tu voudrais ? » J'avais beau être angoissée, je ne voulais pas lui voler ce moment. C'était important pour lui. Je n'arrivais pas à me détendre complètement, mais le moins que je pouvais faire était de lui donner une occasion de s'exprimer.

« Une fille. Je serais heureux si c'était un garçon, ne t'y méprends pas, mais je préférerais tout de même une fille.

— Pourquoi ?

— Je ne sais pas, vraiment. Je... » Cherchant apparemment à considérer ma question sous tous les angles, il s'est interrompu pour se plonger dans l'un de ces silences qui m'étaient devenus à la fois familiers et réconfortants. « Je ne sais pas, j'imagine que ça fait partie de ces choses dont on pense avoir envie, alors qu'on n'a aucune raison réelle d'en avoir envie.

— Je vois », ai-je répondu. Je n'avais pas la moindre idée de ce qu'il entendait par là.

Je suis debout devant l'évier, et je regarde par la fenêtre les dernières lueurs du jour se fondre dans la pénombre du début de soirée à travers nos rideaux de papillons. Phoebe avait dix ans quand elle les a fabriqués. Elle avait passé des semaines à accrocher ensemble ces papillons de verre multicolores. Tous les soirs, elle s'asseyait sur un coussin dans un coin de notre salon et, à l'aide d'une large aiguille, enfilait sur du fil de cuivre les lépidoptères, qu'elle fixait ensuite un à un en faisant des nœuds avec des pinces à bijoux. Elle avait fait plusieurs guirlandes que son père avait accrochées à la tringle qui se trouve aujourd'hui encore au-dessus de la fenêtre de l'évier.

Ces rideaux projettent dans notre cuisine des reflets irisés, dont les couleurs sont plus prononcées encore quand le soleil est bas dans le ciel. Certains matins, je descends avant l'aurore pour m'asseoir à table avec une tasse de café et regarder la tache de mûres pendant que la pièce se remplit lentement de son illumination multicolore.

« Qui est le père ? » demandé-je à Phoebe en faisant claquer nos assiettes sur les sets de table imprimés de papillons que j'ai déposés pendant que les gnocchis cuisaient.

Après avoir attrapé la fourchette que j'ai placée devant elle quelques minutes plus tôt, elle pique une pâte trempée dans le pistou à la roquette. Mais elle ne lève pas sa fourchette pour la porter à sa bouche ; elle la repose doucement dans son assiette. En guise de réponse, je reçois un bref et discret haussement d'épaules frêles et osseuses.

Un sentiment de panique se met à tourbillonner en moi : « Tu ne sais pas qui est le père ou tu ne veux pas me le dire ? »

Cette fois-ci, elle ne hausse qu'une seule épaule.

Je prends une profonde inspiration, avant d'expirer aussi lentement que possible. Je sais ce que Joel aurait dit en ce moment précis. Il m'aurait rappelé qu'elle n'a que quatorze ans, qu'elle est terrifiée et qu'il y a des choses bien pires que de tomber enceinte. Il m'aurait encouragée à ne pas la bousculer. Il m'aurait invitée à essayer de me souvenir de ce que l'on ressent quand on est dans une position similaire à la sienne. Il m'aurait dit toutes ces choses et il aurait eu raison.

Au moment où je prends ma fourchette, je n'ai aucun mal à me représenter la pure terreur que peut nous inspirer une mère, quand on a déjà peur de la contrarier et qu'on se retrouve convoquée avec elle dans le bureau d'un principal qui lui apprend sur vous des choses que vous pensiez pouvoir lui cacher. Je n'ai pas oublié les mots qui se déversaient lentement de la bouche de ma mère, et dont chaque syllabe me piquait littéralement au vif. Je n'ai pas oublié que je gardais le silence tant que sa colère ne s'était pas apaisée, parfois une semaine si elle avait décidé de m'ignorer pendant tout ce temps parce que, à ses yeux, j'avais jeté le discrédit sur notre famille.

Mais la situation est différente aujourd'hui : ce n'est pas en ignorant le problème qu'on le fera disparaître ; ce n'est pas en faisant comme si de rien n'était qu'on trouvera une solution. D'un geste déterminé, je baisse ma fourchette et la repose, dents vers le haut, sur le rebord de mon assiette. « Tu sais, Phoebe, tu ne peux pas régler ça par un simple haussement d'épaules. » Ma voix est calme et raisonnable ; rien à voir avec ce que je ressens au fond de moi. « C'est peut-être comme ça que tu as envie de te comporter, mais tu dois comprendre qu'on ne peut pas résoudre un problème d'adulte en se conduisant comme une enfant.

— Alors c'est comme ça que tu me vois, hein ?» Sa voix n'est plus qu'un hurlement strident ; son visage, déformé, m'évoque celui d'un animal blessé et acculé s'apprêtant à attaquer. « Un problème ? C'est tout ce que je suis pour toi, c'est ça ? Un problème ? »

Et maintenant, que faire ? Je n'en ai aucune idée, bien sûr. Joel, lui, aurait su, probablement. Il aurait dit ce qu'il fallait, fait ce qu'il fallait. Mais moi ?

Je n'arrête pas de penser : ELLE EST ENCEINTE.

Je n'arrête pas de penser : ELLE A EU DES RAPPORTS SEXUELS.

Je n'arrête pas de penser : ELLE NE ME L'A PAS DIT.

Deux mois plus tôt, ma petite fille me demandait encore de lui acheter des peluches. Six mois plus tôt, elle courait avec son frère pour être la première en haut du toboggan du parc, et elle criait de joie en glissant dessus. Trois mois plus tôt, elle avait treize ans et était encore une petite fille. Ma petite fille. Ma petite fille a une vie sexuelle. Elle est tombée enceinte comme une adulte. Et maintenant, elle se comporte comme une enfant. Comment suis-je censée réagir ?

« Est-ce que tu comptes faire face à cette "situation" comme une adulte ou comme une enfant ? C'est ça que je voulais dire. Tu ne peux pas effacer ce que tu as fait par un haussement d'épaules. J'ai besoin de savoir ce qui s'est passé. Qui est le père. Si tu le lui as dit. Ce qu'il en pense, éventuellement. »

Après son accès de colère, Phoebe a continué de manger, mais, maintenant, elle pousse les gnocchis sur le bord de son assiette du bout de sa fourchette, qui laisse sur son sillage des traînées de pistou. Joel faisait souvent cela. Comme s'il essayait de peindre un paysage sur son assiette. Phoebe tient ça de lui probablement ; elle a dû copier cette manie. Ou peut-être est-ce génétique, une chose à laquelle ils étaient tous deux prédisposés.

« Tu l'as dit au père ? » lui demandé-je.

Elle secoue la tête, le regard fixé sur le gnocchi qui poursuit son chemin à travers son assiette. Par mimétisme, j'observe, moi aussi, ce petit œuf crémeux et rebondi composé de pomme de terre, de farine de blé, de lait en poudre et de je ne sais quoi d'autre encore que les fabricants ont pu y ajouter. Joel n'a fait des gnocchis qu'une seule fois. Mais il a utilisé des œufs et de la crème, je crois. De la crème ou bien du parmesan ? Peut-être les deux, je ne sais plus. Ce que je sais, c'est qu'il n'en a jamais refait. D'après lui, le jeu n'en valait pas la chandelle. Chaque semaine, quand il préparait du pistou, Phoebe et Zane tentaient de le convaincre de faire également des gnocchis, parce que les premiers avaient été selon eux délicieux. Mais Joel tenait bon ; il ne se laissait pas émouvoir par leurs flatteries.

« C'est ton petit ami ? » demandé-je à Phoebe en me forçant à revenir dans le présent. Je continue de tomber régulièrement dans ces failles temporelles, et, chaque fois, je me retrouve là-bas, avec lui, avec eux, avec nous, tels que nous étions. Ce n'est pas le moment, pourtant. Il faut que je reste concentrée. Ici et maintenant.

Phoebe s'immobilise et hoche la tête une fois. Elle s'interrompt. Secoue la tête quatre fois. Hoche la tête cinq fois. Puis hausse les épaules. Le sempiternel haussement d'épaules. Il pourrait me faire hurler à en casser les murs de la maison, je crois.

« Es-tu amoureuse de lui ? » J'ai besoin de savoir ce que cette grossesse signifie pour elle. Si elle considère son bébé comme un enfant de l'amour, si elle a fait cela volontairement, pour pouvoir se rapprocher de ce garçon sans nom, ou bien s'il ne s'agit au contraire à ses yeux que d'une énorme erreur.

Phoebe ne répond pas ; elle ne se donne même pas la peine de me regarder, car nous savons toutes deux qu'il s'agit d'une question stupide. Les filles de quatorze ans sont toujours amoureuses. Ce sentiment pétillant, éclatant, tourbillonnant est inhérent à leur être. Elles sont persuadées que l'amour imprègne chacune de leurs inspirations, chacune de leurs expirations.

J'ai envie de lui dire que ce n'est pas de l'« amour ». Que l'« amour » n'est pas immuable, qu'il change avec nous, qu'il est modelé par nos expériences, les choses que nous faisons, les personnes que nous rencontrons, les choses que nous apprenons. J'aimerais lui expliquer que les sentiments qu'elle ressent maintenant évolueront avec le temps, et que, même si elle reste avec le même garçon jusqu'à la fin de sa vie, cette vision de l'amour ne restera pas identique à ce qu'elle est aujourd'hui ; ce n'est jamais le cas.

Question idiote, donc. Mais pas pour les raisons que je pensais : « Tout le monde cherche à pécho tout le monde, maman. Ça veut rien dire du tout. Ça veut pas dire qu'on est amoureux ou je sais pas quoi.

— Qu'est-ce que tu entends par "pécho" ? » demandé-je. Je ne suis pas stupide ; j'ai simplement besoin de m'assurer que je l'ai bien comprise.

« Ben…, pécho. Tu vois, quoi ? »

Non, je ne vois pas. Ou bien je n'ai pas envie de voir, je ne sais pas. « Donc, tu es enceinte parce que tu t'es fait "pécho" ? »

Elle ne dit rien, parce que, apparemment, le contenu de son assiette lui paraît tout à coup très intéressant, au point qu'il semble absolument déterminant qu'elle enfourne deux gnocchis à la fois dans sa bouche et qu'elle les mastique très lentement, ce qui la met momentanément dans l'incapacité de parler.

Complètement déstabilisée, je baisse la tête vers mon assiette, moi aussi, et nous mangeons en silence. Au bout de cinq minutes, je relève les yeux vers elle. Ses couettes enfantines, son uniforme d'écolière gris bordé de turquoise, le bracelet brésilien constellé de papillons en plastique transparent qu'elle porte à son poignet gauche. *Pécho ? Cette petite fille qui se trouve en face de moi s'est fait pécho ?*

« Tu as quatorze ans, lui rappelé-je. Est-ce qu'on peut vraiment se faire "pécho" à quatorze ans ? »

Le bois de la table m'empêche de voir son ventre, l'endroit où la réponse à ma question est en train de grandir. *Se faire « pécho » ? Qui se fait « pécho » ?* Tout le monde, apparemment.

Cinq mois avant « ça » (mai 2011)

« Mais enfin… Pourquoi me fais-tu subir cette horreur, Joel ? Est-ce que tu as au moins une raison valable de vouloir me casser la tête, comme ça ?

— Je fais du porridge, c'est tout», m'a-t-il répondu en riant. Ses rires emplissaient toujours la pièce dans laquelle il se trouvait comme le divin parfum du beurre fondu ; ils s'insinuaient en moi comme du sirop pour me rappeler toutes les belles choses de la vie.

«Non, tu fais du porridge dans une casserole en métal avec une cuillère en métal. Et tu sais très bien que je ne le supporte pas. Alors, pourquoi, hein ? Pourquoi ?» J'ai pointé du doigt le récipient placé à côté de la gazinière qui regorgeait d'ustensiles divers et variés : presse-purée, râpe à fromage, spatule, et des quantités astronomiques de cuillères en bois de tailles différentes. «Tu as des milliers de cuillères en bois. Il y en a partout ; on ne sait plus quoi en faire. Alors je ne vois pas pourquoi tu utilises des cuillères en métal dans des casseroles en métal.

— Pour qu'il y ait moins de vaisselle à faire. Je fais mon porridge avec cette cuillère, et je le mangerai avec aussi.

— Comme si c'était toi qui faisais la vaisselle ! Ah, autre chose : au cas où tu ne l'aurais pas remarqué, et ce ne serait pas faute de te l'avoir répété, ce n'est pas du porridge ; c'est du ciment.

— C'est la seule façon de manger le porridge.

— Je vais réveiller les enfants», ai-je dit.

Après avoir attrapé la télécommande pour mettre le journal de la BBC, il s'est assis à sa place. En passant à côté de lui pour monter à l'étage, j'ai fait glisser ma main dans sa chevelure.

D'un geste tendre, Joel a pris mon poignet et m'a attirée vers lui pour embrasser la paume de ma main. «Je suis fier de toi et de tout ce que tu fais», m'a-t-il avoué d'une voix basse, avant de retourner à son ciment beige et aux nouvelles du monde, à ses quelques minutes de paix avant que notre univers se remette à tourner autour de notre famille.

La nausée continue de tourner, mais, maintenant, elle s'enfonce de plus en plus profondément dans mon ventre. Je devrais probablement manger davantage pour qu'elle cesse, la sensation est toujours plus forte quand j'ai faim, mais je ne peux plus rien ingurgiter. Ma bouche ne me permettra pas de mâcher ou d'avaler davantage. Le sentiment d'échec que je ressens en ce moment précis, l'horrible prise de conscience de mon statut de mère indigne me rapprochent de plus en plus dangereusement du point où il ne me restera plus d'autre solution que de vomir. Une fois que j'aurai fait disparaître cette sensation incommodante, je me sentirai mieux, c'est certain ; la nausée se calmera suffisamment pour me permettre de réfléchir comme il faut.

« As-tu la moindre idée de ce que tu comptes faire ? » lui demandé-je.

Elle secoue la tête.

« Tu veux que j'arrête de parler de ça ? »

Hochement de tête.

« Moi aussi, avoué-je. Écoute, je sais qu'il est tôt, mais si on allait se coucher ? La nuit porte conseil. On en reparlera demain matin ? »

Haussement d'épaules. « Si tu veux. »

Je presse mes doigts contre mes tempes et ferme les yeux pour lutter contre la bile qui est brutalement et inopinément remontée le long de ma gorge.

Je ne crierai pas. Je ne vomirai pas et je ne crierai pas.

« Écoute, Phoebe, le problème, ce n'est pas ce que je veux, moi. J'essaie de... C'est une situation à laquelle je n'ai jamais imaginé devoir être confrontée un jour. Tu ne sors pas le soir et tu ne me demandes même pas à aller chez tes copines. Pour autant que je sache, tu vas au collège, et tu reviens à la maison. Ce n'est pas une chose dont je pensais devoir me préoccuper maintenant.

« Et comme tout cela est un véritable choc, je n'ai pas pu réfléchir à la façon dont j'allais réagir. Je ne sais donc pas quoi faire ou dire, et encore moins quoi faire ou dire pour ne pas te peiner. Par ailleurs, j'essaie de ne pas prendre trop à cœur le fait que tu as décidé d'en informer l'un de tes professeurs et pas moi, comme si j'étais un dragon qui allait te hurler dessus. Je pensais que tu savais que tu pouvais me faire confiance. Après ce qui s'est passé, après... Ce que j'essaie de te dire, c'est que je ne t'ai pas crié dessus la dernière fois, n'est-ce pas ? J'ai compris ; j'ai fait ce qu'il y avait de mieux pour toi. Et malgré cela, tu es allée annoncer cette nouvelle à un étranger...

— C'est pas un étranger, se contente-t-elle d'affirmer.

— C'en est un pour moi ! » répliqué-je sèchement, tout étonnée qu'en dépit des innombrables problèmes que soulève sa situation, il lui semble tout de même important de défendre son professeur. J'inspire pour faire passer de l'air jusqu'au fond de mes poumons, pour mobiliser toute ma volonté. J'expire pour libérer la colère et la tension. « Écoute » – ma voix paraît de nouveau normale –, « allons nous coucher, maintenant. On en reparlera demain. Avec un peu de chance, nous aurons toutes les deux les idées plus claires, et tu seras peut-être plus disposée à m'en dire davantage. D'accord ? »

Haussement d'épaules. Puis hochement de tête.

Je me lève la première. Nous avons toutes deux laissé de petits tas de nourriture dans nos assiettes, moi plus qu'elle, ce qui ne m'empêche pas d'envisager, l'espace d'un instant, de lui demander de finir, de lui rappeler que, quoi qu'elle puisse décider, elle aura besoin de toutes ses forces dans les semaines et les mois à venir. Mais je ne peux pas faire ça. Cela sonnerait faux ; cela ne ferait que mettre de l'huile sur le feu.

Avant qu'elle ait eu le temps de s'échapper, je passe de son côté de la table et la prends dans mes bras. J'ai beau avoir envie de lui hurler dessus, je l'aime et je veux qu'elle le sache. Elle est tout pour moi. Elle et Zane sont tout pour moi, notamment depuis ce qui est arrivé à Joel, notamment depuis le secret que j'ai été contrainte de garder et le choix qu'il m'a fallu faire. Je veux que Phoebe sache que je ne regrette pas, que ça n'a pas été facile, mais que je l'ai fait pour elle, parce que je l'aime de tout mon cœur.

Entre mes bras, je la sens se crisper. Elle est incapable d'accepter quoi que ce soit de tendre de ma part. Zane et elle, je leur fais tout le temps des câlins, et si le petit me serre en retour dans ses bras ou lève les yeux au ciel en attendant que ça se passe, la réaction qu'adopte Phoebe est presque toujours la même depuis quelque temps : son corps devient raide entre mes bras, comme pour me rappeler que notre famille est brisée et que quels que soient les efforts que je ferai pour la rassembler, ils seront toujours vains.

«Je t'aime, mon bébé», murmuré-je, comme je le faisais tous les jours quand elle était un nouveau-né, puis une petite fille. «*Je t'aime, mon bébé*», lui répétais-je. Parce qu'elle m'avait sauvée. Pour des raisons que je n'avais même pas avouées à Joel, elle m'avait aidée à reprendre ma vie en main et à surmonter certaines de mes plus grandes craintes. Mais cette époque, coupée court par la guillotine de la disparition de Joel, s'est brutalement terminée quand elle avait douze ans et demi.

Je me vois gratifiée par Phoebe d'un autre haussement d'épaules, dont le but manifeste est de se débarrasser de moi. *Je n'ai pas besoin de toi*, me fait-elle comprendre. *Et certainement pas de tes déclarations d'amour.*

Je tends la main vers elle au moment où elle atteint la porte. «Donne-moi ton téléphone.

— Quoi ? fait-elle en prenant un air incrédule.

— Tu as besoin de dormir, et tu ne peux pas le faire si tu passes ta nuit à envoyer des textos ou à surfer sur le Net. Téléphone.

— Non.

— *Téléphone !*»

Elle referme les deux lignes rebondies de ses lèvres devant ses dents serrées, et ses yeux, plissés par le dégoût, ne sont plus que deux fentes. Je soutiens son regard, lui rappelant silencieusement les règles : après ce qu'elle a fait la dernière fois, je lui ai dit qu'elle ne pourrait avoir un téléphone qu'à condition qu'elle me le donne, avec le mot de passe, chaque fois que je ressentirais le besoin de le lui demander.

Sa respiration se fait bruyante, saccadée, au moment où elle se met à fouiller dans le sac à dos qu'elle a décoré de papillons de verre bleus, violets et rouges semblables à ceux qu'elle a utilisés pour confectionner les rideaux. Elle finit par jeter sur la table le gadget noir et chromé. Mais sans me laisser le temps de le récupérer, elle s'en empare à nouveau, ouvre la coque et en extrait la batterie rectangulaire, qu'elle se hâte de glisser dans sa poche. Elle ne veut pas que je découvre les secrets que renferme sa petite boîte.

« Pour ta gouverne, m'écrié-je, la forçant à m'écouter avant qu'elle quitte la pièce, j'emporte aussi la box dans ma chambre. »

Quand elle comprend que je l'ai coupée du monde pour le reste de la nuit, qu'elle ne pourra pas envoyer d'e-mails ou se connecter sur les réseaux sociaux ni avec son iPod ni avec son ordinateur, elle sort de la cuisine en courant, martyrise les marches de l'escalier et claque si violemment la porte de sa chambre que la maison a dû en trembler jusque dans ses fondations.

Je n'ai pas le temps de gagner les toilettes de l'étage. Je me précipite vers la petite pièce carrelée adjacente à la cuisine et dotée d'un petit lavabo. Et une fois à l'intérieur, je me mets à genoux, relève l'abattant des toilettes et libère enfin l'angoisse et la terreur qui se sont mêlées en moi depuis que le téléphone a sonné et que j'ai compris que ma vie, une fois encore, avait pris ce terrible tournant.

« Ça »

Mes doigts sont engourdis, mon corps est engourdi, et, soudain, je manque d'air. Il y a le crépitement de dizaines de mûres qui tombent sur le sol, il y a le fracas d'un bol de céramique blanche qui percute le dallage de céramique blanche.

Secouant violemment la tête, je me tire de là, m'extirpe de la faille temporelle pour revenir là où je me dois d'être, dans le présent. Devant la chambre de ma fille.

Elle est discrète, prudente, mais je peux tout de même entendre ses sanglots, qui ne sont qu'en partie étouffés par son oreiller. Elle a besoin de dormir et elle a besoin de pleurer. Elle a besoin de se retrouver seule avec elle-même pour prendre la mesure de ce qui lui est arrivé. Ce n'est pas en cherchant à ignorer la douleur qu'elle s'en tirera, cela risque même de devenir une habitude littéralement impossible à éradiquer. C'est pour cette raison que je lui ai supprimé ses distractions interactives, que je l'ai obligée à rester seule, de sorte qu'elle puisse commencer à prendre la mesure de la situation. Je ne voulais pas la punir, mais simplement l'aider à accepter les choses. Contrairement à la disparition de son papa, il s'agit d'une situation où le temps joue en sa défaveur : esquiver le problème, prétendre qu'il n'existe pas, tout cela ne pourra fonctionner que pendant un très bref laps de temps ; nous avons toute la vie, en revanche, pour faire le deuil de Joel.

Je passe devant sa chambre pour me rendre dans la mienne (ça me fait toujours un peu mal au cœur de songer qu'après avoir été notre chambre pendant près de dix années, elle est si brutalement devenue la mienne), mais je n'y entre pas. J'ouvre la porte, dépose la box à l'intérieur, puis referme la porte comme je le fais toujours, de sorte que Phoebe pense que je suis allée me coucher. Je louvoie ensuite dans le couloir pour éviter les lattes grinçantes du parquet. Et je m'arrête à côté de sa chambre. Une fois assise par terre, je touche brièvement du bout des doigts le plancher sombre et chatoyant. *Je t'aime, mon bébé*, prononcé-je sans le dire. Et j'espère de tout mon cœur qu'elle m'a entendue. Que ces mots se sont infiltrés dans le bois, puis ont flotté dans l'air jusqu'à elle afin qu'elle puisse les respirer.

C'était la seule chose que je pouvais faire il y a dix-huit mois. Comme ni Zane ni Phoebe ne voulaient dormir dans mon lit avec moi, et comme je ne pouvais pas me dédoubler, je m'asseyais là, entre leurs deux chambres, je murmurais « Je t'aime » à chacun d'entre eux et puis je les écoutais, impuissante, s'endormir en pleurant.

C'est la seule chose que je puisse faire pour Phoebe maintenant, car elle a besoin, vraiment besoin d'être seule pour prendre la mesure de tout ce qu'elle va devoir endurer.

« Saff, qu'est-ce qu'il y a ? Qu'est-ce qui se passe ? » La voix de Fynn, si familière, procure un sentiment de réconfort immédiat à mon corps crispé et troublé, mon esprit agité et angoissé.

« Je suis désolée. Je sais qu'il est tard et je ne voulais pas te réveiller, mais je ne voyais pas qui d'autre appeler.

— J'arrive, dit-il, et ses propos sont suivis d'un son qui évoque le bruissement de draps violemment rejetés sur le côté par quelqu'un qui se redresse dans son lit pour en sortir.

—Non, non, ne te dérange pas. J'ai juste besoin de parler à quelqu'un avant que ma tête explose.

—D'accord», dit-il prudemment, comme s'il se préparait au pire. Mais le pire, qu'est-ce que c'est? Le pire, il l'a déjà entendu. Est-ce à cela qu'il se prépare? À apprendre qu'une autre personne qu'il aime lui a été arrachée.

«*Il faut que tu viennes*, lui avais-je dit. *Il est arrivé quelque chose. À Joel. Il est arrivé quelque chose à Joel. Il faut que tu viennes ici. Il faut que j'aille à l'hôpital.*» Il n'avait pas répondu tout de suite, cette fois-là. Il avait gardé le silence pendant de très, très, longues secondes qui étaient passées comme une éternité, et puis il s'était extirpé de sa torpeur pour me dire qu'il arrivait. Je lui avais téléphoné avant d'appeler les parents de Joel, avant d'appeler mes parents ou ma sœur, parce que je ne savais pas si je serais en mesure de parler de nouveau une fois que j'aurais prononcé ces mots à voix haute. Je voulais qu'il vienne et je voulais qu'il le dise aux personnes de notre entourage, parce que j'avais d'autres choses à faire. Il fallait que j'aille l'identifier, il fallait que j'aille chercher les enfants pour le leur annoncer. Il fallait que je fasse comme si je croyais que rien de tout cela ne s'était passé. Et je savais que je ne pourrais réussir que si Fynn était là, lui aussi.

Ce soir, il expire doucement mais longuement, et je n'ai aucun mal à imaginer sa réaction: il referme ses yeux bleu marine, ses larges épaules s'affaissent, mais son torse se contracte. *Tu peux le faire, Fynn*, se dit-il en lui-même. *Quoi qu'il ait pu arriver. Il n'y a rien que tu ne puisses surmonter.*

«Phoebe est enceinte», lui dis-je. L'espace d'une seconde, j'ai envisagé de faire les choses en douceur, de lui expliquer le coup de téléphone, le principal, «le» M. Bromsgrove, comment j'avais compris ce qui s'était passé avant qu'on me le dise. Mais après mûre réflexion, j'ai fini par conclure que cela aurait été cruel. Les révélations de cette importance doivent être faites de façon directe, d'un coup, quitte à arrondir les angles pour réconforter ensuite. En y ajoutant un préambule, on court le risque de promener son interlocuteur dans toutes sortes d'endroits lugubres qu'il n'a pas besoin de visiter.

La réponse inaudible de Fynn me semble être la manifestation d'un choc. «Phoebe qui?» finit-il par marmonner. Non, il n'est pas choqué; il est désorienté; il me demande de qui je parle parce que c'est une idée qui lui paraît tellement absurde qu'il n'arrive pas à s'imaginer qu'il puisse s'agir de la seule et unique Phoebe qu'il connaisse.

«Ta filleule, la sœur de Zane, ma fille et celle de Joel.»

Nouveau silence à l'autre bout du fil. «Mais elle n'a que quatorze ans, affirme-t-il quand il se remet à parler. Il faut… Enfin, tu sais ce qu'il faut faire, pour tomber enceinte, et elle n'a que quatorze ans.

—Je sais.

—Tu en es sûre, Saff?» Il pense que je débloque, que j'ai perdu la boule.

«Oui. Elle l'a dit à l'un de ses profs, et le principal m'a appelée. Elle est enceinte d'environ quatre semaines. Ou je ne sais combien en termes de semaines d'aménorrhée.»

Silence. Cette fois-ci, c'est le choc. « Bordel de merde », souffle-t-il. Il comprend, il sait pourquoi je panique : il n'y aura pas d'issue facile ; quoi qu'il puisse arriver ensuite, Phoebe, mon bébé, sera marquée à jamais.

« Elle ne veut pas me dire qui est le père, lui expliqué-je avant qu'il le demande. En gros, d'ailleurs, elle ne veut pas me parler du tout. Quand je lui pose une question, je n'obtiens qu'un haussement d'épaules, ou quelques mots tout au plus, mais rien qui me permette de comprendre comment et pourquoi c'est arrivé. Je ne sais pas si elle a été forcée, mise sous pression, manipulée. Si elle avait envie de le faire. Si tout avait été planifié ou si elle a l'impression d'avoir commis une erreur. Je ne sais pas, et, du coup, je ne sais pas comment l'aider. Je ne sais pas ce que je suis censée faire. Je voudrais juste qu'elle me parle. Je voudrais juste pouvoir réfléchir à tout cela comme il le faut. Je voudrais juste ne plus avoir tout le temps envie de lui hurler dessus.

— Tu veux que je lui parle ?

— Oui, merci, et j'espère vraiment qu'elle se confiera à toi, mais pas maintenant. J'ai peur qu'elle ne me fasse une scène si elle apprend que je l'ai dit à quelqu'un. Mais il fallait que je le fasse ; j'avais l'impression que ma tête allait exploser. Il y a tellement de choses qui se bousculent dans mon esprit en ce moment que je n'avais pas le choix : il fallait que j'en évacue une partie. C'était soit toi, soit creuser un trou dans le jardin et hurler, mais je ne pense pas que notre jardin soit suffisamment grand pour le trou qu'il m'aurait fallu.

— Ce n'est pas ta faute, me dit-il, en lisant dans mes pensées comme l'aurait fait Joel.

— Ah oui ? Tu as trouvé ça tout seul ?

— Ce n'est pas ta faute, répète-t-il sur un ton plus ferme.

— Fynn, je sais que je te l'ai déjà dit, mais quand on a des enfants et qu'il leur arrive un malheur, même une petite égratignure, on se demande toujours ce qu'on aurait pu faire pour éviter ça. » Pour que ma fille de quatorze ans ne soit pas si terrifiée, qu'elle ne s'endorme pas en pleurant parce que le monde des adultes, qui devait venir à elle par petites touches au fil des années, l'a brutalement submergée sous sa réalité. Et ce pour la deuxième fois.

« Qu'est-ce que tu aurais pu faire, alors ? » Derrière cette question très raisonnable, qui vise à me déculpabiliser, il y a un homme déstabilisé. Je l'entends dans le timbre de sa voix, dans l'espacement de ses mots. L'expression « bordel de merde » doit se répéter en boucle dans son esprit, et je pourrais jurer qu'il est en train de se masser nerveusement la tempe.

« Je ne sais pas, avoué-je.

— Et pour cause, ce n'est pas ta faute. Tu veux que je passe ?

— Non, ça va aller. Mais merci de ne pas avoir rejeté la faute sur moi.

— Je n'aurais jamais fait ça. Et Joel non plus, d'ailleurs.

— Tu as raison. Bonne nuit, Fynn.

— Bonne nuit. »

J'ai dû me montrer convaincante, parce qu'il n'a pas essayé de me garder au téléphone plus longtemps et il n'a pas non plus insisté pour venir me parler en personne. C'est donc qu'il est tout à fait plausible que je ne sache pas comment j'aurais pu empêcher cela de se produire.

Mais, pour moi, la réponse est évidente. J'ai beau tourner la question dans tous les sens, essayer de la considérer sous des angles différents, j'en arrive toujours à la même conclusion : rien de tout cela ne serait jamais arrivé si Joel avait été vivant. Phoebe n'en serait pas là si je n'avais pas provoqué la mort de son père.

4

Des limaces ont grignoté mon potager.

Il y a des périodes où tout va bien et où je ne détecte aucun signe de leur passage, mais de temps en temps, quand je vais arroser mes « cultures » le matin avant d'aller travailler, la preuve argentée et visqueuse de leur présence inopportune scintille sous mes yeux. Ce matin, on dirait que les limaces ont fait une orgie dans le carré de légumes, en dépit de la bordure de coquilles d'œufs brisées que j'ai pris soin de mettre en place tout autour. Je n'ai pas dû me montrer suffisamment prudente, ou alors il y en a une qui a fait office de cheval de Troie, qui s'est cachée sous les feuilles d'épinards et qui a échafaudé un plan pour faire venir les autres, ça ne peut être que quelque chose comme ça, parce qu'elles ont décimé toute la zone. Le carré d'épinards est de toute évidence la partie qui a le plus souffert : je suis certaine que si j'y regardais de plus près, je pourrais trouver de minuscules bouteilles de bière, des feuilles de Rizla + et des emballages de préservatifs.

Il est 9 heures passées, Phoebe ne s'est pas montrée, et je ne me suis pas donné la peine de la réveiller. Il a fallu que je m'organise. J'ai dû prendre ma journée. Or, comme le congé pour raisons familiales que j'ai réclamé il y a dix-huit mois s'est prolongé jusqu'à devenir l'équivalent de deux congés annuels, on me regarde toujours de travers quand je demande ne serait-ce qu'à quitter une heure plus tôt. Kevin, mon supérieur, le directeur d'exploitation de ma boîte, a gardé le silence pendant un long moment quand je lui ai expliqué, il y a quelques minutes, que j'avais une urgence médicale et qu'il fallait que je m'absente pour la journée. Des stalactites de glace suspendues à chacune de ses syllabes, il a fini par me demander si je serais « vraiment » là demain. En guise de réponse, j'ai eu envie de lui chanter un couplet de « Love Lifts Us Up Where We Belong », qui dit en substance que personne ne sait ce dont demain sera fait, et je suis certaine qu'un homme bien aurait apprécié, et même ri. Mais Kevin n'étant pas vraiment ce que l'on pourrait appeler un homme bien, j'ai fini par me raviser, jugeant préférable de répondre : « Oui, bien sûr » en croisant les doigts derrière mon dos.

Puis j'ai pris un rendez-vous chez le docteur pour Phoebe. Et j'ai eu beau appeler à 8 heures moins une (alors que le secrétariat ouvre à 8 heures), j'ai dû attendre un temps infini pour entendre une dame m'annoncer que le médecin que ma fille consulte régulièrement était absent pour la journée.

Sachant que je ne pourrais pas supporter d'être encore une fois jugée par des quasi-étrangers, je me suis dit qu'au moins, je connaissais le médecin de Phoebe suffisamment bien pour endurer son mépris, et j'ai donc pris un rendez-vous pour le lendemain. Puis j'ai appelé Zane avant qu'il parte à l'école. Comme nous ne vivons qu'à quelques mètres de l'établissement, qui se trouve littéralement au coin de la rue, j'ai d'abord été tentée d'aller l'attendre devant les grilles pour le prendre dans mes bras, le serrer contre moi, me rendre compte qu'il allait bien. Que j'avais échoué avec l'aînée, mais que le cadet allait bien. Je ne pouvais pas faire ça, cependant : il se serait senti humilié si je m'étais comportée comme une folle devant ses amis. J'ai donc décidé de l'appeler au téléphone pour m'assurer qu'il avait fait ses devoirs, qu'il savait à quel point je l'aimais. L'irritation a couru comme une veine palpitante à travers tous les « Oui, maman » qu'il a prononcés. J'ai souri après chacun d'entre eux. Si je l'irritais, c'était que tout allait vraiment très bien.

Et maintenant je suis là, à genoux devant les légumes, dans la partie ombragée du jardin, contre le mur du fond blanchi à la chaux, à observer les dommages causés à mon potager par les limaces, comme une mère qui rentrerait de vacances constaterait les dégâts occasionnés à sa maison par ses deux enfants adolescents.

En voilà une grosse. Parfaitement sphérique, sa surface claire scintille et tourbillonne alors qu'elle s'élève dans les cieux. Je replonge la longue baguette violette dans le tube rempli de produit, avant de l'agiter dans les airs, libérant ainsi des bulles de différentes tailles dans le ciel parfaitement limpide de cette belle matinée d'avril. C'est vraiment un temps idéal pour faire des bulles. Joel et moi, au grand dam des enfants, nous tenions debout dans le jardin, l'un avec la baguette, l'autre à rire en chassant ce qui ressemblait à de grandes et délicates boules de cristal. Et puis nous avons échangé les rôles et poursuivi jusqu'à ce qu'il ne reste plus de produit. « On dirait que vous avez trois ans», nous a dit Zane, après avoir passé un bon quart d'heure à nous observer. «Carrément d'accord», a confirmé Phoebe. Et nous avons ri encore plus fort, parce que nous étions les parents, et qu'en tant que tels, il était de notre devoir de les embarrasser.

J'achète toujours des recharges, mais c'est la première fois depuis «ça» que je verse le liquide jaune dans le tube et me place au centre de la pelouse de notre jardin pour faire des bulles. Encore une chose à ajouter à la liste de toutes celles que je n'ai pas été capable de faire depuis la disparition de mon complice. Mais aujourd'hui, j'ai besoin de me sentir proche de lui, j'ai besoin de faire quelque chose qui me rappelle comment nous étions, comment j'étais, avant de ne rien pouvoir ressentir d'autre que cet engourdissement. Je me sens constamment engourdie, comme si j'étais enveloppée de bandes de gaze et de coton, comme si la vie devait filtrer à travers ces couches épaisses et que je n'étais pas autorisée à ressentir pleinement quoi que ce soit. Avec les nouvelles que j'ai reçues hier, je ne devrais peut-être pas tenter de m'engager pleinement dans le monde. Mais au risque de m'effondrer totalement, en agissant ainsi, j'espère pouvoir me connecter avec Joel. Retrouver l'usage de certains de mes sens et redevenir à même de déterminer ce que je dois faire.

Je pourrais aussi tenter l'expérience en cuisinant, mais, en cet instant précis, j'ai besoin d'être dehors, j'ai besoin de sentir le vent sur ma peau, le soleil dans mes yeux. J'ai besoin de regarder les bulles s'élever gracieusement dans les airs, accrocher la lumière et se laisser porter par le vent. J'ai besoin de tout cela pour savoir si je peux retrouver le sourire et éprouver de nouveau des choses avec mon corps.

« Qu'est-ce que tu fais ? » me demande Phoebe. Toujours vêtue de son pyjama de soie bleu, son peignoir de flanelle rose fermement noué au-dessus de son pantalon, elle passe la porte de la cuisine, que j'avais laissée entrouverte.

Je plonge la baguette dans le flacon, avant de l'agiter dans les airs pour libérer les sphères immaculées. « Je fais des bulles.

— Pourquoi ?

— Parce que c'est mardi. Parce que je ne travaille pas. Et parce qu'une bande de limaces a fichu en l'air mon carré de légumes. » Je porte mon tablier de jardinier vert et blanc, ainsi que mes gants de jardinage ; je dois vraiment avoir l'air d'une excentrique. « C'est étonnamment apaisant, ajouté-je en lui tendant le flacon. Tu veux essayer ? »

Elle lève les yeux au ciel en esquissant une moue de dégoût. Si je m'étais risquée à regarder mes parents comme ça, je crois qu'ils m'auraient carrément arraché la tête.

« Tu peux me rendre mon téléphone ? » me demande-t-elle en enfonçant ses mains dans les poches bien carrées de son peignoir.

J'abaisse la baguette à bulles. « Pas tant que nous n'aurons pas parlé un peu », rétorqué-je.

De nouveau, elle lève les yeux au ciel, et ses lèvres s'incurvent pour laisser échapper un profond soupir.

« Viens voir ce que les limaces ont fait, lui dis-je. C'est marrant. Enfin, j'imagine que ça l'est, quand on n'est pas celui qui a planté les trucs qui ont été saccagés. »

Comme elle a ses chaussons, elle traverse en traînant les pieds la terrasse, la pelouse, puis l'autre partie de la terrasse pour aller jusqu'au carré de légumes, dans le coin. Il est un peu ombragé par les branches de l'immense chêne qui pousse dans le jardin des voisins. Nous restons côte à côte, à regarder les feuilles de mes plants d'épinards, qui évoquent désormais des napperons en crochet; la trace visqueuse qui traverse toutes les feuilles de roquette, dont d'énormes morceaux ont été arrachés, bien que pas aussi artistiquement que sur les épinards; et enfin les traînées luisantes qui relient la terre presque noire à la roquette, aux épinards, au cresson et aux choux.

« Waouh, souffle Phoebe. Elles ont fait ça en une seule nuit?

— Une journée et une nuit.

— Waouh! »

Elle est impressionnée. Elle doit être en train d'essayer d'imaginer à quoi pourrait ressembler l'équivalent humain d'une telle fête.

« As-tu la moindre idée de ce que tu aurais envie de faire? » lui demandé-je, maintenant que j'ai son attention et que nous nous trouvons sur un terrain neutre.

La porte ouverte se referme immédiatement; les quelques bribes d'émotions qu'elle m'a montrées se dissipent instantanément. « Je ferai ce que tu diras, marmonne-t-elle.

— Ce n'est pas à moi de prendre cette décision », répliqué-je.

Manifestement troublée par ma réponse, elle se met à donner de petits coups de chausson dans la terre qui entoure les plants de tomates, tout en évitant soigneusement les zones luisantes de bave de limaces. « Je savais que tu t'en ficherais, finit-elle par répondre. C'est pour ça que j'ai pas voulu te le dire. »

Je ne mordrai pas à l'hameçon, je ne la laisserai pas me pousser à lui hurler dessus. « Tu sais ce que j'aurais voulu ? » lui dis-je en me mettant à mon tour à donner de petits coups de pied dans la terre. Ça ne sert à rien, mais c'est assez plaisant. « J'aurais voulu que tu viennes me parler avant que tout cela se produise. Je pensais vraiment que nous pouvions discuter de tout, Pheebs. J'admets que j'aurais sûrement cherché à te dissuader de faire ça, parce que je pense que tu es trop jeune pour avoir des rapports sexuels. Pas ton corps ; je suis sûre que tu penses que ton corps est prêt, et je suis sûre que tu pensais aussi que ton esprit était prêt, mais, vraiment, j'aurais aimé en discuter avec toi. Je n'imaginais même pas que tu puisses avoir ce genre de choses à l'esprit. »

Tout en continuant à pousser la terre avec son pied, elle étire sa lèvre inférieure vers le haut, mais elle ne cherche pas à me couper la parole, ça veut peut-être dire qu'elle m'écoute.

« J'aurais adoré savoir ce que tu avais ressenti. Savoir qui c'était. Savoir s'il avait été gentil. »

Ma fille est tellement jeune. Dans mon esprit, elle sera toujours la petite créature aux joues rebondies qu'on a déposée dans mes bras quelques minutes après sa naissance. Elle sera toujours la petite fille qui a réussi à perdre sa chaussure noire à lacet rouge sur le chemin de l'école et qui, à ce jour, ne se souvient toujours pas comment cela a pu se produire. Elle sera toujours la petite fille assise sur le lit à côté de moi, pleurant toutes les larmes de son corps parce qu'elle vient de comprendre que son papa ne reviendrait pas. Dans mon esprit, elle restera à jamais une petite fille ; je ne pense pas qu'elle sera un jour suffisamment grande pour avoir des rapports sexuels. « Est-ce qu'il l'a été ? Est-ce qu'il a été gentil avec toi ? »

Elle s'arrête de donner ses petits coups de pied dans la terre et, immobile, semble réfléchir à ma question. La bouche pensivement tournée de côté, elle se met à mâchouiller l'intérieur de sa joue. Haussement d'épaules. « Ouais, je crois.

— Est-ce qu'il a fait pression sur toi ? Ou est-ce que tu en avais vraiment envie ? » *Ou est-ce qu'il t'a juste « pécho » ?*

« J'avais envie de me rapprocher de lui, maman, me répond-elle.

— Parce que vous n'étiez pas proches, avant ?

— Si, je crois. Mais je voulais juste qu'il…

— Qu'il t'aime bien ?

— Ouais. Je l'aime bien, moi aussi. Je l'aime trop. Quand je pense à lui, ça me fait tout bizarre dans mon ventre, et quand je suis pas avec lui, je me sens vraiment supermal, et des fois, les textos, ça suffit pas. J'avais juste envie qu'il ressente la même chose pour moi. Est-ce que c'est mal ? »

Mal ? Non, c'est horrible. Elle a couché avec un garçon pour gagner son affection. Pas parce que son corps lui disait qu'il était prêt, pas parce qu'elle avait envie qu'il lui donne du plaisir, même pas parce qu'elle était curieuse de savoir ce que ça faisait, non, elle a juste vu ça comme une monnaie d'échange, quelque chose qui lui permettrait d'obtenir ce qu'elle souhaitait en retour. « Non, la rassuré-je. Ce n'est pas "mal". Je comprends parfaitement, même si je pense que tu n'aurais sans doute pas dû le faire pour cette raison. Ce que je veux dire, c'est qu'il aurait mieux valu que tu le fasses parce que tu avais l'impression qu'il était aussi proche de toi que tu l'étais de lui, et qu'au vu de ce sentiment de proximité réciproque, faire l'amour vous apparaissait à tous deux comme une chose parfaitement naturelle à ce stade de votre relation. » *Est-ce le bon moment pour cela ?* me demandé-je tout en parlant. Je me sens comme quelqu'un qui cadenasserait la porte de son écurie alors que son cheval se serait déjà enfui au grand galop, et qui plus est à l'autre bout du pays. « Je sais parfaitement que je ne peux pas t'empêcher d'avoir des relations sexuelles, mais je pense que ce serait vraiment bien pour toi si tu pouvais te promettre de n'en avoir que lorsque tu en as vraiment envie. Pas pour faire comme les copines, pas parce que tu veux que quelqu'un t'apprécie, pas parce que tu te sens forcée de le faire pour remercier quelqu'un qui a été gentil avec toi. D'accord ?

— Mais… » Elle s'interrompt.

« Mais ?

— Rien », dit-elle en secouant la tête. Tout en enfonçant ses mains plus profondément dans ses poches, elle baisse les yeux et se remet à marteler la terre molle du bout de son pied. « Je peux ravoir mon téléphone ? »

Tu n'as pas dit « s'il te plaît », ai-je envie de lui faire remarquer. *J'ai passé des années à t'apprendre à toujours dire « merci » et « s'il te plaît ».* « Quel mode de contraception avez-vous utilisé ? » Il faut que je continue sur ma lancée. Je suis certaine qu'à la seconde même où je sortirai le petit gadget noir et argenté de la poche de mon tablier, je ne pourrai plus rien obtenir de sa part.

Haussement d'épaules, bref et dédaigneux.

Ce geste me glace. Connaissant bien le langage corporel de ma fille, je sens venir la nausée et mon cœur se serrer. Je fais un quart de tour sur moi-même pour l'observer. Comme elle continue à regarder par terre, je la prends par les épaules afin de l'obliger à relever la tête vers moi. « Tu as utilisé un mode de contraception, n'est-ce pas ?

— C'est pas la peine, la première fois ; quand on est vierge, on peut pas tomber enceinte », me répond-elle en haussant à nouveau les épaules, comme s'il s'agissait d'une évidence.

Machinalement, nerveusement, je dévisse la baguette à bulles du tube. Je la revisse. Je la visse à nouveau. Je m'étais juré de ne jamais laisser une chose pareille arriver. De ne pas laisser ma fille devenir comme moi : trop angoissée par sa mère pour lui parler ; trop terrifiée pour lui dire qu'elle avait eu ses règles pour la première fois (et contrainte de lui dire tout de même, au bout du compte, pour obtenir l'argent nécessaire à l'achat de tampons hygiéniques) ; trop complexée par son corps et les changements qui se produisaient en lui pour demander de l'aide au moment où elle en avait le plus besoin. Je m'étais juré d'être toujours présente pour ma fille, et, malgré tout, c'est arrivé. J'ai vécu comme une aveugle depuis la disparition de Joel, et maintenant que j'ouvre à nouveau les yeux, je me rends compte que j'ai manqué le moment le plus important de la vie de ma fille. Et que j'ai manqué une excellente occasion de me démarquer de ma mère.

« C'est lui qui t'a dit ça ? » Je lui demande ça tout en continuant de visser et de dévisser anxieusement le bouchon de mon tube à bulles.

Elle hoche la tête. Ses yeux, sa bouche, son front, son menton sont figés dans une expression de pur défi. Oui, elle me met au défi de lui dire qu'il a eu tort alors que son corps lui en a apporté la preuve.

« Eh bien, ce n'est pas vrai. » Je devrais trouver un certain réconfort, je suppose, dans l'idée qu'il s'agissait tout de même de sa première fois. Que cette histoire de « se faire pécho » n'était en fait qu'une bravade.

« Mais il m'a dit…

— Écoute, ma chérie, tu es une fille intelligente ; tu sais qu'à chaque rapport sexuel, on court le risque de tomber enceinte, sauf si, à l'exception de tout autre moyen contraceptif, l'un des deux partenaires s'est fait faire une ligature des trompes ou l'autre une vasectomie.

— Mais…

— Phoebe, tu es enceinte. »

Son visage se déforme sous le coup de la rage, comme celui d'un enfant de six ans à qui on aurait dit qu'il n'y aurait pas de Noël cette année parce que le père Noël n'existe pas.

Et alors que j'observe sa colère silencieuse, quelque chose me vient soudainement à l'esprit : « Si tu as vraiment cru ce qu'il t'a dit, pourquoi as-tu fait le test si vite ? Tu aurais pu attendre que deux cycles soient passés… »

Elle soupire. « Parce que je voulais en être vraiment certaine, comme j'avais pas pris la pilule du lendemain.

— Donc, quand tu t'es aperçue que tu avais du retard, tu as compris qu'il s'était trompé ?

— J'ai besoin de mon téléphone. »

J'ai besoin de mon Joel. Il saurait quoi dire, quoi faire, comment nous orienter dans ce dédale de chemins obscurs et impraticables dans lequel nos vies se sont brusquement engagées.

« Est-ce que tu comptes lui dire que tu es enceinte ?

— J'ai besoin de mon téléphone », répète-t-elle.

Les plantes endommagées par les limaces ont toutes besoin d'être arrachées. La terre a besoin d'être retournée, aérée puis laissée au repos quelque temps avant de recevoir de nouvelles plantations. Je pourrais la charger de ça. Je pourrais lui faire déterrer tous ces trucs et bêcher ma terre avant de lui rendre son téléphone. Ou je pourrais accéder à sa requête dès maintenant, alors que je suis encore sous le choc de ce qu'elle vient de me dire.

Résignée, je plonge ma main gantée dans ma poche pour en extraire le téléphone. « Tu as rendez-vous chez le médecin demain, lui dis-je avant qu'elle retourne à ses secrets. À 9 heures.

— Pour quoi faire ?

— Tu es enceinte. Il faut que tu consultes un médecin.

— D'accord. Comme tu voudras. Puisque, apparemment, tu sais tout sur tout... »

Comme j'ai eu mal à la langue hier, j'ai mal à la lèvre au moment où je la mords de toutes mes forces. Abandonner, jeter l'éponge, n'est pas une attitude que j'adopte facilement. J'aime gagner. J'aime faire les choses comme il faut. Si je continuais de lui parler, je pourrais être tentée de remporter cette bataille par n'importe quel moyen. À contrecœur, je lui tends son téléphone. Elle me l'arrache des mains en me fusillant du regard, avant de courir comme une furie vers la maison.

« Eh, tu n'as pas dit merci ! » m'exclamé-je.

Et machinalement, je me remets à genoux pour commencer à démanteler les ruines de Sodome et Gomorrhe éparpillées dans mon carré de légumes.

Douze ans avant « ça » (février 1999)

« C'est une fille », me disait Joel. Son visage était trempé de larmes, ses yeux rouges d'avoir été frottés. « Notre premier-né est une fille.

— Est-ce qu'elle va bien ? » lui ai-je demandé en sanglotant. Je ne l'entendais pas pleurer. Elle était née quelques secondes plus tôt, mais comme je ne l'avais pas encore vue, j'avais peur d'avoir fait quelque chose de mal à la dernière minute. D'avoir, une fois encore, déçu tous les espoirs que les autres avaient placés en moi.

« Elle est parfaite, m'a répondu Joel.

— Tu es sûr qu'elle va bien ? ai-je demandé en continuant de sangloter. Pourquoi est-ce qu'elle ne pleure pas ?

— Tous les bébés ne pleurent pas. Certains sont plus cool que d'autres », a dit la sage-femme. Et là-dessus, elle a déposé la petite créature frissonnante sur ma poitrine nue pour le contact peau à peau.

J'ai eu du mal à lever les bras pour la serrer contre moi. Je souffrais tant que mon corps ne me paraissait plus être qu'une vaste plaie.

Je l'ai regardée fixement, et j'ai compris que j'avais réussi. Elle était là. Sa peau chocolat au lait était fripée et tachetée de blanc. Elle a tendu le bras vers mon visage, sa bouche, grande ouverte, révélant les deux lignes parallèles de ses gencives.

J'ai regardé mon bébé cool. « On a réussi, Joel. On a réussi.

— Tu as réussi, ma chérie, a-t-il dit en se frottant de nouveau les yeux. Tu as réussi, et tu as été super.

— Phoebe. Ça lui va bien. » C'était le nom qu'il lui avait choisi. Il y avait une raison à cela. Sur le moment, je n'arrivais pas à me souvenir de laquelle, mais peu m'importait : cela lui allait bien, cela lui ressemblait. Phoebe.

« Tu es sûre ? m'a-t-il demandé.

— Tout à fait. Elle a vraiment une tête à s'appeler Phoebe. »

Mon téléphone vibre dans la poche de mon jean. Je dois retirer l'épais gant de jardinage de ma main droite pour l'attraper. Le numéro affiché me dit vaguement quelque chose, mais comme il n'est pas enregistré, j'hésite à répondre. Au vu de mon histoire récente, cependant, je sais qu'il serait complètement fou de ne pas le faire. Aussi fou que de se laisser convaincre qu'on ne peut pas tomber enceinte la première fois qu'on couche avec un garçon.

« Allô, dis-je dans le téléphone, m'attendant à moitié à une pause suivie d'un message enregistré m'informant que j'ai besoin des services d'un conseiller financier.

— Madame Mackleroy ? me demande la personne à l'autre bout du fil, poliment.

— Oui, répliqué-je prudemment, car bien que la voix de mon interlocutrice me soit familière, il m'est pour le moment impossible de lui donner un nom.

— Felicia Laureau, de la résidence de retraite où vit votre tante, Betty Mackleroy.

— Ah, bonjour», dis-je, ravie de ne pas avoir à faire semblant de la connaître. Mais soudain, la réalité me frappe en plein visage: il s'agit de Felicia Laureau, la directrice de la résidence où vit tatie Betty, la tante de Joel. Je ferme les yeux et essaie de stabiliser mon corps, comme je le ferais si j'étais sur le point d'affronter un ouragan.

«Nous nous demandions si vous pouviez passer nous voir demain. Rien de bien méchant, ne vous inquiétez pas. Nous voudrions simplement discuter de deux ou trois choses avec vous.

— Cela doit nécessairement être demain? demandé-je pour essayer de mesurer la gravité de la situation.

— Oui, nécessairement.» Extrêmement grave, donc.

«Très bien, d'accord. Vers midi?

— Parfait.»

Je m'assieds sur la pelouse, sans me soucier de la rosée, qui, en s'infiltrant dans mon jean, imprègne lentement ma petite culotte.

Peu m'importe l'humidité, peu m'importe la rosée: je sais avec certitude que demain sera une journée semblable à celle d'hier.

II

5

Quinze ans avant «ça» (février 1996)

«Saffron, je te présente tatie Betty», m'annonce fièrement Joel.

Un fume-cigarette noir et doré calé entre l'index et le majeur de sa main droite, tatie Betty était étendue sur la méridienne de velours rouge qui trônait dans le salon de son appartement bourgeois d'Ealing. Ses cheveux noirs et soyeux avaient été ramenés au sommet de sa tête en un élégant chignon, attaché à l'avant par une barrette argentée richement décorée. De ses grands yeux, soulignés par une épaisse couche d'ombre à paupières prune et doré, et ce que je soupçonnais être de faux cils, elle m'a minutieusement examinée. Son regard s'est attardé sur mes cheveux mi-longs, noirs et lissés; elle a noté l'absence de bijoux; elle s'est interrogée sur la jupe de soie bleue qui m'arrivait aux genoux et mon pull-over crème resserré à la taille par une ceinture de cuir verni. Elle a ouvertement réprouvé mes chaussures bleu et blanc. Et une fois son inspection terminée, elle a tiré une longue et théâtrale bouffée de tabac à travers son fume-cigarette. Et puis, lentement, ses lèvres fardées de rouge se sont étirées, et elle a souri. Son regard m'a évoqué celui d'un prédateur observant le daim qu'il a blessé: il ne lui faudra pas beaucoup de temps pour achever sa proie, mais il reste en elle suffisamment de pugnacité pour que cette perspective paraisse amusante.

« Saff-aron. » Son sourire s'est élargi. « Ça me plaît, comme prénom. » Il m'a semblé percevoir dans sa voix une trace d'accent jamaïcain, si légère, néanmoins, que je me suis demandé si je n'avais pas rêvé. « Elle est bien. Je dirais même qu'elle est parfaite. »

Son sourire s'élargissant de seconde en seconde, elle a tourné son cou fin et légèrement ridé vers Joel. « Cendrier. » D'un vaste geste du bras, elle a désigné un récipient de porcelaine bleu et blanc posé sur un buffet en teck. « Tes parents vont la détester, a-t-elle dit à Joel. Ce qui ne la rend que plus sympathique à mes yeux.

— Tatie Betty ! s'est exclamé Joel d'un air de reproche, et, après lui avoir tendu le cendrier en riant, il est revenu me prendre la main. Ignore-la. Elle adore provoquer des controverses.

— Ne suis-je pour toi que cela ? » a-t-elle demandé. Son sourire s'étendait désormais quasiment d'une oreille à l'autre.

« C'est tatie Betty qui m'a offert mon premier tablier et mon premier livre de cuisine quand j'avais sept ans, a dit Joel. C'est elle qui est à l'origine de mon amour de la cuisine.

— Oui, et ses parents sont persuadés que c'est pour cette raison qu'il n'est pas allé à Cambridge, a-t-elle ajouté en riant. Ils m'en veulent encore à mort à cause de ça.

— Tatie Betty !

— C'est la vérité. Cela étant, ça m'est parfaitement égal. Et c'est pour cette raison que tu ne dois pas t'inquiéter du fait que M. et Mme Mackleroy vont te détester, chère petite Saff-aron. Moi, je t'aime bien. Et dans la famille Mackleroy, c'est ma volonté qui fait loi.

— Ignore-la », m'a répété Joel. Il a souri avec indulgence à sa tante, mais il n'a pas cherché à nier ce qu'elle venait d'affirmer. Dans sa famille, c'était tatie Betty qui faisait la loi. Et ses parents allaient me détester.

Nouveau bureau, nouvelle personne mal à l'aise, tendue, qui remue des papiers et ne cesse de se racler la gorge devant moi.

Et maintenant, qu'est-ce qu'il va se passer ? Est-ce que cette femme va m'annoncer que la tante de Joel, âgée de soixante-six ans, est elle aussi enceinte ?

Felicia Laureau finit par s'asseoir dans son grand fauteuil de cuir noir et par me faire face en affichant un sourire crispé. Ses cheveux blanc argenté, coiffés au carré, retombent comme des rideaux de chaque côté de son visage ; elle est petite et potelée, mais vêtue d'un beau tailleur gris pâle qui met en valeur ses formes généreuses.

À l'instar du principal, elle est anxieuse, non seulement à cause de ce qu'elle a à me dire, mais aussi parce qu'elle ne sait pas comment le dire à quelqu'un comme moi, une femme dont le mari a été assassiné. J'imagine que cette maison de retraite doit être pleine de veuves, de femmes seules depuis le décès de leurs maris, mais combien d'entre elles ont connu un malheur semblable au mien ? Combien d'entre elles garderont à jamais l'image d'un grand couteau de cuisine s'enfonçant dans les entrailles de leurs maris, qui se videront de leur sang pendant quasiment une heure sur le bord d'une route qu'elles ne connaissent pas ? Si l'une d'entre elles était comme moi, elle aurait bien du mal à supporter la compagnie de cette femme agaçante et de toute évidence hypocrite.

« Madame Mackleroy, je suis ravie de vous voir », me dit-elle d'une voix enjouée.

Je soupire. « J'imagine que ce n'est pas tout à fait vrai... Je me trompe ? » Je laisse échapper un nouveau soupir, un profond soupir d'exaspération. J'ai passé la matinée à empêcher Zane d'asticoter Phoebe, à écouter Phoebe ne rien dire à son médecin, à la rassurer quand je me suis aperçue que l'idée de prendre de l'acide folique et de passer une première échographie lui faisait peur. Et pour couronner le tout, j'ai dû prendre la M25 pour venir jusqu'ici, chose que je n'apprécie que très moyennement et que je préfère éviter en temps normal. « Je suis navrée de vous dire ça, mais j'imagine que si vous m'avez demandé de venir ici dans les plus brefs délais, ce n'est pas pour m'annoncer une bonne nouvelle. »

Les traits de Mme Laureau se contractent, se crispent et se détendent comme s'ils étaient devenus incontrôlables, notamment dans la zone qui se trouve autour de la bouche. Je me rends soudain compte avec horreur qu'elle essaie de se composer un sourire aimable et compatissant. Chose qui, visiblement, est loin de lui être naturelle. « Vous avez raison, bien sûr, me répond-elle. Ce ne sera pas un entretien facile.

— Où est-elle, d'ailleurs ? » demandé-je. Je m'étais sincèrement attendue à la trouver assise dans une position similaire à celle de Phoebe dans le bureau du principal, à attendre que quelqu'un me dise ce qu'elle avait fait. « Je pensais la trouver ici.

— Nous avons jugé préférable de vous parler d'abord en tête à tête.

— Pourquoi ? Qu'est-ce qu'elle a fait ?

— Nous avons essayé de nous montrer indulgents, me dit Mme Laureau d'une voix aimable, depuis… depuis les événements… depuis que votre mari… depuis… »

Je sais que je devrais plonger dans cette mer d'inconfort où elle se débat pour venir à son secours, l'empêcher de s'enfoncer davantage en intervenant, en disant « depuis que mon mari est mort ». Mais je ne le ferai pas. Je vais rester là où je suis, bien gentiment, à attendre qu'elle me démolisse comme elle s'apprête à le faire. Les gens comme Mme Laureau n'ont jamais besoin de vous voir, sauf quand ils veulent davantage d'argent ou quand ils s'apprêtent à vous faire une crasse. Voire les deux en même temps, parfois.

Sept ans avant « ça » (mars 2004)

Quand tatie Betty a eu fini de digérer ce que Joel venait de lui annoncer, son visage s'est lentement transformé pour devenir une complexe illustration du mépris et de l'horreur.

« Vivre avec vous ? a-t-elle sifflé d'un air dégoûté. Avec vous ? Vous ne fumez pas, vous buvez à peine, et j'en suis encore à me demander si vous baisez vraiment. D'ailleurs, je vous ai toujours soupçonnés d'avoir fait vos enfants dans des éprouvettes. Vivre avec vous ? Autant me rendre tout de suite au cimetière pour commencer à creuser ma tombe. »

Elle a fait les gros yeux à Joel, avant de tourner son regard vers moi. « Tu n'aimerais pas que je vive dans ta maison. Je suis égoïste, malpolie et plus sale et bordélique que ce gribouillis rose qu'on voit dans les livres pour enfants. Je ne souhaiterais pas infliger ma présence permanente à mon pire ennemi. »

Joel avait l'air complètement découragé, l'inquiétude suscitée par la situation semblant peser lourdement sur ses épaules. Il pensait pourtant que c'était la meilleure solution pour tatie Betty, après son accident. Quelques jours plus tôt, en effet, après avoir glissé en sortant de sa douche et s'être assommée en tombant, elle s'était réveillée avec une légère fracture à la hanche gauche et, comme elle avait toujours vécu seule, malgré la douleur fulgurante, elle s'était traînée en dehors de la salle de bains et avait rampé en hurlant le long du couloir qui menait à sa chambre pour récupérer son téléphone. Elle ne pouvait plus vivre seule. Nous le savions tous ; nous l'avions tous accepté. Et Joel pensait qu'il valait mieux désormais qu'elle vienne s'installer à la maison.

« Allez, avoue : tu n'as pas envie que je vienne vivre avec vous, n'est-ce pas, Saff-aron ? » Tatie Betty cherchait à me corrompre, parce qu'elle savait que j'étais la seule personne en mesure de convaincre Joel que c'était une très mauvaise idée.

« Mais si. Nous avons très envie que vous veniez vivre avec nous », ai-je répliqué. Et c'était vrai. Nous l'adorions et nous voulions qu'elle soit en sécurité. Joel et moi avions tous deux été très choqués et peinés à l'idée qu'elle ait dû endurer seule cette douloureuse épreuve.

Elle a ri amèrement. A secoué la tête. « Vous êtes complètement à côté de la plaque, mes pauvres enfants. Je n'ai pas envie de vivre avec vous. Ce que je veux, c'est aller dans l'une de ces résidences médicalisées où je pourrais avoir mon propre appartement. Et surtout rencontrer de mignons petits veufs qui dépenseront leurs retraites pour me faire passer du bon temps.

— C'est vraiment ce que vous voulez ? » lui ai-je demandé.

Elle a souri et a hoché la tête en affichant un air malicieux. Et je me suis demandé si Joel avait compris lui aussi qu'en dépit de son sourire, et bien qu'elle ait bravement refusé notre proposition, tatie Betty avait peur. Peur du temps qui passait, peur de devoir encore une fois ramper nue pour demander de l'aide à cause des choix qu'elle avait faits dans sa vie. Mais le feu de la fierté brûlait dans ses yeux. Elle ne comptait pas se repentir de la façon dont elle avait vécu sa vie ; il suffisait de passer quelques minutes en sa compagnie pour comprendre qu'elle en avait apprécié chaque seconde et qu'elle voulait conserver son indépendance aussi longtemps qu'elle le pourrait. Pour elle, vivre avec nous, c'était mourir d'ennui, lentement mais inexorablement. Et je n'avais aucun mal à le comprendre. Quand on a voyagé partout dans le monde, quand on a été la première femme noire à tenir la vedette d'une pièce du West End, à Londres, quand on s'est entendu dire qu'on était bien plus belle qu'Eartha Kitt ne l'avait jamais été, quand on répète tous les jours depuis soixante-six ans qu'on mènera sa vie comme on l'entend, merci, la dernière chose dont on a envie est de venir s'installer dans une maison de quatre pièces à Brighton, avec un couple ennuyeux et ses deux enfants. Dans la mesure où elle serait entourée de personnes qui pourraient lui apporter leur aide si elle en ressentait le besoin, cette idée de logement indépendant ne me paraissait pas mauvaise du tout, notamment parce qu'elle nous permettrait à tous de prétendre que tatie Betty pouvait toujours être elle-même, malgré son âge.

Pendant cinq week-ends d'affilée, Joel et moi nous sommes relayés pour empaqueter ses affaires. La plupart ont été transférées dans un garde-meuble. Et trois mois plus tard, elle a emménagé au Rose Bay Manor.

« Comme je vous l'ai dit, madame Mackleroy, nous avons essayé de nous montrer compréhensifs, mais nous pensons qu'il est temps pour votre tante de partir », me dit Felicia Laureau. Sandy Fields est la troisième résidence qui a accueilli tatie Betty. Elle avait été renvoyée des deux premières.

« Qu'est-ce qu'elle a fait ? » répété-je, tout en me demandant combien cela va me coûter. Dans la résidence précédente, elle s'était battue avec une autre pensionnaire, qui l'avait violemment agressée parce qu'elle avait bafoué toutes les règles de bienséance quand elle avait emménagé. Le problème était que la pauvre femme avait effectué un subtil travail sur le long terme pour gagner le cœur de l'un des résidents (thé, balades, écoute de Radio 4 l'après-midi). Or, quelques jours après son arrivée, tatie Betty avait tout simplement invité le monsieur en question à prendre un verre avec elle. Et presque aussitôt, il était devenu son amant. Quoi qu'il en soit, et même si, techniquement, tatie Betty n'avait fait que se défendre, il nous avait fallu débourser pas mal d'argent pour calmer le jeu et écarter tout risque de plainte pour agression.

« Peut-être serait-il plus simple de dresser la liste de ce qu'elle n'a pas fait, me répond Mme Laureau d'un air pince-sans-rire.

— Je vois.

— Mais je peux néanmoins vous expliquer l'incident qui est à l'origine de cet entretien : votre tante a été surprise en train d'avoir des… des « relations intimes » avec un autre résident dans l'un des bureaux du bâtiment administratif.

— Oh ! mon Dieu, soupiré-je.

— Le membre du personnel qui les a surpris a été particulièrement choqué.

— Mais les personnes âgées ont le droit d'avoir des relations sexuelles, vous savez ? » dis-je en me raccordant, contre toute attente, à ma tatie Betty intérieure, et en ignorant le fait que j'aurais moi-même été complètement traumatisée si j'étais entrée dans une pièce et y avais trouvé deux personnes en train de copuler. Quel que soit leur âge.

« Oui, mais en privé, réplique-t-elle, aigre comme une pomme Granny non pelée.

— Et maintenant, que va-t-il se passer ?

— Nous pensons… que nous n'avons pas d'autre choix que de demander à votre tante de partir.

— De partir ? répété-je d'une voix lasse. Et l'autre pensionnaire ?

— Je vous demande pardon ?

— L'homme avec qui elle a été surprise, est-ce que vous allez le virer lui aussi ? »

Du bout de son doigt, Mme Laureau se brosse un sourcil en se préparant à me remettre à ma place. Elle a probablement essayé avec tatie Betty sans parvenir à ses fins. Mais je suis ici depuis dix minutes environ, soit suffisamment de temps pour permettre à une observatrice telle que Mme Laureau de comprendre qu'il y a peu de chances que je « fasse ma tatie Betty ».

« S'il n'y avait eu que cet "incident", nous aurions probablement passé l'éponge. Mais vous devez savoir que dans les trois mois qui viennent de s'écouler, votre tante a réussi à mettre trois fois le feu au tapis de son appartement, à convaincre cinq résidents de faire du stop jusqu'à la ville d'à côté pour aller au cinéma, et à se promener dans les locaux de la résidence uniquement vêtue d'un haut de bikini et d'une minijupe, bien qu'elle connaisse parfaitement les articles de notre règlement intérieur en la matière. Je vous assure que c'est un véritable miracle que nous ayons réussi à tenir le coup si longtemps. »

Les joues gonflées comme des ballons de baudruche, j'expire lentement pour pousser ce qui me semble être le plus long soupir de toute ma vie. « Quand voulez-vous qu'elle parte ? » Un délai d'un mois devrait me permettre de lui trouver une nouvelle résidence ; une quinzaine suffirait, à la rigueur.

« Elle finit de faire ses adieux, et vous pourrez la ramener chez vous.

— *Excusez-moi ?*

— Ses affaires sont déjà prêtes. Toutes les choses que vous ne pourrez pas emporter dans votre voiture vous seront expédiées, à nos frais. Et nous nous sommes déjà mis d'accord pour vous rembourser ce mois-ci et le mois suivant à titre de geste commercial.

— *Quoi ?*

— J'imagine que cela doit vous surprendre, et, croyez-moi, nous avions l'intention de vous prévenir plus tôt, mais elle nous a dit que ce serait mieux ainsi. Que ce serait plus facile pour vous, après tout ce que vous avez enduré ces temps derniers.

— Et vous l'avez crue ?

— Pourquoi ne l'aurais-je pas crue ? » réplique-t-elle en m'adressant un regard victorieux.

Elle cherche à se venger, à me punir de ne pas l'avoir aidée plus tôt. Je jette un nouveau regard à la pièce où je me trouve : le bureau a été lustré au point de lui conférer un éclat tout à fait exceptionnel, et les objets qui y sont posés (agrafeuse, tapis de souris, pot à crayons, dévidoir à Scotch, carnet d'adresses) semblent flambant neufs. Comme s'ils avaient été tout récemment remplacés, comme si quelqu'un avait essayé de faire disparaître les traces d'une chose hideuse. Par exemple une relation sexuelle entre un homme âgé et une femme de soixante-six ans qui vous pourrit la vie. C'est là que tatie Betty l'a fait ; j'en suis certaine.

J'espère de tout mon cœur que c'est toi qui les as surpris en flagrant délit, dis-je dans ma tête à Mme Laureau. *Au moins, ça t'aura servi de leçon.*

« Votre tante a signé tous les papiers nécessaires ; vous n'avez donc pas de souci à vous faire de ce point de vue-là.

— Parfait. Il serait bien venu que je fasse ce que j'ai à faire, alors, n'est-ce pas ? »

C'est ça le pire dans cette histoire, tu sais, Joel ? lui dis-je dans la pénombre de notre chambre, en regardant l'endroit où il devrait se trouver. *Ç'a beau être dur, horrible, comme j'ai des enfants, comme il y a des gens qui comptent sur moi, il faut que je continue de faire ce que j'ai à faire. Il faut que je tienne le choc.*

Après s'être installée à l'arrière de ma voiture, tatie Betty boucle sa ceinture de sécurité. Ses affaires remplissent le coffre, occupent la plus grande partie de l'espace à côté d'elle, le siège du passager avant ainsi que le plancher.

« Inutile de prendre cet air provocateur », lui dis-je en constatant son attitude : majestueuse et silencieuse, belliqueuse et impénitente.

Dans une expression qui me rappelle celles de Phoebe, elle esquisse une petite moue avec sa lèvre supérieure rose et laquée de gloss, étrécit ses yeux fardés d'eye-liner, puis se tourne vers la fenêtre pour gratifier les gens qui croisent son regard d'un large sourire. La foule qui s'est rassemblée en cet après-midi d'avril est impressionnante ; je n'ai jamais vu autant de personnes se réunir pour faire leurs adieux à une femme qui n'est pas une célébrité. Elles doivent être une soixantaine, d'âges et de nuances de gris variés. Debout, assises dans des fauteuils roulants ou appuyées sur des cannes au bord de l'allée de graviers, elles agitent leurs mains pour saluer tatie Betty.

« Je veux que les choses soient bien claires entre nous, dis-je suffisamment fort pour couvrir le crissement des pneus sur le gravier, à un moment ou à un autre, il va bien falloir que vous me parliez. »

6

Imogen et son fils Ernest sont en train de sortir de chez moi au moment où je me gare devant mon jardin.

Ils ont dû raccompagner Zane de l'école, et il leur a sûrement dit que Phoebe était restée à la maison aujourd'hui. Imogen est une femme toujours polie, douce et aimable. En qualité de «maîtresse de maison à temps plein» (pour reprendre son expression), elle me propose régulièrement de prendre Zane chez elle, de le ramener de l'école et de le garder jusqu'au dîner. Ayant fondé sa famille très jeune, elle a un fils de vingt et un ans et un autre de dix-huit ans en plus d'Ernest, dix ans. Au cours des dix-huit mois qui viennent de s'écouler, elle s'est montrée vraiment adorable avec Zane. Et avec moi.

Je sors de ma voiture au moment où ils descendent la dernière marche du porche et s'engagent dans la courte allée bétonnée. Nous nous retrouvons devant le portail métallique noir et restons sur le trottoir pour discuter. Sans même avoir à regarder dans la direction d'Ernest, je sens que ses grands yeux vert noisette sont braqués sur moi. Il me regarde toujours fixement, silencieux et suspicieux. Quand Zane et lui sont ensemble dans le salon ou à l'étage dans la chambre de mon fils, et même quand ils sont dans la cuisine et que je suis occupée à faire quelque chose, il n'arrête pas de parler. Mais dès que je leur adresse la parole ou que je m'approche d'eux, il se referme comme une huître et se change en statue de cire muette aux yeux écarquillés.

« *C'est juste qu'il a peur de toi*, m'a expliqué Zane en souriant quand je l'ai interrogé à ce sujet.

— *Pourquoi ?* lui ai-je demandé.

— *Je sais pas, c'est juste comme ça* », a-t-il répliqué, comme s'il s'agissait là d'une réponse très réfléchie.

« Bonjour, me dit Imogen.

— Salut. »

Tatie Betty est restée confortablement installée dans la voiture, à attendre que je lui ouvre la portière. C'est une princesse ; elle a l'habitude que les gens accourent vers elle. Je cède souvent à ce caprice, mais pas aujourd'hui. Aujourd'hui, elle a dépassé les bornes, et le silence buté qu'elle a gardé durant le trajet jusqu'à la maison n'a rien fait pour la racheter à mes yeux. « Merci d'avoir ramené Zane », dis-je à Imogen. Ernest me regarde toujours aussi fixement. « C'est vraiment sympa de ta part.

— Mais ce fut un véritable plaisir, comme toujours. » Imogen s'approche de moi et baisse la voix. Pourquoi ? Je me le demande, puisque nous sommes seuls dans la rue. « Tout s'est bien passé au collège, l'autre jour ? J'ai posé la question à Phoebe, et elle s'est montrée très modérément communicative. »

J'adore Imogen. Je lui fais confiance, je sais que je peux compter sur elle, mais je ne peux pas lui répondre. Je n'ai pas envie d'être jugée une nouvelle fois. Car je suis certaine qu'elle me jugera, comme toutes les personnes qui savent l'ont fait jusqu'ici. Y compris Fynn, qui s'est efforcé de me rassurer l'autre soir. Oui, il m'a probablement jugée lui aussi. Mais ils ont raison : chacune des discussions que j'ai avec Phoebe me rappelle que je me suis trompée, que j'ai raté toutes les occasions que j'avais de lui indiquer la marche à suivre.

Je n'ai pas envie de leur fournir d'autres occasions de me reprocher mon incompétence.

« Oui, tout s'est bien passé. Enfin, ça va aller. Juste deux, trois trucs à régler.

— Ah, très bien. » Les traits de son visage inquiet se détendent. « Je me suis fait du souci. Tu as déjà dû endurer tellement d'épreuves, et tu t'en es sortie avec tellement de courage, que je ne pense pas que je pourrais supporter qu'il t'arrive encore quelque chose. »

Moi non plus.

« Il y a quelqu'un dans ta voiture ? » me demande-t-elle. Je me retourne pour regarder ma quatre-portes bleue garée un peu plus loin dans la rue. Tatie Betty n'a pas bougé de la voiture, mais elle a baissé la fenêtre pour pouvoir écouter ce que nous disons, et elle joue désormais avec beaucoup de talent la femme qui se serait assoupie. Elle doit se dire que, si nous pensons qu'elle s'est endormie, nous parlerons plus librement et lui révélerons peut-être certains de nos secrets.

« Oui, c'est la tante de Joel, tatie Betty. Tu as dû la voir à… aux… aux obsèques. C'est elle qui a chanté "Amazing Grace". »

Vêtue d'une robe et d'un chapeau noirs, tatie Betty s'était postée derrière le pupitre, la feuille de service devant elle. Elle s'était éclairci la gorge comme si elle s'apprêtait à lire, puis avait lentement relevé les yeux pour fixer son regard sur moi, ainsi que sur Phoebe et Zane, qui étaient assis à mes côtés, qui s'étaient blottis contre moi.

Elle nous avait souri, et puis elle s'était mise à chanter. Sa voix avait transpercé le cœur des personnes présentes dans l'église, apaisant chacune d'entre elles, leur tirant les larmes des yeux. J'ignorais qu'elle était capable de chanter comme ça, de rendre une chanson si envoûtante, et chaque fois que j'y songe, j'en ai littéralement la chair de poule. Elle l'avait fait pour donner à Joel quelque chose de spécial, quelque chose qui nous a rappelé à tous la place spéciale qu'il avait occupée dans nos cœurs.

« Ah oui ! dit Imogen, coupant court à mes pensées. Je croyais qu'elle habitait quelque part vers le Middlesex ? Elle est venue vous rendre visite ? »

Non, elle s'est fait virer de sa résidence médicalisée pour s'être envoyée en l'air sur le bureau de la directrice, alors elle va squatter ici jusqu'à ce que je lui trouve un autre établissement. « Euh… oui, plus ou moins.

— On dirait qu'elle s'est endormie. Tu veux un coup de main ?

— Non, laisse. Tu en as déjà bien assez fait comme ça. Merci. À plus tard. »

De mauvaise grâce, visiblement, Imogen passe son bras autour des épaules de son fils et commence à s'éloigner. J'attends qu'ils soient montés dans leur voiture et qu'ils aient disparu de mon champ de vision pour pousser le portail de mon jardin. C'est à ce moment précis que le miracle se produit : tatie Betty ouvre seule sa portière et sort de la voiture. Elle est majestueuse et grandiose, naturellement, mais ça me fait bizarre de la voir faire quelque chose d'aussi ordinaire. Il y a une raison à cela, c'est certain, et je ne vais pas tarder à la découvrir.

«Je n'aime pas cette femme», me dit-elle. Son regard, désapprobateur et méprisant, est tourné dans la direction vers laquelle Imogen est partie.

«Je suis sûre qu'elle serait navrée de l'apprendre, répliqué-je ironiquement.

—C'est un vampire, gamine. Elle se nourrit du malheur des autres.» Comme je ne fais pas de commentaire, elle ajoute: «Je suis vieille, au cas où tu l'aurais oublié. Je suis là depuis de très, très nombreuses années. J'ai perdu beaucoup de gens, moi aussi, beaucoup de gens, et des saletés de son espèce, j'ai aussi eu l'occasion d'en rencontrer. Elles ont besoin de fréquenter des gens dévastés pour se sentir utiles. Elles s'accrochent comme des sangsues à ceux qui sont en deuil et elles vivent de leur malheur.

—Vous ne lui avez même pas adressé la parole, et vous avez dû lui parler environ cinq minutes aux obsèques. Comment pouvez-vous vous montrer aussi sûre de votre jugement?

—À mon âge, il suffit de pas grand-chose pour voir les gens tels qu'ils sont réellement.

—Bien sûr.

—Je n'aime pas cette femme, répète tatie Betty.

—J'ai bien compris. Mais je suis tout de même étonnée que vous ayez le culot de vous tenir devant moi, droite dans vos bottes, à débiter toutes ces méchancetés sur l'une de mes amies, alors que vous ne m'avez pas adressé un mot depuis trois heures. Vous trouverez peut-être cela étrange, mais je pensais que des excuses, voire de simples explications, auraient été de bon ton. »

Le silence pour seule réponse.

« Je suis là ! » m'exclamé-je, à l'attention des enfants. La femme qui est derrière moi me rappelle à l'ordre en se raclant la gorge. « Nous sommes là ! » corrigé-je.

Je ne m'attendais pas à une *standing ovation*, mais je trouve cette absence totale de réaction assez humiliante. Phoebe est sur le canapé, sur son téléphone ; sa manette de Xbox à la main, Zane joue à un jeu de *Star Wars*.

« Nous sommes là ! répété-je un peu plus fort.

— Salut, maman ! lance Zane, sans même se donner la peine de détourner la tête de l'écran.

— Vous n'êtes même pas un tout petit peu curieux de savoir ce que j'entends par "nous" ? demandé-je.

— Tonton Fynn ? répond Zane, l'air toujours aussi blasé, tandis que Phoebe reste toujours aussi silencieuse.

— Vous conviendrez certainement que je suis beaucoup plus intéressante que cette grande girafe qui prétend être votre oncle, dit tatie Betty, avant d'ouvrir les bras et d'avancer d'un pas dans leur direction.

— Tatie Betty ? » s'exclame Zane. Et tout en balançant sa manette, il bondit sur ses pieds et se rue sur elle, m'écartant de son passage en me poussant pour la prendre dans ses bras. Phoebe, qui a quitté le monde de son téléphone, est désormais revenue dans le monde réel, le visage aussi radieux que si nous étions le matin de Noël. Manifestement prête à faire la queue pour dérober un câlin à sa tante, elle laisse tomber son portable et se lève. J'ai le cœur débordant de remords : nous ne sommes pas allés la voir depuis l'anniversaire de Phoebe en février, soit trois mois plus tôt. Joel allait lui rendre visite au moins une fois par mois, parce qu'elle n'avait personne d'autre, et il emmenait souvent les enfants avec lui. Il semble évident qu'elle leur a manqué ; il en allait de ma responsabilité de maintenir le lien, et je ne l'ai pas fait. Les deux jours qui viennent de passer m'ont poussée à m'interroger sur ce que j'avais fait de ma vie. Je sais que je suis toujours débordée, toujours sur la brèche, mais j'ai l'impression d'avoir traversé toute cette période comme une somnambule, d'avoir manqué d'importants intervalles de temps.

Tatie Betty étudie Phoebe comme elle m'avait étudiée la première fois que nous nous sommes rencontrées : elle cherche à trouver une faille, quelque chose qui lui donnera de quoi taquiner un peu sa chère petite-nièce. « Je vois que tu as bien occupé ton temps », finit-elle par dire avec un sourire rusé mais espiègle.

Phoebe se tourne vers moi, le visage déformé par la haine ; elle a apparemment oublié que sa tante était une provocatrice-née. « Tu lui as dit que j'étais enceinte ! me hurle-t-elle. Mais j'y crois pas ! »

Tatie Betty, manifestement stupéfaite, a un mouvement de recul. Au même moment, Zane détache ses bras du cou de sa grand-tante et tourne sur lui-même pour regarder sa sœur, la bouche grande ouverte.

Comment quelqu'un de la génération « pécho » a-t-il pu commettre une telle erreur de débutant ? me demandé-je.

«Ta mère ne m'a rien dit», bégaie tatie Betty. Je ne l'ai jamais vue paniquer comme ça; elle ne manifeste généralement pas le moindre remords quant à ses agissements ou ses dires, si bien que l'entendre parler de façon aussi mal assurée me paraît aussi étrange que de la voir ouvrir elle-même une portière de voiture. «Je dis tout le temps ça aux gens, pour les amener à me confesser des choses. Tu le sais bien, ma chérie.»

Tatie Betty continue de me regarder, implorant mon aide de ses yeux magnifiquement maquillés. Mais même si je savais comment parler à Phoebe sans la rendre folle de rage, ce qui n'est pas le cas, je n'en ferais rien. Parce que, encore une fois, je pense que ça ne lui ferait pas de mal de s'excuser.

«Je suis désolée, Phoebe. Je t'assure que je n'étais pas du tout au courant de la situation.»

Zane a fermé la bouche, mais son visage de petit garçon de dix ans est tourné vers le ventre de sa sœur. Il va essayer de tâter son ventre; ce n'est plus qu'une question de temps. Il est fasciné par les femmes enceintes. Il sait comment on fait les bébés, mais, en ce moment, il est curieux de savoir pourquoi ils doivent rester dans le ventre de leurs mamans si longtemps, ce qu'ils ressentent quand ils y sont et s'ils s'aperçoivent de quelque chose quand on les touche. Je reste toujours sur mes gardes quand nous croisons des femmes enceintes, prête à intervenir s'il venait à tendre la main pour toucher leur ventre. Il va falloir que je lui demande de ne pas parler de cela. C'est un fardeau un peu lourd à porter pour un enfant, mais tant que Phoebe n'aura pas décidé de ce qu'elle souhaite faire, il vaut mieux que personne ne soit au courant.

Tatie Betty a cessé de parler. Elle n'a pas l'habitude de s'excuser ; cela a dû lui laisser un goût amer et étrange dans la bouche, et je suis sûre qu'elle ne retentera pas l'expérience avant bien longtemps.

Dans le silence qui suit ses excuses, tous les regards sont rivés sur Phoebe. Nos réactions vont dépendre de la sienne ; nous attendons tous de savoir ce qu'elle va faire, maintenant qu'elle a compris qu'elle s'était elle-même « dénoncée ».

Elle éclate en violents et incontrôlables sanglots.

7

La folie est terminée, toute ma famille est allée se coucher. Après avoir rassemblé le courrier de la journée, je m'assieds à la table de la cuisine. J'ai préféré allumer le néon qui est au-dessus de la cuisinière plutôt que le plafonnier, et je vais rester assise quelques instants pour me calmer, reprendre mon souffle.

Zane et Phoebe se sont tous deux endormis. Tatie Betty, pour sa part, est en train de déballer certaines de ses affaires, la plus grande partie d'entre elles, cependant, étant restée entassée dans le couloir et dans un coin du salon. Zane et moi avons réussi à tout sortir de la voiture, mais, après cela, j'ai déclaré forfait : je ne me voyais pas transporter tous ces trucs dans les combles. Et Zane était lui aussi si épuisé qu'il a à peine trouvé la force de se plaindre que j'aie préparé du poisson pour le dîner.

Phoebe, que je soupçonne d'avoir été moins ébranlée d'avoir révélé son secret que d'avoir pleuré devant nous, est restée cachée dans sa chambre jusqu'au dîner, au cours duquel elle nous a clairement fait comprendre, via l'expression de son visage, qu'il était hors de question de revenir sur le sujet.

Tatie Betty s'est montrée contrite et silencieuse durant la plus grande partie de la soirée, et elle m'a même proposé de faire la vaisselle après le dîner, ce qui prouve à quel point elle se sentait gênée (d'avoir fait de la peine à Phoebe, pas d'avoir intrigué pour que j'accepte de la laisser s'installer ici).

Tout le monde est monté à l'étage au même moment, et je suis allée m'asseoir sur le bord du lit de Zane pour lui demander d'éviter de parler à qui que ce soit de la grossesse de Phoebe. « T'inquiète ! a-t-il répliqué. Tu sais comment les bébés rentrent dedans ? Je vais pas aller raconter à mes copains qu'elle a fait ça ! » Il s'est interrompu quelques instants, avant d'ajouter : « Elle a fait ça, hein ?

— Oui », ai-je confirmé.

Maintenant, je peux rester assise à la table de ma cuisine, seule pour un moment. Je passe beaucoup de temps ici, parce que c'était la pièce préférée de Joel. Partout ailleurs dans la maison, nous avons partagé les idées quant à la décoration, mais, ici, c'est Joel qui a pris les choses en main. Il savait exactement ce qu'il voulait : le piano de cuisson, le réfrigérateur en acier inoxydable, l'évier à deux bacs, la crédence aux bords arrondis au-dessus des plans de travail de marbre blanc, les étagères sur les murs pour les pâtes, les légumes secs, les herbes et les huiles, le dallage blanc du sol.

Je me plais à penser que je peux sentir sa présence ici, parfois. Que je peux le voir debout devant les fourneaux, une cuillère en bois à la main, se retournant pour me parler ou regarder les derniers résultats d'un championnat de foot sur la télévision accrochée au mur. Que je peux me souvenir de lui debout devant le plan de travail, une fourchette à la main, en train de remuer une pâte pour faire des muffins aux myrtilles sans gluten. Que je peux le sentir ouvrir le réfrigérateur et regarder fixement à l'intérieur, en se demandant ce qu'il était venu y chercher. Et que je peux l'entendre, vêtu de son tablier noir de Run-D.M.C., chanter «*J-J-J-J-J's House!*» juste avant qu'il se mette à cuisiner.

La cuisine, c'est bien plus que ses livres de recettes parfaitement alignés à côté du bloc à couteaux, les herbes aromatiques en pots sur le rebord de la fenêtre et la sélection de casseroles et d'ustensiles qu'il a choisis. C'est sa présence, là, à la table, devant l'évier, devant la cuisinière, à la fenêtre, devant la porte, quand il s'apprêtait à sortir. Je me souviens de comment il était partout dans la maison, mais surtout ici. Dans cet espace qui était le sien.

Machinalement, je passe le courrier en revue. La plus grande partie consiste en enveloppes à fenêtre blanches ou marron contenant très certainement des factures. Je les ignore. Cela fait quelque temps désormais que j'ai surpassé la peur de ne pas pouvoir les payer, mais, néanmoins, je n'arrive pas à me résoudre à les ouvrir. Après la mort de Joel, après avoir passé plusieurs mois à essayer de régler ses «affaires», je me suis juré de ne jamais plus laisser les choses aller à vau-l'eau. De tout faire pour ne pas me retrouver débordée, afin que la personne qui devra régler mes «affaires» ne se voie pas confrontée à une tâche aussi difficile que la mienne. J'ai laissé la situation m'échapper. Celle-ci aussi. Il faut que je reprenne le dessus, il faut que je m'occupe de tout cela.

Parmi les factures et autres prospectus et publicités, une lettre se détache. Une enveloppe crème sans timbre ni cachet de la poste, mais sur laquelle figure mon nom, *Saffron Mackleroy*, suivi de mon adresse complète. Si mon correspondant s'est donné la peine d'écrire l'adresse dans sa totalité, j'en déduis qu'il avait l'intention de poster cette lettre, mais qu'il a fini par changer d'avis et a préféré faire le trajet, aussi long fût-il, pour venir la déposer dans ma boîte aux lettres.

L'écriture, à l'encre bleue, est régulière mais pas soignée, étudiée mais un peu fantasque. Les lignes sont parallèles et parfaitement centrées sur l'enveloppe. Je ne la reconnais pas, cette écriture. Perplexe, je glisse mon doigt dans le rabat de l'enveloppe et je commence à le déchirer.

« Ça » (26 octobre 2011)

« Je suis vraiment désolée d'avoir à vous dire ça », balbutie la femme. Elle s'interrompt pour chercher de l'aide de l'homme qui se trouve à sa droite.

« Votre mari a été impliqué dans un incident », poursuit l'homme.

Incident. *Incident et non accident. Ce qui signifie qu'il ne s'agit pas d'un hasard.*

« Est-ce qu'il va bien ? Où est-il ? Je peux le voir ?

— Je suis désolée, me dit la femme. Je suis vraiment désolée. »

Mes doigts sont engourdis, mon corps est engourdi, et, soudain, je manque d'air. Il y a le crépitement de dizaines de mûres qui tombent sur le sol, il y a le fracas d'un bol de céramique blanche qui percute le dallage de céramique blanche.

Je me cogne violemment contre ma chaise en me redressant pour m'éloigner de la table, de la lettre que j'ai ouverte et commencé à lire.

Toute tremblante, je reste plantée au milieu de la pièce à regarder les deux feuilles A4 crème méticuleusement pliées en trois et aux trois quarts ouvertes.

Et tout à coup, je ne suis plus là. Je suis de retour là-bas.

La cuisine est lumineuse. Il est 14 heures passées. J'ai ouvert la porte avec un bol de mûres à la main et j'ai fait entrer les intrus à la hâte, parce que j'avais laissé le robinet grand ouvert. Ils m'ont suivie dans la cuisine, et au moment où j'ai posé la main sur le mélangeur chromé, j'ai compris qui ils étaient, pourquoi je n'avais pas hésité à les laisser entrer.

J'ai coupé l'eau et je me suis lentement, prudemment tournée vers eux.

Je me vois aussi clairement que si j'y étais. Et je m'observe au moment où j'apprends la nouvelle, j'espionne Saffron Mackleroy au moment où elle découvre que son mari lui a été dérobé.

Je vois les mots s'écouler, je me vois laisser tomber le bol, je comprends pourquoi j'ai titubé et me suis cognée contre le plan de travail.

Je sais que je suis en train de penser : *Je n'aurais pas dû choisir des mûres.* Et dans une seconde ou deux, je vais lever les yeux vers les officiers de police, une femme et un homme, immobiles et silencieux devant moi, et je vais leur dire : « Où sont mes enfants ? »

Je suis de retour là-bas, cette lettre m'a arrachée au temps présent, catapultée dix-huit mois plus tôt. Au moment où « ça » s'est déroulé. Ce n'est pas comme ces failles temporelles qui déclenchent des souvenirs qui peuvent être aussi bien réconfortants que troublants ; c'est comme si on m'avait de nouveau traînée jusque là-bas. Je suis là-bas, je suis piégée, je vis ce calvaire à nouveau.

C'est pour cette raison que j'essaie de ne jamais penser à « ça ». C'est pour cette raison que j'essaie de ne jamais penser à cette époque en général. C'est pour cette raison que je m'efforce de rester engourdie et sur mes gardes : si je pense à « ça », je suis condamnée à le vivre à nouveau.

III

8

« Ça » (26 octobre 2011)

« Je suis vraiment désolée d'avoir à vous dire ça », balbutie la femme. Elle s'interrompt pour chercher de l'aide de l'homme qui se trouve à sa droite.

« Votre mari a été impliqué dans un incident », poursuit l'homme.

Incident. Incident et non accident. Ce qui signifie qu'il ne s'agit pas d'un hasard.

« Est-ce qu'il va bien ? Où est-il ? Je peux le voir ?

— Je suis désolée, me dit la femme. Je suis vraiment désolée. »

Mes doigts sont engourdis, mon corps est engourdi, et, soudain, je manque d'air. Il y a le crépitement de dizaines de mûres qui tombent sur le sol, il y a le fracas d'un bol de céramique blanche qui percute le dallage de céramique blanche.

« Ça »

« Où sont mes enfants ? » leur demandé-je. Les yeux grands ouverts, je les regarde à tour de rôle. L'homme, la femme. Deux étrangers que j'ai laissés entrer dans ma maison, alors que je ne sais même pas où se trouvent mes enfants.

Ils échangent des regards perplexes, déconcertés, avant de se retourner vers moi.

« Où sont mes enfants ? » répété-je, d'une voix qui, cette fois-ci, laisse deviner la panique qui est en train de s'insinuer en moi.

La femme dit : « J'imagine qu'ils doivent être à l'école.

— Non. » Je secoue la tête. « Ce n'est pas vrai, c'est impossible. Je ne les aurais pas laissés à l'école à un moment comme celui-ci. Je les aurais gardés près de moi. Je n'aurais pas fait ça. Je sais que je n'aurais pas fait ça.

— Je vais appeler le poste et demander à quelqu'un de contacter leur école pour vérifier, me dit la femme. Dans quel établissement sont-ils ?

— St Caroline, au coin de la rue, et St Allison, à Hove.

— Je reviens tout de suite.

— Non, je vais aller voir à St Caroline ; c'est juste à côté. Ça ira plus vite. »

La femme, en uniforme, vient se poster devant moi, m'empêchant physiquement de quitter la pièce, la maison. M'empêchant de me précipiter dans la rue et de courir vers l'école de Zane pour m'assurer qu'il va bien. « Non, non, madame Mack-el-roy, il vaut mieux que vous nous laissiez nous occuper de cela. Il risque d'avoir peur s'il vous voit arriver dans cet état. » Au moment où elle prononce ces mots, l'homme quitte la pièce, sort de la maison et commence à manipuler son talkie-walkie.

« Vous pensez qu'il leur est arrivé quelque chose à eux aussi, c'est ça ? demandé-je, hystérique, en tendant l'oreille pour essayer d'entendre ce que l'homme dit.

— Non, bien sûr que non », me répond la femme sur un ton peu convaincant et par conséquent absolument terrifiant.

« Ça »

Il est complètement immobile. Silencieux.

Il faut que je le réveille, que je lui rappelle que ce n'est pas le moment de dormir, et pas le lieu, non plus. Mais dort-il tout habillé sous ce drap ? Il a toujours dormi nu, il déteste l'idée d'être entravé par des vêtements dans son sommeil.

Et puis, qu'est-ce qui lui prend de dormir à un moment pareil ? Il a une femme sur la bouche de laquelle il doit presser ses lèvres fraîches, il a des enfants qui attendent ses pitreries. Il a un meilleur ami qui compte bien essayer de le convaincre d'aller boire avec lui une pinte ou deux, ou cinq, ou dix. Il a des parents qui n'ont rien dit de mal sur sa femme ni sur son mode de vie depuis… oh !, bien une semaine. Il a une tante qui a très envie qu'il lui achète une très onéreuse bouteille de porto. Il a une vie ; il devrait être en train de la vivre. Ce n'est pas le moment de dormir, de se reposer, de rester immobile.

« Est-ce votre mari ? » me demande l'homme, depuis sa position, derrière moi.

Je devrais lui répondre non, parce que ce n'est pas mon mari. Mon mari est vif, plein d'entrain, d'un dynamisme exaspérant ; il n'est pas comme ça. Mais je ne dis pas non ; je hoche la tête et je murmure : « Oui. »

Instinctivement, je tends le bras pour caresser son sourcil, arranger ses cheveux. Le genre de choses que je dois faire au moins une dizaine de fois par jour, pour me connecter à lui.

« Je suis désolé, dit l'homme, et sa main, qui se resserre comme un étau sur mon avant-bras, m'empêche d'établir le contact. Vous ne pouvez pas faire ça. »

Mon visage se déforme sous le coup de l'incompréhension. Je le regarde, puis me tourne vers la frêle assistante funéraire, qui baisse aussitôt les yeux et prend un air penaud en pinçant les lèvres. Je regarde de nouveau l'homme.

« Je suis désolé, répète-t-il sur un ton plus compatissant. C'est... C'est une pièce à conviction, désormais. En le touchant, vous pourriez détruire ou contaminer des preuves. »

Ce n'est pas une pièce à conviction, ce n'est pas une preuve, m'insurgerais-je, si ma gorge n'était pas complètement nouée. *C'est mon mari. C'est le père de mes enfants. C'est mon Joel.*

Cinq jours après « ça » (octobre 2011)

« Pensez-vous qu'il y ait quelque chose que vous pourriez nous dire sur votre mari pour nous aider à comprendre qui a pu lui faire ça ? » me demande l'homme. C'est le même que celui qui m'a annoncé la nouvelle, le même que celui qui m'a conduite à la morgue. Je pense que si on me l'a attribué comme officier de liaison familial[1], c'est parce que lorsqu'il

---

1. *Family Liaison Officer.* Officier de police criminelle spécialement formé pour établir un lien particulier avec les familles de victimes dans le but de leur apporter un soutien psychologique et moral, mais aussi de récolter des informations utiles aux enquêtes. (*N.d.T.*)

m'a dit que Phoebe et Zane étaient en sécurité dans leurs écoles respectives, je me suis jetée dans ses bras, avant de m'effondrer en sanglots et de me confondre en remerciements. Je pense qu'ils pensent qu'il y a entre nous un lien, une connexion. Il est tout le temps dans les parages. Quand d'autres officiers m'interrogent, il vient s'asseoir à côté de moi, comme pour essayer de me réconforter. Et parfois, comme c'est le cas maintenant, il me pose lui aussi des questions.

« Pensez-vous qu'il y ait quelque chose que vous pourriez nous dire sur votre mari pour nous aider à comprendre qui a pu lui faire ça ? » La question reste suspendue dans les airs. Je la considère sous tous les angles possibles.

Je pourrais leur dire beaucoup de choses sur mon mari, mais pas maintenant. En cet instant précis, je ne me souviens d'absolument rien à son sujet. Ou plutôt si : j'ai toutes ces sensations de lui, ces choses dans ma tête qui me font sourire, mais comment pourrais-je les lui décrire ? Sa chaleur ? Comment décrire la capacité d'un homme à attirer les gens vers lui parce qu'il est aussi chaleureux que le soleil ? Comment décrire la luminosité de son sourire ? Comment leur dire que je me sentais parfaite grâce à lui ? S'il n'y a pas assez de mots dans le dictionnaire pour ça, je ne vois pas l'intérêt de parler de lui. Tout le reste est sans importance ; tout le reste est stupide et insignifiant.

« Je ne sais pas qui a pu faire ça », finis-je par répondre. Je le leur ai déjà dit. Je le leur répète depuis ces cinq derniers jours. Ils ne m'écoutent pas.

« Il ne vous a rien dit de particulier ? Est-ce que quelqu'un aurait pu avoir une raison de lui en vouloir ? Vous paraissait-il inquiet, ces derniers temps ? Vous savez, ce sont souvent de toutes petites choses, *a priori* sans importance, qui nous permettent d'avancer dans nos enquêtes. »

Je m'exprime mal ; je choisis mal mes mots. « Je ne connais personne susceptible de faire ça. » Voilà ce que je voulais dire, voilà comment j'entendais les choses. « Je ne connais personne susceptible de faire ce que cet homme ou cette femme a fait. Je ne sais pas quoi vous dire. »

L'autre, celui qui n'est pas l'officier de liaison familial, prend un air compatissant. Comme s'il avait enfin compris, il hoche la tête, avant de me demander : « Et si vous me parliez de ses amis ? Ses collègues de travail ? Personne dans son entourage n'a eu de comportement bizarre ces derniers temps ? »

Il ne comprend pas. Personne ne comprend. « Je ne connais aucun individu susceptible de faire ça. S'il vous plaît, arrêtez de m'interroger. Je ne sais pas. Je voudrais savoir, je voudrais vous aider. Mais je ne sais pas. Je ne sais pas. Je ne sais pas. »

Le premier, celui qui est toujours là, à boire mon thé, toujours debout derrière moi chaque fois que je me retourne, finit par comprendre. « C'est le choc, dit-il prudemment. Ça sera plus facile quand ça commencera à s'atténuer. Malheureusement, le moment est déterminant : il nous faut agir vite pour trouver le monstre qui a fait ça.

— Ce n'était pas un monstre, lui dis-je. Les monstres n'existent pas. Si c'était un monstre qui avait fait ça, Joel ne serait pas... Les monstres n'existent pas. » C'est le choc qui parle pour moi. Les monstres existent. Ils sont réels, bien réels.

Deux semaines après « ça » (novembre 2011)

« Nous aimerions que vous participiez à un appel à témoins télévisé pour encourager les gens susceptibles de détenir des informations quelconques concernant le décès de votre mari à nous les communiquer », me dit mon officier de liaison familial. Il paraît soucieux ; alors que les autres inspecteurs se tiennent debout devant la cheminée, lui s'est assis à côté de moi, dans une posture protectrice.

« Non, répliqué-je en secouant la tête.

— Pourquoi non, madame Mack-el-roy ?

— Je vous ai déjà dit que c'était Mack-le-roy, répliqué-je d'une voix lasse. Mais quoi qu'il en soit, je ne le ferai pas. Il n'est pas question que je passe à la télévision pour faire appel à la bonne volonté d'un tueur.

— Ce n'est pas ce que nous vous demandons. L'objectif de cette vidéo serait de rafraîchir la mémoire d'éventuels témoins qui pourraient avoir vu quelque chose d'important sans s'en rendre compte. Et aussi de montrer aux gens à quel point il est douloureux de se trouver dans votre position. Nous voulons que toute personne en possession d'informations comprenne qu'elle n'a pas le droit de ne pas les révéler. »

Il a probablement raison. Les gens ont besoin qu'on leur rappelle que Joel n'est pas simplement l'homme dont ils voient la photo dans les journaux, l'homme qui s'est probablement trouvé au mauvais endroit au mauvais moment. Il était réel, il était humain, il était à moi. « Demandez à ses parents de le faire, proposé-je en guise de compromis.

— Nous pensons qu'il vaudrait vraiment mieux que ce soit vous, sa veuve, qui le fassiez », me dit l'autre.

Les gens ont besoin de savoir, mais je n'ai plus envie de le partager avec qui que ce soit du monde extérieur. Je l'ai perdu physiquement, et entre la paperasse, les enfants, mon travail et la nouvelle organisation de ma vie, il me reste à peine quelques miettes de temps pour penser à lui. À lui, et non pas à sa mort ou à l'enquête. À lui en tant que personne qui a traversé la vie avec moi. Il est hors de question que je partage l'un ou l'autre de ces précieux moments avec qui que ce soit, qu'il s'agisse de personnes de ma connaissance ou de caméras de télévision. Hors de question.

« Demandez à ses parents, répété-je. Ils le connaissent depuis plus longtemps que moi ; ils sauront mieux en parler que moi. »

Dix-sept jours après « ça » (novembre 2011)

« Tu as une mine horrible, me dit Fynn en prenant place en face de moi à la table de la cuisine.

— Je te remercie. C'est toujours sympa de connaître l'avis du miroir parlant. » Il a raison : j'ai une mine horrible. J'ai pris l'habitude d'enfiler par-dessus mes jeans et T-shirts l'un des pulls ou sweats à capuche de Joel. Je suis toujours glacée, le froid ne quitte plus mes os, et j'ai besoin de porter quelque chose à lui pour me réchauffer, me réconforter. Mes cheveux sont attachés en queue-de-cheval, et ils resteront probablement ainsi jusqu'au moment où il me viendra enfin à l'esprit qu'il pourrait être nécessaire de les laver.

« Désolé, reprend Fynn, je ne disais pas ça méchamment. Je m'inquiète pour toi, c'est tout.

— Je sais, je sais, mais évite de dire ce genre de choses, d'accord ? » Je frotte mes yeux las. « Je préférerais ne pas avoir à supporter des commentaires de ce genre, en plus de tout le reste.

— Quand as-tu dormi pour la dernière fois ? » Je n'ai pas besoin de le regarder pour savoir que ses yeux bleu marine débordent d'inquiétude. Si je lui posais la même question, j'obtiendrais probablement une réponse du même acabit que la mienne.

« Tu connais beaucoup de gens qui dorment alors qu'ils savent qu'ils sont au bord de la faillite ?

— C'est aussi horrible que ça ? me demande-t-il.

— C'est pire que ça. Je ne peux rien faire tant que je n'ai pas de certificat de décès : je ne peux pas toucher à l'argent de ses comptes, je ne peux pas réclamer l'argent de son assurance-vie, et je ne peux pas demander de délais de paiement. Et je ne peux pas obtenir de certificat de décès parce que je n'ai pas son... » Ma voix reste prise dans ma gorge, mes yeux sont soudain emplis de larmes. Je ferme les paupières. Je n'ai pas le temps de pleurer. « Je ne peux pas obtenir de certificat de décès parce qu'il est toujours considéré comme une "pièce à conviction". Je ne peux même pas organiser de funérailles, parce qu'on ne me l'a pas rendu, et je ne sais pas quand on me le rendra.

— Ils ne t'ont pas donné de délai approximatif ?

— Environ trois mois, peut-être plus.

— Trois mois ! » L'indignation de Fynn, brutale mais acérée comme des ongles s'enfonçant dans un enchevêtrement de nerfs à vif, nous suffit à tous deux. Cette colère, comme de nombreuses autres choses, je ne peux pas la ressentir, parce qu'elle consumerait mon énergie, viderait les réserves spirituelles dont j'ai besoin pour survivre au jour le jour. L'engourdissement est devenu mon seul moyen de défense. « Mais pourquoi ?

— Il paraît que c'est toujours comme ça avec les décès non naturels. » *Avec les meurtres*. Il est rare que je parvienne à prononcer le mot. C'est trop irréel. Le meurtre ne peut pas faire partie de ma vie.

Je peux sentir mon visage en passant mes mains dessus, je sais que mon nez est toujours situé en son centre, que mes joues sont de part et d'autre, que mes yeux sont au-dessus, qu'au-dessus d'eux se trouve mon front, que mes lèvres sont sous mon nez et que sous mes lèvres se trouve mon menton, mais ce sont là des choses que je sens de mémoire, je n'arrive pas à croire que je suis vraiment en train de toucher l'une d'entre elles en ce moment. Je suis engourdie, en dehors du monde sensoriel.

« De combien as-tu besoin ? me demande Fynn.

— Non, je te remercie, mais non. » Je retire mes mains de mon visage pour observer celui de l'homme qui a connu Joel avant moi. « Tu ne pourrais pas nous prêter ce dont nous avons besoin. Et même si c'était possible, je ne pourrais pas accepter. J'ai tout passé en revue, tous les chiffres, tous les comptes auxquels j'ai accès, et, pour tenir encore trois mois, il va falloir que… » Je soupire. « Il va falloir que je vende la cabine de plage.

— Quoi ? Non, certainement pas.

— Si. J'ai fait ce calcul décisif dont on entend souvent parler et qui consiste à additionner tout ce que l'on a, à retrancher tout ce que l'on doit, et à voir ce qu'il reste. Or, dans mon cas, il ne reste que des dettes. Il faut que je vende des choses. Et les seules choses que je peux vendre pour obtenir de quoi nous permettre de survivre sont les enfants, ma voiture et la cabine de plage. Or j'ai besoin de ma voiture pour travailler, et même s'il était légal de vendre les enfants avant la finalisation de l'héritage, au vu de la contribution de Joel dans leur conception, je crois qu'ils me manqueraient vraiment trop. »

À ces mots, les coins de la bouche de Fynn se relèvent légèrement. Une vague esquisse de sourire. Une faible lueur d'espoir. Peut-être un jour sera-t-il possible de plaisanter à nouveau, de se sentir insouciants à nouveau…

« Il ne reste que la cabine de plage, conclus-je.

— S'il te plaît, laisse-moi te prêter de l'argent. Cette cabine de plage… Vous y avez fêté le premier anniversaire de Zane, vous y avez organisé la bénédiction de votre dixième anniversaire de mariage. Vous ne partiez jamais en vacances, vous…

— Tu ne m'aides pas, là, Fynn », le coupé-je. La petite étincelle d'espoir d'un futur qui pourrait être de nouveau empli de rires s'est brusquement éteinte, soufflée par les propos de Fynn, qui n'ont fait que me rappeler tout ce que j'allais encore perdre. « Je n'ai pas besoin qu'on me remémore le bon vieux temps.

— Désolé, marmonne-t-il.

— Je sais que c'est beaucoup te demander, mais j'aimerais que tu te charges de la vente. Moi, je n'y arriverais pas. Si ça ne te dérangeait pas de t'occuper de la paperasse, puis de déménager ce qu'il y a dedans et de mettre les affaires de côté pour moi. Je sais que c'est beaucoup te demander, mais je ne peux pas, je… »

Il couvre mes mains des siennes. « C'est le moins que je puisse faire. Tu es vraiment au fond du gouffre, c'est ça ?

— Tu ne t'imagines même pas. Mais essaie de prendre ça comme une leçon. Si tu te maries à nouveau, assure-toi que ta femme et toi ayez des comptes distincts, au cas où une chose semblable arriverait. Et échangez vos mots de passe respectifs. Et ne vous perdez pas de vue ne serait-ce qu'une seule seconde.

— Tout finira par s'arranger ; ne t'inquiète pas, me répond-il d'une voix rassurante.

— Quand les gens disent ça, est-ce qu'ils y croient vraiment ? Est-ce que tu y crois vraiment ?

— Il le faut. Autrement, que nous reste-t-il ? »

Fynn est incroyablement pâle, les traits de son visage grisés et épaissis à cause de ce qui est arrivé. Ses cheveux brun foncé, d'ordinaire soigneusement peignés, sont emmêlés en boucles anarchiques ; ses yeux sont ternes. Il ressemble à ce que je ressens.

« Ça va s'arranger, promet-il. La douleur ne disparaîtra pas, mais on finira par apprendre à vivre avec. On n'aura plus l'impression qu'elle va nous consumer à chaque instant de la journée ; elle s'estompera un peu.

— Comment le sais-tu ? »

Il hausse une épaule. « Je sais beaucoup de choses.

— Je ne te crois pas. » Je ne crois pas qu'un jour viendra où je ne me sentirai plus comme ça. Je ne crois pas que le monde après « ça » pourra à un moment ou à un autre devenir moins douloureux, moins atroce qu'il ne l'est maintenant.

« À ta place, je ne me croirais pas non plus.

— Bon, dis-je d'une voix ferme en me levant. Je pense que je ferais bien de me remettre à essayer de sortir de l'argent de nulle part. » J'enfonce mon bras dans le tiroir qui est à côté du réfrigérateur et parviens à en extirper les trois petites clefs à cadenas, retenues par le fragile anneau de métal que Joel et moi envisagions régulièrement de changer. « *On devrait tout de même leur trouver un porte-clefs correct* », nous disions-nous l'un à l'autre, chaque fois que nous les sortions du tiroir. Le cœur lourd, je les remets à Fynn. Il les regarde quelques instants, avant de lever les yeux vers moi. Il a baissé sa garde ; je peux voir toute l'immensité de sa douleur : l'impact de la disparition de Joel, qui le dévore de l'intérieur au point qu'il doit sans cesse refouler ses sentiments s'il veut survivre au jour le jour.

« S'il te plaît, essaie d'en tirer un maximum. » Je baisse les yeux. Regarder son visage tourmenté, voir ce à quoi ressemble ma souffrance, comment elle doit apparaître au monde extérieur… tout cela est au-delà de mes forces. « J'ai… J'ai fait des recherches sur Internet, et la plupart de celles qui sont à vendre sont dans les douze mille, alors si tu pouvais en tirer dix mille pour la nôtre, je pense qu'elle partirait plus vite et que ça nous permettrait de respirer un peu pendant un moment.

— Je ferai de mon mieux.

— Merci, Fynn. » J'ai envie de le serrer dans mes bras, mais je ne peux pas. Je ne peux pas rendre les choses plus difficiles qu'elles ne le sont déjà. Les deux premières semaines, Fynn a dormi presque tous les soirs dans notre canapé. Il se levait aux heures les plus sombres de la nuit pour me reconduire jusqu'à ma chambre, alors que je faisais encore et encore le tour de la cuisine, en quête de quelque chose que j'avais perdu. Au cours de ces nuits, je m'accrochais désespérément à lui. Il était comme une ancre, un point fixe qui m'empêchait de dériver. Je ne peux pas recommencer ça maintenant ; si je remets le pied dans l'engrenage, je ne pourrai pas le laisser partir.

Alors que je me fais cette réflexion, il me prend dans ses bras pour m'attirer contre lui et enfouit son visage dans le creux de mon cou. Ses cils effleurent ma peau au moment où il referme ses paupières, et son étreinte autour de moi se resserre. C'est à son tour de s'agripper à l'ancre.

Trois semaines après « ça » (novembre 2011)

Un lugubre couinement, au beau milieu de la nuit, arrête les battements de mon cœur et me tire de mon état de somnolence, état le plus proche du sommeil auquel je peux désormais prétendre. Phoebe ou Zane ? Je rejette brutalement les couvertures, prête à me précipiter dans le couloir pour aller à leur rencontre.

Encore ce couinement, cette fois-ci plus fort et accompagné de deux claquements ; maintenant que je suis levée, je sais qu'il provient de l'extérieur de la maison. Je m'approche de la fenêtre. Les claquements

– cinq courts et déchirants claquements de dents animales – sont suivis par un nombre égal de couinements lugubres. Nouvelle séquence : claquements, couinements, encore jusqu'à ce que le bruit emplisse tout le volume de ma chambre.

Je sais ce que c'est, et, pourtant, j'écarte les lattes des stores de la fenêtre de gauche de la baie vitrée pour jeter un œil dehors. Le monde extérieur est baigné de ténèbres, et malgré le lampadaire situé un peu à droite de notre maison, je ne peux pas la localiser. Mais je sais qui c'est et je sais qu'elle vient de le trouver.

Cet écureuil, c'est la première chose que j'ai vue ce matin quand j'ai regardé par la fenêtre de ma chambre. Il était immobile sur le sol, sa fourrure gris marron lisse et impeccable, son corps tout étiré, comme s'il était en train de sauter d'une branche à une autre. On dirait qu'il a été foudroyé au moment où il bondissait.

Mes paupières sont trop lourdes pour que je puisse distinguer une forme quelconque entre les voitures garées et les troncs d'arbres, mais je continue de la chercher du regard, alors que j'entends toujours son gémissement perçant et sauvage.

Toutes sortes d'émotions ont implosé dans ma tête quand j'ai vu l'écureuil ce matin. Il était mort. Comme pour me rappeler ce à quoi ressemble la mort dans le monde physique. Après être restée plusieurs minutes à le regarder, j'ai couru dehors pour déplacer ma voiture, afin que personne ne puisse l'apercevoir depuis le trottoir. Je ne voulais pas que les enfants le voient et qu'ils se rappellent ce que le mot « mort » signifie. Quand on parle de mort, on peut toujours utiliser les mots « parti », « perdu » ou « disparu », mais la vue d'un cadavre aurait rendu les choses horriblement concrètes. Ils penseraient au corps de leur père étendu, quelque part « là-bas », puisque nous ne l'avions toujours pas récupéré. Avant de partir pour le bureau, j'ai appelé la mairie pour qu'on l'emporte, et je me suis sentie soulagée de ne pas le voir quand je suis rentrée. Mais maintenant, avec les claquements et les couinements qui s'élèvent de l'autre côté de la fenêtre, je comprends que je me suis trompée : son corps est toujours là, quelque part, et elle, sa partenaire, vient de le découvrir.

Elle a dû passer toute la journée à le chercher. Et elle n'arrive pas à croire qu'elle ait fini par le retrouver dans cet état-là. J'ai laissé tomber des mûres, j'ai voulu savoir où étaient mes enfants, je n'ai pas été autorisée à le toucher, je me suis réveillée tous les matins et me suis couchée tous les soirs, mais, trois semaines plus tard, je n'arrive toujours pas à y croire. Je me sens toujours comme ça à l'intérieur, j'ai toujours l'impression que nous sommes ce jour-là et que je suis en train d'écouter quelqu'un me dire ce qui est arrivé à Joel. J'ai toujours envie de hurler à en faire s'écrouler le monde.

Je renonce à la chercher, elle qui partage ma peine. Mais je reste debout à la fenêtre, les mains sur mes yeux, mes oreilles emplies des lamentations de l'écureuil, dont je comprends si bien les sentiments.

Vingt-cinq jours après « ça » (novembre 2011)

« L'agent immobilier te fera un virement sur ton compte dès que tu auras signé les papiers.

— Tu ne pourrais pas t'en occuper ? » gémis-je suffisamment fort pour couvrir le bruit constant des véhicules qui passent devant l'immeuble où se trouve mon bureau. Il est situé juste derrière Queen's Road, la rue qui part de la gare pour aller à la mer, si bien que les habitués de la ville coupent toujours par là pour se rendre dans les magasins du quartier de North Laine.

Une camionnette blanche passe en vrombissant devant nous au moment où Fynn me répond : « Non, désolé, je ne suis pas le propriétaire légal. Mais je peux t'y conduire maintenant, si tu veux. Je sais que ce n'est pas marrant, mais dix mille livres sterling, c'est un bon prix, et si on y va tout de suite, elles seront sur ton compte dès aujourd'hui. Ou demain, au plus tard.

— Je ne peux pas y aller maintenant. Je me suis déjà tellement absentée…

— Pour raison familiale.

— Mais leur compassion s'amenuise à mesure qu'ils se convainquent que je ne remplis plus mes fonctions. » Je chuchote. J'ai beau être dehors, je sais que les murs ont des oreilles, et que les oreilles ont des murs. Ces derniers temps, il m'arrive d'oublier comment sont formulées les expressions, comme sont construites les phrases, parfois comment les jours de la semaine sont agencés. Mais à cet instant précis, tout ce dont je me souviens, c'est que je ne veux pas que qui que ce soit entende ce que je dis.

« Alors à ta pause déjeuner ?

— Pause déjeuner ? Dans quel siècle est-ce que tu vis ?

— Tu veux vraiment attendre jusqu'à samedi ?

— Non. Non, je n'ai pas envie d'attendre. À quelle heure ils ferment ?

— 19 heures.

— O.K. Tu pourrais surveiller les enfants et leur faire à dîner si j'y vais ce soir ?

— Bien sûr. Pas de souci. » Il s'interrompt, comme s'il se demandait s'il devait ou non me parler de quelque chose. Et il finit par se décider : « Tu veux savoir qui l'a achetée ? »

J'hésite parce que je suis curieuse d'apprendre le nom de la femme qui aura la chance de prendre ma place, qui suspendra de nouveaux transats aux crochets de cuivre que nous avons installés, quelle couleur de parasol les nouveaux occupants choisiront. Je suis curieuse, mais ai-je vraiment envie de savoir qui se servira de cet endroit que Joel, Phoebe, Zane et moi adorions, et créera des impressions nouvelles et radicalement différentes dans le temps ? J'économisais pour pouvoir partir de nouveau en voyage quand j'ai vu le panneau accroché à la façade, et c'est sur un coup de tête que je l'avais achetée. J'étais avec Joel depuis un an, j'avais désormais un homme avec qui envisager un avenir. Au lieu de partir, j'ai donc acheté la cabine de plage. Et nous nous en sommes servis comme résidence de vacances depuis.

« Non, je veux signer dans la case prévue à cet effet et m'en aller.

— Très bien. À tout à l'heure, alors. »

Je reste plantée dans la rue devant mon bureau, mon téléphone dans ma main, et je laisse les souvenirs de notre petite cabine de plage aux portes jaune vif pleuvoir sur moi : Joel trébuchant et laissant tomber le gâteau d'anniversaire de Zane, avant de regarder avec une horreur mêlée de fascination les mouettes plonger en piqué pour en avaler des morceaux, presque comme dans une scène des *Oiseaux*. Phoebe faisant l'équilibre devant la cabine, et Zane s'accrochant à sa jambe tout en levant le pouce face à l'objectif comme si sa sœur était un immense poisson qu'il venait de pêcher. Moi m'endormant en lisant un livre sur notre transat double, et eux me laissant là pour aller chercher des glaces et barboter dans la mer. Joel envoyant sur le toit le bouchon de la bouteille de champagne qu'il avait ouverte pour la bénédiction de notre dixième anniversaire. La photo que j'ai prise de notre famille l'été dernier, celle sur laquelle ils ont tous fait des têtes d'imbéciles juste avant que j'appuie sur le déclencheur.

Il fallait que je la vende. Je n'avais pas d'autre choix. Il était dans l'intérêt de tous que je le fasse.

Six semaines après «ça» (décembre 2011)

«Les services de police viennent de confirmer qu'un homme de trente-deux ans avait été arrêté dans le cadre de l'enquête sur le meurtre brutal d'un résident de Brighton nommé Joel Mack-el-roy. Mack-el-roy, quarante-quatre ans et père de deux enfants, avait été retrouvé poignardé sur Montefiore Road, à Hove. Il est mort des suites de ses blessures sur le chemin de l'hôpital sans avoir repris connaissance.»

Je m'arrête au milieu de la cuisine, les yeux fixés sur la tache par terre, pour écouter la radio m'apprendre qu'ils ont un suspect. Je ne savais pas qu'ils avaient arrêté quelqu'un.

« La police recherche toujours des témoins pouvant disposer d'informations en relation avec le meurtre... » Je n'entends pas la suite parce que je me prépare mentalement. La maison était silencieuse avant que je mette la radio, dix minutes plus tôt, mais, maintenant, je sens que le hurlement, le tumulte du monde extérieur, de tous ces gens qui voudraient apprendre ce qu'ils pensent que, moi, je sais, ne va pas tarder à déferler sur moi.

C'est mon portable qui sonne le premier, suivi de près par le téléphone fixe, qui se met à faire des trilles à côté de la bouilloire. Je plaque mes mains sur mes oreilles pour couvrir le bruit de la radio, faire taire maman sur mon portable, réduire au silence la mère de Joel sur le fixe.

Tellement de bruit. Tellement de bruit.

Huit semaines après « ça » (décembre 2011)

« Je ne comprends pas pourquoi il leur faut autant de temps pour retrouver le coupable. Qu'est-ce que tu en penses, toi ? me demande maman.

— Je ne sais pas, répliqué-je mollement. Les enquêteurs font du mieux qu'ils peuvent. » Elle est assise sur mon canapé. Papa digère le dîner de Noël dans les combles, et les enfants sont partis se réfugier au premier.

Ce n'était pas comme ça que les choses devaient se dérouler. Nous avions prévu de passer Noël seuls tous les trois, pour pouvoir commencer à nous organiser, voir comment notre trio allait fonctionner dans les occasions importantes.

Mais en dépit de mes explications, mes parents – ma mère – ont insisté pour venir. En ce moment, nous avons besoin de diviser le temps que nous passons avec ceux qui le connaissaient, de le sectionner en petits tronçons pour ne pas que les choses deviennent trop pesantes. Car nous nous sommes aperçus que nous nous sentions presque obligés d'endosser leur peine en plus de la nôtre, de prendre en compte les sentiments que sa disparition leur inspirait, alors que la seule chose dont nous avons envie est de nous concentrer sur nous-mêmes, de penser à ce que nous ressentons et de ne pas nous soucier des autres. Mais avec les grands-parents, les choses sont plus délicates, car ils font partie de la famille, et on doit toujours faire passer les membres de sa famille en premier, quitte à faire passer leur chagrin avant le nôtre. Les parents de Joel ont décidé de partir en Jamaïque pour les fêtes ; ils ont emmené tatie Betty avec eux ; ils ne pouvaient pas supporter l'idée de rester ici cette année, puisqu'ils ne pourraient pas voir leur fils.

« Je ne comprends toujours pas pourquoi ils ont libéré cet homme, dit maman. S'ils pensent qu'il est coupable, pourquoi l'ont-ils laissé partir si facilement ?

— Parce qu'il a pu apporter la preuve de l'endroit où il se trouvait au moment où cela s'est produit. S'il ne le leur a pas dit tout de suite, c'est parce qu'il se trouvait en un lieu où il n'aurait pas dû être.

— Mais…

— Il est innocent, maman, O.K. ? Ce n'est pas lui qui a fait ça. »

À ces mots, maman, relevant fièrement le menton, se redresse dans son siège. Je l'ai choquée. Elle ne m'a été d'aucune aide dans les préparatifs du repas de Noël ; elle est restée assise à attendre que nous la servions. Elle m'a dit que je devrais porter du noir, mais pas en haut, près de mon visage, parce que ça me vieillit. Elle m'a expliqué longuement, et devant les principaux intéressés, que je ne devrais pas laisser les enfants se coucher si tard, alors que ce sont les vacances scolaires et que s'ils rechignent à aller se coucher, c'est parce que c'est généralement à ce moment-là qu'ils pleurent, et que, parfois, ils aimeraient ne pas pleurer. Elle m'a dit que je devrais songer à faire passer mon alliance à ma main droite, parce que je ne suis plus mariée désormais. Et elle a le culot de prendre cet air choqué et offensé. Juste parce que j'ai élevé la voix un tout petit peu, parce qu'une fois de plus, elle ne m'a pas écoutée. Si Joel avait été là, la situation aurait été tolérable. Sa présence avait le don de rendre les visites de mes parents supportables.

« Excuse-moi », marmonné-je. Si je dis cela, c'est pour rendre moins pénibles pour nous tous les deux jours que va encore durer leur visite. Si je dis cela, c'est parce qu'elle ne reviendra plus nous voir à la maison. Sans Joel, il est hors de question que je tolère une fois de plus ce genre de situation. « Les derniers jours ont été difficiles pour moi. Je suis un peu fatiguée.

— Oui, ça se voit. Et tu as perdu beaucoup de poids. Ça ne te va pas du tout. »

Je ne peux m'empêcher de sourire. « Mais tu m'as toujours dit... » *qu'il fallait que je perde du poids*, complété-je dans ma tête. *J'ai toujours été trop grosse à tes yeux. J'ai toujours trop mangé, même s'il fallait toujours que je finisse mon assiette pour ne pas être une méchante fille qui se moquait royalement de tous les gens qui mouraient de faim dans le monde. Bref, j'aurais pensé que, au moins, ça, ça te ferait plaisir.*

Ma mère ne semble pas avoir remarqué que je m'étais interrompue au milieu d'une phrase ; elle continue sur sa lancée : « Tu es affreuse, comme ça. Il faut que tu manges. Il faut que tu reprennes du poids.

— Ouais. Tu dois avoir raison. »

Je me concentre sur la photo entourée de guirlandes de Noël qui se trouve sur la cheminée et sur laquelle on peut voir Joel et les enfants. C'était notre premier Noël en quatuor. Phoebe avait quatre ans, Zane neuf mois et nous avions passé un merveilleux moment ensemble. Je me concentre sur cette image, sur ce que nous avons vécu ce jour-là, et je me déconnecte de tout ce qui m'entoure.

Neuf semaines après « ça » (décembre 2011)

« Maman ? » La voix de Phoebe est si basse, si fragile qu'elle en est presque noyée par le bruit qui fait rage en moi.

« Oui ? » lui dis-je. J'avais laissé ma tête reposer sur la table pour regarder l'hématome violet qui s'étend sur le sol de la cuisine. Comme si j'avais été surprise en train de faire quelque chose que je n'aurais pas dû faire, je me redresse brutalement sur ma chaise. Phoebe ne se donne pas la peine d'allumer la lumière en entrant dans la pièce.

Je suis restée assise dans le couloir jusqu'à ce que Zane et elle cessent de sangloter et sombrent dans le sommeil. Puis je suis entrée dans leurs chambres pour vérifier qu'ils s'étaient bien endormis. Et comme je ne pouvais me résoudre à passer une autre nuit dans les combles, à éplucher des papiers et à remplir des formulaires, j'ai fini par redescendre ici. Entre-temps, Fynn était parti.

La démarche de Phoebe est lente, méfiante, comme celle d'une femme qui irait à l'échafaud, comme celle d'une fillette de douze ans qui porte un lourd poids sur ses épaules. Je lui ouvre les bras, et elle vient à moi, s'assied sur mes genoux et me laisse m'enrouler autour d'elle. Elle sent le sommeil et elle sent Phoebe : cet unique mélange d'après-shampoing à l'aloe vera, de crème capillaire au beurre de karité, de dentifrice à la menthe et d'air frais.

« Il faut que je te dise quelque chose », affirme-t-elle d'un air solennel. La dernière fois qu'elle m'a dit cela sur ce ton-là, elle avait sept ans et était venue m'informer qu'un jour, elle allait devoir quitter la maison pour vivre autre part, mais que je ne devais pas être triste parce qu'elle continuerait de m'aimer.

« Oui, quoi ? » lui demandé-je. Je ne serais pas contre quelque chose de mignon, quelque chose qui soulagerait un peu le poids qui pèse sur mes propres épaules.

« S'il te plaît, dit-elle en sanglotant, promets-moi de ne pas te fâcher. S'il te plaît.

— C'est promis », rétorqué-je tout naturellement, avant de l'attirer plus près de moi pour la rassurer, la convaincre que, quoi qu'elle s'apprête à me dire, je comprendrai. Et si cette réponse est instinctivement sortie de ma bouche, c'est parce que mon cœur dévasté ne pourrait supporter de la voir souffrir pour une autre raison que celle qui nous accapare déjà entièrement.

« Je sais quelque chose sur ce qui est arrivé à papa », dit-elle.

Je suis silencieuse et terrifiée. Ce qu'elle s'apprête à me dire va changer les sentiments que j'éprouve pour elle, je le sais. Cela va nous dévaster radicalement, une fois encore, et je n'ai pas envie de cela. J'ai presque envie de lui demander de ne rien me dire. Je ne veux pas qu'un nouveau malheur s'abatte sur notre famille.

« J'en ai pas parlé à la police, parce que j'avais trop peur.

— Dis-moi », l'encouragé-je.

Elle secoue la tête, et des sanglots haletants s'échappent de ses lèvres. « Mais j'ai peur que tu m'aimes plus. S'il te plaît, te fâche pas. S'il te plaît, me crie pas dessus.

— Je te le promets, répliqué-je. Quoi que cela puisse être, dis-le-moi, Phoebe. »

Elle me raconte toute l'histoire, après quoi, elle me demande :

« Est-ce que tu vas le dire à la police ?

— Il le faut. » Ma bouche est sèche, mon esprit fonce vers tant de lieux, de pensées et de décisions à la fois que je n'arrive pas à suivre le mouvement. Je ne peux pas retenir une pensée dans ma tête sans qu'une autre se précipite pour prendre sa place. Mon cœur se glace à mesure que je prends conscience de la vérité : je sais qui a tué mon mari et pourquoi.

Il faut que je parle à la police, bien sûr qu'il le faut.

« S'il te plaît, maman, non.

— Mais, Phoebe…

— Fais pas ça, maman. S'il te plaît. S'il te plaît. S'il te plaît. » Son petit corps de douze ans, niché sur mes genoux, est secoué de sanglots nerveux. « S'il te plaît. S'il te plaît. S'il te plaît. J'ai peur. J'ai trop peur.

— Phoebe, on ne peut pas…

— S'il te plaît, maman. Je suis vraiment désolée, mais s'il te plaît, fais pas ça.

— Chut, chuuuuut », dis-je en la berçant pour essayer de l'apaiser. Ce n'est pas juste. Rien de tout cela n'est juste. « N'en parlons plus pour le moment. Tout va bien se passer. Je vais m'arranger, tout va bien se passer. »

Dix semaines après « ça » (janvier 2012)

« Savez-vous si votre mari fréquentait des prostituées ? »

Je regarde mon officier de liaison familial pendant de longues et hésitantes secondes, avant de me lever de mon siège pour aller fermer la porte du salon. Personne n'a besoin d'entendre ça, et encore moins Phoebe et Zane.

« Non, il n'en fréquentait pas », répliqué-je. Je m'adosse à la porte ; j'ai besoin de la solidité du bois pour me tenir debout. Mon corps est à la fois froid et chaud ; je tremble. Que s'apprête-t-il à me dire ? Va-t-il me retirer Joel une nouvelle fois ?

L'officier de liaison familial se rassied sur sa chaise ; il semble mal à l'aise. Il baisse d'un ton, et sa voix se fait douce et apaisante. « C'est juste qu'on a retrouvé deux longs cheveux blonds sur ses vêtements au moment de sa mort, mais il nous est impossible de déterminer à qui ils appartiennent, parce qu'on n'a pas pu récupérer les bulbes qui contiennent l'ADN. » Le ton de sa voix ne correspond pas à ce qu'il est en train de dire : il semble s'inquiéter pour moi alors qu'il se montre en réalité accusateur.

« Pourquoi tout de suite penser à des prostituées ? Pourquoi pas une aventure, ou même une amie ou une collègue, pourquoi tout de suite une prostituée ? Pourquoi essayez-vous de me faire du mal comme ça ?

— Je suis désolé si je vous ai blessée, mais nous devons explorer toutes les pistes.

— Il a eu un rapport sexuel juste avant de mourir, c'est ça ? » La sensation de chaud et froid se déplace brutalement de mon cœur à mes pieds, puis de mes pieds à ma tête, avant de retourner à mon cœur.

« Non.

— Vous avez des raisons de croire qu'il avait embrassé quelqu'un ?

— Non.

— Quelqu'un lui a fait une fellation ?

— Non.

— Il avait pris une douche juste avant de mourir, et vous en avez déduit qu'il avait peut-être essayé de cacher quelque chose ?

— Non. »

Je suis soudain consciente de chacun des muscles de mon corps. Je les sens se crisper, se contracter, des flux d'adrénaline les traversent à toute allure, telles des voitures de course sur un circuit de Formule 1.

Comme je ne dis rien, il reprend la parole : « Vous venez de parler d'une aventure, pensez-vous que votre mari voyait quelqu'un d'autre ?

— Non, j'essayais juste… Enfin, vous voyez ce que je veux dire. Et de toute façon, j'imagine que vous avez épluché ses relevés de téléphone.

— Les hommes qui ont une aventure ou qui mènent une sorte de double vie liée à la drogue, la prostitution, la mafia ou autre ont généralement plus d'un téléphone.

— Ah oui ? Je l'ignorais.

— Mais si ça se trouve, vous ignoriez beaucoup d'autres choses concernant les agissements de votre mari. À ce sujet, nous envisagions de vous demander…

— Il est hors de question que vous fouilliez ma maison pour y chercher un autre téléphone, affirmé-je.

— Madame Mack-el-roy…

— Écoutez, vous ne pensez pas que si c'était ça, vous auriez déjà trouvé quelque chose ? Des prostituées qui l'auraient reconnu, des comptes bancaires cachés, peut-être des dealers ? Vous avez parlé à toutes ces sortes de gens, et personne ne l'a ne serait-ce que vaguement reconnu, n'est-ce pas ? »

L'officier de liaison familial ne répond pas parce qu'il n'a pas envie de dire non une nouvelle fois, parce que, pour quelque obscure raison, c'est désormais moi qui mène l'interrogatoire. Nous nous toisons à travers la pièce ; moi, enquêtrice inopinée ; lui, criminel potentiel.

Et dans les secondes qui s'écoulent en silence, je comprends avec une certitude que je n'ai pas eue depuis que tout cela a commencé que je ne peux pas leur dire ce que Phoebe m'a dit. Elle a eu raison de craindre qu'ils ne la comprennent pas. Ils vont tout déformer, ils vont salir le nom de Joel. Même pas intentionnellement ; ils vont simplement chercher à « couvrir tous les angles », sans se rendre compte du mal que cela fera au passage à toutes les personnes qui l'aimaient. Phoebe ne s'en sortira pas indemne. Pas s'ils se mettent à poser des questions laissant entendre que son père était un autre homme que celui qu'elle connaissait. Je ne pourrai pas la protéger s'ils en arrivent là.

« Je vous saurai gré de ne plus revenir ici, dis-je d'une voix égale, malgré l'adrénaline qui afflue rapidement et violemment dans ma poitrine. Je ne peux pas répondre à vos questions ; vous ne prenez pas les choses au sérieux.

— Nous prenons la situation très au sérieux, proteste-t-il.

— Très bien, je vais formuler les choses différemment : mon mari ne prenait pas de drogue ; il a essayé une fois vers la fin de son adolescence, et il a détesté. Il ne fréquentait pas de prostituées ni de clubs de strip-tease, même si certains de ses amis le faisaient, parce qu'il avait un cerveau et parce qu'il détestait ce genre d'endroits. Il lui arrivait à l'occasion de boire un peu trop, mais pas plus que vous et moi. Il ne jouait pas. Il ne découchait pas. Il ne faisait pas partie d'un gang. Il a dû avoir deux amendes de stationnement dans toute sa vie. Il payait ses factures, il payait ses impôts, il rendait visite à ses parents au moins une fois par mois, ainsi qu'à sa tante. Il lui arrivait parfois de donner aux femmes une impression fausse, parce qu'il était d'un naturel très chaleureux et qu'il ne se rendait pas compte qu'elles pouvaient penser qu'il cherchait à flirter avec elles. Voilà. Voilà toutes les choses que je peux vous dire sur lui.

« Je ne veux pas que vous reveniez ici. Si vous revenez, je ne vous laisserai pas entrer et je refuserai de vous parler. » Je m'écarte un peu pour ouvrir la porte du salon. « Allez-vous-en.

— Madame Mack-el-roy, je suis votre officier de liaison familial, je suis à votre disposition. Je suis navré que la situation soit si pénible, mais nous ne voulons qu'une chose : connaître la vérité.

— C'est Mack-le-roy. Et je vous demande de partir. Allez-vous-en et laissez-nous tranquilles. »

9

La lettre repose sur la table de la cuisine, innocente et mortelle.

J'inspire autant que faire se peut, et mon corps se met en mouvement. Je ne suis plus figée, en train de revivre le passé.

Je fais un pas en arrière. Et puis un autre. Et un autre. Et encore un autre. Jusqu'à me retrouver à l'autre bout de la pièce. J'ai le mur derrière moi. J'ai la possibilité d'appuyer mon dos dessus, la fraîcheur du plâtre peint me rappelant d'une façon à la fois choquante et opportune que je suis de retour dans le présent. Les yeux fixés sur la lettre, je me laisse glisser vers le sol.

Si je touche une nouvelle fois cette lettre, si je lis encore un seul de ces mots, je me retrouverai à nouveau là-bas, je me glisserai à nouveau dans sa peau, à elle.

Pour le moment, je suis la femme dont le mari a été assassiné, la femme dont tout le monde pense qu'elle « tient le choc » et « surmonte bien la situation ». Mais si je relis la lettre, si je la touche de nouveau, je redeviendrai elle, je redeviendrai la femme piégée dans la boucle du bol de mûres qu'elle laisse tomber et de cette voix qui lui répète encore et encore que sa vie est terminée.

Mardi 16 avril
(pour le mercredi 17)

Chère Saffron,

Je ne sais pas trop comment commencer cette lettre, parce que je pense que tu dois savoir qui je suis, même si je n'ai jamais eu le plaisir de te rencontrer. En tout cas, j'ai l'impression de te connaître, moi aussi, et quoi qu'il en soit, je connaissais ton mari, Joel. Nous étions amis. C'est pourquoi ce que je vais te dire maintenant va sûrement te choquer, et j'espère que tu seras assise quand tu liras ces lignes.

Je veux que tu saches que je ne l'ai pas assassiné.

Ça ne s'est pas passé comme ça.

Pour qu'il y ait assassinat, il faut qu'il y ait une intention, un plan. Or il n'y a rien eu de tout cela. Cela a été rapide, immédiat et profondément choquant pour lui comme pour moi. Comme nous étions amis, j'ai ressenti la douleur, moi aussi, au moment où je la lui ai infligée.

Si je te dis cela maintenant, dix-huit mois plus tard, c'est parce que cette douleur est restée en moi. Les événements de ce jour-là se répètent dans ma tête quotidiennement, et j'ai envie de les partager avec la seule et unique personne qui, à mon sens, pourrait me comprendre. Et puis je trouve normal que tu saches comment cela s'est passé, au-delà de la description qu'en ont faite les journalistes et des explications que t'a probablement données la police. Ce n'est pas la conséquence d'un acte cruel et malveillant. Pas du tout. Je ne voulais pas le faire souffrir, et personne ne pourrait se sentir aussi traumatisé que je l'ai été quand j'ai dû le laisser sur le bord de la route. Je ne l'ai pas abandonné là, comme ils disent dans les journaux et à la télé ; je n'avais pas d'autre choix que de le laisser là.

Même lui l'a compris. Je ne pense pas qu'il m'en aurait voulu s'il avait vécu.

J'imagine, malheureusement, que tu as déjà reçu des tas de courriers semblables à celui-ci, que des gens qui prétendent l'avoir tué t'ont déjà contactée et écrit toutes ces choses horribles. Mais je peux t'assurer que ma lettre est cent pour cent authentique et qu'elle ne fait pas partie de celles-là. Et d'ailleurs, je vais te le prouver.

Personne n'a jamais parlé de cela dans les journaux ou à la télé, et cela n'est même pas indiqué dans le rapport du légiste, mais quand il est mort, il avait son téléphone près de lui. Tout près de lui, à sa portée. Et il y avait dedans un message non distribué qui t'était adressé et qui disait « Je t'aime ». Je pense qu'il envisageait de te l'envoyer, mais qu'il n'a pas eu le temps de le faire avant de mourir.

Voilà la preuve que je suis sincère et que j'étais bien sur les lieux.

Si je t'écris cette lettre, c'est parce que j'espère qu'elle te procurera un certain réconfort. Et aussi parce que j'espère que tu comprendras ainsi que les choses ne se sont pas passées comme on pourrait le croire à première vue : il ne s'agissait pas d'un meurtre froidement planifié ; simplement d'un triste malentendu entre deux amis.

Nous étions des amis très proches, nous éprouvions des sentiments forts l'un pour l'autre, vraiment. Je regrette que les choses se soient terminées de façon aussi tragique.

Fais-moi plaisir, prends soin de tes magnifiques enfants. La vie est courte et précieuse et, autant que faire se peut, il nous faut profiter de chaque instant que nous pouvons encore passer avec les gens que nous aimons.

Bien cordialement,
A

IV

10

«Le» M. Bromsgrove est assis aujourd'hui.

Il s'est levé quand nous sommes entrées et m'a serré la main, fermement, solennellement. En écartant ma main de la sienne, je me suis sentie obligée d'admettre qu'il s'agissait là de l'une de ces situations où je ne sais pas comment me comporter.

«*Sois toi-même*», me disait Joel quand j'étais stressée pour une chose ou une autre.

Facile à dire, quand on sait qui on est, rétorqué-je silencieusement.

«*Et tu es quelqu'un de génial*», aurait-il ajouté, parce que parfois, assez rarement, Joel pouvait lire dans mes pensées. Rien qu'en me regardant, il savait ce qu'il devait dire pour que je croie de nouveau en moi.

Sois toi-même.

Mais qui suis-je en ce moment? Ah oui: une veuve avec une adolescente en cloque; l'une de ces mères complètement irresponsables qui semble être la cible naturelle de toutes les condamnations.

Après les salutations, nous nous asseyons. Phoebe est un peu plus proche de moi cette fois-ci, bien qu'il ne s'agisse de toute évidence pas du fruit de sa volonté. Elle n'a pas prononcé un mot ce matin. Elle a grogné quand je lui ai demandé si elle comptait manger quelque chose pour le petit déjeuner; elle a grimacé quand son frère lui a demandé si elle allait bientôt retourner au collège ; elle a haussé les épaules quand tatie Betty lui a demandé si elle se faisait toujours des couettes afro pour aller à l'école et s'est mise à envoyer des messages via son portable. Elle sait parfaitement qu'elle n'a pas le droit de l'utiliser à table, et j'ai été tentée de le lui confisquer, mais si je veux trouver un moyen de nous en sortir, je ne dois pas la braquer contre moi.

Et encore moins depuis que j'ai lu cette lettre dans laquelle j'ai décelé une menace contre nous trois.

« Madame Mackleroy, ravi de vous voir », me dit le principal, me ramenant ici et maintenant dans son bureau moderne et étincelant. Je jette un œil aux lettres noires qui se détachent sur la plaque de bronze qui orne son bureau, chose que je n'avais pas remarquée la dernière fois. Ou peut-être que si, parce que son nom, M. Newton, ne constitue pas une surprise pour moi. Je ne l'avais pas intégré, voilà tout. Le choc, je suppose.

M. Newton mentirait s'il essayait de se convaincre, de me convaincre ou de convaincre qui que ce soit qu'il n'est pas au comble de l'embarras à l'idée d'avoir ce genre de conversation avec une mère d'élève. Cela lui est déjà arrivé, j'en suis certaine, mais ce n'est pas l'expérience qu'on en a qui rend les choses plus faciles.

« Comment vas-tu, Phoebe ? » Il se montre gentil et compatissant avec elle quand il lui adresse la parole, ce qui ne fait que souligner le caractère cavalier et dur du comportement qu'il adopte envers moi. Mais, en un sens, pourquoi me traiterait-il autrement, moi, la femme qui fait si peur à sa fille qu'elle n'a pas osé lui dire qu'elle était enceinte ; moi qui, avant cela, ai laissé ma fille se retrouver dans cet état ? Ils reportent la faute sur moi. C'est naturel. Et ils doivent probablement être en train de s'imaginer les horreurs auxquelles je vais soumettre Phoebe dans les heures qui vont suivre la fin de cet entretien.

Mon instinct me suggère de lui dire que jamais je ne lui ferais de mal. De lui expliquer que j'ignore pourquoi elle n'est pas venue m'en parler, mais que ce n'est pas parce que je lui aurais fait du mal. Je ne lui ai jamais fait de mal. Même après que j'ai appris cette chose horrible qu'elle a faite dans le passé.

« Ça va, répond Phoebe, prouvant ainsi qu'elle est à même de s'exprimer gentiment.

— Parfait », répond M. Newton, tout en jetant un coup d'œil moyennement subtil « au » M. Bromsgrove. *Parfait, elle ne l'a pas battue*, semble-t-il dire à son collègue. *Ou en tout cas, ça n'a pas laissé de traces.* « Bien. Êtes-vous en mesure de me faire part de la décision que vous avez prise concernant… l'état de Phoebe ? » demande-t-il, après s'être de nouveau concentré sur moi et avoir de nouveau durci le ton de sa voix.

Je tourne ma tête vers ma fille. « As-tu pris une décision, Phoebe ? » lui demandé-je.

Tous les regards sont rivés sur elle. En guise de réponse, elle baisse silencieusement la tête et se met à observer ses pieds.

« Je dois vous informer que Phoebe n'a pas voulu discuter de quoi que ce soit avec moi depuis que j'ai appris la nouvelle, avoué-je. Je pense qu'elle est toujours un peu sous le choc, et que, par conséquent, elle a un peu de mal à considérer ses options. Nous sommes allées chez le médecin vendredi, et nous allons probablement prendre un autre rendez-vous pour la semaine prochaine. Nous serons alors, je l'espère, dans une meilleure position pour décider de ce que nous allons faire. »

Silence. « Le » M. Bromsgrove et M. Newton me regardent tous les deux comme s'il venait de me pousser une deuxième tête. Il semblerait que j'aie commis une erreur. Ils estiment que je ne contrôle pas la situation, ou peut-être que tout ce que je ferai ne sera jamais assez bien pour eux. Je me souviens d'avoir un jour entendu dire « les mères ont toujours tort », et je souris vaguement en y resongeant, en prenant conscience de l'idée qui se trouve derrière ces mots. Jamais je ne me serais doutée que cet aphorisme pourrait un jour s'appliquer à moi, que d'autres personnes pourraient le reformuler avec mon nom : « Mme Mackleroy a toujours tort. »

Des coups résonnent à la porte au moment précis où M. Newton se racle la gorge, et, l'espace d'un instant, nous nous demandons tous si ce ne serait pas lui qui aurait produit ce son. Mais le bruit ne tarde pas à se faire entendre à nouveau : *Toc toc toc !*

Le visage de M. Newton se plisse lorsqu'il regarde la porte, manifestement déconcerté par cette interruption. « Oui ? » s'exclame-t-il.

La porte s'ouvre sur sa secrétaire, Mlle Taylor, qui arbore une posture étrange : on dirait qu'elle cherche à remplir avec sa frêle silhouette tout l'espace délimité par le chambranle. Comme si elle essayait de nous dissimuler quelque chose qui se trouverait derrière elle.

« Monsieur Bromsgrove, puis-je vous dire un mot en privé ? » bredouille-t-elle.

L'air perplexe, « le » M. Bromsgrove répond : « Pas maintenant, mademoiselle Taylor, nous sommes en plein entret...

— Papa ! » entend-on dans le dos de la secrétaire. « Papa, il faut que je te parle. »

« Le » M. Bromsgrove se lève, visiblement embarrassé. « Curtis ? » bredouille-t-il.

M. Newton se laisse retomber contre le dossier de sa chaise, son visage auparavant flasque désormais tendu par une expression de mépris et d'irritation. *Je suis entouré d'amateurs*, semble-t-il dire en jetant un regard désapprobateur dans ma direction.

Résignée, Mlle Taylor s'écarte pour laisser le garçon pénétrer dans le sanctuaire. Entre un grand jeune homme, impeccablement vêtu de son uniforme, les cheveux courts et soignés, la peau d'une magnifique couleur noisette, de grands yeux inquisiteurs. Hormis la nuance légèrement plus claire de sa carnation et l'absence de lunettes cerclées d'or, il a absolument tout « du » M. Bromsgrove, jusqu'à sa démarche et l'expression de son visage quand il sonde la pièce du regard pour voir ce qu'il s'y passe. Curtis se dirige droit vers Phoebe. Leurs regards se croisent, et la panique envahit celui de ma fille. Nerveusement, elle secoue la tête.

« Je vais le faire, lui dit-il. Ça m'est égal.

— Non, répond Phoebe. Non, fais pas ça. »

On pourrait presque croire que cette conversation intime et confidentielle se déroule en privé.

« Si », affirme-t-il. Sa voix est ferme et assurée, mais elle ne contient pas les nuances de maturité que l'on acquiert grâce aux expériences de la vie. Il est grand, mais n'a pas encore atteint la taille d'un homme adulte. Il est beau, mais d'une beauté juvénile qui se développera avec le temps.

Je les observe, lui et ma fille, j'étudie leur communication verbale et non verbale. Le langage de leurs corps révèle une certaine proximité, une familiarité.

« Non ! Fais pas ça ! » insiste Phoebe.

Il est à genoux à côté d'elle, désormais, le regard plongé dans le sien, comme s'il essayait de lui communiquer quelque chose.

« Peut-être pourriez-vous maintenant vous donner la peine de nous expliquer ce que vous êtes venu faire ici, monsieur Bromsgrove ?

— Oui, Curtis, qu'est-ce que tu fais ici ? » ajoute son père.

Je me retourne vers les deux hommes. « Vous ne comprenez vraiment pas ? » Je suis surprise qu'on puisse se montrer aussi aveugle. En parfaite synchronisation, les deux hommes, si hautains et dédaigneux quelques minutes plus tôt, tournent vers moi des visages emplis de confusion.

« O.K., dis-je, sidérée par leur manque de discernement. Ce jeune homme, Curtis, est le responsable de l'"état" de Phoebe, comme vous dites, monsieur Newton. »

Si je ne savais pas à quel point il est horrible de se retrouver dans cette situation, à quel point cela peut être choquant, écœurant et effrayant, un soupçon de *Schadenfreude*, ou joie provoquée par le malheur d'autrui, m'aurait certainement parcouru les veines au moment où j'ai noté le changement d'expression « du » M. Bromsgrove. Mais je n'éprouve aucun plaisir à ça. Parce que j'estime qu'aucun être au monde ne mérite de s'apercevoir un jour qu'il a totalement raté l'éducation de ses enfants.

« C'est vrai ? » demande « le » M. Bromsgrove. J'ignore si la question s'adresse à Phoebe ou à son fils, mais ma fille baisse la tête et des larmes se mettent à couler de ses yeux. Au même moment, le jeune Bromsgrove se lève pour faire face à son père, qu'il toise avec le regard d'un champion de boxe s'apprêtant à rivaliser avec son prochain adversaire.

« Ouais, papa, c'est vrai », dit-il.

Et l'espace d'un instant, je crois que je vais me lever pour lui casser sa stupide petite tête.

11

Devant le collège, je m'adosse à ma voiture pour me ressaisir, pour empêcher mon esprit de retourner aux mots de la lettre qui me forcent à revivre les événements d'il y a dix-huit mois.

Phoebe est en cours ; elle a insisté pour rester au collège. Curtis est retourné en classe lui aussi. Le bureau du principal, après la révélation, a été frappé par plusieurs bouleversements : avec un regard austère de circonstance, M. Newton a quasiment jeté de mon côté du bureau M. Bromsgrove (destitué de son « le » et de son titre de « type bien en qui les adolescents ont confiance » pour être relégué au rang de père indigne ordinaire). Phoebe a continué de sangloter pendant quelque temps, pas bruyamment, mais suffisamment fort pour que Curtis se remette à genoux à côté d'elle et l'entoure maladroitement de ses bras en lui murmurant que tout allait s'arranger. M. Bromsgrove, diminué de son « le », est resté debout devant eux, impuissant et manifestement désorienté. Je les ai tous regardés comme je me suis moi-même regardée revivre les premières semaines et les premiers mois de ma vie sans Joel la nuit dernière : j'étais présente, mais sans véritable rôle dans l'histoire. Parfois, j'ai l'impression que personne ne remarquerait mon absence si je venais subitement à disparaître de la surface du globe.

Personne, mis à part Kevin. Assis dans son petit bureau vitré, il regarderait l'horloge qu'il a installée sur le mur qui est à droite de ma table de travail et s'irriterait de mon absence à chaque cliquètement de la grande aiguille.

J'avais envie de ramener Phoebe à la maison, de la prendre dans mes bras et de parler avec elle de ce Curtis, de lui demander de nouveau ce qu'elle ressentait pour lui. De lui demander de nouveau si elle avait une idée de ce qu'elle voulait faire. Mais elle a refusé. Ce qu'elle voulait, c'était revenir à la normale, rester à l'école, rester loin de moi.

« Madame Mackleroy ! » crie soudain M. Bromsgrove depuis le portail du collège. La main sur la portière de ma voiture, je m'immobilise et attends qu'il me rejoigne.

« J'avais peur que vous soyez déjà partie », me dit-il. Comme il fallait s'y attendre, ni lui ni M. Newton n'ont proposé de me raccompagner. Ils m'ont laissée reconduire Phoebe jusqu'à sa classe tout en espérant probablement que je disparaîtrais ensuite de la surface de la terre. « Si j'étais à votre place, je ne pense pas que je serais en mesure de conduire. » Il m'adresse un sourire qui pourrait faire tomber en pâmoison une bonne trentaine de mères d'élèves. Il est bel homme ; c'est indéniable.

Je ne réponds pas, précisément parce que son amabilité et son sourire m'ont fait défaut depuis que tout cela a commencé.

Manifestement déconcerté par l'absence de réaction qu'a provoquée sa remarque, M. Bromsgrove essaie de nouveau : « Voudriez-vous venir boire un verre avec moi pour que nous discutions ensemble de la situation ?

— Je ne crois pas, non. »

Sous le coup de la surprise, il cligne des yeux. Ce n'est de toute évidence pas la réponse qu'il attendait d'une mère indigne comme moi. Je vois : M. Bromsgrove devait penser que je me montrerais reconnaissante qu'il veuille me parler et partager ses réflexions avec moi. Quoi qu'il en soit, il dissimule son étonnement derrière une expression grave. « Très bien, je vais essayer de formuler les choses différemment : je voudrais vous parler du fait que nos enfants respectifs ont non seulement eu un rapport sexuel, mais aussi potentiellement engendré notre petit-fils ou petite-fille. Je voudrais vous parler de cela, ainsi que de tout ce que cela implique pour nos familles. Et j'aimerais que cette conversation ait lieu à l'extérieur du collège. Voudriez-vous avoir l'amabilité de me retrouver demain à 20 h 30 au pub Cuthbert, qui se trouve tout près de l'endroit où vous vivez, me semble-t-il ?

— Très bien », dis-je. Phoebe parle avec lui, elle parle avec son fils ; cette conversation pourrait me permettre de mieux comprendre ma fille. « Si vous me le demandez si gentiment.

— 20 h 30, alors. »

Je hoche la tête mais ne me donne pas la peine de lui dire au revoir. La perplexité de M. Bromsgrove est manifeste. Il n'est pas habitué à cela. Son physique lui permet généralement de traiter les gens en fonction de son humeur. Et si son humeur change, s'il décide tout à coup que la personne qui est en face de lui est extrêmement intéressante ou, au contraire, totalement dépourvue d'intérêt, cette personne, généralement, ne cherche pas à contester son jugement, elle lui permet d'édicter les règles de leur relation, pour la simple et bonne raison qu'il est beau et sûr de lui. Mais je ne suis pas comme tout le monde.

Alors que je parcours les rues de Hove pour rejoindre Brighton, mon esprit rumine deux choses, comme une chenille qui mangerait deux feuilles différentes sans parvenir à déterminer laquelle elle préfère : il y a les mots écrits sur les feuilles de papier crème, et il y a la maladresse avec laquelle Curtis a passé ses bras autour de Phoebe. Presque comme s'il ne l'avait jamais touchée auparavant.

12

Je sors de l'ascenseur en espérant de tout mon cœur que Kevin soit en réunion.

Comme une petite souris, je me faufile dans les locaux, et tout en me dirigeant vers mon espace de travail, je me risque à jeter un rapide coup d'œil en direction de son bureau vitré, à l'autre bout de la salle. Il n'est pas là. Dieu merci. À une époque, j'étais le bras droit de Kevin, lui-même directeur d'exploitation de notre société de stratégie d'entreprise ; à une époque, j'étais la personne à qui il pouvait confier son travail quand il était absent. Je suis désormais une moins que rien à qui il peut se permettre de dire…

« Saffron, quelle bonne surprise ! Je me demandais si tu daignerais passer faire un petit tour aujourd'hui. »

Comme je m'apprêtais à le faire, je place mon ordinateur et mon sac sur mon bureau. Et tout en fermant les yeux et en comptant jusqu'à dix, je rêve de nouveau d'être autre part.

Quatre mois après « ça » (février 2012)

« Saffron, nous aimerions faire le point sur votre situation et que vous nous disiez comment se passent les choses pour vous en ce moment », m'avait dit Gideon, le P-DG de Houlsdon Business Solutions.

Malgré le brouillard dans lequel je continuais d'avancer depuis la disparition de Joel, j'avais tout de suite compris de quoi il retournait : à la fin de la journée, au moment où je m'apprêtais à éteindre mon ordinateur pour me dépêcher d'aller chercher Zane et Phoebe chez Imogen, j'avais été « invitée », par mail (c'est-à-dire très officiellement), à venir « discuter » dans le bureau du président de la société. Les autres personnes présentes, en dehors de Gideon, étaient Kevin (mon supérieur direct) et la directrice des ressources humaines, Mlle Piller. Quand j'étais entrée dans le bureau lambrissé de panneaux de chêne, on m'avait demandé de prendre place sur la plus petite chaise de la pièce. La fille des ressources humaines était postée à côté de la porte dans un ample fauteuil, donc, pas « officiellement » présente ; Kevin, qui aurait normalement dû se trouver près de moi, était de l'autre côté du bureau, sur un fauteuil placé à la droite de celui de Gideon. Un rapide coup d'œil à l'expression préoccupée de leurs visages avait suffi à me faire comprendre qu'ils s'apprêtaient à me virer. Et qu'en plus, ils allaient me convaincre que c'était la seule solution, de sorte que je n'obtienne qu'une compensation financière minimale et que je me sente trop humiliée pour envisager de les poursuivre pour licenciement abusif.

« Comment se passent les choses pour moi ? Votre point de vue n'est-il pas plus important ? » avais-je répliqué. Ce n'était pas du bluff. S'ils voulaient me virer, ils allaient devoir le faire à l'ancienne : ils ne parviendraient pas à me manipuler, ils ne parviendraient pas à m'obliger à démissionner.

Docilement, afin de les laisser décider qui allait faire le sale boulot, j'avais baissé les yeux sur mes mains.

« Nous comprenons que ces quelques derniers mois ont été "difficiles" pour vous, avait affirmé Gideon, choisissant ses mots avec soin et les prononçant avec calme. Il vous a incontestablement fallu beaucoup de courage pour continuer à venir travailler tous les jours… Nous nous disions simplement, après avoir évalué votre récent travail, que… »

Il s'était interrompu au moment où j'avais relevé la tête pour lui faire face. C'était facile de virer une personne et de lui reprocher ses échecs quand elle avait la tête courbée, mais il faudrait vraiment être un véritable enfoiré pour ne pas se poser de questions quand une veuve vous regarde dans les yeux et que vous êtes sur le point de la précipiter, elle et ses enfants, dans les affres de la ruine financière. Gideon n'était pas un enfoiré ; juste un homme d'affaires qui voulait les résultats qu'il avait obtenus de moi au cours des sept années passées afin de pouvoir continuer à faire ses profits et à satisfaire ses actionnaires.

« Il m'est difficile de vous dire ça, Saffron, vous avez toujours fourni un travail satisfaisant, mais… »

Mais nous ne faisons pas dans le social. Mais nous ne pouvons plus soutenir votre incapacité à « sortir la tête de l'eau ».

« J'accepte d'être rétrogradée », avais-je dit dans le silence qu'il avait laissé entre ses mots. Il était hors de question que je leur facilite la tâche : j'avais besoin de travailler. Comment trouverais-je un autre emploi quand, la plupart du temps, je ne savais pas comment finir la phrase que j'avais commencé à prononcer ?

Et que dirais-je si un nouvel employeur potentiel me demandait pourquoi j'avais quitté mon dernier poste? *Mon mari a été assassiné, et comme je ne pouvais plus travailler cinquante heures par semaine, j'ai été virée.* De toute façon, quel que soit le poste, il faudrait que je fasse beaucoup d'heures, il faudrait que je me « maintienne ». Que répondrais-je, également, si on me demandait qui a tué Joel et pourquoi? *Le problème, c'est que je sais qui l'a tué, et je pense aussi savoir pourquoi, mais je ne peux pas le dire à la police. Tout ce que je peux dire, c'est qu'il s'est vidé de son sang, seul sur le bord d'une route à la sortie de Hove, et que j'ai laissé tomber un bol de mûres quand on me l'a appris.*

« J'accepte d'être rétrogradée, avais-je répété. Je suis sûre que vous avez déjà pensé à quelqu'un pour me remplacer. » À ces mots, le visage de Kevin avait pris une teinte cramoisie, comme pour confirmer qu'il travaillait sans relâche à me trouver un successeur. « Je pourrai assurer la formation de mon remplaçant et je serai à votre disposition s'il a besoin d'explications sur la façon dont nous travaillons. D'autre part, je doute que vous trouviez quelqu'un d'aussi expérimenté que moi qui accepte un poste un ou deux crans en dessous dans la hiérarchie pour un salaire inférieur. » Silence total. « Sans possibilité de promotion », avais-je ajouté, pour bien leur faire comprendre que je ne resterais pas dans leurs pattes à piaffer d'impatience en attendant qu'on me rende mon poste. Car je savais bien qu'il était hors de question de leur demander de me laisser un peu de temps pour récupérer mes forces. Que malgré mes sept années de bons et loyaux services rendus à leur société, malgré tous les gros et riches clients que je leur avais apportés, il était hors de question que je leur demande de me laisser un peu de répit.

« Êtes-vous certaine que c'est ce que vous voulez ? m'avait demandé Gideon.

— Il faut bien que je nourrisse mes enfants », avais-je répliqué.

Il m'avait regardée depuis l'autre côté du bureau. Il avait compris. Il avait des enfants, il avait une femme, il était en mesure de comprendre que je ferais n'importe quoi pour garder mon emploi puisque j'étais la seule personne à laquelle les miens pouvaient désormais se fier. Il avait compris. Si bien, d'ailleurs, qu'il avait évité de me regarder dans les yeux jusqu'à la fin de cet entretien, au cours duquel avaient été formulés les termes de ma déchéance. Ou dégradation, c'était selon.

« Kevin. » Toutes les personnes qui sont à côté de mon bureau gardent la tête baissée, s'emparent de leurs téléphones ou se concentrent intensément sur leurs écrans d'ordinateur. Nous ne sommes plus amis. À une époque, j'étais leur supérieure, mais aussi celle vers qui ils se tournaient pour parler de pratiquement tout et n'importe quoi puisqu'il leur était absolument impossible d'approcher Kevin. Maintenant, je suis l'une d'entre eux. Je suis aussi cette femme étrange dont le mari a été assassiné, ainsi que l'employée sur le travail de laquelle Kevin trouve toujours à redire. Et ils se satisfont de cette situation, car si ce n'était pas moi, ce serait l'un d'entre eux. D'une certaine façon, tout comme je le faisais à l'époque où j'étais son bras droit, je les protège toujours de Kevin.

Je réussis à composer quelque chose qui ressemble vaguement à un sourire confus et contrit au moment où je tourne mon visage vers mon supérieur hiérarchique. Ma vie est en train d'imploser, et pourtant j'ai réussi à faire tout le travail que je devais faire cette semaine, j'ai tapé des rapports sur trois projets en cours, ainsi que deux discours de présentation visant à encourager les entreprises à faire appel à nos services pour planifier leur communication professionnelle ainsi que leurs stratégies de vente, et j'ai corrigé tout ce qui n'allait pas. Mais comme je n'étais pas assise à mon bureau au moment où j'ai fait toutes ces choses, Kevin se sent en droit de me faire des reproches.

« Je suis désolée pour ce qui s'est passé ces derniers jours, Kevin, lui dis-je. J'ai eu un ou deux problèmes familiaux cette semaine, mais tout est rentré dans l'ordre. Et je suis rentrée au bureau. » Je tire ma chaise. « Dans la joie et la bonne humeur.

— Il ne faudrait pas que ça devienne une habitude, me répond-il. Nous avons tous des familles, Saffron, mais, pour la plupart, nous ne les laissons pas interférer avec nos vies professionnelles. »

C'est facile de dire ça quand on a une femme à demeure qui s'occupe de tout pendant qu'on fait le coq au bureau. Ce n'est qu'après la mort de Joel, quand Kevin a commencé à s'en prendre à moi parce que je n'étais plus aussi performante, que j'ai essayé de porter sur lui un regard impartial. Et c'est ainsi que j'ai fini par comprendre qui il était réellement : un sournois surestimé qui peut faire autant d'heures qu'il le souhaite parce qu'il a quelqu'un à la maison pour s'occuper de toutes les corvées qu'il ne s'abaisserait jamais à faire lui-même.

Joel et moi avons toujours partagé les tâches ménagères, organisé méticuleusement nos vies de sorte que l'un ou l'autre soit toujours présent pour préparer le dîner, surveiller les devoirs, coucher les enfants, veiller sur eux quand ils sont malades, les écouter quand quelque chose ne va pas. Mais toute seule, j'ai beau courir sans arrêt, je ne peux pas tout mener de front : je me suis fait rétrograder, j'ai à peine le temps de parler à mon fils, et ma fille est enceinte.

Trois ans avant « ça » (avril 2008)

« *Madame*[1] voudrait-elle se joindre à moi pour boire le champagne sur la plage ? »

Mon mari est assis sur mon bureau, deux flûtes à champagne et une très onéreuse bouteille de veuve-clicquot vintage posées à côté de lui.

« Comment as-tu fait pour convaincre les vigiles de te laisser entrer ? me suis-je enquise.

— C'est une question qui ne se pose pas. Je suis Joel Mackleroy.

— Le culot d'un singe et le charme d'un cygne.

— Alors, qu'est-ce que tu en dis ?

— Où sont les enfants ?

— Avec Fynn. Ce qui nous laisse toute la soirée pour célébrer notre anniversaire à la plage. »

À ces mots, un sentiment de panique s'est emparé de moi. Avais-je été prise par le travail au point d'en oublier une date importante ? « Quel anniversaire ? lui ai-je demandé.

1. En français dans le texte. (*N.d.T.*)

— Quel anniversaire ? a-t-il répété d'une voix moqueuse. Mais comment as-tu pu oublier ? L'anniversaire de notre première…

— Joel Mackleroy ? » a interrompu Kevin. Comme il s'approchait de nous, la main tendue, Joel s'est levé de mon bureau et l'a dominé de toute sa hauteur pour le saluer. « Qu'est-ce que vous faites là ?

— J'emmène ma femme loin d'ici. »

Kevin a gardé la main de Joel dans la sienne ; il faisait toujours ça avec les hommes plus grands et plus beaux que lui. Comme s'il espérait ainsi s'approprier ces qualités. « Ce n'est pas moi qui vous reprocherais de vous être déplacé pour venir la chercher. Je n'arrête pas de lui dire qu'elle ne devrait pas travailler autant.

— Quoi ? Mais tu ne m'as jamais dit ça, ai-je protesté en riant.

— Peut-être pas, mais j'aurais dû. » Sur ce, il s'est de nouveau tourné vers Joel. Et, en désignant d'un mouvement du menton le champagne et les flûtes : « Quelque chose à fêter ?

— Un anniversaire.

— Tiens, je croyais que vous vous étiez mariés en septembre ?

— Ce n'est pas de cet anniversaire-là qu'il s'agit », a dit Joel en haussant les sourcils de façon suggestive devant mon supérieur, dont le visage sournois est aussitôt devenu une boule d'embarras cramoisie.

« Ah, euh… Très bien. Alors je vais vous laisser.

— Ce n'est pas très gentil, ai-je murmuré à Joel quand nous nous sommes retrouvés seuls.

— Parfois, il n'y a que ça à faire avec ces gens-là. »

Je fais face à Kevin. « Oui, je sais que certains ne laissent pas leurs familles interférer avec leurs vies professionnelles », dis-je sur le genre de ton que Joel aurait pu utiliser. Je ne veux pas que les choses dégénèrent, je ne veux pas être prise d'une irrépressible envie de l'envoyer se faire voir. J'ai besoin de ce travail. « Je suis vraiment désolée pour mardi et hier. As-tu reçu les trucs que je t'ai envoyés ?

— Oui, me répond-il d'une voix amère.

— Quoi, il y a un problème ? demandé-je.

— Non, c'est juste que ç'aurait été plus facile si tu avais été là pour fignoler. »

Je ne réponds pas à Kevin ; déterminée à me vider la tête en me concentrant sur mon travail, je m'assieds et me tourne vers mon ordinateur. Et tout en attendant que l'écran s'allume, je serre les dents, force mes lèvres à rester fermées. J'aurais tellement de choses à lui dire.

Depuis lundi, depuis que j'ai été brutalement arrachée au cocon d'engourdissement dans lequel j'ai passé ces dix-huit derniers mois, depuis que j'ai compris que ma façon d'être dans le monde n'avait pas donné de résultats positifs, je commence à sentir les choses à nouveau. Rapidement, douloureusement, l'engourdissement est en train de disparaître. La personne que je suis est en train de remonter à la surface. Et la personne que je suis est une femme qui ne se laisserait normalement pas faire par quelqu'un comme Kevin. J'ai envie de dire à Kevin qu'au vu de la façon dont il léchait les bottes à Joel, je le considère comme un être vil et méprisable pour ne m'avoir absolument rien dit après sa disparition (pas même un hypocrite « Je suis désolé »). Que je le considère comme un enfoiré pour ne pas avoir pris en compte les efforts que j'ai fournis, préférant profiter de moi alors que j'étais toujours sous le choc. Que je trouve inadmissible qu'il continue de faire des commentaires désobligeants, dix-huit mois plus tard.

« Je veux les dossiers Ibbitson et Howell sur mon bureau ce soir », me dit-il.

Je hoche la tête sans me retourner vers lui. Je suis incapable de parler. Si je le faisais, toute l'amertume qu'il m'inspire sortirait en jaillissant de ma bouche comme un torrent. Enfin, il tourne les talons, et je devrais pouvoir détendre mes épaules, les décrisper pour m'avachir sur ma chaise. Mais je ne le fais pas. Parce que Kevin m'a involontairement rappelé une phrase de la lettre, qui défile désormais dans ma tête comme un bandeau d'informations de journal télévisé : *Je veux que tu saches que je ne l'ai pas assassiné.*

13

Cinq ans avant « ça » (mai 2006)

« Tu crois que tu tiendrais le choc s'il m'arrivait quelque chose ?

— Il le faudrait bien. Mais ce qui est sûr, c'est que je serais supertriste.

— Moi aussi, je serais triste.

— Cela étant, je ne pourrais pas passer le reste de mes jours à m'apitoyer sur mon sort.

— Quoi ? Tu sais déjà avec qui tu te remettrais ?

— Hein ? J'ai dit que je ne passerais pas le reste de mes jours à m'apitoyer sur mon sort, pas que je me remettrais avec quelqu'un.

— Je ne vois pas pourquoi tu ne te remettrais pas avec quelqu'un si tu ne comptes pas passer ton temps à t'apitoyer sur ton sort. Je sais bien que tu n'aurais aucun mal à retrouver quelqu'un. Mais tu sais aussi que je suis irremplaçable.

— Je ne compte pas te remplacer. Qui pourrait te remplacer ? Tu es tellement spécial. Irremplaçable, comme tu viens de le dire.

— Tu ne me remplaceras *jamais*. Je veux que tu me regrettes jusqu'à la fin de tes jours. Même si tu venais à trouver quelqu'un d'autre, il faudrait que ce soit des années, des années et encore des années après ma disparition. Et de toute façon, tu ne pourrais pas l'aimer plus que tu ne m'aimais.

— *Euh...*

— *D'accord?*

— D'accord.

— Ce n'est que justice. Tu n'as pas le droit de retomber amoureuse. Souviens-toi juste de...

— Ne pas l'aimer plus que je t'aimais.

— Exactement. Et s'il venait à t'arriver quelque chose à toi, j'essaierais de faire de même.

— Tu essaierais, alors que moi, je... ? Attends, viens ici. Tu mérites une bonne leçon pour ça. Viens ici, immédiatement.»

Jeudi 18 avril
(pour le vendredi 19)

Chère Saffron,

J'espère que ça ne te dérange pas que je t'écrive à nouveau. Comme je te l'ai déjà dit, j'ai l'impression de te connaître. Et du coup, j'ai trouvé curieusement cathartique de t'écrire ma précédente lettre en pensant que, comme une mère confesseur, tu me lirais et me comprendrais.

Je n'ai réussi à en parler à personne depuis que c'est arrivé. Je dis aux gens que, si je suis dans cet état de dépression, c'est parce que j'ai perdu un être qui m'était cher, et leurs réactions varient énormément, bien que je ne puisse dire exactement lesquelles je préfère.

Est-ce plus simple ou plus difficile pour toi, qui as vécu la situation de façon beaucoup plus publique ? La seule chose que j'ai pu faire, au moment où c'est arrivé, a été de dire que je le connaissais et que je trouvais cela choquant. Je n'ai pas pu confesser la nature exacte de notre relation, car je dois t'avouer qu'en dépit de notre proximité, j'ai quitté le pays après sa disparition et n'ai donc pas assisté aux obsèques.

Tu as l'air de bien surmonter la situation, ce qui est déjà quelque chose. Je pensais que ta vie allait s'arrêter à ce moment-là et que tu ne serais plus en mesure de faire quoi que ce soit. Mais je vois que tu tiens bien le choc.

Ce que je voulais te demander quand, un peu plus haut, j'ai évoqué les réactions des autres, c'est comment toi, tu as vécu les choses ? Quelles réactions t'ont le plus irritée ? Les gens qui font comme s'il ne s'était rien passé, les gens qui veulent t'interdire d'oublier et qui attendent de toi que tu ne t'en sortes pas, ou ceux qui voudraient que tu passes à autre chose, maintenant, parce que ça fait suffisamment longtemps que tu le pleures ? Affronter les réactions que notre chagrin inspire aux autres, c'est un peu comme de marcher dans un champ de mines, tu ne trouves pas ?

Mais comme je l'ai déjà dit, tu as l'air de bien tenir le choc. Ce qui me procure un certain contentement, je te l'avoue, parce que, comme ça, je me sens un peu moins coupable du tour qu'ont pris les événements.

Petite parenthèse : j'espère que tu n'as pas l'intention de faire quelque chose de stupide, comme montrer cette lettre et la précédente à la police. Je te le déconseille vivement, ça ne ferait que te causer davantage de soucis. Mais de toute façon, je ne pense pas que tu le feras. Si c'était le cas, Phoebe aurait tout raconté à la police, n'est-ce pas ? J'espère que je n'ai pas fait de gaffe. Mais j'imagine que ta fille te confie tout et qu'elle t'a déjà dit la vérité.

Si ce n'est pas le cas, essaie de te montrer indulgente avec elle. Ce n'est encore qu'une enfant.

Quoi qu'il en soit, je te remercie d'avoir pris le temps de m'écouter, ou plutôt de me lire.

Bien cordialement,
A

14

Je n'ai jamais mis les pieds dans ce pub, pourtant situé à quelques centaines de mètres de chez moi, en redescendant vers la mer. Au moment où, légèrement essoufflée, j'en pousse la porte pour retrouver M. Bromsgrove, des odeurs de cuisine m'assaillent de toutes parts. Un assaut lancé contre mon sens olfactif alors que je n'ai pas eu le temps de manger. J'ai préparé le dîner pour les enfants et tatie Betty, j'ai fait la vaisselle, je me suis assurée que Zane était allé se coucher, et, après tout ça, il me restait à peine assez de temps pour arriver ici à l'heure dite.

« De quoi est-ce que vous allez parler ? » m'a demandé Phoebe au moment où je lui ai expliqué où j'allais. Elle n'en était sans doute pas consciente, mais elle se tordait les mains et se déplaçait anxieusement d'un pied sur l'autre.

« Je ne sais pas. J'imagine que M. Bromsgrove veut que nous considérions la situation de notre point de vue de parents.

— O.K.

— Mais nous ne prendrons aucune décision à ta place. C'est à toi de le faire. Et à Curtis, si tu souhaites qu'il s'implique.

— O.K. », m'a-t-elle dit, et elle a quitté la pièce sans poser d'autres questions.

M. Bromsgrove arrive quelques secondes après moi, et au moment où je le vois passer le seuil, je cligne des yeux sous le coup de la surprise : il a l'air d'une personne différente. Ses habituels pantalons de velours côtelé et vestes de costume ont été remplacés par un jean bleu marine de créateur, une chemise blanche à col Mao et une élégante veste en cuir noir. Ses lunettes cerclées d'or ont disparu.

« Ne me dites pas que vous portez des verres sans correction, lancé-je, en guise de salut, au moment où il me rejoint au bar.

— Non, je porte des lentilles. Les lunettes, c'est pour le collège.

— Pourquoi ?

— Les enfants attendent de leurs professeurs qu'ils s'habillent d'une certaine façon, et les lunettes m'apportent une touche de sérieux supplémentaire.

— Je vois.

— Vous voulez manger quelque chose ? me demande-t-il. Si j'ai choisi cet endroit, c'est parce que leur cuisine est assez réputée. »

Je perçois un tourbillon de parfums : curry, frites et *risotto*. Des odeurs qui ne vont pas ensemble d'habitude, mais qui sont en train de me rendre folle. Mon estomac se plaint comme un adolescent dont on aurait coupé tous les accès au monde extérieur. « Non merci. J'ai dîné avec les enfants.

— Ah, très bien. Ça ne vous dérange pas, si je mange ?

— Comme vous voulez. »

Il commande à la grande serveuse aux cheveux auburn un steak frites (à point) et une bière, et je demande un verre de vin blanc. Sans réfléchir, j'ouvre mon sac à main et paie pour le tout. Ce n'est qu'une seconde plus tard que je m'aperçois qu'il a sorti sa carte de crédit.

« Euh…, fait-il, je n'avais pas l'intention de vous laisser payer.

— Ça ne me gêne pas. »

La serveuse s'affaire sur sa caisse enregistreuse, et nous restons debout derrière le bar, à attendre dans un étrange silence. Le silence gêné d'un homme et d'une femme qui, une semaine plus tôt, se seraient lancés dans des ébats amoureux une demi-heure à peine après leur rencontre : ils savent des « trucs » l'un sur l'autre parce qu'ils ont couché ensemble, mais il leur est extrêmement difficile de trouver un sujet de conversation. C'est un peu ça. La seule différence, c'est que ce sont nos enfants qui se sont livrés à des ébats, et que, maintenant, c'est à nous d'en discuter.

« Est-ce votre mari ? » me demande soudain M. Bromsgrove, coupant court à mes pensées.

J'ai gardé mon sac à main ouvert en attendant ma monnaie, ce n'est donc pas comme s'il s'était montré indiscret, mais j'ai le réflexe de refermer immédiatement les deux battants de cuir afin de dissimuler à son regard l'image de ce qui était jadis ma famille. J'avais oublié que cette photo de Joel, Phoebe, Zane et moi était là. Je ne la regarde pas, et je la montre encore moins. Quand c'est arrivé, peu de temps après sa… sa mort, il y avait des photos de Joel partout (dans les journaux, à la télévision, des feuilles A4 sur les vitrines des magasins) et j'ai arrêté de les regarder. Je ne voulais pas les regarder, je ne voulais pas me rappeler. Avec le temps, ces images ont fini par disparaître : les journaux ont cessé de les publier ; elles ne venaient plus régulièrement m'agresser quand j'allumais la télé ; les coins des affiches se sont recroquevillés, la pâte à fix a séché, et elles ont été retirées. Puis tout est revenu à la normale, il est revenu là où il devait être : dans nos cadres photos, dans mes albums photos, dans mon téléphone, dans mon sac à main.

Bien que Joel m'ait appris qu'il fallait toujours tenir les verres par leur pied pour ne pas réchauffer le vin avec ses doigts, je prends par le haut le verre qui a été placé devant moi et, tout en évitant le regard de l'homme qui se trouve à ma droite, je bois une petite gorgée.

« J'envisageais de vous demander ce que vous ressentiez vis-à-vis de ce qui s'est passé, me dit-il, mais je me rends compte que vous n'avez probablement pas envie d'en parler et que, de toute façon, je ne comprendrais probablement pas.

— Vous avez raison, vous ne comprendriez probablement pas », rétorqué-je, après m'être essuyé la bouche. C'est un gavi, un vin un tout petit peu acide, avec un léger arôme de citron. Si je sais cela, c'est uniquement parce que, après s'être investies de la mission de me rendre un peu plus sophistiquée, Angela et Lisa, deux amies de mon premier travail, avaient insisté pour éduquer mon palais au goût du gavi.

Le pub est petit, intime, des touches de couleurs vives venant briser la monotonie de ses murs crème. Accroché au-dessus de la porte en ogive qui mène au fond de l'établissement, un cadre de vélo noir ; suspendu au plafond, un petit avion en bois. Le bar est bordé de hautes chaises multicolores. Il n'y a pas tellement de monde pour un vendredi soir : il y a des places libres dans la petite salle cosy qui se trouve à l'arrière, de même que dans la zone où des tables ont été dressées. « Vous voulez vous asseoir ? me demande-t-il en faisant un signe de tête vers la partie restaurant.

— Oui, pourquoi pas ? » dis-je en partant dans la direction opposée pour gagner une petite table flanquée de deux fauteuils de cuir. J'ai trop faim pour rester assise au milieu de dizaines de gens qui mangent, mais je ne veux pas manger : ce serait s'engager à passer plus de temps que nécessaire avec le professeur principal de ma fille.

« Je suis désolé de vous avoir parlé de votre mari. » Il a une voix lisse, très assortie à son physique.

« Et si nous parlions de nos bébés, qui font désormais des bébés ? » dis-je d'une voix faussement enjouée pour changer de sujet. Je n'ai pas envie de parler de Joel, pas avec cet homme.

« Vous avez raison, c'est plus sûr, répond-il en souriant. Je savais qu'ils étaient amis, mais je ne m'étais pas rendu compte qu'ils étaient si proches.

— Je ne savais même pas qu'ils étaient amis. Toute cette histoire n'a eu pour effet que de me rappeler à quel point j'ignore qui est ma fille. » *Et pourtant, je pensais la connaître, je pensais qu'elle me faisait confiance, qu'elle pouvait tout me dire.*

« Je pensais connaître mon fils, et il s'est avéré que ce n'était pas le cas. J'ignorais qu'il n'était plus… J'ai eu "la" conversation avec lui plusieurs fois. Et j'ai traité non seulement l'aspect biologique, mais aussi le respect, l'affection et la considération mutuels. Je lui en ai parlé régulièrement, même si c'était extrêmement embarrassant pour lui comme pour moi, et je pensais avoir réussi à lui mettre dans la tête qu'il fallait toujours utiliser un préservatif. Pour se protéger des maladies et pour prévenir les grossesses.» Il pousse un profond soupir de lassitude. «Je suppose que l'absence de contraception doit être efficace à environ un pour cent.»

Je me demande s'il faut ou non que je lui dise, que je lui fasse perdre les illusions qu'il a sur son fils et sur l'efficacité de ses sermons. Il y a deux ans environ, j'étais persuadée que le discours sur la responsabilité que j'avais fait à Phoebe avait porté ses fruits. Six mois plus tard, elle me suppliait de ne pas dire à la police ce que nous savions du meurtre de Joel.

Ai-je envie de déclencher chez cet homme le même type de prise de conscience, de lui faire comprendre qu'on peut parler tant qu'on veut, quand ils ne veulent pas écouter, ils n'écoutent pas? «D'après votre fils, on ne peut pas tomber enceinte la première fois», dis-je. Le ton que j'adopte, un peu brusque, est sans doute motivé par la façon dont M. Newton et lui m'ont traitée la veille et quatre jours plus tôt.

Les traits fins et ciselés de M. Bromsgrove passent par plusieurs nuances d'incrédulité et de choc, qui se concentrent plus particulièrement dans ses yeux marron noir. «Il n'aurait jamais dit ça. Je suis sûr qu'il ne le pense pas. Est-ce pour cette raison...? Non, je suis sûr qu'il n'a pas dit ça.

— On n'est pas obligé de croire à ce qu'on dit, quand on le dit pour parvenir à ses fins. Est-ce qu'il faut vraiment que j'explique ça à un grand garçon comme vous?

— Mon fils n'aurait jamais fait ça.

— Ouiiiii, dis-je en continuant d'étirer le mot bien après qu'il est lourdement tombé dans le domaine du sarcasme.

— Je vais tordre le cou de ce sale petit…

— Vous voulez dire que vous ne l'avez pas déjà fait ?

— Pfff, malheureusement, je ne peux pas... Avez-vous la moindre idée de ce que Phoebe compte faire ?

— J'envisageais de vous poser la question, comme j'ai cru comprendre qu'elle vous parlait, à vous et à quasiment n'importe qui, d'ailleurs, sauf moi. »

Sous le coup de la surprise, tout mon corps tressaillit : il vient de poser ses doigts sur les miens. Sa main submerge la mienne ; je la regarde fixement. Les volutes de ses phalanges sont sombres, sa peau d'une belle et délicate couleur marron noisette. Ma main, sous la sienne, est très différente, marquée par de multiples cicatrices. Je me demande s'il en sent les aspérités contre sa paume, s'il est curieux de savoir d'où elles proviennent. La plupart des gens ne les remarquent pas, mais rares sont les personnes qui me touchent.

« Et que dit votre femme de tout ça ? demandé-je en retirant ma main de sous la sienne.

— Ma femme ? » répète-t-il d'une voix basse, et presque triste. Son regard est devenu vague et songeur au moment où il a prononcé ces deux mots. Mais aussi soudainement qu'il s'est plongé dans sa rêverie, il revient au temps présent : « Si Phoebe et Curtis s'entendent si bien, c'est parce qu'ils savent tous deux ce que c'est que de perdre l'un de leurs parents.

— Oh !, je suis désolée. » J'espère de tout cœur que mes excuses parviendront à englober mes précédents sarcasmes. Mais d'un autre côté, je me sens mal à l'aise, parce que je sais ce que c'est que de côtoyer des gens qui excusent soudainement votre comportement pour la seule et unique raison que vous venez de perdre quelqu'un. Je sais à quel point il peut être humiliant de bénéficier de mesures de clémence imméritées. « Je n'avais pas compris.

— C'était il y a quatre ans. Curtis en a beaucoup souffert. Quand Phoebe est revenue au collège après le décès de son père, j'ai demandé à mon fils de garder un œil sur elle, parce qu'il savait ce que c'était et avait davantage d'expérience, eu égard au temps passé. Ils sont très bons amis depuis, bien qu'il ait un an de plus qu'elle. Je les ai vus ensemble au collège, et je pense qu'ils se considèrent un peu comme des âmes sœurs. Quand leurs camarades se sont mis à faire courir des rumeurs sur Phoebe, Curtis l'a protégée, et j'ai remarqué que leurs liens s'étaient encore resserrés. »

Je suis au courant pour ces rumeurs, le collège m'en avait informée et j'en avais discuté avec Phoebe. À l'en croire, ça allait. Tout allait toujours bien. Rien n'avait jamais cessé de bien aller.

« Est-ce que ces rumeurs courent toujours ? lui demandé-je, tout en appréhendant sa réponse.

— Non. Mais il serait naïf de penser qu'elles ne reprendront pas quand les enfants apprendront qu'elle est enceinte. Il ne faut pas se leurrer : tout finit toujours par se savoir.

— C'est ça qui m'énerve le plus dans cette histoire. Tout comme la dernière fois, nous ne pouvons pas nous cacher, nous ne pouvons pas faire comme si de rien n'était, parce que de toute façon, tôt ou tard, tout le monde finira par l'apprendre. Je ne sais pas si, d'un point de vue émotionnel, elle pourra le supporter. » En revanche je sais que, moi, je ne pourrai pas. « Et puis il y a Zane. Encore une chose dans sa vie qu'il ne devrait pas avoir à affronter. Il y a des fois où je me demande s'il n'y aurait pas quelqu'un "là-haut" qui m'en voudrait.

— C'est l'impression que ça donne, parfois.

— Et le décès de votre femme, ça n'a pas été dur, pour vous ?

— Je ne comprends pas ce que vous voulez dire.

— Vous avez pris soin de m'expliquer à quel point cela avait été dur pour Curtis, mais j'ai eu l'impression que, personnellement, cela ne vous avait pas vraiment affecté. »

Manifestement surpris, il cligne des yeux, et, sans ses lunettes, les mouvements de ses cils paraissent presque démesurés. « Naturellement que ça m'a affecté.

— Mais ? »

Nos regards se croisent et restent fixés l'un sur l'autre. Il est en train d'évaluer ce qu'il peut ou non me dire. Je suis en train de me demander pourquoi je lui ai posé cette question, alors que je n'aurais jamais permis à personne de me la poser. Si les rôles avaient été inversés, je serais partie depuis belle lurette.

« Et si nous parlions de nos bébés, qui font désormais des bébés ? » dit-il sur le même ton faussement jovial que j'ai utilisé un peu plus tôt. Son regard se tourne vers le bar, le mien vers la partie cosy de l'autre côté de l'ogive, à l'arrière du pub.

Une paire d'yeux me dévisage avidement. Malgré la distance, je sais de quelle couleur ils sont. J'ai eu suffisamment d'occasions de les contempler au fil du temps. Et d'ailleurs, je me suis tenue à côté de l'homme à qui ils appartiennent de si nombreuses fois que je pourrais aisément décrire son visage sans même avoir à le regarder.

Fynn. Il me regarde fixement. Il n'y a aucun doute sur le fait qu'il m'a vue dans ce pub en compagnie d'un bel homme. Il n'y a aucun doute sur le fait qu'il a vu ledit bel homme poser sa main sur la mienne. Il n'y a aucun doute sur le fait qu'il pense qu'il s'agit d'un rendez-vous galant.

J'ai envie de lui sourire, j'ai envie de lui faire un signe de la main, mais je ne fais rien de tout cela, je me contente de le dévisager jusqu'à ce qu'il tourne la tête vers la personne qui se trouve en face de lui, et je comprends à la façon dont il se tient, à la crispation de son visage, qu'il ne cherchera plus à me regarder tant que je serai assise ici.

« Je suis désolée, mais je ne peux pas rester, dis-je à M. Bromsgrove en ramassant mon sac sous la table, et en prenant ma veste sur le dossier de mon fauteuil. Je dois m'en aller. »

Manifestement alarmé, il me regarde d'un air déconcerté et me dit, les yeux grands ouverts : « Mais nous n'avons pas…

— Je suis désolée, je suis désolée, c'est juste que je dois partir. »

Mon corps ne bouge pas assez vite. Je n'arrive pas à fuir assez vite. Je sens la brûlure du regard de Fynn sur moi. Qui m'accuse de tromper Joel. Qui me traite de veuve joyeuse. Qui me reproche d'être allée dans un pub plutôt que d'être à la maison en train de pleurer.

Le pire, naturellement, me dis-je en courant vers chez moi, c'est que je sais que rien de tout cela n'est vrai. Fynn ne penserait jamais ça. Il a probablement été surpris de me trouver dehors avec quelqu'un alors que je ne lui ai pas demandé de garder les enfants ; et désorienté que je ne lui ai pas souri, que je l'ai ignoré.

Et d'avoir pensé ça me donne la nausée. Mais, par-dessus cette sensation d'écœurement, est apparue une certitude absolue, qui s'épanouit lentement : je suis attirée par M. Bromsgrove.

15

Onze ans avant « ça » (mars 2000)

« Promets-moi que tu ne te moqueras pas de moi, m'a-t-il demandé.

— Bien sûr que non. Je ne me le permettrais pas. Et du reste, mis à part pour ton ADN de Klingon, je ne me le suis jamais permis. »

Comme toujours, il a ri en appuyant ses doigts contre ses tempes. « Je n'ai pas un grand front, a-t-il protesté.

— Je sais. Désolée. Alors : qu'est-ce que tu voulais me dire ?

— Ça fait des années et des années que j'ai envie d'écrire un livre de cuisine.

— Je te vois très bien faire ça. C'est un beau projet ; ça serait bien que tu essaies de le concrétiser.

— Tu es sérieuse ?

— Mais oui. Quelle sorte de livre de cuisine ?

— Eh bien, c'est là que tu vas peut-être te moquer de moi, parce que ça peut paraître un peu cucul, mais je voudrais que ça ne traite que de choses dont je suis amoureux. Je veux dire que chaque recette contienne au moins un ingrédient dont je suis complètement dingue ou qui signifie vraiment quelque chose à mes yeux. Qu'est-ce que tu en penses ?

— Je trouve que c'est une idée brillante. J'adorerais faire des trucs à partir d'un livre qui ne parle que d'aliments dont une personne est amoureuse ou qui signifient quelque chose à ses yeux. Toutes les saveurs qu'elle aime.

— Ça ne te gênerait pas ?

— Pourquoi ça me gênerait ? »

Mon mari, à côté de moi sur le canapé, m'a pris la main et attirée sur ses genoux. Déjà mère d'une petite fille de quatre ans, j'étais de nouveau enceinte ; j'avais donc beaucoup d'introspection et de réorganisation émotionnelle à faire pour accepter la façon dont mon corps allait à nouveau changer, dont ma vie allait encore changer. Mais chaque fois que j'essayais de réfléchir à ça, la panique se mettait à tourbillonner en moi, mon cœur devenait un train lancé à pleine vitesse, et mes poumons ne parvenaient plus à se dilater pleinement. Joel comprenait ça, parfois même mieux que moi. « Tu sais bien pourquoi.

— Non, ça ne me dérangerait pas. C'est ta passion, donc ça ne me dérangerait pas. J'aime bien cuisiner. Et je vais bien, la plupart du temps. C'est juste que des fois, les choses sont difficiles. Mais la plupart du temps, je vais bien. » J'ai passé mes bras autour de ses épaules et me suis penchée en arrière pour pouvoir observer son visage. « Et ton idée est brillante. » Je l'ai embrassé. « Parce que tu es brillant. » Je l'ai embrassé. « Et tout ce que tu fais est brillant. » Je l'ai embrassé, encore et encore.

« Ne t'enflamme pas : je n'ai pas l'intention de te payer pour m'aider.

— O.K., alors ce sera sans moi», ai-je répondu, et la grimace de petite fille dont j'ai accompagné mes propos a suffi à déclencher son joli rire cristallin, qui a soudainement empli toute la pièce. J'ai fermé les yeux, et le bruit du bonheur, de ma vie en marche, a apaisé un peu la panique qui montait en moi.

16

Un *ding-dong* vient de résonner dans notre maison vide. Comme d'habitude, j'essaie de l'ignorer, de ne pas inviter ce qui se trouve de l'autre côté à entrer chez moi. Je me demande souvent ce qui serait advenu le jour où «ça» s'est passé si je n'avais pas ouvert. S'ils n'avaient pas eu la possibilité de m'annoncer la nouvelle. «Ça» se serait-il tout de même produit? L'aurais-je toujours avec moi? Ou m'auraient-ils traquée dans tout Brighton, dans toute l'Angleterre, dans le monde entier, pour venir me parler et changer ma vie à jamais?

La présence de l'homme qui se trouve sur le seuil de ma porte n'aurait pas pu être plus inopportune. À cause de ce qui s'est passé hier dans la soirée, et pour me punir de ce que je me suis avouée à moi-même, j'ai lu le reste de la lettre. Comme l'autre soir, je me suis retrouvée propulsée dans le passé, mais j'y étais cette fois-ci préparée et je me suis accrochée autant que je l'ai pu. Dans la mesure où cela n'a pas été aussi soudain, brutal et inattendu que la dernière fois, le traumatisme n'a pas été aussi violent. Et pourtant, j'en suis encore toute retournée. D'ailleurs, je n'ai toujours pas lu la lettre que j'ai trouvée sur mon paillasson en rentrant hier soir. Je l'ai rangée avec la première, parce que j'estime que, tout bien considéré, j'ai déjà été suffisamment punie comme ça.

Les mots de la lettre originelle, puissants, mais pas autant que la première fois que je les ai lus, se sont superposés à mes souvenirs de cette époque comme une couverture rouge, l'ostentatoire reliure de quelque chose que je préférerais repousser dans un coin inexploré de mon esprit et ne jamais mettre au grand jour. C'est pour cette raison que je ne veux pas de cet homme ici : il m'a forcée à me confronter à quelque chose que je n'ai pas envie d'admettre.

« Bonjour, dit-il.

— Bonjour. » Je voudrais me montrer désagréable, mais je n'y parviens pas.

« Je m'appelle Lewis Bromsgrove et je suis le professeur principal de votre fille à St Allison. Je suis par ailleurs le père du garçon qui a mis votre fille enceinte. J'aimerais vous parler, si cela est possible.

— Oui, c'est possible. » Lewis. Son prénom est Lewis. Je ne pense pas que je le savais. Ou peut-être que si, il se peut parfaitement que je l'aie entendu dans la bouche de l'une des mères d'élèves avant que tout cela se produise, mais que je n'aie pas enregistré l'information, parce qu'à cette époque, il n'était rien pour moi. Il est par ailleurs tout à fait possible qu'il me l'ait lui-même dit au cours de l'année scolaire et que je sois passée à côté, comme je suis passée à côté de tant d'autres choses.

« Je n'ai pas bien compris ce qui s'était passé au pub, me dit-il d'une voix aimable au moment où nous entrons dans la cuisine. Mais j'ai tout de même jugé bon de venir vous voir car il me semble vraiment indispensable que nous discutions de façon rationnelle de la situation. » Je remarque qu'il est allé se poster à l'autre bout de la cuisine, très loin de moi, qui suis restée près de la porte, nerveuse, à côté du placard où je garde mon carnet de recettes. Machinalement, je sors ledit carnet et le pose sur le plan de travail. Je me mets à en feuilleter les pages, mais je n'arrive à voir aucun des mots qui y sont inscrits.

À bout de nerfs, je finis par refermer le carnet à la couverture imprimée de papillons que mes enfants m'ont offert pour la fête des Mères l'année dernière et je laisse mon regard se perdre dans le vide pendant un instant. *Je pense que je vais faire des poivrons farcis pour le dîner*, me dis-je. *J'ai de la feta, j'ai des poivrons, j'ai du basilic, j'ai des graines de piment. Oui, je vais faire ça pour le dîner. Pourquoi pas avec des sardines grillées ? Non, Zane n'aimera pas. Ou alors avec une pizza maison et une salade ? Oui, ça devrait aller. Poivrons farcis, pizza, salade.*

« Saffron, vous m'écoutez ? me demande Lewis, s'immisçant brutalement dans mes pensées. Euh... Puis-je vous appeler Saffron ? »

Mon cœur est perturbé, agité, nerveux. J'ai l'impression qu'il ne bat pas normalement dans ma poitrine. Et ma respiration est beaucoup trop superficielle.

« Vous pouvez », dis-je. Si je réussis à me focaliser sur autre chose que lui, je réussirais sans doute par la même occasion à résister à l'envie de le mettre dehors et à contenir la nausée qui monte en moi.

« Avez-vous entendu ce que j'ai dit ?

— Oui. »

Il se rapproche de moi en prenant une profonde inspiration. « Aurais-je fait quelque chose que je n'aurais pas dû faire ? » finit-il par demander.

Oui. Bien sûr que oui. Comment peux-tu ne pas t'en rendre compte ? « Non.

— Si vous le dites… Quoi qu'il en soit, j'ai parlé à Curtis. Au départ, il a affirmé qu'il n'avait jamais dit cela. Mais quand je lui ai demandé si, en plus de tout le reste, il traitait Phoebe de menteuse, il a fini par avouer. Je n'arrive pas à croire qu'il se soit montré aussi stupide.

— Stupide, répété-je.

— Si ça ne vous fait rien, me dit Lewis, j'aimerais que Curtis accompagne Phoebe à son prochain rendez-vous médical.

— Pourquoi ?

— Il a besoin de prendre la mesure de la situation autant que possible. Il ne peut pas porter le bébé ni en accoucher, mais je veux qu'il sache ce que c'est que d'organiser sa vie autour de ce genre d'événement. »

Je me suis calmée et, pour la toute première fois, j'accorde toute mon attention à l'homme qui se trouve en face de moi. La prise de conscience de sa virilité est soudaine, et presque inopportune. Peut-être est-ce la courbe de ses lèvres, ou peut-être la posture de son grand corps robuste, ou encore la façon dont ses yeux sombres, presque noirs, sont fixés sur moi. Quoi qu'il en soit, il est viril, il est là, et il incite toutes sortes de sentiments agréablement troublants et nichés au centre de ma poitrine à s'exprimer.

« Et si elle décide d'interrompre sa grossesse ?

— Pour cela aussi, il faudra qu'elle consulte un médecin, et j'aimerais qu'il soit présent ce jour-là. Et le jour où elle se fera avorter. Enfin, dans la mesure du possible. Je veux qu'il ne soit protégé d'aucune des épreuves par lesquelles Phoebe va devoir passer, notamment pour qu'il ne lui prenne pas l'envie de recommencer.

— Vous êtes sérieux, n'est-ce pas ?

— Oui. J'ai toujours pensé que les garçons se sortaient un peu trop facilement de ce genre de situation. Cela a tôt fait de devenir le "problème" de la fille, et le garçon se confronte rarement à la réalité des choses. C'est pour cette raison que j'ai essayé de lui mettre dans le crâne de toujours utiliser un mode de contraception… Mais comme mes sermons sont apparemment tombés dans l'oreille d'un sourd, je me dis que, s'il l'accompagnait dans ces épreuves, il finirait peut-être par comprendre.

— Peut-être.

— Où est Phoebe ? Et votre autre enfant, Zane ?

— Ils sont allés faire les courses avec leur grand-tante. Ça fait déjà un petit moment qu'ils sont partis, et si vous connaissiez cette grand-tante, vous comprendriez pourquoi je suis stressée. »

Je viens de l'informer que nous étions seuls à la maison. Au moment où je prends conscience de cela, une vague de chaleur, d'embarras et de désir parcourt mon corps. Je cherche désespérément quelque chose à faire, à regarder, je baisse les yeux vers mes mains. Le fait de regarder mes mains m'a toujours aidée à me ressaisir dans les moments où je ne m'appartiens plus tout à fait : mes ongles sont nets et courts, ils dépassent à peine du bout de mes doigts ; ma peau est douce sur le réseau de mes veines saillantes parce que je l'hydrate régulièrement ; mais mes phalanges, rêches et marquées de cicatrices, témoignent de cette période de ma vie où je n'ai pas pris suffisamment soin d'elles, où je ne pensais pas une seule seconde à elles ni à la façon dont elles révélaient le peu d'attention et de respect que je m'accordais.

« Comment va Phoebe ? me demande Lewis, dans une nouvelle tentative de briser le silence, de briser mes barrières défensives. Est-ce qu'elle a commencé à réfléchir à ce qu'elle allait faire ? »

Je referme mes mains avant de me détourner de Lewis pour me reconcentrer sur le carnet aux papillons qui renferme les secrets de ma vie culinaire. C'est-à-dire de toute ma vie actuelle. Car, pour être honnête, je dois admettre qu'avant lundi, avant cet entretien au collège qui a tout changé, ma vie ne tournait plus qu'autour de la cuisine : préparer, cuire, créer. Perdue dans mes pensées, je lève à nouveau les yeux vers Lewis. « Ma fille a vécu une horrible épreuve dans son passé récent, et je ne veux pas la traumatiser davantage. Par conséquent, si elle ne me parle pas, je ne l'y oblige pas. »

Comme cela s'est déjà produit plusieurs fois depuis jeudi, la scène où Curtis a touché Phoebe se rejoue dans mon esprit : il se montre prudent, presque révérencieux dans la façon dont il la prend dans ses bras ; comme s'il n'était pas habitué à cela, comme s'il en avait beaucoup rêvé, mais n'avait pas eu l'occasion de le faire. Il y a quelque chose qui ne me semble pas naturel. Ça me trotte dans la tête depuis que je les ai vus ensemble. Ce ne sont pas leurs mots, c'est leur attitude l'un envers l'autre. Il y a là-dedans quelque chose de bizarre, qui m'amène à me demander si c'est vraiment lui. D'autre part, un garçon qui aurait manipulé une jeune fille au point de lui faire croire qu'on ne pouvait pas tomber enceinte la première fois n'aurait pas montré le respect, presque l'adoration dont Curtis a fait preuve envers Phoebe, et ne serait certainement pas venu avouer sa faute si facilement. Les manipulateurs sont généralement des lâches qui cherchent à se défiler par tous les moyens possibles. Pour toutes ces raisons, je n'arrive pas à croire que Curtis soit le futur père, mais pourquoi auraient-ils menti tous les deux?

«Je vous ai rendue triste, dit M. Bromsgrove. Ce n'était pas mon intention.

—Je suis toujours triste, répliqué-je. C'est juste que, parfois, j'ai du mal à donner le change.

—Je comprends.»

L'air qui nous entoure devient sirupeux et lourd de quelque chose, cette chose qu'il y avait entre nous avant que je m'enfuie la nuit dernière et que l'on pourrait définir comme une possibilité. Quelque chose pourrait se passer entre nous. Oui, c'est tout à fait possible.

Coupez la partie supérieure des poivrons. Évidez-les en veillant à bien retirer toutes les graines. Dans un saladier, mélangez la feta, le basilic, les graines de piment et l'huile d'olive. Ah!, l'huile d'olive. «Je n'ai pas d'huile d'olive, dis-je à voix haute.

—Euh… est-ce un message codé?

—Non, c'est juste que j'envisageais de faire des poivrons farcis à la feta pour le dîner et… je n'ai plus d'huile d'olive.

—Vous cuisinez beaucoup?

—Non. Enfin, oui. Mais c'est assez récent. La cuisine, c'était le domaine de Joel. J'imagine que j'essaie de suivre ses traces. Avant sa… il avait commencé à écrire un livre de cuisine. Juste pour le plaisir ; il ne comptait pas le faire publier. Et du coup, j'ai eu envie de le terminer. J'envisageais de le faire imprimer pour lui en faire cadeau une fois qu'il aurait eu fini de l'écrire, mais il n'a jamais… J'ai envie de le terminer pour lui. Pour moi et pour lui. Alors j'essaie d'expérimenter différentes saveurs et idées, de créer des choses.

— Avez-vous trouvé un titre pour ce livre ?

— Nous l'avions trouvé ensemble : *Les Saveurs de…* » La fin reste coincée dans ma gorge. Lewis Bromsgrove attend patiemment que j'achève ma phrase. Je ne peux pas prononcer le mot « amour » devant lui. Ce serait indécent, inconvenant.

« *Les Saveurs de…* ? m'encourage-t-il.

— Euh… de rien. Je ne sais pas pourquoi je vous ai parlé de ça. »

Cela fait des lustres que je n'ai pas autant parlé de Joel. Je suis en train de me servir de lui pour dresser une barricade entre moi et l'homme qui ne cesse d'envahir mes pensées depuis la veille au soir.

Le *ding-dong* de la sonnette me procure cette fois-ci un certain soulagement et je me précipite vers la porte que j'ouvre en espérant de tout mon cœur trouver derrière quelqu'un qui accaparera mon attention et m'arrachera à l'emprise de cet homme.

Fynn.

Cela aurait pu être un Témoin de Jéhovah, cela aurait pu être quelqu'un qui m'aurait proposé de laver ma voiture, cela aurait pu être le facteur venu m'apporter un colis. Mais non. Il a fallu que ce soit le meilleur ami de Joel. Fynn, qui m'a vue la veille au soir en compagnie de l'homme qui se trouve actuellement dans ma cuisine.

« Salut, me dit-il en me souriant comme il le fait toujours.

— Salut. » Le rythme saccadé de mon cœur atténue tous les autres sons.

« Je peux entrer ? me demande-t-il.

— Oui, bien sûr, bien sûr. » Il m'a envoyé des textos tous les jours pour me demander comment j'allais et comment allait Phoebe, et pourtant je ne l'ai pas encore informé que j'avais découvert qui était le père.

Habitué à entrer dans ce qui est pratiquement pour lui une seconde demeure, il retire ses Converse de cuir noir et accroche au portemanteau sa veste à capuche grise.

« Je n'avais pas envie de rester seul ce soir, alors je me suis dit que je pourrais passer te voir, m'explique-t-il avec un petit sourire en coin.

— Tu veux rester manger avec nous ?

— Je peux ? s'exclame-t-il avec une emphase ironique. C'est tellement gentil de ta part. J'espère que je ne m'impose pas.

— Je trouve que tu as beaucoup de culot. » La jovialité va durer le temps d'arriver au bout du couloir.

« Hmm, le culot d'un singe et le charme d'un… euh… quel est l'animal le plus charmant ? » me demande-t-il. Il entre dans la cuisine, mais ne s'aventure pas très loin dans la pièce, il ne va même pas jusqu'à la tache ; il s'arrête au moment où il voit qui se trouve à l'intérieur.

« Le serpent ? propose Lewis Bromsgrove, comme s'il faisait partie intégrante de la conversation. Enfin, ce sont plutôt des animaux qui peuvent être charmés...

— Les serpents sont des reptiles, corrige Fynn en regardant Lewis de haut avec cet air docte qui n'est pas sans m'évoquer mon petit Zane.

— C'est vrai.

— Fynn, je te présente Lewis Bromsgrove, le père du garçon responsable de, euh... ce qui est arrivé à Phoebe. Lewis, voici Fynn McStone. C'était le meilleur ami de mon mari et il est rapidement devenu le mien, également. »

La poignée de main qu'ils échangent est ferme, brève, froide, comme s'ils auraient préféré se mettre leurs poings dans la figure. Fynn s'est toujours montré protecteur à mon égard, et, au cours des dix-huit derniers mois, il s'est démené comme un diable pour me mettre à l'abri de tout danger potentiel ou réel. Sans Imogen et lui, je me serais complètement effondrée, incapable de continuer à vivre.

Le cas de Lewis est différent : lui, il a des vues sur moi. Cela peut paraître prétentieux de penser cela, mais je ne veux pas dire par là que je lui plais parce qu'il me trouve belle ou remarquable, ou bien qu'il a eu le coup de foudre pour moi, non, ce n'est pas ça ; s'il est attiré par moi, c'est parce qu'il pense que je suis fragile. Il me voit comme une délicate petite fleur. Il se voit comme la personne qui m'aidera à surmonter toutes ces épreuves. Et par voie de conséquence, l'apparition de Fynn, la familiarité et le naturel dont il fait preuve envers moi, tout cela l'a poussé à se mettre sur la défensive. Il vient de comprendre que je ne suis pas seule, que je ne suis pas isolée, que je suis soutenue… par un homme qui, de surcroît, n'est pas mal du tout.

«Je vais y aller», dit Lewis en se redressant devant le plan de travail sur lequel il était appuyé. Ils ont à peu près la même taille, ce qui semble les perturber tous deux, comme si chacun avait espéré avoir la supériorité physique sur l'autre. «Je vous appellerai pour le rendez-vous médical.

— Oui. Oui. Très bien, dis-je, pressée de mettre un terme à cette scène.

— Fynn, ravi de vous avoir rencontré.

— Moi de même.»

Devant la porte, Lewis s'attarde, comme s'il éprouvait quelque réticence à partir. «Prenez soin de vous.

— Vous aussi», dis-je.

Il examine ouvertement mon visage, et ses yeux marron noir deviennent presque hypnotiques. «La première fois que je vous ai vue, je me suis dit que vous étiez complètement à côté de la plaque, alors que je savais parfaitement ce qui était arrivé à votre mari. Je pensais secrètement être beaucoup plus éclairé que vous, et pourtant j'avais vécu exactement la même chose. Bref, j'imagine que je devrais prendre tout cela comme une leçon.»

Je hoche la tête. Je sais que je devrais le rassurer, lui dire que j'ai commis beaucoup plus d'erreurs avec ma fille, qu'il a fait du mieux qu'il a pu avec son fils et que c'est simplement la faute à pas de chance si nous nous retrouvons désormais dans la même situation. Je sais que je devrais conclure en disant que, ensemble, nous réussirons bien à trouver la solution à notre problème. Mais, malheureusement pour l'ego de Lewis, je ne suis pas disposée à tenir de tels propos.

« Alors, au revoir, dit-il, manifestement déçu que je n'aie pas saisi la main qu'il m'a tendue.

— Au revoir. » Je lui souris et referme la porte derrière lui, pour qu'il s'éloigne de moi le plus vite possible.

« Qu'est-ce que c'est que ça ? me demande Fynn au moment où je retourne dans la cuisine.

— De quoi parles-tu ?

— Toi et *lui*. Hier soir, il te tenait la main, et aujourd'hui… Qu'est-ce qui se passe, Saff ?

— Phoebe est enceinte. Elle ne veut pas me parler. Mais pour une raison que j'ignore, elle lui parle à lui, ainsi qu'à son fils, le garçon qui l'a mise enceinte. J'essaie de découvrir tout ce que je peux par tous les moyens dont je dispose. Voilà ce qu'il se passe. » *Ai-je décidé de ce que j'allais faire pour le dîner ? Des carottes ? Je pourrais préparer quelque chose avec des carottes ? J'en ai deux bottes dans le réfrigérateur. Je pourrais les faire en soupe, avec de la courge musquée, du gingembre et des pommes ? Joel aimait bien la soupe. Il adorait la soupe.* « Et pour ta gouverne, il ne me tenait pas la main hier soir. Je ne sais pas ce qui a pu lui faire croire qu'il pouvait me toucher, mais je suis sûre que tu as vu que j'avais retiré ma main aussitôt. » *Est-ce que j'ai du gingembre ?* Instinctivement, je m'approche du réfrigérateur et, sans voir les photos sur lesquelles mon regard est pourtant fixé, j'en ouvre la porte. Je suis allée faire des courses lundi. J'ai oublié de racheter une bouteille d'huile d'olive, mais j'ai pris des légumes. Le bac en plastique transparent est plein à ras bord et il me faut tirer deux fois pour pouvoir l'ouvrir.

« Il me semble évident qu'il se passe quelque chose entre vous, au-delà de cette histoire avec Phoebe, insiste Fynn.

— Si tu le dis... Mais je ne peux pas m'empêcher de me demander si tu n'aurais pas réagi de la même façon avec n'importe quel homme à qui j'aurais parlé.

— Vous n'étiez pas simplement en train de parler. »

Céleri... tomates... carottes... concombre... roquette... encore des carottes... poivrons... citrons... gingembre. J'ai du gingembre. Mais pas de courge musquée. *Quand me suis-je servie de courge musquée ?* J'ignore Fynn. Parfois, il n'y a que ça qui marche. Quand il a quelque chose dans le crâne et qu'il ne veut pas me lâcher, je l'ignore et je le laisse ruminer jusqu'à ce qu'il se retrouve à court d'arguments.

Après avoir extirpé des filets de poulet du bac à viande, je prends une tête d'ail sur l'étagère du bas. *Non, je ne vois pas ce que je pourrais faire de ça.* Je les remets à leurs places respectives. *Mais je vais bien trouver quelque chose.* Je les sors à nouveau. Ce petit manège se répète plusieurs fois, et au moment où je referme la porte du réfrigérateur, les mains vides, Fynn est debout juste derrière moi, suffisamment près pour me faire sursauter.

Il se laisse pousser les cheveux depuis quelques mois, et ils retombent désormais en boucles sombres et irrégulières autour de son visage. C'est sur son visage que je me concentre maintenant. Il a un nez droit, des pommettes marquées, des yeux doux et une belle bouche. Je sais ce que cette bouche s'apprête à dire et j'espère de tout mon cœur qu'elle ne le fera pas. J'espère qu'il ne le fera pas. J'espère qu'il se ravisera.

« Est-ce qu'on pourrait parler de ce qui s'est passé entre nous ? » dit-il.

Je savais que ce jour viendrait ; c'était inéluctable. Parfois, quand j'y repense, j'ai l'impression que je pourrais littéralement mourir de honte.

« Je ne veux pas parler de ça. Ni maintenant ni jamais », lui dis-je.

Son regard bleu marine reste fixé sur le mien. « Mais à un moment ou à un autre, nous serons contraints de le faire, tu ne penses pas ? »

Si, rétorqué-je silencieusement en hochant lentement la tête.

Parfois, j'aimerais pouvoir revenir en arrière pour effacer toutes les erreurs que j'ai commises depuis « ça ». Si j'avais ce pouvoir, celle-ci serait sans nul doute la toute première que je m'efforcerais de faire disparaître.

17

Six mois après «ça» (avril 2012)

«Je ne sais plus qui je suis, Fynn. J'ai été tellement occupée ces derniers mois à trier la paperasse, planifier le budget, préparer les obsèques, répondre aux enquêteurs et m'assurer que Phoebe et Zane allaient bien que je n'ai pas eu la moindre minute à moi pour réfléchir. Et maintenant que je prends le temps de le faire, il y a ce grand vide en moi, et je continue d'espérer qu'il soit de nouveau comblé. Me retourner dans le lit, le trouver là où il devrait être et me rendre compte que tout cela n'a été qu'un horrible malentendu. Ça ne m'aurait pas gênée d'endurer tous ces trucs si j'avais eu la certitude qu'au bout du compte quelqu'un allait me dire que tout cela n'avait été qu'un malentendu. Tu comprends ce que je veux dire?»

Dans la pénombre de la chambre, agenouillé sur le canapé de cuir marron adossé à la baie vitrée, Fynn avait levé les yeux vers moi et acquiescé. «Je sais que je t'ai dit que ça deviendrait plus facile avec le temps, et je suis sûr que ça va finir par arriver, mais… Oh!, je ne sais plus quoi te dire. Je parle, j'entends les mots qui sortent de ma bouche, aux obsèques, par exemple, je savais que j'étais en train de parler à l'assistance, et comme personne ne m'a tourné le dos et personne n'a essayé de me mettre son poing dans la figure, j'en ai déduit que je ne m'en étais pas si mal sorti que ça, mais, maintenant, je ne me souviens plus du tout de ce que j'ai dit. Ce n'étaient que des paroles en l'air, pour combler le vide. Aucun mot ne pourra jamais le remplacer. Et aucun ne sera jamais assez juste pour apaiser tes souffrances.

— Et les tiennes.

— Ne fais pas ça, s'il te plaît, m'avait-il demandé. Ne cherche pas à refouler tes sentiments pour mieux penser à moi ou à qui que ce soit. Tu as suffisamment de choses à pleurer comme ça. N'essaie pas de réconforter les autres à tes dépens.

— Tu n'es pas "les autres". »

Nous avions regardé le monde extérieur à travers les lattes des stores. Joel préférait laisser les stores ouverts mais quand il n'était pas là ou quand j'allais me coucher la première, je les fermais. Mais depuis « ça », je les avais laissés ouverts. Tout comme j'avais continué à dormir de mon côté du lit, pris soin de ne pas refermer correctement le bouchon du dentifrice (alors que ça me rendait toujours folle de rage quand il faisait ça) et placé la télécommande par terre de son côté du lit. Il ne s'agissait pas de faire les choses à sa manière, mais de conserver autant de choses que possible telles qu'elles avaient été. Ma vie était belle auparavant ; il n'y avait aucune raison de changer quoi que ce soit.

En face de nous, les sombres maisons de brique rouge orangé étaient plongées dans l'obscurité, même si la lumière des lampadaires les éclairait tout de même un peu. Un léger voile de pollution occultait en partie les étoiles, projetant de chatoyantes nuances de bleu marine dans le ciel nocturne.

Comme rien ni personne ne bougeait dehors, je m'étais retournée vers Fynn. Son visage trahissait ce que moi-même je ressentais, de l'épuisement. Comme si le goutte-à-goutte du chagrin était en train de l'éroder lentement. Les mois qui venaient de s'écouler avaient creusé de profondes tranchées grises sous ses yeux, des sillons sur son front, et il avait perdu tellement de poids qu'il paraissait désormais presque fragile.

« Tu as l'air tellement fatigué », avais-je dit.

Il avait esquissé l'ombre d'un sourire. « C'est toujours sympa de connaître l'avis du miroir parlant, avait-il répliqué.

— Aïe ! Celle-là, je l'ai bien méritée.

— Parfaitement. Mais tu as raison : je suis fatigué, tu es fatiguée. Je crois que je ferais bien de partir. Mais je peux rester en bas dans le canapé, si tu veux ? » C'est ce qu'il faisait, les premiers jours. À l'époque où je tournais encore en rond dans la cuisine, sans savoir quoi faire, quoi penser, quoi ressentir. À l'époque où je me réveillais toutes les demi-heures pour descendre à la cuisine chercher, rechercher quelque chose que je ne trouvais jamais. Au fond de moi, je savais bien que c'était Joel que je cherchais, et aussi que je ne le trouverais pas, mais il m'était impossible de renoncer. Fynn me laissait seule quelques minutes, avant de me prendre par la main et de m'escorter jusqu'à mon lit de fortune, c'est-à-dire le canapé de la chambre. Je dormais là, parce que j'étais terrifiée à l'idée de perdre son odeur dans les draps, sur son oreiller, sur la couette. Je me disais que si j'évitais de dormir dans le lit, il conserverait l'odeur de Joel et que, lorsque je m'en approcherais, je serais transportée auprès de lui, où qu'il se trouve. À ce moment-là, je n'étais pas prête à accepter sa disparition, et encore moins à faire quoi que ce soit qui puisse détruire l'une ou l'autre des précieuses choses qu'il avait laissées derrière lui.

« Non, non, ça ira. Tu as raison, nous avons tous les deux besoin de dormir.

— Bonne nuit », avait-il chuchoté devant la porte de la chambre, qu'il s'apprêtait à ouvrir doucement pour ne pas réveiller Phoebe et Zane.

J'avais voulu lui souhaiter moi aussi une bonne nuit, mais ma bouche avait semblé bâillonnée par un lourd et épais sentiment de tristesse. Je pouvais à peine respirer. Fynn s'est tourné vers moi, l'air inquiet. Il a retiré sa main de la poignée… et j'ai été prise d'un besoin désespéré de le voir rester. « Ça va ? » m'a-t-il demandé à voix basse.

Comme j'étais toujours incapable de parler, il m'a fallu trouver un autre moyen pour lui communiquer mon désarroi. Sans réfléchir, je m'étais hissée sur la pointe des pieds et j'avais joint mes lèvres aux siennes. Il avait eu un mouvement de recul.

Comme de l'argile modelée dans les mains d'un sculpteur, cette pulsion avait pris rapidement la forme d'une pensée plus claire et mieux définie dans mon esprit, mais que je ne pouvais toujours pas formuler oralement ; les mots refusaient de sortir de ma bouche. Mais peu importait : j'avais trouvé le moyen de lui expliquer que j'avais envie qu'il reste. Que j'avais besoin qu'il reste.

Mue par cette idée, j'avais recommencé : j'avais de nouveau joint mes lèvres aux siennes et j'avais attendu sa réaction. De nouveau, il a écarté son visage du mien, mais, cette fois-ci, pas aussi brutalement. Les rides de son front, en partie dissimulées par la pénombre de la chambre, trahissaient une forme de conflit intérieur. Probablement de la confusion. J'étais perdue, moi aussi. Perdue, désorientée, apeurée.

Terrorisée.

Allait-il hurler que j'étais devenue folle ? D'un certain côté, j'avais envie qu'il le fasse, parce que c'était bel et bien le cas. Allait-il me repousser et s'enfuir à toutes jambes, me faisant clairement comprendre qu'il ne remettrait plus jamais les pieds à la maison ? J'avais également très envie qu'il réagisse ainsi. Mais s'il faisait ce que j'avais besoin qu'il fasse ? S'il fermait le verrou de la porte, s'il tendait vers moi son bras tremblant et glissait fébrilement ses doigts dans les boucles sombres de ma nuque pour m'attirer vers lui et me rendre mon baiser ?

J'avais pleuré.

J'avais pleuré et pleuré encore, quand j'étais seule, quand je n'avais rien d'autre à faire pour occuper mon temps, j'avais pleuré et pleuré pour essayer de me libérer. Et pourtant, j'en étais restée au même point. J'étais toujours enchaînée à ce précipice de douleur, loin, très loin au-dessus du monde dans lequel je vivais jadis, sans aucun moyen de redescendre, sans aucune chance de me libérer. J'étais enchaînée là, comme le Prométhée à son rocher condamné à se faire dévorer le foie chaque jour. Moi, c'était mon cœur qui m'était arraché tous les matins, quand je me rendais compte que Joel n'était plus à mes côtés. J'avais pleuré et pleuré encore pour me libérer, et j'étais toujours prise au piège. Mais peut-être y avait-il un autre moyen ?

Mes mains tremblaient quand j'avais tendu les bras pour détacher la ceinture de son jean. Mes doigts étaient engourdis et gauches quand j'avais essayé de défaire les boutons de sa braguette. Sans cesser de m'embrasser, il avait pris ma main dans la sienne et l'avait doucement écartée pour s'en charger lui-même. Une seconde plus tard, il avait fougueusement attrapé le bas de mon T-shirt, et l'avait fait passer par-dessus ma tête. J'avais tiré le sien aussi haut que j'avais pu, avant qu'il prenne le relais pour l'enlever lui-même. Quand nous nous étions de nouveau rapprochés, j'avais laissé échapper un petit cri de surprise. Au contact de sa peau, mon corps, froid et à peine en vie, m'avait paru soudain réanimé, désiré, *aimé*.

Nous étions à moitié montés à moitié tombés sur le lit. De mes doigts gauches et raides comme des pagaies, j'avais essayé fiévreusement de baisser son jean. Je voulais davantage de contact peau à peau, je voulais que tout mon être se sente de nouveau vivant.

Fynn s'était levé et avait entrepris de retirer son pantalon et son boxer, tandis que je me tortillais sur le lit pour me débarrasser de mon jogging et de ma culotte.

La chaleur de son corps n'avait pas tardé à pénétrer le mien, et je l'avais serré aussi fort que possible tandis que ses baisers se faisaient plus passionnés. Me laissant totalement aller, j'avais appuyé mes doigts sur son dos, sur ses fesses, pour l'inviter à s'enfoncer en moi, à me montrer ce que l'on ressent quand on est en vie.

Nous avions bougé ensemble, et chaque coup de reins avait été une délicieuse alliance de douleur et d'indescriptible plaisir, chaque cambrure de mon dos un incroyable mélange de profondes extase et souffrance. Gémissant contre ses lèvres, j'avais appuyé mes doigts sur le bas de son dos pour l'encourager à bouger plus vite, plus fort, à m'amener plus près de l'extase, ce doux sentiment de liberté, de libération et de vide.

Je voulais du vide, pour purger mon corps de toute la souffrance que j'avais absorbée. Je voulais sentir de nouveau mon corps, le contrôler, contrôler quelque chose dans le monde anarchique où j'avais été jetée. Mon corps était la seule chose sur laquelle j'avais une certaine emprise, et, grâce à lui, j'étais actrice de ce qui se produisait. Fynn s'était mis à bouger encore plus vite, encore plus fort, et j'avais frémi de plaisir quand les vagues de pur bonheur avaient déferlé sur moi. Pendant quelques secondes, il avait continué à bouger vite et fort, et, soudain, il avait rompu notre baiser, avait enfoui sa tête dans mon cou et, dans un grognement, avait laissé éclater sa jouissance en courtes poussées successives.

Nous étions restés immobiles quelques instants; après ce que nous venions de faire, le calme qui régnait dans la chambre avait quelque chose d'anormal et d'étrange.

Il avait fini par placer ses mains de chaque côté de mon corps sur le lit et par se hisser lentement sur ses bras jusqu'à ce que nous soyons séparés. Son regard bleu foncé était fixé sur le mien, et je le soutenais. Telle une image apparaissant sur un négatif de photo, le regret avait commencé à imprégner son visage:

subtil dans un premier temps, un léger reflet qui s'était étendu lentement et progressivement comme une tache. Sa respiration était en accord avec la mienne : profonde, mais saccadée ; l'expression physique de notre confusion.

Il attendait que je parle. J'attendais qu'il parle. L'un d'entre nous devait dire quelque chose. Le silence s'était prolongé, et il avait fini par s'effondrer sur le dos, entre mon corps et le cadre du lit en bois sculpté. Le silence s'est éternisé, aucun de nous deux n'étant disposé à nommer ce que nous avions fait. Je m'étais tournée vers lui, mais sans chercher à croiser son regard. C'était sans conséquence ici, c'était mon côté du lit, le côté de la porte, et c'était le pied du lit, partie généralement recouverte de vêtements destinés à être jetés dans le panier à linge sale ; je ne risquais pas d'avoir effacé Joel en faisant ce que je venais de faire.

Je m'étais blottie contre le corps de Fynn, me délectant de nouveau de la sensation de sa peau contre la mienne. Cela avait été la meilleure partie : le souvenir brûlant de ce que c'était que d'être en vie. J'avais passé mes bras autour de son corps, j'avais laissé ma tête reposer sur son épaule, j'avais fermé les yeux. Je m'étais laissée aller.

Maintenant que la plupart des problèmes avaient été réglés et que je contemplais l'abîme de ma nouvelle existence sans Joel, je me rendais compte à quel point cet aspect physique de la vie m'avait désespérément manqué. J'avais envie de sexe. Et je ne pouvais le dire à personne, parce que personne n'aurait compris. On aurait trouvé ignoble que je puisse ne serait-ce qu'envisager une chose pareille après avoir perdu l'amour de ma vie. Et je trouvais ignoble de ma part d'envisager une chose pareille après avoir perdu l'amour de ma vie. Mais mon corps en avait envie, il en avait besoin. Il languissait du contact d'une peau contre la sienne, il ne rêvait que de se mouvoir contre un autre corps, il avait une envie irrépressible d'être libéré.

Comme s'il avait peur de me tenir contre lui, Fynn m'avait prudemment prise dans ses bras, puis, avec davantage d'assurance, il avait resserré son étreinte, m'avait enveloppée dans sa sécurité. Et quand les bras de Fynn avaient été autour de moi, quand mon corps avait senti les battements réguliers de son cœur, j'avais lâché prise et sombré dans un sommeil profond et sans rêve.

Quelques heures plus tard, quand je m'étais réveillée, j'avais vu Fynn debout de l'autre côté de la chambre, en train de tirer son T-shirt gris sur son torse jadis musclé. Il avait levé les yeux et, tout en finissant de boutonner son jean, il avait esquissé un demi-sourire gêné et maladroit témoignant de ses remords et de sa honte. Puis il s'était dirigé vers la porte pieds nus, ses doigts de pied s'enfonçant dans l'épaisse moquette. L'espace d'un instant, j'avais cru que, enfin, j'allais être en mesure de parler, de prononcer un « salut », un « désolée » ou même un « merci », n'importe. Mais rien n'était sorti, tout ce qui aurait pu être dit aurait été dépourvu de sens.

Juste avant de refermer la porte derrière lui, il avait levé brièvement la main pour me saluer. *Ne reviens pas*, m'étais-je dit en moi-même en l'écoutant marcher sur le plancher grinçant et descendre l'escalier. *Nous ne pouvons pas refaire ça.*

J'ai décidé de faire une soupe aux carottes, au gingembre et à la pomme. Je vais aussi préparer des filets de poulet en croûte d'herbes. Et pendant qu'ils cuiront, j'irai faire un petit tour en ville pour acheter du pain de campagne. Et de l'huile d'olive. Mais je ferai frire les oignons et les épices avec du beurre.

J'ai épluché les carottes en silence et maintenant je suis en train de les couper en rondelles, ignorant royalement Fynn, alors qu'il est si proche de moi que je pourrais presque sentir la chaleur de son corps.

Joel a passé des heures et des heures à m'apprendre à couper les carottes en rondelles. Je suis censée planter le bout de la lame dans la planche à découper et faire lentement avancer la carotte vers elle tout en déplaçant le couteau de haut en bas. *Toc-toc-toc.*

Six mois après « ça » (avril 2012)

La nuit suivante, à 1 heure, Fynn m'a envoyé « • » dans un texto qui ne comportait par ailleurs aucun autre signe. Je lui ai ouvert la porte et nous avons monté les marches silencieusement, mais rapidement. Les enfants savaient que Fynn pouvait passer à n'importe quelle heure, ils savaient que nous pouvions rester discuter dans ma chambre jusque tard dans la nuit, ils avaient l'habitude de le trouver endormi dans le canapé du salon, mais la situation était désormais différente, d'où notre volonté de nous montrer discrets.

Le lit étant interdit d'accès, cette fois-ci, c'est par terre que cela s'est fait. Sans prononcer un mot. Porte close, vêtements jetés, bouche scellée par celle de l'autre, mouvements fluides et naturels, la puissante extase libératrice à la fin. Suivie, naturellement, du calme qui me permettait de dormir. Blottie dans ses bras, vidée pendant un certain temps de toute l'horreur, la tristesse, la souffrance qui étaient en moi. Il est parti sans prononcer un mot à 5 heures. Et quand il a disparu, je me suis dit que cela ne devait jamais plus se reproduire.

La quinzième nuit, alors que nous l'avions fait tous les soirs depuis la première fois, quelque chose a changé. Fynn a ignoré mes encouragements à aller droit au but, et, après plusieurs longs et langoureux baisers, il s'est tenu au-dessus de moi pendant quelques secondes, capturant mon regard dans le sien. J'ai tout de suite compris ce qu'il allait faire, et la terreur que cette idée m'a inspirée s'est violemment ancrée en moi.

Après avoir rompu le contact visuel, il a baissé la tête et m'a tendrement embrassée à la base du cou. Lentement, respectueusement, il a tracé un chemin de baisers de ma gorge à mon nombril, embrasant mon corps à chaque contact de ses lèvres contre ma peau. Une fois arrivé à mon nombril, il a refait le chemin inverse jusqu'à ma poitrine. Son regard s'est brièvement posé sur mon visage, avant qu'il prenne mon téton gauche dans sa bouche et se mette à le lécher et le sucer jusqu'à ce qu'il soit tout durci de plaisir et de douleur.

Au lieu de l'arrêter, comme je savais que j'aurais dû le faire, je me suis cambrée sous son corps, je l'ai encouragé, et il est passé au téton droit, dont il s'est occupé jusqu'à ce qu'il devienne aussi dur et sensible que le gauche. Alors que je retenais mon souffle, savourant ces sensations que je pensais ne plus jamais connaître, il a tracé un autre chemin de baisers le long de mon corps, descendant de plus en plus bas, jusqu'à arriver entre mes cuisses. Nouvelle inspiration profonde au moment où il a attrapé mes hanches. Il m'a maintenue en place et, de sa langue, s'est aussitôt mis à m'explorer. Chacune de ses caresses déclenchait en moi ce qui ressemblait à un mini-orgasme, chaque mouvement contre lui répandait en moi une exquise souffrance, et, bien vite, j'ai senti approcher la vague de bonheur qui allait m'apporter l'extase ultime. Au moment où elle a déferlé en moi, il s'est écarté, emportant la jouissance avec lui, et il s'est enfoncé en moi. Au même instant, il a pris mon visage entre ses mains et, tout en soutenant mon regard, s'est mis à caresser mes joues de ses pouces en suivant le rythme de ses coups de reins lents et précis.

Il était en train de créer entre nous une intimité. Nous avions déjà eu des gestes intimes, mais, là, il s'agissait d'intimité ; proximité et désir ; une manifestation émotionnelle de ce que nous étions en train de faire. Je ne voulais pas de ça. Je ne voulais ni d'intimité ni qu'il tombe amoureux de moi, chose qui risquait fort d'arriver si nous le faisions de cette façon. Je ne pouvais pas tomber amoureuse de lui. Je l'étais déjà. L'homme que j'aimais m'avait quittée, certes, mais cela ne m'empêchait pas de continuer à l'aimer ; de garder la certitude, dans les plus profonds recoins de mon cœur, que tout cela n'était qu'un malentendu et qu'il allait, d'une façon ou d'une autre, finir par revenir à moi. Mon esprit et mon corps avaient soif d'extase et de soulagement, mais ils étaient déjà abreuvés d'amour.

Fynn et moi avons continué de nous mouvoir comme un seul être, nos corps en parfaite harmonie, nos regards rivés l'un sur l'autre, et nous avons fini par venir ensemble. Nos orgasmes ont fait vibrer à travers nos corps de douces et régulières ondes d'euphorie qui se sont propagées de l'un à l'autre.

Après cela, il s'est montré plus doux encore : il m'a embrassée sur le sommet de la tête, a brièvement frotté sa joue contre la mienne et s'est endormi en me caressant l'épaule. Quand sa respiration, devenue régulière, m'a laissée entendre qu'il était tombé dans les bras de Morphée, j'ai ouvert les yeux. Tout en l'écoutant dormir, j'ai gardé mon regard fixé sur les ténèbres. Avant qu'il rentre chez lui, il fallait que je lui dise que nous ne pouvions pas le faire à nouveau. Pas si cela devait s'imprégner d'intimité.

Quand il est parti, il m'a tendrement caressé la joue, et je n'ai pas trouvé le courage de lui dire quoi que ce soit.

Reviens, lui ai-je silencieusement ordonné. *Je veux le faire à nouveau.*

Fynn est appuyé contre le plan de travail, juste à côté de moi, ses bras croisés contre sa large poitrine. Il observe mes moindres faits et gestes tout en attendant que je lance cette conversation que je ne veux pas avoir. Et quand bien même le voudrais-je, par où pourrais-je commencer ? Déçue par son comportement, furieuse contre moi-même, je balance sur la planche à découper la carotte que je viens de prendre dans la passoire. Fynn ne réagit pas, il ne sursaute même pas. S'il pense que je vais lui parler, il risque d'attendre longtemps.

Sept mois après «ça» (mai 2012)

«C'est tonton Fynn», m'annonçait Phoebe en revenant à table après être allée ouvrir la porte. Comme j'avais ignoré trois fois les «•» qu'il m'avait envoyés par texto au milieu de la nuit, Fynn avait rompu tout contact avec moi depuis deux semaines. Il me manquait. J'avais une envie folle qu'il rentre de nouveau dans ma vie. Tout paraissait étrange sans lui, mais je savais que si je ne freinais pas des quatre fers, la situation deviendrait plus délicate et plus douloureuse encore.

J'avais également eu mes règles au cours de cette période, comme un fait exprès, comme pour me rappeler à quel point je m'étais montrée imprudente, me révéler le risque que j'avais pris, mettre en lumière ce nouveau problème que j'aurais pu ajouter à ma liste. Joel s'était fait faire une vasectomie six mois après la naissance de Zane. Cela faisait donc des années que je n'avais pas eu à m'inquiéter de contraception. Au cours de ces deux semaines avec Fynn, durant la journée, j'interdisais formellement à mon esprit de se remémorer mes activités nocturnes, que j'avais confinées dans une pièce fermée à double tour et isolée de mon univers quotidien; et durant la nuit, quand il était avec moi, je n'arrivais plus à penser qu'au miracle de pouvoir de nouveau faire usage de mes sens, à la libération de la jouissance et au soulagement que m'apportait ensuite le sommeil. Je m'étais montrée complètement irresponsable. Le trait rouge vif qui avait marqué le papier-toilette me l'avait clairement rappelé. *Tu l'as échappé belle*, aurait commenté Joel.

«Je n'avais pas calculé que c'était l'heure du dîner», m'a dit Fynn. Et je me suis rendu compte que je n'avais pas entendu sa voix depuis un mois. C'était un si joli son, régulier, grave et tellement chaleureux.

«Ce n'est pas l'heure. Normalement, on devrait déjà avoir mangé et être en train de faire nos devoirs, a rétorqué Phoebe, pour bien me faire comprendre que je n'étais pas allée assez vite pour elle ce soir-là.

— Nous sommes un peu en retard, ce soir, ai-je expliqué à Fynn, sans le regarder. Ceci est mon interprétation du riz *wolof* au poulet. Il en reste, si tu en veux...

— Tu es sûre?

— Naturellement.

— Eh, tonton! a dit Zane en tirant la chaise qui était à côté de lui pour que son oncle puisse s'asseoir. Qu'est-ce qui t'est arrivé? Ça fait je sais pas combien de temps qu'on t'a pas vu.»

Fynn s'est assis à côté de Zane, et j'ai servi les grains de riz rouge tomate parsemés de morceaux de poulet, de petits pois, de haricots verts, de carottes et de maïs dans l'assiette que j'avais sortie pour moi et que j'ai placée devant lui, avant d'entreprendre de nettoyer la cuisine. Pour quelque obscure raison, j'avais perdu l'appétit.

Plus tard, Fynn m'a lancé: «Merci pour le dîner, Saff. À tout'» et il est monté avec Zane pour le coucher. Quand il est redescendu à la cuisine, il a ébouriffé les cheveux de Phoebe qui regardait la télévision, et elle a incliné la tête pour leur « salut » en langage codé. Mais il a attendu d'être sur le pas de la porte pour me dire au revoir à moi.

Au son de sa voix, j'ai laissé tomber le torchon dont j'étais en train de me servir pour essuyer la vaisselle et je me suis précipitée vers lui. J'ai réussi à le rattraper avant qu'il ait franchi le seuil.

« Ça m'a fait plaisir de te voir », ai-je proposé, comme un rameau d'olivier, pour lui laisser entendre qu'après mon accès de folie qui nous avait fait frôler la catastrophe, nous étions de nouveau en sécurité. Que notre amitié pouvait reprendre là où nous l'avions laissée.

Son visage s'est adouci, les coins de ses lèvres se sont relevés, les rides autour de ses yeux se sont accentuées, au moment où il a hoché la tête en souriant. J'en étais presque venue à oublier la chaleur humaine qui pouvait émaner des sourires si naturels et si sincères de Fynn. « Ouais, moi aussi. À plus tard.

— À plus tard. »

Le moment de folie était passé, parce que j'avais trouvé un meilleur moyen de m'en sortir, d'apaiser mes angoisses et ma souffrance que celui qui avait consisté à utiliser l'une des personnes que j'aimais le plus au monde, et à lui faire au passage du tort et du mal.

« Je ne veux pas parler de ça, avoué-je à Fynn. On ne pourrait pas laisser tomber ? J'ai beaucoup trop de trucs à penser en ce moment.

— Ah oui ? Comme à ton nouveau copain, par exemple ?

— Ce n'est pas mon nouveau copain ; je te l'ai déjà dit.

— Je ne te crois pas.

— Tu me traites de menteuse ?

— Non, mais je pense que tu te réfugies dans le déni. »

Furieuse, je me tourne vers lui. « Écoute, lui dis-je. Je vais te dire ce qui s'est passé…

— J'ai compris, m'interrompt-il. Je sais que ce n'était que du…

— … sexe », complété-je au moment où il prononce le mot « désespoir ».

Il a un mouvement de recul, et son visage reflète sa consternation. « Du sexe ? » répète-t-il.

Je hoche la tête.

Je ne peux pas tout lui dire, je ne peux pas lui expliquer que ce n'était pas « juste du sexe », parce que je ne peux pas tenir cette conversation maintenant. Il y a beaucoup de choses dont je n'ai pas envie de parler. La plupart d'entre elles me font le plaisir de rester bien sagement dans la boîte où je les ai enfermées. Mais quand l'une d'entre elles tente de s'échapper, j'accomplis le rituel d'engloutissement qui me permet de continuer d'avancer. Néanmoins, la présence de Fynn ne me permet pas d'y recourir en cet instant précis.

« Tu veux dire que ç'aurait pu se faire avec n'importe qui ? me demande-t-il, l'air médusé.

— Ce n'est pas ce que j'ai dit.

— Mais c'est ce que tu as voulu dire.

— Non. Non, pas du tout. Je ne sais pas comment t'expliquer. C'était impulsif, stupide… Pas toi, je ne veux pas dire que tu t'es montré stupide ; c'est moi qui l'ai été. Je crois que j'avais envie... Enfin, je sais, je sais que j'avais envie de s... Je te faisais confiance. Je te fais confiance. Il n'y avait pas de risque de...» Mes paroles sonnent faux. Je ne peux pas lui expliquer sans lui dire le reste, sans tout lui dire.

Alors que je me fais cette réflexion, Fynn s'éloigne de quelques pas et s'arrête devant la table de la cuisine. «Je pensais que nous avions fait ça par désespoir, parce que nous avons tous deux perdu un être qui était très précieux à nos yeux. Je pensais que si nous avions fait ça, c'était pour partager ce sentiment. Mais pour toi, ce n'était que du sexe?» Il se met à frotter anxieusement la partie de son front qui se trouve au-dessus de son sourcil droit. «Sois honnête avec moi, Saff: est-ce que tu éprouves pour moi des sentiments qui vont au-delà de la simple amitié?

—À t'entendre parler, on dirait que l'amitié est une chose sans importance. Pour ma part, je crois qu'il faut beaucoup plus de qualités pour être un bon ami que pour être un bon amant.

—Réponds à ma question, s'il te plaît.

—Ce n'est pas le moment de parler de ça, Fynn. Il s'est passé tellement de choses en quelques jours... Cette conversation ne pourra rien nous apporter de bon, j'en suis convaincue.

—Je prends ça pour un non.

—Ce n'est pas ce que j'ai dit. Comment peux-tu te permettre de parler à ma place?»

Son regard est fixé sur un point, au-dessus de mon épaule. «Euh... écoute, je ne sais pas ce qui m'a pris. Ce n'est pas comme si nous étions... Je suis un abruti.

— Pas du tout. Et puis je t'interdis de parler de toi comme ça.

— Je ferais mieux de m'en aller.

— De t'en aller ? Et le dîner, et les enfants ? »

Comme si le simple fait de prononcer ce mot avait suffi à les faire apparaître, j'entends la porte d'entrée s'ouvrir brutalement, et le couloir se met à résonner au son des voix de Zane, Phoebe et tatie Betty, qui discutent apparemment de la pagaille qu'ils ont semée à Brighton.

« Est-ce qu'on connaît quelqu'un qui porte des chaussures de ce genre ? demande soudain Zane en articulant exagérément.

— Moi, je vois pas, répond Phoebe sur le même ton que son frère.

— Elles doivent appartenir à quelqu'un qui rêvait d'être pilote de course », reprend Zane en riant.

Le regard fixé sur moi, Fynn semble chercher désespérément à se ressaisir. Je vois bien qu'il lutte de toutes ses forces pour dissimuler sa douleur et sa consternation afin de donner le change devant mes enfants.

« Ah oui ! ajoute Phoebe, c'est vrai, mais il a fini par abandonner, parce qu'il faisait pas le poids.

— Eh ! » s'exclame Fynn. Il passe sa tête par la porte de la cuisine, et je devine qu'il s'est composé un visage souriant. « Je faisais le poids, mais, justement, ils n'ont pas supporté que je les écrase. » Une pause. Puis : « Oh, mon Dieu ! Ce ne serait pas tatie Betty ? Je me disais bien que la région de Brighton était beaucoup plus belle depuis quelque temps ; j'aurais dû m'en douter.

— Mon cher Fynn, dit tatie Betty d'une voix traînante. Cela fait bien trop longtemps.

— Deux semaines, trop longtemps ? » répond-il en riant.

Deux semaines ?

« Tatie Betty habite avec nous, maintenant, explique Zane d'un air radieux.

— C'est vrai ?

— Ouais. Elle s'est fait jeter parce qu'elle a fait un truc "mal", explique Phoebe. Elle a pas voulu nous dire ce que c'était, même contre tout notre argent de poche.

— Waouh, ça devait vraiment être très mal alors, acquiesce Fynn. D'ordinaire, si je ne m'abuse, vous êtes plutôt du genre à confesser spontanément vos mauvaises actions. Quoi qu'il en soit, Elizabeth Mackleroy, c'est une bonne chose que je sois venu ici aujourd'hui, n'est-ce pas ? Car je suis certain que vous n'envisagiez pas une seconde de me dire que vous aviez déménagé. Vous auriez été bien contente de savoir que j'avais fait tout le chemin pour venir vous voir et que je m'étais cassé le nez, je me trompe ? »

Et moi qui pensais que je ne pouvais pas me sentir plus mal... je me suis mis le doigt dans l'œil : la honte et la culpabilité sont de retour, cette fois-ci sous la forme d'un immense mur d'émotions qui, en s'écroulant sur moi, manque de m'enterrer vivante. Fynn a discrètement, consciencieusement, régulièrement rendu visite à tatie Betty à la place de Joel.

Il reste près de la porte de la cuisine, parce que de là où ils sont, ils ne peuvent pas voir combien il lui en coûte de faire comme si tout était normal, comme s'il allait bien.

Je m'en veux à mort pour ça. Je m'en veux à mort d'avoir déclenché cette folie.

« Bien ! m'exclamé-je. Et si vous alliez tous vous laver les mains pour dégager le couloir. »

Tout en ronchonnant un peu, tous les trois retirent leurs chaussures, accrochent leurs manteaux et se dirigent vers la salle de bains. J'en profite pour faire revenir Fynn dans la cuisine.

« S'il te plaît, reste dîner, chuchoté-je. Nous pourrons parler après, quand tout le monde sera couché. »

Il ne me regarde pas. Son regard se fixe sur divers points de la cuisine, mais il évite soigneusement de le tourner vers moi. « Non, répond-il d'un ton ferme. Il faut que j'y aille. J'ai besoin d'être seul pour réfléchir.

— S'il te plaît, Fynn. Je ne veux pas que nous nous quittions comme ça. Tu es mon meilleur ami. »

À ces mots, il finit par tourner son regard chargé de douleur vers moi. « Et tu es ma meilleure amie. C'est pourquoi je m'étais dit que tu comprendrais qu'il faut que je parte maintenant. Je ne peux pas rester ici. Est-ce que tu pourras me couvrir vis-à-vis des autres ?

— Bien sûr. On en reparlera bientôt, alors, d'accord ? »

Il hoche brièvement la tête, mais ne répond pas. Je n'aime pas quand Fynn se mure dans le silence. Ce n'est jamais bon signe.

« Pourquoi est-ce que tonton Fynn n'est pas resté dîner ? me demande Zane au moment où je m'assieds au bout de son lit pour bavarder un peu avec lui avant d'éteindre la lumière.

— Il avait oublié qu'il avait quelque chose à faire.

— Tu crois que papa lui manque autant qu'à nous ? »

Je suis secouée par la question. Quand Zane parle de son papa, ce n'est jamais pour suggérer qu'il peut manquer à d'autres personnes que nous trois, mais toujours pour demander ce qu'il aurait dit de telle ou telle situation, ce qu'il en aurait pensé, s'il en aurait ri. Et de plus, ces questions sont très rares, comme si les poser reviendrait à admettre qu'il a commencé à l'oublier. Que chaque jour nous éloigne un peu plus de son papa et nous rapproche un peu plus du moment où il ne posera plus de questions à son sujet.

De façon générale, j'essaie d'entretenir la présence de Joel dans leur vie en me comportant comme il l'aurait fait, en copiant autant que possible l'attitude calme et réfléchie que leur père aurait adoptée, mais il m'arrive parfois de me planter. Il m'arrive souvent de me planter. Quoi qu'il en soit, cette question est nouvelle. Inattendue.

« Oui, il lui manque autant qu'à nous. Tonton Fynn connaissait papa depuis très longtemps, il l'avait même rencontré avant moi, donc, oui, je pense qu'il lui manque beaucoup.

— Et papa, tu crois qu'on lui manque ? Et que tonton Fynn lui manque ? Et aussi tatie Betty ? Et papy et mamie ? Et grand-père et grand-mère ? »

Joel trouvait naturel, et nécessaire, de s'entourer d'autres personnes. Il avait un véritable don pour s'attirer la sympathie des gens, passer du temps avec eux, les apprécier pour ce qu'ils étaient, même s'ils étaient très différents de lui et des personnes qu'il avait l'habitude de fréquenter. C'est pourquoi j'espère qu'il n'est pas tout seul, là où il est.

« Oui, je crois que oui.

— Moi aussi, je crois que oui, me dit Zane. Et c'est ce que tonton Fynn m'a dit quand je lui ai demandé. Il m'a dit que papa adorait être entouré de gens, mais que même s'il avait beaucoup d'amis au paradis ou là où il est, on allait quand même lui manquer. »

C'est le genre de réponse que Joel aurait pu lui faire. Je ne sais pas ce qu'aurait été celle de Lewis, mais celle de Joel aurait été celle-là. La même que celle de Fynn.

Je pense à Fynn en attendant que mon fils sombre dans le sommeil, et ma tête résonne des échos de toutes les choses que j'aimerais pouvoir lui dire.

V

Vendredi 19 avril
(pour le samedi 20)

Saffron,

Une question me taraude : comment peux-tu continuer de vivre ? Je sais que je t'en ai déjà parlé, mais j'aimerais vraiment savoir comment tu fais pour tenir le choc. Pour ma part, je ne peux pas.

Quand je l'ai perdu, j'ai su que ma vie était terminée, que rien ne serait jamais plus comme avant.

Mais j'ai l'impression que pour toi, rien n'a changé. Tu vas toujours travailler tous les matins, tu embrasses toujours tes enfants, tu dors avec tes stores ouverts comme si tu n'avais rien à cacher. Ce T-shirt de la coupe du monde 2006 que tu portes pour dormir, est-ce qu'il est à lui ? Je le vois chaque fois que tu passes devant la fenêtre de ta chambre en te brossant les dents avec tes cheveux ramenés en chignon au sommet de ta tête. Tu vois ? C'est ce genre de petites choses qui m'intrigue : que tu aies toujours la présence d'esprit de te dégager le visage pour te brosser les dents. Pendant longtemps, il m'a été quasiment impossible d'accomplir ce genre de choses, et j'ai toujours du mal avec ça aujourd'hui.

En fait, on dirait que tu joues la comédie. Je ne voudrais pas trop te critiquer, parce que tu as vraiment l'air d'une veuve éplorée, sans maquillage, avec tes cheveux comme ça et les vêtements de feu ton mari… Mais je vois bien que tout cela n'est qu'une façade.

Je suis sincère quand je te dis que je ne voudrais pas trop te critiquer, mais j'imagine que tu es bien contente de connaître l'image que tu renvoies à la face du monde. Cette image, c'est celle d'une personne qui joue sur les apparences et n'est pas véritablement endeuillée.

D'ailleurs, si je ne m'abuse, tu es même allée jusqu'à te rendre dans un pub vendredi soir. Et tu avais deux prétendants avec toi aujourd'hui, alors que tu étais seule à la maison. Ce n'est pas comme ça que les veuves sont censées se comporter.

En tout cas, ce n'est pas comme ça que je me comporte, et même si je sais que je n'ai pas à te dire comment toi, tu devrais te comporter, je suis persuadée que si tu l'aimais vraiment de tout ton cœur, comme moi je l'aimais, tu n'agirais pas ainsi.

N'ayant aucune intention de te révéler des choses sur moi ou de m'épancher sur la nature exacte de notre relation, je préfère m'arrêter là.

Mais réfléchis-y, d'accord ? Réfléchis à l'image que tu renvoies à la face du monde. Et si tu t'aperçois que ce n'est pas si important à tes yeux, essaie de te demander si tu l'aimais vraiment. Parce que moi, j'aurais fait n'importe quoi pour être avec lui. N'importe quoi.

A

18

Treize mois avant « ça » (septembre 2010)

« Et ça ne te dérange vraiment pas d'être là, affublé de ce tablier de soubrette, à préparer de minuscules petits macarons ? lui ai-je demandé.

— Non. Pourquoi ça me dérangerait ? » Debout devant le miroir en pied de la salle de bains, Joel a baissé les yeux vers son jean bleu marine et son T-shirt gris anthracite qui mettait en valeur la musculature de ses bras. « O.K., qu'est-ce que tu essaies de me dire, Frony ? Tu as un problème avec les hommes qui font des macarons ? »

J'avais passé la tête par la porte de la salle de bains pour discuter avec lui pendant qu'il se préparait pour sa première leçon à Sea Your Plate, les cours de cuisine que je lui avais offerts pour Noël. Il était tellement enthousiaste qu'il s'était arrangé pour rentrer plus tôt du travail afin d'avoir davantage de temps pour se préparer.

Après avoir posé sa question, il s'est tourné vers moi. Il avait fini de se laver et de s'habiller, mais il était resté dans la salle de bains pour s'occuper de ses cheveux, c'est-à-dire pour les huiler et entortiller les extrémités de ses minidreadlocks. Mon bel homme de mari prenait soin de ses cheveux d'une manière qui confinait à la vanité.

« Mais pas du tout, pas du tout, ai-je répliqué. Je n'ai aucun problème avec *les* hommes qui font des macarons. En revanche, avec *mon* homme… » J'ai gloussé un peu. « Toi et tes grosses mains, en train de faire ces toutes petites choses délicates…

— Attends un peu », m'a-t-il dit en avançant vers moi pour m'attraper. Mais j'ai été plus rapide que lui et j'ai réussi à lui échapper et j'ai couru jusqu'à notre chambre, à l'autre bout du hall.

Phoebe, qui était en bas dans le salon, devait être en train de lever les yeux au ciel en soupirant, tandis que Zane n'avait sans doute même pas daigné relever la tête du livre dans lequel il était plongé.

« Attends, j'ai dit ! » s'est exclamé Joel en riant. J'ai poussé un petit cri et gloussé au moment où il m'a rattrapée à l'entrée de notre chambre. Tout en refermant la porte d'un coup de pied, il m'a prise dans ses bras et serrée contre son corps. « Tu disais ?

— Je disais… euh… un truc à propos de macarons.

— Ah oui, les macarons », a-t-il murmuré avec un immense sourire. Et là-dessus, il m'a donné un tendre baiser, un simple effleurement des lèvres, qui s'est approfondi et prolongé au moment où nos langues se sont rencontrées.

« Macaron, ai-je répété en m'écartant un peu de lui. J'aime bien ce mot.

— Moi aussi.

— Je crois que ça ferait un bon nom de code pour désigner ce genre de choses.

— Ah !, parce que, maintenant, on a besoin de noms de code ? » m'a-t-il demandé, et il a refermé ses lèvres divines pour réprimer un rire.

J'ai fait glisser mes mains le long de sa poitrine, avant de les remonter et de les nouer sur sa nuque. «Non. Oui. Peut-être. Imagine, la prochaine fois qu'on sera chez tes parents, si je dis "Ces macarons sont délicieux, madame Mackleroy, vous les avez faits vous-même ?". Je crois qu'on n'arrivera pas à se retenir.

— Ma mère n'a jamais fait de macarons de sa vie. À bien y réfléchir, je dirais même qu'elle ne nous en a jamais proposé de toute sa vie.

— Tu chipotes, tu chipotes.

— D'autre part, je n'ai pas envie de penser à ça quand je suis chez mes parents.

— Ça, je peux le comprendre.

— Mon cœur, ça ne te dérange pas que je fasse ça, hein ?» Il était redevenu sérieux, et paraissait même préoccupé.

«Naturellement, ai-je répondu d'un air désinvolte. Je ne t'aurais pas offert ces cours si ça m'avait dérangée.

— Mais ça ne te paraît pas tordu ou je ne sais quoi ?» a-t-il insisté.

Naturellement que c'était tordu, comme tout peut le paraître, parfois. Mais je savais qu'il fallait qu'il le fasse, qu'il allait prendre plaisir à le faire et que cela l'aiderait pour le livre qu'il avait projeté d'écrire. Les tiroirs de notre cuisine, la cheminée de notre chambre, les différents meubles de la maison, tout était recouvert de morceaux de papier sur lesquels il avait griffonné des idées de recettes. Qui, pour la plupart, se limitaient à de vagues impressions quant à l'aspect et la saveur que devaient avoir les plats une fois terminés. Il avait beaucoup, beaucoup d'idées, mais je me disais que ces cours l'aideraient peut-être à devenir plus rigoureux dans sa méthode de travail.

« Si je trouve tordu que le grand baraqué qui me sert de mari, avec sa voix rauque et ses magnifiques cheveux, sans oublier son emploi à haute responsabilité, passe la soirée en tablier de soubrette à apprendre à faire des macarons ? Non. Bien sûr que non.

— Je ne vais pas faire des macarons. C'est très difficile, tu sais ? Il faut des années de pratique pour obtenir un résultat parfait.

— Alors, qu'est-ce que tu vas faire ?

— N'essaie pas de changer de sujet, Frony.

— Désolée, ai-je bredouillé. Mais ça me va très bien que tu fasses ça. Je trouve ça cool. Si je t'ai offert ces cours, c'est parce que je sais à quel point tu aimes la cuisine. Et ce qui fait ton bonheur fait aussi le mien, si je peux m'exprimer ainsi sans paraître trop pathétique. Et puis tu sais que je me sens beaucoup mieux vis-à-vis de tout ça. Ça ne me dérange pas du tout, je t'assure.

— Je l'espère, parce que si tu as la moindre objection à émettre, je laisse tomber.

— Tu n'as pas intérêt, mon cher ami : ces cours m'ont coûté une fortune !

— Très bien.

— Mais je t'interdis de tomber amoureux de l'une de ces ravissantes femmes au foyer, aussi belles, minces ou intelligentes soient-elles. N'oublie pas que tu as une femme à la maison qui t'aime. Et qu'elle pourrait devenir très, très dangereuse si elle te voyait avec une autre. »

Tout en glissant ses doigts dans les boucles de ma nuque, il s'est penché vers moi pour m'embrasser. «Tu crois que tu aurais un peu de temps pour faire des macarons avant que je parte? m'a-t-il demandé d'une voix malicieuse.

— Tu peux te les garder, tes macarons, lui ai-je répondu. Les enfants sont en bas...»

Son rire a résonné dans toute la pièce. J'ai fermé les yeux pendant une seconde pour mieux profiter de cet instant de bonheur. C'est à ce moment précis que tout a commencé à aller de travers, mais naturellement, sur le coup, je n'en avais pas conscience. J'étais trop heureuse, trop détendue. Et j'ai été punie pour cela. La disparition de Joel a été mon châtiment.

19

Le chiffre « 1 » clignote sur l'écran LCD de mon répondeur.

Je déteste recevoir des messages sur mon téléphone fixe. Ce ne sont jamais de bonnes nouvelles, et je ne peux pas me dérober à la voix que j'entends ni aux informations qu'elle s'apprête à m'annoncer. Au moins, avec mon portable, je peux filtrer, connaître l'identité de celui ou celle qui m'a laissé le message. Après la mort de Joel, la grande institution sans visage qu'est la presse a réussi je ne sais comment à obtenir notre numéro de fixe, et ce bien que nous ayons toujours été sur liste rouge. Les gens n'arrêtaient pas d'appeler. La maison était silencieuse, quand la sonnerie du téléphone ne retentissait pas. Nous étions tous incapables de parler, et quand le téléphone sonnait, je me demandais si je devais répondre, parce que je n'avais aucun moyen de savoir si c'était quelqu'un qui connaissait Joel et qui venait d'apprendre la nouvelle, quelqu'un qui n'avait pas encore appris la nouvelle et à qui il fallait donc l'annoncer, ou quelqu'un qui voulait que je lui parle du « véritable Joel Mack-el-roy ».

Au bout du compte, j'ai fini par le débrancher, et je ne l'ai réinstallé que six mois plus tard, après avoir changé de numéro.

Je suis toujours un peu angoissée, néanmoins, quand je vois qu'un message a été enregistré sur le répondeur, parce que j'ignore qui me l'a laissé. Cela étant, me pliant à la volonté de la personne qui a décidé qu'elle avait besoin de me parler, je finis par appuyer sur le bouton.

« Bonjour, Saffron, Phoebe et Zane. » Je sens mon estomac se retourner, et mon cœur semble tomber dans de l'eau glacée. Comme chaque fois que j'entends sa voix. « J'espère que vous allez bien, dit-elle. Nous aimerions discuter avec vous, et si possible vous rencontrer dans les jours qui viennent. Il me semble que nous ne nous sommes pas vus depuis bien longtemps. Merci de répondre à ce message quand vous aurez un petit moment. Au revoir. »

Mes doigts se posent instinctivement sur le bouton « effacer », et j'éprouve une satisfaction certaine à constater que je peux si facilement éradiquer sa voix, et, par conséquent, sa présence inopportune. Je ne peux pas la détester ; c'est la mère de Joel. Mais je n'ai aucun scrupule à entretenir la très saine aversion qu'elle m'inspire.

Quinze ans avant « ça » (août 1996)

« Je suis vraiment ravie de vous rencontrer », disais-je à M. et Mme Mackleroy. Nous venions de nous asseoir à une table ronde dans un restaurant huppé du centre de Londres.

Cette première rencontre ne devait surtout pas avoir lieu chez eux, car il s'agissait de gens un peu « coincés » qui ne recevaient que rarement. C'était ce que Joel m'avait dit. Mais la vérité me semblait évidente : dans un restaurant, le temps que nous passerions ensemble serait nécessairement limité. Quoi qu'il en soit, à la façon dont il avait organisé les choses, Joel m'avait clairement fait comprendre que tatie Betty, que j'avais déjà rencontrée, ne s'était pas trompée : ses parents allaient me détester.

Angoissée comme jamais je ne l'avais été, je devais lutter de toutes mes forces pour ne pas triturer la serviette en coton blanc qui était sur mes genoux, ne pas tripoter mes couverts, ne pas déplacer mon assiette pour qu'elle se trouve à égale distance des couteaux et des fourchettes qui l'encadraient. Je n'avais pas manqué de remarquer qu'en parfaite synchronisation, ils avaient presque imperceptiblement froncé les sourcils quand, dix minutes plus tôt, ils étaient arrivés chez Brown (un grand restaurant de Covent Garden auquel je m'étais déjà rendue pour des déjeuners d'affaires), et qu'ils avaient constaté que nous étions déjà présents. On aurait presque dit qu'ils auraient préféré que nous arrivions en retard, ou même à l'heure, afin d'avoir dès le départ une bonne raison de me détester.

Les restaurants et les repas avec des inconnus avaient déjà tendance à me rendre nerveuse, mais à l'idée de manger avec des personnes sur qui je devais nécessairement faire bonne impression, la nervosité se changeait en une angoisse telle que je ne pouvais l'expliquer à Joel sans compliquer inutilement les choses. Il n'aurait pas compris que défilait constamment dans mon esprit toute la liste des catastrophes que je pouvais déclencher : me tacher en mangeant, renverser un verre de vin (bien que je n'eusse aucune intention de boire pour ne pas leur donner de raison de penser que j'étais une poivrote), mal prononcer quelque chose que j'avais toujours bien prononcé, faire trébucher un serveur, trop manger et leur laisser entendre que j'étais une goinfre, ne pas manger suffisamment et leur laisser entendre que j'étais anorexique.

Je partais déjà avec un handicap : je m'étais mise au régime pendant la quinzaine qui avait précédé afin de rentrer dans la parfaite petite robe chasuble bleu marine avec sa ceinture ornée de marguerites que j'avais achetée pour l'occasion. Mais j'avais toujours du mal à remonter la fermeture Éclair, et comme j'étais serrée au niveau de la poitrine et des hanches, elle remontait beaucoup trop quand j'essayais de m'asseoir. Je m'étais donc rabattue sur ma jupe rose et mon cardigan bordeaux que j'avais assortis à une ceinture marron afin de donner l'illusion d'une taille. Joel m'avait dit que j'étais magnifique, mais je doutais que ce fût suffisant pour mes éventuels futurs beaux-parents, notamment parce que je me trouvais à mon désavantage et parce que la rencontre allait se dérouler dans un lieu qui était pour moi une parfaite représentation de l'enfer.

« Joel nous parle sans arrêt de vous », m'a dit la très élégante Mme Mackleroy. Ses cheveux avaient manifestement été lissés et enroulés autour de gros bigoudis pour créer les larges boucles qui encadraient son visage rond. Sa peau était d'une nuance café au lait étonnamment claire, et elle avait des yeux de chat. Elle ne portait aucun maquillage, en dehors d'un rouge à lèvres prune, et son tailleur bleu marine, que je soupçonnais d'être un Chanel, épousait sa silhouette gracieuse comme s'il avait été créé pour elle. Elle était parfaite du point de vue de l'apparence, et je suis presque restée en admiration devant la façon dont elle avait évité les « Je suis moi aussi ravie de vous rencontrer » et autres civilités, tout en me faisant clairement comprendre que la plupart des choses que son fils lui avait dites sur moi étaient futiles ou ineptes, et que j'étais fort susceptible de confirmer cette impression.

« Mais c'est parce qu'elle est parfaite, a dit Joel en plaçant aussitôt sa main sur la mienne, comme pour démontrer à quel point j'étais importante. Je pourrais faire toute une thèse sur ses qualités.

— En parlant de thèse, saviez-vous que Joel aurait pu faire ses études à Cambridge ? » est intervenu M. Mackleroy. Le sérieux qui se dégageait de lui tenait à la façon dont il redressait ses épaules. Ses cheveux noirs étaient filetés de boucles métalliques gris argenté, et sa peau marron acajou était ridée, mais pas excessivement pour un homme de son âge. Il avait des yeux noirs et tristes qui semblaient sans cesse en quête de choses sur quoi se concentrer afin d'en dénicher les imperfections. Et il portait un costume griffé, mais je n'aurais su dire de quelle marque.

« Oui, je le savais », ai-je répondu avec un sourire radieux tout en resserrant ma main autour de celle de Joel sans savoir lequel d'entre nous avait le plus besoin de ce geste de réconfort. Ils n'avaient toujours pas réussi à accepter que, malgré ses capacités, Joel ait décidé de passer une année à faire la fête sur la côte, avant d'entreprendre des études de conception de produits industriels à Brighton. Ses parents avaient rêvé pour lui d'un long cursus universitaire; ce n'était pas la voie qu'il avait choisie. «Il est vraiment brillant.

— À quelle université êtes-vous allée? m'a demandé M. Mackleroy.

— Papa, est intervenu Joel, pourquoi parler de cela maintenant? Nous n'avons même pas regardé la carte.

— Dois-je déduire de la façon dont mon fils a volé à votre secours que vous n'êtes pas allée à l'université?»

J'avais désespérément envie d'être assez bien pour eux, je voulais qu'ils m'apprécient, parce que j'aimais tellement leur fils que, parfois, j'avais du mal à respirer. Nous parlions de nous marier, nous discutions d'avoir des enfants… Si je ne voulais pas qu'ils se mettent en travers de mon chemin, il fallait que je m'arrange pour qu'ils m'apprécient. Je n'avais pas envie qu'ils passent leur temps à rechercher des choses à me reprocher. Une fois cet obstacle écarté, nous aurions sans doute toutes nos chances, Joel et moi. Perdue dans ces réflexions, j'ai regardé Joel, qui m'a souri, comme pour m'encourager, m'expliquer que ma réponse n'avait aucune importance, parce que, quoi qu'il arrive, il ne cesserait jamais de m'aimer. Mais ma réponse avait de l'importance, et même beaucoup. Je n'étais pas allée à Oxford, je n'étais pas allée à Cambridge, je ne serais jamais à la hauteur de leurs espérances, jamais assez bien pour leur fils. Cela n'allait pas être facile à accepter, mais, de toute façon, je n'avais pas le choix.

Résignée, je me suis tournée vers eux, mes juges, les deux personnes qui se tenaient entre moi et l'homme que j'aimais. «Euh… non. Non, je n'y suis pas allée», ai-je répondu sans parvenir à les regarder dans les yeux.

Le désarroi a fondu sur Joel, je l'ai vu du coin de l'œil sur son visage, je l'ai senti dans la façon dont sa main s'est légèrement crispée autour de la mienne.

Néanmoins, ma réponse a eu l'effet escompté : mes éventuels futurs beaux-parents s'étaient détendus, les dizaines de préjugés négatifs qu'ils avaient sur moi ayant été corroborés. J'étais leur pire cauchemar, mais si j'essayais de les contredire en quelque point que ce soit, ils pourraient me remettre à ma place en m'expliquant que je ne pouvais pas comprendre, puisque je n'étais pas allée à l'université.

«S'il te plaît, ne refais pas ça, m'a dit Joel d'une voix triste un peu plus tard. Je me fiche de ce que les autres pensent, même eux.»

Alors que ses parents s'étaient montrés bavards et charmants, Joel avait été plutôt taciturne durant le reste du dîner, tout comme moi. Il avait par ailleurs gardé le silence durant tout le trajet retour en train, bien qu'il m'eût tenu la main. Bref, il avait attendu que nous soyons de retour dans le cocon de sa chambre, nos deux corps enlacés sur son lit double, pour en reparler.

«Mais, ai-je protesté, tu as bien vu à quel point cela les a rassurés d'entendre ça. C'était plus facile de faire profil bas…

— Tu n'as pas fait profil bas, m'a-t-il sèchement interrompu, tu leur as menti. Et je n'aime pas qu'on mente, Frony.

— Moi non plus, Joel, mais si je leur avais dit la vérité, c'est-à-dire que j'avais fréquenté les bancs de l'une des cinq plus grandes universités du pays, ils auraient passé le dîner à essayer de trouver d'autres moyens de me rabaisser. Cela aurait été pénible pour tout le monde. C'était plus facile de cette façon.

— Ça m'est égal, a-t-il répliqué. Ne refais jamais ça.»

Ses parents s'étaient montrés gais et enjoués, joviaux et presque chaleureux après mon mensonge. J'étais tellement certaine que Joel comprendrait lui aussi que c'était le seul et unique moyen pour me faire accepter par eux. Parfois, mentir est le seul moyen de bien faire les choses.

«Je ne le ferai plus, lui ai-je dit. Promis.»

Si tu l'aimais vraiment de tout ton cœur, comme moi je l'aimais, tu n'agirais pas ainsi. Les mots de la troisième lettre que j'ai reçue résonnent comme un écho assourdissant aux propos que Mme Mackleroy tient habituellement à mon sujet, parfois même en ma présence.

Je regarde fixement le répondeur. J'aimerais qu'il soit possible de récupérer le message pour pouvoir l'effacer encore une fois.

Samedi 21 avril
(pour aujourd'hui)

Saffron,

Pourquoi as-tu fermé les stores de ta chambre ? Tu aurais dû les laisser ouverts.

Ne fais pas attention à ce que je dis. Excuse-moi, je sais que je m'énerve un peu trop parfois, mais c'est parce que j'ai du mal à supporter son absence au quotidien, et il y a des jours qui sont pires que d'autres et où je suis un peu à fleur de peau. Bref, je te prie de m'excuser d'avoir dirigé mon agressivité contre toi.

Tu as obtenu le droit d'aller le voir à l'hôpital, je me trompe ? On t'a autorisée à le prendre dans tes bras et à le toucher une dernière fois ? Tu as organisé ses obsèques ? Tu as décidé de l'endroit où se situerait sa dernière demeure, tu as choisi sa pierre tombale et tu y as fait inscrire des mots ? Cela a dû être très réconfortant. Mais essaie de te mettre à ma place : je l'aimais énormément, au moins autant que toi, et je n'ai eu droit à rien de tout cela.

Est-ce que tu comprends mieux, maintenant, pourquoi je t'ai dit ces méchancetés que je n'aurais sans doute pas dû te dire ? J'ai l'impression d'avoir manqué tellement de choses.

Je t'en prie, continue de vivre ta vie comme tu l'entends. C'est très bien comme ça.

A

20

« Je suppose qu'on peut dire qu'il s'agit là de notre premier conseil de famille de l'année.

— De notre premier conseil de famille tout court », corrige à juste titre Phoebe. Le ressentiment que je lui inspire semble un peu moins violent depuis ces deux derniers jours. J'ignore si c'est parce que je n'ai pas mentionné sa grossesse depuis que je suis sortie avec M. Bromsgrove ou si c'est parce qu'elle n'ose pas m'envoyer balader devant sa tante. Mais peu m'importe : cela me va très bien.

« Bon. Comme l'a très bien fait remarquer Phoebe, il s'agit là de notre premier conseil de famille. J'aimerais que nous prenions tous conscience du fait qu'à cause de nos nouveaux arrangements, nous devons montrer davantage de considération les uns envers les autres, et observer certaines règles de base.

— Et ces règles, c'est toi qui vas les définir, je suppose ? » fait remarquer « à juste titre » tatie Betty. Elle porte aujourd'hui sa perruque au carré rose fuchsia, couleur qui occulte définitivement celles de ses vêtements et celles qu'elle a utilisées pour se maquiller.

« C'est fort probable, en effet.

— Ça veut dire oui ou non ? » s'enquiert Zane.

Zane a le teint frais, ses joues potelées sont lisses et colorées, ses yeux d'acajou liquide, qu'il a hérités de son père, sont clairs et brillants. Il est heureux que tatie Betty soit là, et c'est la première fois depuis bien longtemps qu'il ne semble pas lutter contre son chagrin.

« Ça veut dire oui. Mais je me demande bien pourquoi je me sens gênée de dire ça. Ce n'est tout de même pas comme s'il y avait d'autres adultes dans cette maison.

— Et tatie Betty ? » demande Phoebe.

Surprise que ma fille n'ait pas profité de l'occasion pour revendiquer le statut d'adulte, je tourne mon regard vers tatie Betty, qui est étendue sur le sofa, une cigarette électronique à la main. Zane est assis à même le sol devant elle, le dos appuyé contre le cuir marron du canapé, et Phoebe est assise par terre elle aussi, à côté des pieds de sa tante. « Ta mère a raison, mon trésor. Je ne suis pas une adulte.

— Comme je viens de vous le dire, j'aimerais définir quelques règles de base, des règles que nous devrons par la suite tous observer. »

Juste derrière moi, sur la cheminée, se trouve une photo de Joel. J'aimerais pouvoir me glisser dans cette image pour lui demander ce que je devrais dire et comment je devrais le dire. « Je voudrais que chacun range ses affaires. Je sais que vous le faites généralement, mais j'ai remarqué un certain relâchement ces derniers jours, et il se trouve que je n'ai pas le temps de repasser derrière tout le monde. »

Hochant pensivement la tête, ils semblent tous me donner leur assentiment.

« Par ailleurs, j'aimerais revenir sur une règle qui a déjà été fixée : plus de portable ou d'appareil électronique à table. »

Tollé général. J'attends que les protestations de mon fils et de ma fille aient diminué en intensité avant de reprendre : « C'est une règle que nous avons définie il y a déjà longtemps, mais pour une raison que je ne parviens pas à m'expliquer, on dirait que tout le monde se croit autorisé à la transgresser. Au cours des repas, je voudrais que chacun puisse se concentrer sur ce qu'il a dans son assiette et profiter de la compagnie des autres personnes présentes à table. Il s'agit là des seuls moments de la journée où nous sommes tous réunis, c'est pourquoi je te demanderai de bien vouloir quitter Cyberland, Phoebe, et toi Nintendoland, Zane.

— Personne n'appelle ça Cyberland, marmonne Phoebe.

— Peu importe. Je veux que chacun de vous deux profite de la compagnie de l'autre, de celle de tatie Betty et de la mienne, et ce au cours de chacun des repas que nous prenons ensemble. C'est d'accord ? »

De mauvaise grâce, ils hochent la tête.

« Bien. Une dernière chose : cette maison est non-fumeur. »

Tatie Betty, qui a accepté toutes mes règles en tirant d'un air suffisant sur sa cigarette électronique, reste figée sur place au milieu d'un hochement de tête. Au même instant, Zane pince ses lèvres pour retenir le rire qui a déjà illuminé son visage.

« Haaannn, grillééée, murmure Phoebe, qui affiche désormais un immense sourire espiègle.

— Mais je ne fume pas dans cette maison, finit par dire tatie Betty en agitant son fume-cigarette de chrome et d'ébène dans ma direction. D'ailleurs, on ne dit pas fumer, on dit vapoter. Ce n'est pas de la fumée, juste de la vapeur. Mais je peux trouver un autre parfum de liquide, si celui-ci te dérange.

— Non merci, rétorqué-je. Je répète qu'il est strictement interdit de fumer sous quelque forme que ce soit dans cette maison. Vapotage ou autre.

— Mais pourquoi ? se met à geindre tatie Betty.

— Je ne veux pas de cigarettes dans cette maison. Ni de cigares, ni de cigarillos, ni de pipes, des fois que vous viendrait l'idée de contourner les règles de ces différentes façons. Je ne veux pas que mes enfants pensent que fumer est une chose que j'approuve, parce que ce n'est pas le cas, d'accord ? Si vous voulez fumer ou vapoter, vaporer, vaporiser ou je ne sais quoi, je vous prierais de bien vouloir vous donner la peine de vous rendre dans le jardin.

— C'est pas juste, grommelle tatie Betty.

— Si, ça l'est.

— Et pour toi, maman, y en a pas, de règles ? demande Phoebe.

— Ouais, mamounette, fait Zane, qui ne m'a pas appelée comme ça depuis au moins deux ans. Toi, y a aucun truc que t'as plus le droit de faire ? »

À ces mots, j'inspire tout l'air que peuvent contenir mes poumons et pousse un si long soupir que je jurerais que mon souffle a touché le mur de l'autre côté de la pièce. C'est le seul et unique moyen que j'ai trouvé pour assurer notre sécurité. Ils ne vont pas aimer ce que je m'apprête à leur dire, mais je n'ai pas le choix. La femme qui a tué Joel a commencé à me harceler, et je n'ai aucun moyen de savoir ce qu'elle envisage de faire ensuite. Je me suis sentie violée dans mon intimité quand j'ai tiré les cordes pour fermer les stores de la chambre, alors que les garder ouverts était pour moi une façon parmi tant d'autres de me connecter à Joel. Mais je ne voulais pas qu'elle puisse m'observer. Car en plus de m'écrire, elle m'observe, désormais. Et de près, si elle a remarqué que je portais toujours les vêtements de Joel pour dormir.

Je ne pourrais pas laisser Phoebe et Zane se promener dehors sans surveillance tant que je ne saurais pas ce que Phoebe compte faire au sujet de sa grossesse. Une fois que ce point sera réglé, je pourrais lui parler, lui expliquer qu'il est indispensable que nous disions à la police ce que nous savons, même s'ils nous reprocheront sûrement de ne pas l'avoir fait plus tôt. Mais, pour l'instant, je ne peux pas me permettre de les exposer à ce danger, d'en faire des proies faciles auxquelles *elle* serait susceptible de faire du mal. D'ailleurs, c'est là la véritable raison d'être de cette réunion. Les autres trucs, j'aurais pu les leur dire n'importe quand, mais, pour cela, j'avais besoin de toute leur attention. Il faut que je réfléchisse, que je mette en avant la nécessité de se serrer les coudes et de faire les choses comme je le dis.

« Il y a plein de choses que je ne vais plus avoir le droit de faire, finis-je par répondre. Comme ne plus rentrer directement à la maison après le travail, parce qu'il faudra que j'aille chercher Phoebe à l'aide aux devoirs et Zane au centre de loisirs ou chez Imogen.

— J'ai pas besoin d'aller à l'aide aux devoirs, proteste Phoebe. Je suis assez grande pour rentrer à la maison toute seule.

— Oui, je sais. Mais tu iras tout de même à l'aide aux devoirs. Je t'ai déjà inscrite.

— Mais…, commence-t-elle.

— Oui ?» l'encouragé-je. Je sais qu'elle n'a aucune marge de manœuvre. Et notamment parce qu'elle est ENCEINTE ; aucun d'entre nous ne l'a oublié.

« Rien, siffle-t-elle, avant de reprendre son téléphone sur l'accoudoir et de se mettre à le manipuler nerveusement.

— Haaannn, grilléééé », murmure tatie Betty. Et sur ce, elle fait mine de tirer une bouffée sur la cigarette électronique qu'elle a à la main, mais elle s'immobilise en voyant mon expression outrée.

« Tu es un véritable rabat-joie, ma chérie, me dit-elle.

— Et j'en suis fière », rétorqué-je, en faisant de mon mieux pour ignorer la douleur qui s'est soudainement mise à irradier dans ma poitrine.

Dans notre maison, c'est toujours à moi qu'incombe le rôle de dire non. Même Joel me traitait parfois de rabat-joie quand je tapais du poing sur la table en le sermonnant de la même façon que je sermonnais les enfants (généralement parce qu'il avait encore acheté un gadget inutile pour la cuisine. Sérieusement, qui a besoin d'une écosseuse ?).

Sans échanger un mot ou un regard, et bien qu'ils aient tous deux été catapultés dans une époque postérieure à « ça », Phoebe et Zane se mettent à regarder fixement la photo qui se trouve derrière moi. Les souvenirs de ce que nous étions tourbillonnent dans leurs cœurs à eux aussi. C'est évident.

Lundi 22 avril
(pour le mardi 23)

Saffron,

Est-ce que tout va bien ?

Tu avais l'air triste en allant travailler ce matin. Ou alors un peu anxieuse, je ne sais pas. Je t'ai vue regarder autour de toi avant de monter dans ta voiture avec tes enfants. Espérais-tu vraiment m'apercevoir ? N'essaie même pas de me chercher ; tu ne me trouveras pas.

Ne te soucie pas de ma présence. Essaie de me considérer comme ton ange gardien ou quelque chose comme ça : je suis toujours là, mais tu ne peux pas me voir.

Ne te fais pas de souci, d'accord ? Tout ira bien. Tout ne peut que bien se passer.

A

21

J'entends le bip qui annonce un texto et je vois le symbole « • » apparaître sous le nom de Fynn.

Nous sommes mardi, et il est 1 heure du matin. Il ne m'est pas encore venu à l'idée d'essayer de m'endormir, mais ai-je vraiment envie de ça ? Cela fait un an, les choses ont évolué, et avec la conversation que nous avons eue dans la cuisine samedi et le silence radio qui a suivi tous les « comment ça va ? » que je lui ai envoyés par texto, j'en étais arrivée à la conclusion qu'il ne voulait plus me voir et encore moins pour ça.

Interloquée, je regarde fixement mon téléphone. J'ai envie de le voir, de lui parler, d'arranger les choses. Mais s'il s'imagine… Il ne pense tout de même pas que nous allons le refaire, après tout ce temps ?

D'un seul geste, je rejette les couvertures et me lève du lit. Après avoir enfilé à la hâte le grand pull irlandais à col en V de Joel, je retire l'écharpe de soie violette que je porte sur ma tête pour dormir. Mon cœur, qui a retrouvé son rythme fou, compresse mes poumons dans ma poitrine. Afin d'essayer de me calmer, j'inspire et expire par à-coups réguliers en descendant discrètement l'escalier, mon téléphone à la main.

Manifestement soulagé que je lui ouvre la porte, il sourit en me voyant, mais ne semble pas vouloir rentrer. « Salut, me dit-il simplement.

— Salut, répliqué-je, méfiante et troublée.

— Je sais qu'il est tard, mais j'avais espéré que tu accepterais de faire une petite balade avec moi. Nous n'irons pas très loin. J'imagine que les enfants dorment, mais j'aimerais vraiment pouvoir te parler en dehors de la maison. Tu es d'accord ? »

Je lui réponds par un silence hésitant. La première chose qui me vient à l'esprit est : *Bien, au moins il n'est pas venu pour coucher avec moi.* Suivie de près par : *Mais en un sens, peut-être que ç'aurait été mieux ainsi, parce que quand on couche ensemble, on ne se parle pas, et quand on se parle, on se déchire.*

Et puis je me demande si je peux vraiment sortir de la maison, alors qu'*elle* est peut-être dans les parages. C'est peu probable, cependant.

« S'il se passait quelque chose, je suis certain que tatie Betty pourrait s'en débrouiller jusqu'à ce que nous rentrions, argumente Fynn. Je te promets que nous n'irons pas bien loin. »

Après avoir sorti mon trousseau de clefs de la poche de ma veste accrochée au portemanteau, je glisse mes pieds dans mes chaussures.

Le fond de l'air est frais, il n'y a aucun nuage dans le ciel sombre, et le voile de pollution n'est pas aussi épais ce soir, ce qui me permet de discerner le halo de lumière des étoiles qui encerclent la Terre. J'aurais dû mettre ma veste, je n'ai pas si chaud que ça, mais je n'ai pas envie de revenir sur mes pas pour aller la chercher, je n'ai pas envie de faire traîner les choses.

Une fois sur le trottoir, il me tend la main, et, prudemment, j'y glisse la mienne. Un nouveau sourire de soulagement se dessine sur son visage quand nous nous mettons à marcher le long de la rue. Nos mains sont bien ensemble, elles s'insèrent l'une dans l'autre comme nos corps l'ont fait il n'y a pas si longtemps. Alors que je me fais cette réflexion, il se met à masser tendrement et affectueusement le dos de ma main avec son pouce. Tendrement et affectueusement.

« J'avais une sœur, me dit Fynn, alors que nous avons passé six maisons depuis la mienne.

— "Avais" comme dans "j'avais un mari" ?

— Oui. C'est comme ça que j'entendais la chose.

— Je suis désolée. Je l'ignorais ; Joel ne m'en a jamais parlé.

— Si Joel ne t'en a jamais parlé, c'est parce qu'il l'ignorait lui aussi. Elle est morte avant que je le rencontre. Et nous ne parlons pas beaucoup d'elle dans ma famille. C'est un sujet trop douloureux.

— Mon Dieu, je suis désolée.

— Ne t'en fais pas, c'était il y a très longtemps. »

Voilà donc qui explique la tristesse de Fynn, qu'il semble toujours porter avec lui comme un lourd fardeau. Voilà qui explique pourquoi il savait que la douleur ne disparaîtrait pas, qu'il deviendrait simplement plus facile de vivre avec, de la caser à côté du reste de notre vie, pour nous permettre de poursuivre notre chemin parallèlement à elle. « Je ne parle jamais d'elle, me dit-il, mais j'y pense tous les jours. Quand Joel est… certains sentiments ont refait surface.

— Tu veux dire qu'elle a été tuée, elle aussi ?

— J'ai parfois tendance à le penser. Elle avait dix-neuf ans et elle est morte d'insuffisance cardiaque. C'est ce qui a été noté sur le certificat de décès et c'est ce que je dirais si j'étais forcé d'en parler. Mais c'est un sujet tabou dans la famille, parce que, en réalité, Nell est morte d'anorexie.

— Je ne comprends pas.

— Elle était anorexique depuis ses treize ans environ, je dirais, mais je ne peux pas en être absolument sûr, parce que j'étais un peu plus jeune qu'elle. Quoi qu'il en soit, le jeûne et l'excès de sport, ajoutés à toutes les autres choses qu'elle faisait parce qu'elle était sous l'emprise de la maladie, ont fini par avoir raison de son cœur. »

À ces mots, je serre mes doigts contre les siens comme je serrais mon corps contre le sien quand nous nous endormions lovés l'un contre l'autre. « C'est horrible.

— Oui. Et ça l'est toujours. Je m'en veux énormément, tu sais, parce que je voyais bien ce qui se passait, mais je n'ai rien dit. Je l'ai littéralement laissée mourir à petit feu.

— Je ne vois pas ce que tu aurais pu faire, tu avais… Quel âge avais-tu ?

— Quinze ans.

— Quinze ans. Je ne pense pas que tu aurais pu l'aider.

— J'aurais pu lui dire que j'étais là. Que je comprenais, même si ce n'était pas le cas. Ç'aurait toujours été mieux que de suivre les recommandations de mes parents, c'est-à-dire d'ignorer le problème. Je me demande parfois s'il ne s'agissait pas d'un appel à l'aide, si elle n'a pas fait ça pour attirer notre attention, pour que nous la remarquions.

— Il n'est pas toujours facile de se confronter aux problèmes qui nous touchent le plus. Regarde, moi, avec Phoebe et son besoin désespéré d'être aimée, qui a abouti à une grossesse à quatorze ans. » Un sentiment de panique se met à parcourir mon corps, me donnant le vertige au moment où cette prise de conscience se rappelle à ma mémoire : ma fille a quatorze ans, et elle est enceinte.

« Allez, allez », me dit-il gentiment. Et il m'attire vers lui en pressant nos mains jointes contre sa poitrine puis, semblant se raviser, me prend dans ses bras et me serre suffisamment fort pour que je sente les battements de son cœur contre le mien. « Je passe la moitié de mes nuits à me demander ce que je pourrais faire pour t'aider, alors j'imagine que toi, tu ne dois pas dormir du tout. Tu dois être complètement folle d'inquiétude.

— Oui. » Si seulement il connaissait les autres raisons que j'ai de m'inquiéter.

« Tout finira par s'arranger, Saff. Je suis sûr que tu vas trouver un moyen d'arranger ça. J'en suis certain. » Nous ne nous sommes pas pris dans nos bras ni même touchés depuis ce qui s'est passé. Nous nous sommes remis en selle, avons réussi à faire comme si de rien n'était, mais je m'écarte de lui, et il me laisse faire, ses doigts s'attardant sur mes épaules un peu plus longtemps que nécessaire avant qu'il me reprenne la main et que nous nous remettions à marcher. Une fois que nous avons retrouvé notre rythme, mais sans préambule, il m'assène : « Saff, je suis tombé amoureux de toi. »

Complètement sidérée, je lutte pour reprendre mon souffle, et mes jambes faiblissent, mais il me faut continuer de marcher : nos mains sont liées ; je suis contrainte d'avancer avec lui.

« Ne dis rien, s'empresse-t-il d'ajouter. Je sais que ce n'est pas réciproque et qu'il va falloir que je me confronte à ce problème. Mais je ne peux pas le faire si je reste près de toi. Et moins encore si je dois vous voir ensemble, toi et ce Lewis.

— Nous ne sommes pas…

— Si, O.K. ? Que tu le veuilles ou non, vous l'êtes. Il y a quelque chose entre vous, et je n'ai pas envie de voir ça. Je suis trop… Je ne m'en étais pas rendu compte, mais quand je vous ai vus ensemble, ç'a été comme si tous ces sentiments avaient brutalement été libérés. Et jusqu'à aujourd'hui, j'ignorais totalement, je t'assure, que j'entretenais l'espoir que nous pourrions, je ne sais pas, faire les choses correctement, nous mettre ensemble, peut-être même avoir un bébé… même si nous ne sommes plus tout jeunes, tous les deux.

— Fynn…

— Non, ne dis rien. Si je suis venu te voir ce soir, c'est principalement pour m'excuser de ne pas avoir joué mon rôle d'ami envers toi. »

Mes pieds refusent d'avancer, je m'immobilise, et il est contraint lui aussi de s'arrêter. « Mais qu'est-ce que tu racontes ? Tu es le meilleur ami qu'on puisse rêver d'avoir.

— Non, ce n'est pas vrai, je me suis mal comporté et je suis désolé de ne pas pouvoir me racheter en restant auprès de toi.

— Fynn, tu es mon meilleur ami ; je ne sais pas ce que j'aurais fait, ces dix-huit derniers mois, si tu n'avais pas été là.

— Si j'avais été ton ami, un véritable ami, il y a longtemps que j'aurais dû t'obliger à reconnaître que tu souffres de troubles de l'alimentation. »

Je suis horrifiée par ce que je viens d'entendre. J'essaie d'arracher ma main à la sienne, mais il ne me laisse pas faire. Il s'accroche fermement à moi et, pour la toute première fois depuis que je lui ai ouvert ma porte, il me regarde en face.

« Mais qu'est-ce que tu racontes ?

— Je ne pense pas qu'il s'agisse d'anorexie au sens strict, je pencherais plutôt pour de la boulimie. Voire une combinaison des deux, mais peu importe : je ne t'en ai jamais parlé avant. Cela faisait longtemps que je me doutais de quelque chose, mais ce n'est qu'au moment où tu m'as dit que ce qui s'était passé entre nous n'était que du sexe que j'ai fini par comprendre. Tu as essayé de te servir de ça pour affronter ta douleur, je me trompe ? Tu le faisais déjà avec la nourriture, et tu t'es mise à le faire avec le sexe. Et c'est pour cette raison que tu as décidé d'arrêter quand les choses ont commencé à prendre une tournure émotionnelle. »

Je parviens enfin à arracher ma main de la sienne. À me libérer de cette absurdité. Les yeux grands ouverts, je m'éloigne un peu de lui.

« Tu ne peux pas me dire le contraire, me défie-t-il.

— Si, parfaitement. Regarde-moi », rétorqué-je en écartant les bras. Pull trop grand ou pas, mon corps est difforme et incontestablement flasque. « Si je souffrais de troubles de l'alimentation, est-ce que je serais aussi grosse que ça?

— Tu n'es pas grosse; tu es maigre.

— Je suis grosse. Tu m'as vue nue, tu sais très bien que je suis grosse.

— Tu n'es pas grosse. Et tu ne manges pas.

— Quoi? Je mange tout le temps!

— Ce n'est pas vrai, Saff. Tu cuisines, mais tu ne goûtes jamais rien. Chaque fois que je viens dîner, tu me donnes ta portion ou tu dis que tu mangeras plus tard. Et les rares fois où je te vois manger, tu es toute seule dans ton coin, à l'écart des autres. Et je doute fortement que les aliments que tu ingurgites restent dans ton estomac.

— Je te prie de m'excuser d'avoir perdu un peu l'appétit depuis la mort de mon mari.

— Regarde tes mains, Saff. Elles sont magnifiques, mis à part les cicatrices sur tes phalanges qui révèlent… »

Mes mains. La seule partie de mon corps qui me trahisse. C'est pour cette raison qu'il m'a pris la main, c'est pour cette raison qu'il m'a caressé les phalanges: ce n'était pas par affection, c'était pour évaluer mon état de santé, vérifier si je portais les séquelles de ce qu'il pensait que j'avais fait. Troublée, je glisse mes mains hors de sa vue, sous mes aisselles. « Arrête, s'il te plaît. C'est complètement absurde, et tu le sais parfaitement. »

Il me regarde pendant de longues et désagréables secondes. « Je n'aurais pas dû faire les choses comme ça. Je n'aurais pas dû me montrer aussi brusque. Je suis désolé. J'aurais dû te dire que j'étais ton ami. Que je t'aimais. Que je ne comprenais pas ce que tu endurais, mais que j'avais envie de t'aider, de te comprendre et d'être à tes côtés. J'aurais dû te dire que tout finirait par s'arranger. Que tout reviendrait à la normale si tu admettais les choses et acceptais de te faire aider, de te confier à quelqu'un, de trouver une personne à qui tu pourrais parler librement. J'aurais dû te dire qu'il y a plein d'endroits où tu pourrais…

— Je suis désolée pour ta sœur, coupé-je, et je connais l'impact que peut avoir ce genre d'événement, je comprends que tu puisses te mettre à voir le même mal partout, chez toutes les personnes que tu connais, mais je ne souffre d'aucun trouble alimentaire.

— Qu'il y a plein d'endroits où tu pourrais te faire aider, poursuit-il comme si je ne l'avais pas interrompu. J'aurais dû te dire : "Je t'en supplie, fais-toi aider. Va consulter ton médecin, regarde sur Internet, appelle un service d'assistance téléphonique. Parles-en à quelqu'un, Saff. Personne ne peut faire le premier pas pour toi, mais il y a plein de gens qui pourront t'aider pour toutes les autres étapes." J'aurais dû te supplier de te faire aider avant que… Pense à tes enfants : ils ont déjà perdu leur père. »

Je n'arrive pas à croire qu'il ait fait ça. Je n'arrive pas à croire qu'il ait zappé la conversation de l'autre jour pour mettre ça sur le tapis. Pour venir me débiter ces absurdités.

Comme pour me mettre une nouvelle fois au défi de lui dire qu'il se trompe, il me regarde fixement.

J'attends que le choc et l'incrédulité se soient un peu dissipés pour lui répondre.

« Très bien. Comme je n'ai pas de sentiments pour toi, comme j'ai couché avec toi alors que je n'étais pas amoureuse de toi, et comme le faire avec toi n'a rien changé de spécial dans ma vie, tu cherches à te venger de moi, c'est ça ? »

À mesure que je parle, il croise lentement ses bras contre sa poitrine et incline légèrement la tête sur le côté, mais il ne cherche pas à me contredire.

« Comme j'ai mis un terme à tout ça, comme je n'ai pas du tout l'intention de recommencer, comme il ne m'est jamais venu à l'esprit d'avoir un autre enfant, et encore moins avec toi, tu cherches à me faire du mal ? À me rabaisser ? En laissant entendre que je suis une mère indigne, qui a des problèmes psychologiques et qui finira par se tuer en abandonnant derrière elle ses enfants déjà endeuillés et traumatisés ?

« Je n'arrive même pas à y croire. Je n'aurais jamais pensé que tu tomberais si bas. Ce n'était que du sexe, Fynn. Des aventures d'un soir, tu en as tout le temps. Alors, pourquoi les choses devraient-elles être différentes pour moi ? Pourquoi cherches-tu à les faire passer pour ce qu'elles ne sont pas et à détruire ainsi tout ce qu'il y a entre nous ? »

Fynn affiche une expression neutre, distante, indifférente, nonchalante. Mais je sais qu'il est blessé, que les propos que je viens de tenir ont touché une corde sensible. Et c'est très bien comme ça. Parce que moi aussi, je suis blessée. En me disant toutes ces choses, en m'accusant de… il m'a blessée. C'est lui qui a commencé.

Les mots que nous venons de nous dire pour nous faire du mal restent suspendus entre nous comme un voile couvert d'épines, et, pendant de longues minutes, on dirait qu'aucun d'entre nous ne trouvera le courage de l'écarter ou de le déchirer.

« Je crois qu'il vaut mieux que nous arrêtions de nous voir, tu n'es pas d'accord ? finit-il par me dire en décroisant les bras. Mais avant de partir, il y a une chose que je voudrais faire. » De la poche de son sweat à capuche gris, il extirpe trois petites clefs de cadenas attachées ensemble par un frêle anneau de fil de fer que quelqu'un a probablement passé des années à se promettre de remplacer par un porte-clefs digne de ce nom. Et il essaie de masquer l'intensité de ses tremblements quand il me prend la main pour y laisser tomber les trois petits éclats de métal. « Elles sont à toi.

— Qu'est-ce que c'est ? demandé-je, bien que je connaisse parfaitement la réponse à cette question.

— Les clefs de ta cabine de plage. C'est moi qui l'ai rachetée. Je ne pouvais pas te laisser la vendre, sachant tout ce qu'elle signifiait pour toi, Joel et les enfants. Je voulais attendre le bon moment pour te les rendre, mais il y a eu Noël, puis les obsèques, puis son anniversaire, puis celui de sa mort. Ce n'était jamais le bon moment, parce que ça n'aurait fait qu'ajouter à la douleur, la faire revenir dans toute sa force en réveillant le souvenir de jours meilleurs. Mais comme je ne compte pas revenir te voir, je crois que le temps est venu de le faire. Je te rends ta cabine de plage. Il faudra que tu ailles signer des papiers à l'agence et à la mairie, au service de l'urbanisme, mais je les ai déjà informés que tu étais la nouvelle propriétaire et qu'elle était de nouveau à toi.

— Fynn…

— Ne dis rien, Saff. Je t'assure qu'il n'y a plus rien à dire. Il faut que j'y aille, maintenant. Je… Il faut que j'y aille, c'est tout.

— S'il te plaît, ne pars pas comme ça. S'il te plaît. » J'essaie de contenir mes larmes, d'apaiser le rythme effréné de mon cœur. « S'il te plaît. Excuse-moi… Je… Excuse-moi. » Je fais de l'hyperventilation. Il faut que je me calme, mais je n'ai pas assez de temps pour cela. Si je ne parle pas maintenant, il s'en ira. « Nous… Nous ne pouvons pas nous quitter comme ça…

— Prends soin de toi », m'interrompt-il.

En désespoir de cause, je le touche, au niveau de l'épaule, pour le retenir, le garder auprès de moi jusqu'à ce que nous puissions parler. Il s'écarte comme si ma main l'avait brûlé.

« Prends soin de toi », répète-t-il avec des sanglots dans la voix.

Baissant la tête, il se met à marcher le long de la rue. Voilà pourquoi il tenait tant à aller se promener au milieu de la nuit : pour pouvoir partir, s'en aller, sans mur ni porte pour le retenir.

« Fynn, s'il te plaît, m'exclamé-je dans les brefs intervalles qui séparent mes respirations saccadées. Je te demande pardon… S'il te plaît. Je te demande pardon… S'il te plaît, s'il te plaît, s'il te plaît… S'il te plaît ! »

J'ai prié silencieusement sur tout le trajet de l'hôpital le jour où « ça » s'est passé. J'ai prié dans le froid glacial de la morgue devant le drap qui recouvrait le visage du corps qui se trouvait en face de moi. J'ai prié quand je suis rentrée chez moi et ai pris les mains de mes deux enfants pour leur dire des mots que je n'aurais jamais imaginé devoir un jour prononcer. J'ai prié quand les mots ont pénétré leurs esprits et qu'ils ont tous les deux commencé à se désintégrer malgré tous les efforts que je faisais pour les soutenir, les serrer contre moi.

J'ai passé ces dix-huit derniers mois à prier.

J'ai passé ces dix-huit derniers mois à répéter cette prière, qui me vient une fois encore à l'esprit : *S'il vous plaît, s'il vous plaît, s'il vous plaît, ne laissez pas ça arriver. S'il vous plaît, s'il vous plaît, s'il vous plaît, faites que ce ne soit pas la réalité.*

VI

22

Six mois avant « ça » (avril 2011)

« Il va falloir que j'arrête de suivre les cours de Sea Your Plate, Frony.

— Quoi ? Pourquoi ? » Agenouillée sur le lit, je regardais mon mari faire les cent pas dans notre chambre, le corps tendu, les yeux débordant d'inquiétude. Il s'est assis sur le rebord du lit, s'est relevé et s'est dirigé d'un pas lourd vers le canapé de cuir marron devant la baie vitrée, il s'est assis sur l'accoudoir, s'est de nouveau relevé. Et puis il est revenu jusqu'au lit.

D'ordinaire, après ses leçons de cuisine, tout frétillant d'enthousiasme, il s'asseyait sur le lit pour me raconter dans les détails (détails qui pouvaient parfois se révéler fastidieux) tout ce qui s'était passé : les techniques qu'il avait apprises, les combinaisons de saveurs qu'il avait expérimentées, les personnes avec qui il avait parlé. Cette attitude ne lui ressemblait pas : il abordait généralement les problèmes avec beaucoup de calme et de sang-froid ; je pouvais compter sur les doigts d'une main le nombre de fois où je l'avais vu si énervé.

« C'est tellement humiliant », a-t-il fini par dire. Il s'est arrêté de bouger pour me regarder en face pendant quelques secondes, avant que l'embarras, apparemment, ne prenne le dessus sur lui. « C'est cette femme, Audra. Tu t'en souviens ? Je t'en avais parlé. Celle qui m'avait demandé si je voulais l'aider à écrire un livre de cuisine. »

J'ai hoché la tête. Il m'en avait parlé, en effet, et à la façon dont il me l'avait décrite, j'avais cru comprendre qu'elle avait des vues sur lui. Mais lui ne s'en était pas rendu compte, naturellement. Il était beaucoup trop gentil. Aveugle. Jamais il ne me serait venu à l'esprit de demander à un homme que je connaissais à peine, et qui plus est un concurrent potentiel, de travailler avec moi sur une idée de livre de cuisine. Sauf, bien sûr, si j'avais eu des vues sur lui. L'ouvrage en question était un livre de recettes rapides et faciles, une idée qui ne paraissait ni très passionnante ni très originale, mais Joel m'avait expliqué qu'il l'avait encouragée avec enthousiasme, et je n'avais rien dit sur les soupçons que son comportement m'avait inspirés.

« Oui », ai-je dit en m'asseyant sur le lit pour attendre l'inévitable.

Après m'avoir lancé un nouveau coup d'œil gêné, il a recommencé à faire les cent pas dans la pièce. « Le cours s'est terminé un peu plus tôt que d'habitude ce soir, et, du coup, elle m'a proposé d'aller boire un verre pour que nous discutions de son livre, histoire d'évaluer ce qu'elle avait fait jusqu'ici et de réfléchir à d'autres idées. Et… » Il s'est interrompu, et ses muscles se sont contractés sous le coup de la honte. « Elle a essayé de m'embrasser.

— D'accord. » J'avais prononcé le mot tout bas. Mais dans ma tête, je hurlais à pleins poumons : *Je savais qu'elle ferait quelque chose comme ça !*

« Je lui ai expliqué que je n'étais pas intéressé. Que même si je n'avais pas été marié, je n'aurais pas été intéressé. Et j'ai envoyé un texto à notre prof pour lui faire savoir que je ne voulais plus travailler en binôme avec elle. Mais en y repensant, sur le trajet du retour, je me suis dit que les choses seraient plus simples si j'arrêtais tout simplement d'assister aux cours.

— Non mais, quel culot elle a, celle-là. Elle n'a pas vu que tu portais une alliance ?

— Oui, et en plus, je lui ai parlé de toi et des enfants. Je lui ai même montré des photos. »

Il a pris mes mains dans les siennes. « Je te jure, Frony : je ne lui ai pas rendu son baiser, ni rien. L'explication a été assez houleuse.

— Pourquoi ? Qu'est-ce que tu lui as dit ?

— Je ne me rappelle plus très bien ; j'étais hors de moi. Mais je me souviens de lui avoir dit que je n'étais pas ce genre d'homme. Que j'étais marié. Que j'avais une famille. Que je n'avais jamais envisagé une relation de ce type avec elle. Que je l'appréciais, mais que, marié ou non, je n'aurais jamais envisagé de sortir avec elle.

— Ç'a au moins le mérite d'être clair et honnête.

— Le problème, c'est que nous étions assis dans un pub quand je lui ai hurlé toutes ces choses. Et bien sûr, le pub était bondé. Tout le monde nous regardait. Elle a fini par sortir en courant, et j'ai fait pareil.

— Ah !

— Je me suis emporté. J'ai paniqué. Je trouve que j'ai été trop dur avec elle mais, à ma décharge, je dois dire que je ne m'étais jamais retrouvé dans une telle situation.

— Euh…

— Non, je t'assure. Il arrive que des filles me disent des trucs et qu'on se mette à flirter un peu, mais il y a toujours une barrière, que je m'efforce de refermer avant que les choses aillent trop loin. Mais dans ce cas précis, je n'ai rien pu faire du tout, parce que je n'avais même pas imaginé une seule seconde qu'elle puisse s'intéresser à moi de cette façon. Et puis, comment peut-on embrasser un homme marié ?

— Plus facilement que tu ne l'imagines.

— Je ne suis pas comme ça ! s'est-il exclamé, l'air sincèrement dégoûté par cette idée. Ce n'est pas le genre de choses qui m'arrive.

— Ça t'arrive tout le temps ; c'est juste que tu ne le vois pas.

— Je n'ai jamais fait de trucs comme ça depuis Lisbonne. Je te jure, Frony.

— Je le sais bien, Joel. Je te connais. Je sais que tu te sens affreusement coupable de l'avoir blessée, c'est pourquoi je pense que la meilleure chose à faire pour toi serait de l'appeler pour t'excuser de lui avoir dit toutes ces horreurs devant témoins et de lui proposer d'en rediscuter en tête-à-tête pour calmer les choses.

— Tu veux que je l'appelle ? Mais elle va croire que je cherche à la draguer ou je ne sais quoi.

— Peut-être. Écoute, dis-lui que ta femme t'a dit de l'appeler pour t'excuser. Dis-lui qu'il s'agissait d'un malentendu.

— Tu crois que ça peut marcher ?

— Mais oui. Ce serait dommage que ce malentendu t'empêche de suivre ces cours que tu adores et qui, soit dit en passant, m'ont coûté une fortune, même s'ils me permettent d'avoir la paix pendant trois heures tous les mercredis soir. Si j'étais toi, c'est ce que je ferais.

— Tu as peut-être raison.

— Vas-y, appelle-la. Mets les choses au clair ; ça vaut toujours mieux. »

23

« Maman ! Maman ! crie frénétiquement Phoebe en me secouant, les doigts fermement accrochés à mes épaules.

— Je suis réveillée, marmonné-je en m'obligeant à ouvrir les yeux et à me redresser en même temps. Je suis réveillée. » Comme je n'ai plus l'habitude de dormir si profondément, je trouve assez troublant qu'il faille me secouer de cette façon pour m'extirper du sommeil. Mais grâce à la lumière qui émane du couloir par la porte ouverte, je ne tarde pas à distinguer sa silhouette : elle est agenouillée à côté de mon lit, et, en me concentrant sur son visage, je remarque immédiatement qu'elle est terrorisée.

« Qu'est-ce qui se passe ? dis-je en clignant fort et rapidement des yeux pour me forcer à me réveiller davantage, à reprendre mes esprits.

— Y a quelqu'un qui essaie d'entrer dans la maison », chuchote-t-elle.

Mon corps et mon esprit sont tétanisés. « Quoi ?

— Je les ai entendus, de ma chambre. Ils essaient d'entrer par la porte de derrière. »

Instinctivement, je regarde le lit du côté de Joel. *Qu'aurait-il fait dans cette situation ?*

Dans les premiers temps où nous habitions ici, nous vivions dans la crainte que ce genre de chose se produise : nous n'avions jamais eu autant d'espace, autant de portes, de fenêtres et de voies d'accès à notre disposition. Nous ne dormions que d'un œil et nous faisions le tour de la maison tous les soirs pour vérifier que tout était bien fermé. Enfin, Joel faisait le tour tous les soirs pour vérifier que tout était bien fermé.

Avec le temps, nous avions fini par nous détendre et nous n'avons jamais défini de plan pour le cas où ce genre de chose se produirait, si bien que je n'ai aucune idée de ce que je dois faire.

Devais-je essayer de faire peur à l'intrus en allumant toutes les pièces de la maison ou en faisant du bruit, ou bien plutôt rester discrète et appeler la police ? Mais, avant d'entreprendre quoi que ce soit, ne devrais-je pas vérifier que ma fille a bien raison ? « Allons voir », finis-je par dire.

Phoebe sur mes talons, je me déplace rapidement mais silencieusement dans le couloir, passant devant la salle de bains, la chambre de Zane et la cage d'escalier avant d'arriver à sa chambre, au fond de la maison, au-dessus de la cuisine.

Et une fois postée à la fenêtre, je l'entends presque immédiatement : quelqu'un farfouille à la porte de derrière et s'acharne sur la poignée. Aucun doute possible : un individu est en train d'essayer de pénétrer dans notre maison par effraction. Et il ne s'agit manifestement pas d'un professionnel, sans quoi il serait sans doute déjà entré à l'heure qu'il est. Ce n'est pas non plus un amateur intrépide, qui aurait sans doute déjà essayé de défoncer la porte. Le bruit – j'incline ma tête dans sa direction, en espérant que cela le rendra un peu plus clair à mes oreilles – évoque celui d'une personne qui essaierait différentes clefs. Le cliquètement d'une clef après l'autre, insérée dans la serrure, suivi d'une pause, puis du crissement de la poignée qui se tourne.

Je ne peux pas regarder par la fenêtre pour essayer de l'apercevoir, de l'identifier, parce que la porte de derrière est dissimulée à ma vue par le toit de l'appentis, à l'extrémité de la maison.

À côté du lit de Phoebe, j'aperçois soudain son portable, relié au mur par un long fil de raccordement noir. Sans hésiter, je le débranche, et je sors de la pièce, aussi silencieusement que possible, manquant presque de me cogner contre ma fille, qui, restée sur le seuil, affiche toujours un air terrorisé.

« Phoebe, chuchoté-je, je voudrais que tu viennes avec moi pour réveiller ton frère. Ensuite, toi et lui, vous monterez au deuxième dans la chambre de tatie Betty et vous vous y enfermerez. » Je lui tends son téléphone portable. « Quand vous serez tous en sécurité, vous ferez le 999[1]. D'accord ? »

À ces mots, ses yeux semblent doubler de volume, le blanc devient immense, les pupilles minuscules, et on dirait que ses doigts se refusent à s'emparer du téléphone. Elle a peur de parler à la police, peur de confesser spontanément ce qu'elle sait et m'a suppliée de me taire au sujet de la mort de Joel. « Je comprends que tu sois effrayée, murmuré-je en lui déposant le téléphone dans la main, mais il n'y a qu'eux qui peuvent nous aider dans cette situation, d'accord ? »

Elle m'adresse un hochement de tête réticent.

« Quand tu appelleras, dis-leur que quelqu'un essaie d'entrer dans la maison. Et n'oublie pas

---

1. Numéro de téléphone des urgences au Royaume-Uni. (*N.d.T.*)

d'ajouter qu'il y a deux enfants et une vieille dame. Je pense que ça les fera venir plus vite. »

Zane a toujours été un bon dormeur : quand il était tout petit, il m'arrivait de passer l'aspirateur dans sa chambre pendant qu'il faisait la sieste, parce que je savais que, de toute façon, il ne bougerait pas d'un pouce. Je mets un temps considérable à le réveiller. Et pour l'empêcher de crier, je suis contrainte de placer ma main droite sur sa bouche, tout en plaquant mon index gauche sur mes lèvres. « Monte dans la chambre de tatie Betty avec Phoebe, chuchoté-je. Essaie de ne pas faire de bruit. Ta sœur t'expliquera quand vous serez là-haut.

— Et toi, maman, qu'est-ce que tu vas faire ? me demande Phoebe à voix basse.

— Je vais descendre tout doucement et allumer la lumière, voir si ça peut les faire partir.

— Fais pas ça…, protestent-ils en chœur.

— Ne vous inquiétez pas, il n'y a pas de danger, puisque, de toute façon, vous allez appeler la police. »

Je les regarde monter jusqu'aux combles. Les marches éclairées par le portable de Phoebe, je les vois bifurquer sur le côté pour gagner le palier. La lueur bleue du téléphone disparaît, mais je les entends entrer dans la chambre de tatie Betty. Une fois que la porte a été refermée et le verrou tourné, je reviens sur mes pas et regagne ma chambre. Avant d'attraper mon téléphone, j'enfile l'un des pulls de Joel.

Sur le palier et dans l'escalier, les lattes de parquet qui grincent sont faciles à éviter : depuis neuf ans que j'habite ici, j'en ai inconsciemment tracé la carte dans mon esprit à force de les contourner pour ne pas réveiller mon mari et mes enfants quand il me faut descendre au milieu de la nuit. Une fois arrivée en bas, je sens une colère inattendue s'emparer de moi. J'avais peur, tout à l'heure; maintenant, je suis folle de rage. Encore un «malheur» qui s'abat sur nos vies. Après la mort de Joel, mes problèmes au travail, la grossesse de Phoebe, les lettres. Pourquoi nous? *Pourquoi nous?*

J'ai envie d'entrer dans la cuisine en hurlant et en fonçant vers la porte. Je voudrais que cette personne qui essaie de s'introduire chez nous ait la peur de sa vie. Je voudrais qu'elle ressente, même pour une fraction de seconde, la terreur qu'elle nous a inspirée.

«*Pense à tes enfants: ils ont déjà perdu leur père.*» Les mots de Fynn me reviennent à la mémoire, et j'abandonne aussitôt cette idée. J'adorerais le faire, mais je ne peux pas. Je ne sais pas qui est cette personne, ce qu'elle veut, si elle est armée. Je ne sais pas à quoi je m'exposerais et je ne peux pas prendre le risque de faire de mes enfants des orphelins de mère alors qu'ils ont déjà perdu leur père.

Ce que je sais, en revanche, c'est que cet enfoiré pense avoir la clef de chez nous et qu'il est venu ici délibérément.

Respire, me dis-je à moi-même, dans le couloir, à quelques mètres du salon, les yeux rivés sur la porte close de la cuisine. *Respire.* Joel me reprochait toujours de ne pas prendre la peine de fermer les portes avant d'aller me coucher. «Ça peut sauver des vies, en cas d'incendie, disait-il. De cette façon, le feu reste contenu dans une seule pièce.» Je m'en souviens beaucoup mieux depuis «ça». *Respire.* Je fais quelques pas en arrière jusqu'au porte-parapluie et j'attrape la poignée en imitation bois du grand parapluie. Aussi silencieusement que possible, je fais glisser le parapluie en dehors du support de cuivre et me rapproche de la porte blanche de la cuisine. *Respire, respire.*

Et enfin, au loin, je l'entends. Le bruit que j'attendais. Le gémissement aigu, insistant et persistant, de sirènes de police. Quand il devient évident que le son se rapproche de nous, j'ouvre brutalement la porte et appuie sur l'interrupteur. L'espace d'un instant, je me retrouve éblouie par la lumière qui se reflète sur les plans de travail et le dallage blancs. Et puis je l'aperçois, de l'autre côté de la porte : une silhouette, petite, menue et en partie dissimulée par le verre dépoli. Elle s'immobilise pendant une seconde, avant de sursauter en laissant tomber ce qu'elle a dans les mains et de disparaître en courant dans les ténèbres de notre jardin.

Je reste figée sur place. Je sais qui c'est et je sais pourquoi cette personne a tenté de pénétrer dans notre maison.

La nuit est devenue une cacophonie de sirènes, de gyrophares bleus et de portières de voiture ouvertes, puis claquées. Couvrant le grésillement des talkies-walkies, un coup, brutal et terrifiant, fait soudain trembler la maison.

Je ne peux pas bouger. Debout dans ma cuisine, je ne peux détacher mon regard de l'endroit où Audra, la femme qui a assassiné Joel, a essayé de s'introduire dans notre maison.

24

«Je vous avoue que j'aurais préféré vous revoir en d'autres circonstances, madame Mackleroy, me dit l'homme d'il y a bien longtemps.

— Rien que pour vous avoir enfin entendu prononcer mon nom correctement, je dirais que ça en vaut presque le coup.»

Les enfants, toujours en pyjama, enveloppés dans des voiles de terreur, sont pelotonnés contre tatie Betty dans le canapé du salon, roc auquel ils semblent désespérément s'accrocher. C'est moi qui devrais tenir ce rôle, mais je dois faire ma déposition.

L'homme m'adresse un faible sourire, tout en gardant un œil sur ses collègues, qui entrent et sortent de ma cuisine, à la recherche d'indices. Le monde à l'extérieur est en train de s'illuminer: le jour approche sans se soucier de ce que les gens comme nous ont enduré dans les ténèbres. Aucun d'entre nous n'ira où que ce soit ce matin; il va falloir que je prenne une autre journée de congé.

Je lui dis ce que je sais, et il confirme mes soupçons en me montrant un sac plastique de scellés contenant une bonne cinquantaine de clefs (plates, mais aussi tubulaires) accrochées ensemble à un anneau de la taille d'une soucoupe. C'est bien ce que je pensais: elle a essayé d'ouvrir la porte avec différentes clefs.

Je n'ai pas fait changer les serrures après la mort de Joel. J'ai fini par récupérer ses clefs, ainsi que son portefeuille, son téléphone et les vêtements qu'il portait le jour où « ça » s'est passé, mais je n'ai pas fait changer les serrures. Ça ne m'est pas venu à l'esprit. D'ailleurs, je n'ai même pas pensé à vérifier si toutes les clefs étaient bien là. J'ai tout un tas de clefs à la maison et je ne m'en préoccupe jamais. Ce sont juste des clefs ; rien de bizarre ni de passionnant là-dedans.

« Avez-vous une idée de qui cela pourrait être ? Avez-vous fait changer les serrures quand vous avez emménagé, par exemple ?

— Oui, c'est l'une des premières choses que nous avons faites. » Je m'interromps. « Mais je ne les ai pas fait changer après…

— Je vois. *A priori*, vous n'aviez pas de raison de le faire. À votre place, je n'aurais pas jugé cela nécessaire non plus, à partir du moment où on m'aurait rendu ses clefs. Je n'aurais même pas pensé à vérifier que j'avais bien tous les jeux.

— Il va falloir que je change toutes les serrures, affirmé-je d'une voix lasse.

— Faites installer des systèmes de sécurité aux fenêtres, aussi. Au rez-de-chaussée et à l'étage.

— Vous pensez vraiment que c'est nécessaire ? » *Êtes-vous en train de me dire que nous sommes en danger, alors que vous ignorez tout des lettres et du secret de Phoebe ?*

« C'est un minimum, il me semble, me répond-il d'une voix aimable.

— Ça ne s'arrêtera jamais, n'est-ce pas ? » J'ai dit cela pour moi-même, mais, naturellement, il croit que c'est à lui que je me suis adressée.

« Madame Mackleroy, je suis navré que nous n'ayons pas réussi à arrêter la personne qui a tué votre mari. Je repense souvent à l'affaire et je ressors régulièrement le dossier pour voir s'il n'y a pas quelque chose qui nous aurait échappé. C'est d'ailleurs pour cette raison que je suis venu tout de suite quand j'ai entendu votre nom et votre adresse. »

Il a changé. Je devrais sans doute lui faire confiance, maintenant. Je devrais sans doute lui montrer les lettres, lui parler de Phoebe, lui expliquer pourquoi je n'ai pas pu le faire dès le départ. Il comprendrait probablement. Voilà ce que je me dis. Et puis je pense à Phoebe.

Ma fille, grande et élancée, qui adore porter des couettes et passe tout son temps absorbée par son téléphone ou par ses devoirs. Elle est beaucoup trop fragile pour subir un interrogatoire de police. Ils auront beau se montrer gentils, patients, elle rentrera dans sa coquille comme elle l'a fait après que « ça » s'est passé. Si elle avait pris une décision, si elle n'agissait pas constamment comme si elle me détestait, si je savais que je pouvais compter sur Fynn pour me soutenir, je pourrais tout dire à l'homme, je pourrais lui donner l'information qui le conduirait sans aucun doute à arrêter l'assassin de Joel.

Ce sont là les deux plateaux que je cherche en vain à équilibrer. D'un côté, les réponses à mes questions, la meurtrière de Joel derrière les barreaux ; de l'autre, le bien-être de ma fille.

« S'il y a quoi que ce soit qui vous vient ou revient à l'esprit, n'hésitez pas à appeler le commissariat, madame Mackleroy.

— Merci.

— Il nous reste deux ou trois choses à faire, mais ne vous inquiétez pas : nous n'allons pas tarder à nous en aller.

— Très bien, merci », dis-je avant de me diriger vers le salon où se trouve ma famille.

25

« Laisse-moi deviner : l'abominable homme des neiges est venu squatter dans ton frigo ce matin, et tu es obligée de rester chez toi pour attendre que quelqu'un vienne l'expulser.

— Non, Kevin. Il y a une personne qui a essayé de s'introduire chez moi cette nuit ; la police est partie il y a à peine une heure, et nous n'avons pas dormi. »

Il soupire. « Écoute, Saffron, je suis allé travailler tous les jours, cette semaine, est-ce que tu sais pourquoi ? »

Parce que tu as une femme qui fait tout pour toi, y compris ton repassage. Je la soupçonne même de te torcher les fesses pour que tu n'aies à te soucier de rien. « Non, Kevin, je ne sais pas.

— Parce que je m'implique dans mon travail, Saffron, voilà pourquoi. Mais tes heures de présence des deux dernières semaines m'amènent à m'interroger sur l'intérêt que, toi, tu portes au tien.

— Ah oui ?

— Je te rappelle que le briefing de fin d'année sur Mallory and Chilton a lieu aujourd'hui. Tu étais censée faire ton rapport à la réunion. Et tu me dis que ça ne va pas être possible, parce qu'il s'est *encore* produit un drame dans ta vie ? Tu comprendras que je m'interroge sur l'intérêt que tu prêtes à ton travail.

— Officiellement, Kevin, je n'ai rien à faire à cette réunion, rétorqué-je d'une voix placide et agréable, comme l'aurait fait Joel. Je ne suis pas un cadre de cette entreprise ; je n'aurais même pas dû avoir accès à la moitié des dossiers qui sont arrivés sur mon bureau. Tu sais qu'on pourrait te reprocher de m'avoir montré des trucs confidentiels et de m'avoir chargé de préparer des rapports à leur sujet, alors que, compte tenu de mon statut, je ne suis même pas tenue de signer l'accord obligatoire de confidentialité préalable à ces missions.

« Ce n'est pas ma faute si Edgar n'est pas capable de me remplacer. Par ailleurs ce n'est pas ma faute si quelqu'un a terrorisé toute ma famille en essayant de s'introduire chez moi cette nuit.

— Où sont les dossiers ? finit-il par me dire, après avoir manifestement réfléchi à ce que je lui ai subtilement laissé entendre – à savoir que, s'il me poussait trop loin, je n'hésiterais pas à le dénoncer pour avoir violé les règles de l'entreprise en confiant à une simple employée les comptes de très importants clients.

— Sur ton bureau, répliqué-je, comme je te l'ai dit hier soir avant de partir. Les présentations sont toutes imprimées, les diapos sont sur la table lumineuse et la salle de réunion est approvisionnée en rafraîchissements. Tout est prêt. Alors bonne chance. Je suis sûre que ça va bien se passer.

— Tu as intérêt à être là demain », siffle-t-il avant de raccrocher.

Sale petit crapaud à tête de fouine, pensé-je en sortant du salon. Tout le monde est parti se recoucher et je m'apprête à regagner ma chambre à mon tour quand j'aperçois devant la porte d'entrée une enveloppe rectangulaire crème adressée à :

Saffron Mackleroy

Mercredi 24 avril
(pour aujourd'hui)

Ne rappelle pas la police.

Ne rappelle pas la police, et je ne réessaierai pas d'entrer chez toi. D'accord ?

J'espère que tu n'as rien fait de stupide, comme leur parler de moi et leur montrer mes lettres, par exemple. Mais j'ai confiance en toi, de toute façon. Et si tu avais fait ça, ils seraient déjà venus me chercher à l'heure qu'il est. Même si je ne suis certainement pas là où ils pourraient penser me trouver.

Ne rappelle pas la police. Ce n'est vraiment pas nécessaire. Comme je te l'ai déjà expliqué, c'est juste que j'ai parfois du mal à supporter de ne rien posséder de lui et d'avoir manqué beaucoup de choses en ne pouvant pas assister à son enterrement. J'avais simplement envie d'être à un endroit où il passait une grande partie de son temps. Il m'a dit que c'était lui qui cuisinait le plus. Dois-je en conclure que c'était toi qui mangeais le plus ? (Désolée, c'était juste une petite blague.)

Ne sois pas vexée par ce que je vais te dire, mais j'ai du mal à m'imaginer qu'il ait pu être avec quelqu'un comme toi. À mes yeux, tu n'étais pas son style.

J'avais envie de passer quelques minutes dans sa cuisine. Peut-être toucher une ou deux choses qu'il avait touchées. Ce n'est pas comme si j'avais eu l'intention de monter dans ta chambre pour te regarder dormir. Ce n'est pas comme si j'avais eu l'intention de te faire du mal.

Ne rappelle pas la police, j'insiste. S'ils me cherchent, je le saurai, et je m'assurerai de te le faire payer avant de disparaître pour toujours.

Je ne cherche pas à te menacer, loin de là. Ce que j'essaie de te dire, c'est que tu ne peux pas être partout à la fois. Cela pourrait être toi, mais aussi Phoebe, Zane ou encore cette si belle femme qui doit être ta mère. Elle habite chez toi, désormais, je me trompe ? En tout cas, je trouve que ce serait vraiment dommage qu'il lui arrive quelque chose.

Ne rappelle pas la police. De cette façon, nous serons toutes les deux contentes, nous nous sentirons toutes les deux en sécurité.

A

26

Ils arrivent au même moment, mais de deux directions différentes, probablement pour la même raison : savoir pourquoi mes enfants n'étaient pas à l'école aujourd'hui.

Pour Imogen, je peux comprendre : l'école ne l'a pas informée des raisons de l'absence de Zane. Mais je suis certaine que M. Bromsgrove a été mis au courant. C'est d'ailleurs sûrement pour ça qu'il est venu : on lui a maladroitement annoncé qu'il y avait eu une tentative de cambriolage chez nous et que nous n'avions quasiment pas dormi de la nuit, et, du coup, il a voulu vérifier par lui-même que nous étions tous bien en un seul morceau.

Les trois autres occupants de la maison ont dormi jusqu'à 15 h 30 passées, et quand ils se sont réveillés, ils étaient grognons, affamés et taciturnes. Je leur ai fait une pizza et les ai autorisés à la manger dans le salon puisque aucun d'entre eux ne se sentait le courage de déjeuner dans la cuisine. Désormais, ils sont tous dans leurs chambres, à se préparer mentalement pour la nuit à venir, au cas où cela se produirait à nouveau. J'ai envie de leur dire que cela ne se reproduira pas, que je n'appellerai pas la police, que je ne peux pas prendre ce risque. Je ne devrais pas, naturellement, me fier à la parole d'une tueuse, mais, pour le moment, je n'ai pas d'autre choix.

Je regarde Imogen et Lewis faire la danse du « Après vous. — Je n'en ferai rien, après vous » devant le portail, et, soudain, Lewis dit quelque chose qui fait glousser Imogen comme chaque fois qu'elle cherche à flirter. Si je peux les voir, c'est parce que je suis restée devant la fenêtre toute la journée pour essayer de voir de quel endroit Audra nous observe et comment elle peut savoir autant de choses sur nous. Je suis certaine qu'elle a vu le serrurier arriver et qu'elle en a déduit que j'ai fait changer les serrures et poser des verrous. Si je m'étais écoutée, j'aurais aussi fait installer une alarme, des caméras de vidéosurveillance et des barreaux aux portes et aux fenêtres. Mais je ne peux pas faire ça. Cela risquerait d'effrayer mes enfants. Plutôt que de leur conférer un sentiment de sécurité, cela ne ferait que mettre en avant notre vulnérabilité.

Imogen monte les marches du porche en ondulant du bassin pour attirer l'attention de Lewis sur les courbes de son corps qu'elle entretient en faisant du sport et en n'ingurgitant qu'un nombre limité de calories par jour quand elle ne suit pas le dernier régime à la mode en essayant chaque fois de convaincre toutes les personnes de son entourage, moi comprise, que c'est le régime miracle (pour ma part, j'évite toujours de m'engager dans ce genre de conversation ; la folie est sur cette pente : évitons-la[1]). Lewis, et c'est tout à son honneur, ne la regarde pas comme elle espérait qu'il le ferait ; il reste en bas

1. « La folie est sur cette pente : évitons-la. » Citation extraite du *Roi Lear*, acte III, scène IV. Traduction de François-Victor Hugo. (*N.d.T.*)

des marches et lui tourne le dos. Le *toc-toc-toc-toc* ne tarde pas à résonner à ma porte. J'aurais deviné que c'était elle rien qu'à sa façon de frapper, ce coup supplémentaire qu'elle ajoute toujours.

« Salut. » Déterminée à lui dissimuler le problème au moins jusqu'à ce qu'elle ait passé le seuil de la porte, je lui rends son sourire.

« Salut, Saffy, roucoule-t-elle. J'étais juste passée voir si tout allait bien, comme Zane n'est pas allé à l'école aujourd'hui. Et regarde sur qui je suis tombée : M. Bromsgrove, le professeur principal de Phoebe ! »

Alors qu'ils entrent tous deux dans la maison, je leur fais signe de s'installer dans le salon.

« C'est gentil de votre part d'être venus me voir, tous les deux, leur dis-je. Ce n'est pas comme s'il existait une invention qui vous aurait permis de me contacter en restant confortablement installés chez vous. Cette feignasse d'Alexander Graham Bell ferait bien de se secouer un peu les fesses ; ce serait vraiment pratique d'avoir un truc comme ça, à notre époque. » Je sais que mes sarcasmes sont vains, mais je suis un peu énervée qu'aucun d'entre eux n'ait pensé qu'il était peut-être préférable de me téléphoner.

« En effet, j'aurais mieux fait d'appeler, dit Lewis. Excusez-moi, mais quand j'ai appris ce qui s'était passé, j'ai eu envie de vérifier que tout allait bien. C'était stupide de ma part, je l'admets, mais c'est la première idée qui m'est venue à l'esprit.

— Quoi ? Mais qu'est-ce qui s'est passé ? demande Imogen, manifestement indignée d'avoir été laissée dans l'ignorance.

— Tout le monde va bien. Je tiens à te rassurer là-dessus. Tout le monde va bien. Quelqu'un a essayé de s'introduire chez nous cette nuit. Mais tout le monde va bien. Nous avons appelé la police, et la personne a pris peur et s'est enfuie. Tout le monde va bien. » J'insiste lourdement, parce que je sais pertinemment ce qui va suivre :

« OH, MON DIEU ! s'écrie-t-elle. Mais c'est horrible ! Et moi qui me fais toujours du souci parce que tu n'as plus d'homme à la maison. Si j'avais su qu'une chose pareille allait arriver ! » Elle tremble de tout son corps, au point qu'on pourrait croire que c'est sa porte qui a été forcée, que c'est elle qui a passé toute la journée à faire changer ses serrures, et non pas qu'il s'agit simplement d'une voisine qui a une fâcheuse tendance à en faire des tonnes.

« Tout le monde va bien, Imogen, répété-je. Tout le monde. Nous sommes fatigués, mais nous allons bien.

— Désolé, me dit sobrement Lewis.

— Ça ne m'étonne pas que vous soyez fatigués, ajoute Imogen. Oh, ma chérie, tu dois avoir tellement peur !

— Pas vraiment, non. Je suis juste fatiguée.

— C'est le choc », dit-elle à Lewis d'un air entendu.

Et soudain, une idée que je ne connais que trop bien lui vient à l'esprit : c'est un homme, il est jeune, il ne porte pas d'alliance. Cette prise de conscience se lit d'abord dans ses yeux, avant de s'emparer du sourire qui se dessine sur son visage. Elle sait exactement ce qu'elle va faire.

« À la base, j'étais venue pour t'inviter à dîner vendredi soir, Saffy, me dit-elle, avant de se tourner lentement et dangereusement vers Lewis. Mais pourquoi ne viendriez-vous pas aussi, monsieur

Bromsgrove ? Je serais ravie de passer un peu de temps avec vous et Saffy. Et je pourrais profiter de vos lumières, en vous interrogeant un peu sur les différents établissements secondaires de Brighton et de Hove. Si cela ne vous dérange pas, bien sûr.

— Je ne suis pas encore certaine de pouvoir venir.

— Qu'est-ce que tu pourrais bien avoir d'autre à faire, un vendredi soir ?

— Rester à la maison pour m'occuper de mes enfants traumatisés, par exemple.

— Mais ça ne se terminera pas tard. Et de toute façon, je pense que ce serait bien pour Phoebe que tu lui montres que tu lui fais suffisamment confiance pour veiller sur son petit frère. Et notamment après les problèmes qu'elle a eus au collège l'autre jour. » Cette dernière remarque a été directement adressée à Lewis. Elle cherche à lui faire dire ce qu'elle voudrait savoir. Elle n'obtient pour réponse qu'une expression des plus neutres. « Et vous, monsieur Bromsgrove, vous viendrez ?

— Si Mme Mackleroy peut se libérer, alors oui, pourquoi pas ?

— Parfait ! 20 h 30 chez moi ! Saffy vous donnera l'adresse !

— Je n'ai pas dit que je viendrais, lui rappelé-je, alors qu'elle réajuste sur son épaule la bandoulière de son petit sac à main de cuir rose.

— Mais naturellement que tu viendras. » Elle a toujours été très forte pour me rabaisser. Vraiment très forte. En deux enjambées, elle est à côté de Lewis ; en un battement de cils, elle a passé son bras sous le sien. On dirait qu'elle lui fait la peur de sa vie. Manifestement alarmé, il cherche désespérément mon regard. *Vous auriez dû m'appeler*, ai-je envie de lui dire. « Pourriez-vous avoir l'amabilité de me raccompagner jusqu'à ma voiture, monsieur Bromsgrove ? Je ne me sens pas tout à fait en sécurité depuis que je sais ce qui est arrivé à Saffy.

— Euh... Oui, bien sûr. Je suis content que tout le monde aille bien, madame Mackleroy.

— Appelez-la Saffy. Tout le monde l'appelle comme ça », lui dit Imogen.

En fait, presque personne ne fait ça. Mais je ne me donne pas la peine de le mentionner.

Perdue dans mes pensées, je les regarde traverser le jardin, pousser le portail et disparaître dans la direction d'où Imogen est venue.

Je vais aller dîner avec Lewis Bromsgrove. Génial. Je suis sûre que ma fille sera ravie de l'apprendre.

VII

Mercredi 24 avril
(pour le jeudi 25)

Saffron,

Je suis satisfaite que tu n'aies rien dit à la police. Je me doutais bien que tu ne le ferais pas, puisque Phoebe ne leur a rien dit de ce qu'elle savait. Mais je devais m'en assurer.

Je n'aime pas les ultimatums, mais tu ne m'as pas vraiment laissé le choix.

Bref, laissons tout ça derrière nous, d'accord ? Essayons de passer à autre chose. Tu vis dans ton monde ; je vis dans le mien. Tu ne trouverais pas super que nous devenions amies ? Nous avons, après tout, tellement de choses en commun. Joel est le seul et unique homme que nous ayons toutes deux vraiment aimé. Nous sommes pareilles, toi et moi, nous l'aimions tellement. C'est pour ça que j'adorerais que nous devenions amies. Nous pourrions partager notre peine et les souvenirs que nous avons de lui.

Ce que je vais te dire va peut-être te blesser, mais, oui, nous étions amants. Je pense qu'au fond de toi, tu t'en doutais un peu, n'est-ce pas ? C'est pour ça que tu l'as forcé à m'appeler pour me dire toutes ces choses. Tu avais compris à quel point j'étais importante à ses yeux, et tu as essayé de mettre un terme à tout cela avant que la situation t'échappe totalement.

Ça n'a pas marché, mais je comprends pourquoi tu as essayé.

J'aurais fait la même chose à ta place. J'aurais tué quiconque se serait interposé entre moi et l'homme que j'aimais.

Façon de parler, bien sûr. Mais je suis certaine que tu avais compris le message.

A

27

`Maman de Joel…`

se met à clignoter sur mon téléphone au moment où je rentre chez moi.

Elle doit être désespérée ; elle n'appelle jamais sur mon portable. Son moyen de communication préféré est le fixe, parce qu'elle espère toujours que ce sera l'un des enfants qui décrochera et qu'elle pourra ainsi éviter de me parler.

« Ça »

Zane et Phoebe ont réussi à s'endormir de mon côté du lit, après avoir sangloté de longues minutes dans les oreillers. Ensuite, je suis sortie de la chambre sur la pointe des pieds et j'ai refermé la porte derrière moi. Je ressentais un besoin désespéré de prendre l'air, de sentir le vent sur ma peau, de me rappeler que je respirais toujours. Car ce n'était pas l'impression que j'avais. L'impression que j'avais, c'était que des tas de trucs se déroulaient autour de moi et que je me laissais emporter par le mouvement sans exercer la moindre influence sur lui. J'avais besoin de quelque chose qui rappelle à mes sens que j'étais toujours un être vivant.

En descendant, j'ai trouvé Fynn assis sur la deuxième marche de l'escalier, la tête enfoncée dans ses mains, les épaules secouées de violents tremblements. Au bruit de mes pas, il s'est redressé et s'est tourné vers moi. Sa peau était marbrée, une carte routière de larmes et de douleur, et son robuste corps tremblait comme une feuille. J'ai descendu la marche qui me séparait de lui et je me suis jetée dans ses bras.

Depuis son arrivée, des heures plus tôt, il n'a cessé de s'activer, de parler à des gens, de répondre au téléphone, d'envoyer des textos, de s'occuper de choses dont je ne pouvais m'occuper. Et le moment était enfin venu pour lui de se poser.

Il m'a quasiment étouffée en acceptant mon geste de réconfort, les spasmes de ses sanglots rapprochant nos corps l'un de l'autre. Je ne pouvais pas parler, mais je pouvais lui faire comprendre que j'étais avec lui : j'ai déposé un baiser sur le sommet de sa tête et je me suis mise à lui caresser doucement le dos.

Et c'est à ce moment-là que je l'ai entendu : un petit cri d'horreur qui s'est échappé de sa bouche non fardée. Subtil, mais je l'ai perçu et me suis tournée vers elle. Elle était dans l'embrasure de la porte du salon, et comme elle avait toujours son manteau sur elle, j'en ai déduit qu'ils venaient tout juste d'arriver. Fynn avait dû les faire entrer et les laisser ensuite seuls, car si je leur inspirais une aversion certaine, je pense qu'on pouvait dire qu'ils le haïssaient.

J'ai compris que c'est de nous voir enlacés ainsi qui avait provoqué sa réaction. Celle d'une mère qui estimait que sa belle-fille était une moins que rien et que l'homme qu'elle serrait dans ses bras avait fichu en l'air la vie de son fils.

La maman de Joel avait son mari pour la soutenir ; Fynn n'avait personne d'autre que moi. Je devais lui montrer que j'étais avec lui ; il avait besoin de moi.

Un jour après « ça »

Elle était devant moi dans la cuisine. Malgré l'espace dont nous disposions, elle était venue se poster à côté de moi, qui venais de verser de l'eau bouillante dans des tasses pour leur faire du café, à elle et son mari. Elle tenait la bouteille de lait.

« Je n'ai pas aimé ce que j'ai vu hier soir », m'a-t-elle dit à voix basse, comme si quelqu'un pouvait surprendre notre conversation au-delà du silence calamiteux qui régnait dans la maison. Comme si au regard de tout ce qui s'était passé dans les dernières vingt-quatre heures, il s'agissait de quelque chose d'important.

Il n'y avait que les apparences qui comptaient pour elle. Pour eux. S'ils étaient venus, ce n'était pas parce qu'ils avaient envie d'être avec nous, de prendre leurs petits-enfants dans leurs bras ou même de se trouver dans la maison où il avait vécu. S'ils étaient venus, c'était pour respecter les convenances, parce qu'il fallait qu'ils soient vus ici.

« Je sais, lui ai-je répondu. Et vous m'en voyez désolée, Elizabeth. » C'était la première fois que je l'appelais par son prénom. Auparavant, s'il fallait que je m'adresse à elle pour une quelconque raison, je disais toujours « Madame Mackleroy », pour lui montrer le respect qu'elle m'inspirait, pour essayer de gagner l'approbation après laquelle je languissais. Mais tout cela n'avait plus d'importance. Nous étions désormais sur un pied d'égalité, nous n'avions plus à nous glisser dans les rôles que nous avions joués pendant des années, parce que la personne qui nous avait involontairement placées dans ces cases avait disparu. Quelques heures à peine s'étaient écoulées, et nos places avaient été complètement redéfinies. Ce qui me conférait le droit de l'appeler Elizabeth. « Je suis désolée que vous ayez perdu votre fils. Je crois que je n'arriverais même pas à respirer si cela m'arrivait à moi. » J'ai replacé la bouilloire sur son support et ai poussé les mugs vers elle. « Voilà votre café. Vous n'avez plus qu'à ajouter le lait. À tout à l'heure. »

Elle a été surprise. Elle devait penser que je resterais la femme qu'elle avait toujours connue, que je continuerais jusqu'à la fin des temps de me mettre en quatre pour essayer de gagner sa considération. Qu'ils continueraient jusqu'à la fin des temps à me rappeler silencieusement qu'ils avaient espéré que Joel rencontre une femme qui l'aurait encouragé à accomplir pleinement son potentiel.

J'ai eu envie de lui dire *Cette Saffron-là n'existe plus*, mais je me suis retenue, parce que je savais qu'ils le découvriraient bien assez tôt.

`Maman de Joel…`

insiste mon téléphone. Je rejette l'appel. Néanmoins, je ne peux pas ignorer le message : je suis peut-être devenue paranoïaque, mais j'ai trop peur qu'il soit arrivé quelque chose.

« Bonjour, Saffron, c'est moi. Nous aimerions passer vous voir, tous les trois. Est-ce possible ? Merci de me rappeler. À bientôt. »

Non, c'est absolument impossible, me dis-je en moi-même. Et pourtant je sais que, tôt ou tard, cela se produira. Je ne pourrai pas y couper.

Vendredi 26 avril
(pour aujourd'hui)

Saffron,

Est-ce qu'il te manque ? Entre deux respirations, t'arrive-t-il parfois de penser que tu ne peux plus continuer de vivre parce qu'il te manque trop ?

J'y ai beaucoup réfléchi au cours des quelques jours qui viennent de passer, et je suis arrivée à la conclusion qu'il ne te manquait pas vraiment.

Je t'ai vue dans la rue lundi soir avec ce type. Je vous ai vus sortir en douce de la maison, vous tenir la main, vous serrer l'un contre l'autre, vous disputer. Je ne sais pas ce qu'il s'est passé, mais ça paraissait très passionnel. Et très inapproprié. J'ai du mal à supporter qu'on te considère comme sa veuve et que tu te comportes comme ça, alors que moi, je n'ai rien. RIEN.

Est-ce qu'il te manque vraiment ? Essaie de te poser la question, s'il te plaît. Est-ce qu'il te manque comme il devrait manquer à la femme qui l'aimait ? Ou est-ce qu'il te manque parce que les autres te disent qu'il doit te manquer ?

Je crois connaître la réponse.

Les femmes comme toi, dans certains pays, on leur jette des pierres, tu le sais ?

A

28

Je suis sur le point d'avaler une grosse part de tarte au ressentiment.

La garniture de cette tarte est constituée de différents morceaux de ces dix-huit derniers mois, un mélange complexe et amer: apparition de Lewis, irritation à l'encontre de Phoebe pour l'avoir fait entrer dans ma vie, antipathie à l'égard d'Imogen qui essaie de nous mettre ensemble, et un peu de rancœur vis-à-vis de tatie Betty pour être – en théorie – une adulte à qui je peux confier mes enfants. Le glaçage, lourd et épais, n'est autre que la honte que m'a inspirée Fynn. Il est saupoudré de ressentiment à l'égard de Joel. C'est lui qui m'a mise dans cette position: rien de tout cela ne figurait dans le contrat. «Jusqu'à ce que la mort nous sépare.» Une promesse qui semble bien bête à la lumière de ce qui s'est passé. J'aurais pu rester avec lui jusqu'à la fin des temps, mais j'ai accepté que la mort puisse se mettre entre nous, et je me retrouve désormais confrontée aux répercussions de ce pari idiot.

C'est une très jolie tarte, constituée de nombreux ingrédients très délicats. Mais au vu de la conversation que j'ai eue avec Phoebe un peu plus tôt, je crois pouvoir dire que ma fille a sa propre tarte à ingurgiter, constituée essentiellement de l'acrimonie que lui inspire sa mère.

« J'ai pas du tout, mais alors, pas du tout envie que tu sortes avec M. Bromsgrove, m'a-t-elle dit pendant que j'ajoutais des tomates coupées en dés aux oignons émincés, à l'ail et aux carottes râpées que j'avais commencé à faire frire pour préparer la sauce rouge des boulettes de viande.

— Pourquoi ? lui ai-je demandé.

— Et en plus, tu vois même pas le problème ?

— Je ne "sors" pas avec lui, Phoebe. Il ne "sort" pas avec moi. Nous avons tous les deux été invités à dîner chez Imogen, et tu sais comment elle est : quand elle a quelque chose dans la tête, elle ne lâche pas le morceau. »

Comme pour me concéder ce point, Phoebe m'a adressé une petite grimace. « Mais c'est pas parce qu'on te demande quelque chose que t'es obligée de céder », m'a assené la jeune fille enceinte qui a eu un rapport sexuel non protégé avec son petit ami pour la seule et unique raison que celui-ci le lui avait demandé.

Je me suis arrêtée de secouer la bouteille de vinaigre de riz noir au-dessus de la sauce tomate pour regarder longuement et attentivement ma fille. Rien dans son apparence ne laisse deviner qu'elle est enceinte. Et j'ai pensé qu'il était certainement encore trop tôt pour qu'elle ait ressenti de quelconques symptômes, tels que des nausées matinales. Quand j'étais enceinte de Phoebe, elles ont mis un certain temps à arriver ; pour Zane, on aurait presque pu croire qu'elles avaient débuté au moment même où le sperme avait fécondé l'œuf. « Je ne comprends pas quel est le problème,

Phoebe. Si M. Bromsgrove et moi nous fréquentons, c'était uniquement à cause de son fils et de toi. Ce n'est tout de même pas comme si j'avais débarqué au collège en disant : "Hé, Bromsgrove, toi et moi, vendredi soir, chez ma copine." Bref, si tu as une bonne raison de ne pas vouloir que j'y aille, j'aimerais beaucoup te l'entendre formuler. »

Elle a gardé le silence pendant un instant, pendant lequel elle m'a observée comme si elle cherchait à évaluer quelque chose. « C'est mon prof, a-t-elle fini par cracher. T'es ma mère. C'est pas normal, c'est tout.

— O.K. » Abasourdie par l'humiliation et la déception, je suis retournée à ma sauce. Pendant cette petite interruption, au vu de l'expression qu'avait prise son visage, je m'étais laissée aller à imaginer qu'elle comptait m'ouvrir une fenêtre sur sa vie, me dire quelque chose de personnel. Mais je m'étais fait des idées.

« C'est pas normal, et tu le sais très bien, a-t-elle poursuivi, sans égard pour ma sensibilité.

— Si c'est ce que tu penses, je ne vais pas chercher à te contredire.

— Mais tu vas quand même sortir avec lui, hein ?

— Je ne "sors" pas avec lui dans le sens où tu l'entends.

— Je m'en fiche, ça revient au même », a-t-elle marmonné en sortant de la pièce comme une furie.

Lewis semble mal à l'aise au moment où il vient me chercher. Il porte un costume gris anthracite et une chemise blanche dont les deux boutons du haut ont été laissés ouverts de façon décontractée. Enfin, j'imagine qu'il s'agit d'un signe de décontraction, mais il se peut très bien qu'il soit resté assis dans sa voiture en se demandant ce qui ferait la meilleure impression sur moi : boutonnés, pas boutonnés ? En y songeant, je ne peux m'empêcher de sourire. Pour ma part, naturellement, après avoir passé la journée en réunions et subi les petites remarques acerbes de Kevin, après avoir reçu l'appel de la maman de Joel, lu la dernière lettre et préparé le dîner des enfants, mes efforts se sont limités à une rapide toilette de chat, après laquelle je me suis contentée d'enfiler un T-shirt blanc.

« Salut », me dit Lewis sur le pas de la porte, tendu et nerveux comme un homme qui vient chercher une femme avec qui il a un rancard. Pourtant, ce n'est pas un rancard ! Suis-je la seule à m'en rendre compte ? *Si ça nage comme un canard et si ça cancane comme un canard, qu'est-ce que tu crois que c'est, ma belle ?* aurait dit Joel.

« Ça va ? » dis-je en souriant. Et pour bien souligner le fait qu'il ne s'agit pas d'un rancard, je crie « Salut ! » par-dessus mon épaule avant de sortir le rejoindre sur le perron en refermant brutalement la porte devant son nez.

« Euh... Nous ne rentrons pas ? bredouille-t-il.

— Non, je crois qu'on ferait mieux d'y aller tout de suite. »

Sa silhouette, impressionnante dans son costume, reste totalement immobile, et son regard ne cesse de passer de notre porte de bois laquée de noir à mon visage.

« Il y a un problème ?

— Eh bien... j'avais espéré voir Phoebe. »

Un vent glacial de suspicion se met à souffler sur moi : je sens mes cheveux se dresser à la base de ma nuque, ma peau se hérisser au niveau de mes bras. « Pourquoi ? demandé-je.

— Ça ne vous paraît pas évident ? » me demande-t-il à son tour.

Je secoue la tête en le jaugeant, cherchant à déterminer s'il aurait pu faire ça à ma fille, car il me semble de plus en plus impossible que Curtis ait couché avec elle : il paraît trop respectueux, trop honnête. Lewis soutient mon regard en m'évaluant lui aussi, cherchant à déterminer, une fois encore, si je ne pourrais pas mériter le titre de « mère la plus indigne du monde ».

« C'est mon élève, et elle est *enceinte.* » Il a chuchoté ce dernier mot. Pourquoi ? Pour que les voisins ne l'entendent pas, ou pour ne pas heurter la sensibilité de la mère la plus indigne du monde ? Je n'ai pas envie de le savoir. « Comme elle n'est pas allée au collège depuis trois jours, j'aurais juste aimé prendre de ses nouvelles. »

Mais bien sûr. Naturellement. Qu'est-ce qui ne va pas chez moi ? La femme que j'étais avant n'aurait même pas imaginé qu'une telle chose fût possible, la femme que j'étais avant que les mots « meurtre » et « attouchement sexuel sur mineur » fassent partie de sa vie quotidienne n'aurait pas songé à cela un seul instant.

« Vous vous rappelez que je vous ai dit que ma fille ne voulait pas me parler ? »

Il hoche la tête.

« Eh bien, elle m'a parlé, aujourd'hui. Pour me dire que ça ne lui plaisait pas du tout que nous nous voyions, même comme ça, comme deux personnes qui ont été invitées au même endroit au même moment par une amie un peu culottée. Je ne pense pas que vous recevriez un accueil chaleureux si vous vous risquiez à passer cette porte.

— D'accord. Eh bien… je ne peux pas vraiment dire que je sois surpris. Elle doit être en proie à tant d'émotions contradictoires que cela doit être difficile pour elle d'apprendre que sa mère et son professeur vont au même endroit au même moment pour parler de choses qui n'ont rien à voir avec elle.

— Tout ce qui se passe en ce moment lui paraît difficile.

— Oui, j'imagine.

— On prend ma voiture ? proposé-je.

— Vous êtes sûr ? me demande-t-il en descendant le perron en béton pour parcourir avec moi l'allée qui mène au portail. Si vous conduisez, je pourrai boire, et si je bois, je risque fort de me faire des illusions en me disant que nous sortons ensemble, vous et moi, ou je ne sais quelle autre idiotie. »

Tout en haussant malicieusement les sourcils, il passe devant moi et se met à avancer vers sa voiture.

« Si ça nage comme un canard et si ça cancane comme un canard, qu'est-ce que tu crois que c'est, ma belle ?

— Un ornithorynque. »

La maison d'Imogen est parfaitement accessible de chez nous à pied, mais je préférais y aller en voiture, de sorte que Lewis et moi ne nous retrouvions pas seuls trop longtemps. Nous allons chez Imogen, nous dînons, nous rentrons. Voilà mon plan. Ne pas laisser de place aux bavardages, à la détente, à l'ambiance romantique qui permet de « faire connaissance ».

Mais l'autoritaire, impérieuse et généreuse Imogen en aura de toute évidence décidé autrement. Et je suis certaine qu'elle a son plan, elle aussi : nous ouvrir la porte, l'air radieux, dans une robe de satin bleu, assortie d'une coiffure et d'un maquillage parfaits ; nous inviter à entrer ; nous rassembler dans le salon où Ray – qui a été informé que toute remarque déplacée le conduirait à dormir dans le canapé – nous attend ; disparaître gracieusement pour aller chercher les amuse-bouches ; revenir et lancer le début du badinage. Ce badinage nous amènera à l'apéritif et, l'air de rien, au dîner, où elle continuera de mener la conversation avec dextérité pour mettre Lewis en valeur et souligner mes qualités. Après ces joyeuses festivités, nous boirons le porto sur les canapés du salon, puis le café, et Lewis et moi, échangeant des regards intenses de plus en plus longs, finirons par partager un taxi pour rentrer chez nous (c'est-à-dire chez moi ou chez lui).

Elle remarque qu'un premier grain de sable s'est glissé dans le mécanisme bien huilé de son plan quand elle aperçoit les clefs de ma voiture dans ma main et en conclut qu'elle ne pourra pas nous faire boire autant qu'elle l'avait espéré. Le second grain de sable, c'est ma tenue : jupe de tailleur noire et T-shirt blanc à manches longues sous un sweat à capuche rouge et noir de Joel. Et il y en a un troisième : mon visage non maquillé. *Saffy ne veut pas jouer le jeu*, se dit-elle en nous souriant. *J'aurais beau faire, Saffy ne couchera pas avec cet homme ce soir.*

« Bonsoir ! roucoule-t-elle un peu trop fort. Bienvenus dans notre humble demeure. » La connaissant comme je la connais, je crois pouvoir affirmer sans me tromper qu'elle est en train de penser : *Saffy ne sait pas ce qui est bon pour elle. Elle a besoin d'un homme. Or cet homme se trouve juste ici, devant ses yeux. Il faut absolument que j'arrange les choses.*

« Votre maison est très jolie, dit Lewis. Merci encore de m'avoir invité. »

Il a l'air d'un homme bien éduqué et par conséquent bien placé pour apprendre les bonnes manières à ses enfants. Et c'est en partie pour cette raison que je ne pense pas que Curtis ait fait un enfant à ma fille : Lewis, j'en suis persuadée, a inculqué à son fils l'importance de la contraception et du respect de la femme.

« Ça me fait plaisir de te voir », dis-je en embrassant Imogen sur les deux joues.

C'est à ce moment-là que je sens l'odeur qui émane de la cuisine, une odeur qui me fait instantanément paniquer. J'ai été si énervée d'avoir été forcée à passer du temps avec un homme auquel je veux rester indifférente, je me suis fait tant de souci pour Phoebe, j'ai été tellement perturbée par le caractère de plus en plus menaçant des lettres, que j'en étais presque venue à oublier que j'allais devoir manger en public.

J'ai dix ans

« *Finis ton assiette, Saffron.*

— *J'ai plus faim.*

— Comment ça, tu n'as plus faim ? Tu n'as rien mangé !

— Mais si.

— Tais-toi. On ne répond pas. Finis ton assiette.

— Mais…

— Tu es maigre ; tu ne manges pas assez. Finis ton assiette.

— Mais j'ai plus faim.

— Ah, les enfants… Vous n'avez aucune idée des efforts qu'il nous en coûte pour mettre à manger sur notre table. Si c'était le cas, vous ne seriez pas là à gaspiller les bonnes choses et à nous dire que vous n'avez plus faim. Jeter de la nourriture, c'est un péché. »

Ce n'est pas ce qu'a dit Fynn. Ce n'est pas de la boulimie. Ce n'est pas de l'anorexie. Ce n'est pas un mélange des deux. Je sais que je n'entretiens pas une relation très saine avec la nourriture, mais c'est tout de même loin d'être un travers exceptionnel.

J'admets que si je dois me rendre à un événement important, je me dis immédiatement qu'il faut que je perde un peu de poids pour avoir l'air présentable. J'avoue que, si je sais que je vais devoir manger avec d'autres personnes, j'essaie d'éviter de m'alimenter pendant quelques jours afin de délimiter une « zone tampon » qui me permettra de revenir à la normale après le repas et d'éviter ainsi tout risque de prise de poids. Je reconnais que, quand je me pèse le matin, si le chiffre que j'observe est le même que la veille, je suis déçue ; s'il est inférieur, je suis soulagée (pas contente, soulagée) ; et s'il est supérieur… eh bien, cela confirme ce que je pense de moi, ce que j'ai toujours pensé de moi.

J'ai douze ans

« Pendant mon absence, essaie de manger moins de pain et davantage de fruits.

— O.K.

— Il faut que tu perdes du poids.

— O.K.

— Et tes cheveux sont affreux. Tu as l'air d'une clocharde.

— O.K.

— Tu n'es pas comme ta sœur ; tu n'es pas jolie. Tu es intelligente, bien sûr, mais ça ne veut pas dire que tu doives ressembler à une clocharde. Il faut que tu maigrisses un peu et que tu prennes soin de tes cheveux. Ce n'est tout de même pas si compliqué !

— O.K.

— Si tu manges davantage de fruits, tu auras une plus belle peau, aussi. Et tes boutons disparaîtront.

— O.K.

— Tu ne passeras pas toute ta vie à faire des études. Quand tu seras médecin, tu pourras prendre le temps de te trouver un mari et d'avoir des enfants. Mais tu ne rencontreras personne si tu es comme tu es là. Et puis, le physique, c'est important quand on veut rentrer dans une bonne université. Personne ne te prendra si tu ressembles à une clocharde.

— Ah ! O.K.

— Bien, n'oublie pas, Saffron : à mon retour, dans trois semaines, je veux que tu aies perdu du poids. Plus de fruits et moins de pain.

— O.K.

— Tu es gentille. »

Je sais que me peser tous les matins revient à me mettre en condition pour une nouvelle journée de déception, d'incertitude ou d'échec ; à modeler ma vie en fonction de chiffres arbitraires. Mais je ne peux pas m'en empêcher. Enfin, si. Oui, je peux m'en empêcher. Il m'arrive de passer des jours sans sortir ma balance, sans chercher à savoir, mais la curiosité finit toujours par reprendre le dessus, j'ai besoin de recevoir la confirmation de ce que je sais déjà, c'est-à-dire que je parviens toujours à me contrôler, que mon poids n'a pas brusquement décollé et qu'il ne s'est pas non plus mis à augmenter subrepticement.

J'ai quatorze ans

« *Non mais tu l'as vue ? Qui aurait envie de traîner avec elle ?*

— C'est ma copine. Tu pourrais quand même être sympa avec elle.

— C'est le genre de fille qu'est sympa qu'avec les gâteaux.

— Elle peut pas s'en empêcher. C'est un ventre de bébé. L'année dernière, elle a été toute mince pendant quelques mois, mais, ensuite, c'est revenu. Ma mère dit que c'est un ventre de bébé. Elle redeviendra toute mince et toute belle bientôt, tu verras.

— C'est pas un ventre de bébé, c'est un ventre de femme enceinte.

— Ça, c'est vraiment méchant.

— Ça serait méchant si c'était pas vrai. Mon grand frère dit qu'avec un nom comme Saffron[1]*, on s'attendrait*

1. *Saffron* signifie « safran » en anglais. (*N.d.T.*)

plutôt à voir une beauté exotique bien roulée, pas une fille comme ça.

— C'est une fille bien. Je vois pas où est le problème.

— Ça m'énerve. Tu pourrais quand même avoir des copines normales. Jolies, quoi. Je vois aucun de mes potes qui voudrait s'approcher d'elle à moins d'un kilomètre. On peut pas traîner avec elle.

— Si tu veux continuer à traîner avec moi, commence par être sympa avec elle.

— O.K., ça va, calme-toi. J'imagine qu'elle a des gros nichons. Dommage qu'y ait que ça de bien.

— Bon, qu'est-ce que je viens de dire ?

— D'accord, d'accord. Je vais être sympa avec elle.

— Super. Parce que, elle, elle est vraiment sympa.

— O.K. D'accord.

— Mais j'aurais quand même préféré qu'elle devienne pas si grosse. Je suis supergênée, quand elle essaie une taille quatorze ans et que le bouton ferme pas. Je vois bien que ça l'énerve vachement, et j'ai envie de lui dire que c'est pas ma faute si elle a regrossi, que c'est... Arrête de rigoler ! C'est pas drôle !

— Chut. Je crois que je la vois.

— Quoi ? Où ça ? Non, ça peut pas être elle. Elle sort jamais toute seule. Où ça ?

— Là-bas. Tiens, on dirait qu'elle est partie. Mais je suis quasiment sûr que c'était elle.

— Waouh, j'espère pas. Bon, allez, tais-toi, le film va pas tarder à commencer. Mais lui dis pas que je t'ai dit ça, O.K. ? C'est une fille vraiment sympa. C'est pas sa faute si elle est un peu grosse. »

Ce n'est pas comme si j'avais un énorme problème. Ou même un problème. Pendant des jours et des jours, tout se passe bien. Je mange des salades, je prends des jus de fruits, je bois beaucoup d'eau. J'arrive même à cuisiner pour les enfants. Mais ensuite, je me retrouve toute seule. Je regarde autour de moi et je me rends compte que tout ce que j'ai est en moi. Que tout ce que je ressens est ce qui réside au cœur même de mon être. Et que quand ces choses finiront par se démêler, se révéler à moi, la douleur sera trop forte. Trop forte pour que je puisse la supporter, elle grandira et s'étendra en se déployant, et je sais qu'elle ne tardera pas à me submerger. Que je serai incapable de continuer de vivre, parce que ce qui est en moi – toutes ces voix, toutes ces choses qui me rappellent que je ne suis pas assez bien – finira par m'engloutir totalement.

J'ai seize ans

« Mon Dieu, tu es une costaude, toi ? Je ne suis pas sûre d'avoir un uniforme suffisamment grand. Il va peut-être falloir que j'en commande. Qu'est-ce que tu fais, comme taille ?

— 42-44 en haut, 40-42 en bas.

— Je ne sais pas où tu achètes tes vêtements, ma chérie, mais j'aurais plutôt dit que tu faisais du 46-48. Je vais voir ce que je peux te trouver.

— Celui-là me va.

— Waouh ! J'y aurais jamais cru. En fait, je pense que c'est à cause de tes seins. Ils te font paraître énorme. Pfff, si on m'avait dit que tu rentrerais dans un 44… Il faut vraiment le voir pour le croire. »

Et au moment où toutes ces voix qui me disent que je ne suis pas assez bien se mettent à déferler sur moi, ce paquet de chips m'apparaît soudain comme la solution à tous mes problèmes. Le seul moyen d'affronter ce qui me fait mal en moi, ma seule chance de faire taire la souffrance qui est au cœur de mon être, là où résident toutes les mauvaises choses, là où toutes ces voix distantes parlent le plus fort. Je commence et je ne peux plus m'arrêter. Quand son contenu est englouti, quand il a coulé en moi, quand un peu de la douleur que j'ai en moi a disparu parce que l'une des voix s'est tue, je ne peux plus m'arrêter. J'en veux plus, toujours plus. Je veux davantage de paix; je veux émousser la souffrance. Je prends tout ce que je peux, je mange tout ce sur quoi mes doigts se posent. J'ouvre le réfrigérateur, j'ouvre tous les tiroirs, tous les placards, en quête de choses délectables, mangeables, voire vaguement comestibles. Je les engloutirai jusqu'à ce que la tourmente, le tumulte, les mots retombent dans le silence.

J'ai dix-neuf ans

«J'ai envie d'être mieux que ça. Je ne comprends pas pourquoi je ne suis pas mieux que ça.

—Mais tu es très bien.

—J'ai fait beaucoup d'efforts, j'ai réussi tous mes examens et j'ai intégré cette université où beaucoup rêvent d'aller. Et pourtant je ne suis toujours pas assez bien. Je ne suis tout simplement pas assez. Je ne suis pas assez jolie. Je n'entre pas dans le moule.

—Mais si. Du reste, tu es très appréciée.

— Non, je ne crois pas. À la fac, je me retrouve toujours toute seule quand il faut travailler en groupe, et les autres oublient souvent que je suis là quand ils vont boire un verre ou quand ils organisent une sortie en boîte. Je vois bien que personne n'a envie de traîner avec moi. Je suis transparente ; personne ne me remarque. Je ne suis pas jolie, je ne suis pas mignonne, je ne suis pas spéciale. Personne n'a envie de traîner avec la grosse qui a une vilaine peau et de vilains cheveux et qui n'a rien à raconter. Je serai toujours la grosse intello.

— Ce n'est pas vrai. Rien de tout cela n'est vrai, et tu le sais très bien, Saffron. Tu es adorable, tu es spéciale, et il y a plein de gens qui te trouvent très belle. Regarde-toi dans le miroir, regarde-toi, et tu verras que tu es très jolie, tu verras toutes les belles choses qui émanent de toi.

— Je vais te dire un truc : je me regarde souvent dans le miroir, et je ne peux plus me voir. Je ne peux plus me voir en peinture. Et puis je n'ai plus envie de t'écouter. Tu ne me dis pas la vérité. Tu ne vois que ce que tu as envie de voir. Tu ne me vois pas telle que je suis. Il faut que je sois mieux que ça. Il faut que j'aie l'air mieux que ça et que je sois mieux que ça.

— Ça ne changera rien.

— Si. Les gens m'apprécieront, ils me remarqueront, ils auront envie d'être amis avec moi. Je vais m'arranger pour être mieux que ça. Je vais m'arranger pour être parfaite ; tout ira mieux, ensuite. Ma vie sera beaucoup plus belle.

— Ce n'est pas aussi simple que ça, Saffron, je t'assure.

— Quand j'ai eu cette pneumonie, l'année dernière, j'ai beaucoup maigri, et tout le monde s'est mis à me remarquer. Tout le monde venait discuter avec moi pour me parler du poids que j'avais perdu. Les gens étaient

impressionnés. Mais quand j'ai recommencé à grossir, ils ont cessé de s'intéresser à moi.

— Justement : s'ils sont venus vers toi, c'est parce qu'ils avaient remarqué ton absence et que tu leur avais manqué.

— Si je leur manquais tant que ça, ils m'inviteraient à venir avec eux en vacances, ils auraient envie de traîner avec moi…

— Laisse-leur une chance.

— Je n'ai plus envie de t'écouter. Je te l'ai déjà dit. Tu peux me parler autant que tu veux, je ne t'écouterai pas. Parce que je sais que quand je serai de nouveau mince, tout ira beaucoup mieux pour moi. J'en suis persuadée. »

Vient ensuite la terreur. La peur que m'inspirent mes actions, l'horreur d'avoir perdu le contrôle de moi-même : d'avoir sauvagement mis à sac ma cuisine méticuleusement ordonnée et de m'être gavée de ces horribles aliments pleins de graisses et de calories. Cette terreur vient remplacer le silence qui est en moi. Elle devient de plus en plus bruyante, de plus en plus physique, elle s'enracine et se décompose, et je sais que je ne peux la garder dans mon être. Je ne peux pas vivre avec tout cela en moi, il faut que je trouve une échappatoire, que je m'en débarrasse aussi vite que possible. Après cela vient le soulagement, le vide, il n'y a plus rien en moi qui me fasse mal, plus rien en moi qui m'alourdisse, plus rien qui me donne l'impression d'être aussi nulle que je pense l'être.

J'ai vingt-cinq ans

« *Qu'est-ce que tu faisais dans les toilettes, Frony ?*

— Euh… qu'est-ce que tu crois que je faisais ?

—Je sais ce que tu faisais.

—Alors pourquoi me le demandes-tu ?

—Je veux que tu me promettes de ne plus jamais refaire ça.

—Tu veux que je te promette de ne plus jamais refaire pipi ? Je suis désolée, mais il s'agit d'un impératif biologique.

—Je veux que tu me promettes de ne plus jamais te faire vomir.

—Quoi ? Mais qu'est-ce que tu racontes ?

—Je t'ai entendue. Et ce n'est pas la première fois. Mais il y a plein de choses que je comprends mieux, maintenant. Je me suis beaucoup demandé pourquoi, quand nous nous sommes rencontrés, tu refusais toujours de sortir déjeuner ou dîner avec moi. Chaque fois que je t'invitais, tu cherchais à négocier pour que je te fasse la cuisine à la place. Et maintenant encore, quand je réussis à te convaincre d'aller au resto, tu disparais toujours aux toilettes à la fin du repas. Je veux que tu me promettes de ne plus jamais faire ça.

—Mais je…

—Ne me mens pas. Je n'aime pas qu'on me mente. S'il te plaît, promets-moi de ne plus te refaire vomir et de t'alimenter correctement. Écoute, on va essayer de trouver quelqu'un pour t'aider. Même si c'est cher, peu importe. J'ai de l'argent de côté, je me fiche du prix que ça coûtera, je donnerais tout ce que j'ai pour t'aider. Mais s'il te plaît, ne refais plus ça. Promets-moi que tu ne le referas pas.

—Écoute, Joel, je ne peux pas te promettre ça si tu ne veux pas que je te mente. Ce n'est pas simple, tu sais ? J'aimerais vraiment que cela le soit, mais le fait est que c'est beaucoup plus compliqué que ça peut en avoir l'air.

Cela étant, je te promets de faire des efforts. Je vais faire de mon mieux, et tu n'auras plus à t'inquiéter pour moi. »

Je ne l'ai pas fait pendant des années et des années. Et même maintenant, je ne le fais pas tout le temps. Quelquefois, seulement. Mais ça ne suffit pas à faire de moi ce que Fynn a dit. C'est un exutoire, pas un mode de vie. Ça ne signifie pas qu'on peut me mettre une étiquette comme il l'a fait. Comme n'importe qui l'aurait fait en toute connaissance de cause. Je ne suis pas comme ça. C'est juste que, parfois, j'ai besoin de me libérer.

J'ai vingt-six ans

« *J'ai peur, mon bébé, vraiment. J'ai tellement peur de ne pas y arriver. J'ai envie que tu sois là, mais j'ai peur de te faire du mal. Pourtant, au fond de moi, je sais que je ne pourrais jamais faire ça. Alors je vais manger tous les repas que je dois prendre, je vais garder chacune des calories dont j'ai besoin, pour toi mon bébé, pour toi. Je vais le faire. Pour toi, pour moi. J'ai peur, très peur, mais je vais y arriver. Toi, ne t'inquiète de rien d'autre que de grandir et de naître. On va réussir, j'en suis certaine. On va réussir tous les deux, d'accord? Parce qu'on est une équipe, un binôme. Parce qu'on n'est pas deux, on n'est qu'un.* »

Après « ça », j'ai eu de nouveau besoin de me libérer. J'ai eu de nouveau besoin de disposer d'un moyen de contrôle sur ce que je suis et sur le monde qui est en moi. J'en ai trouvé un nouveau dans les bras de Fynn, mais la situation est vite devenue compliquée, et j'ai été contrainte d'y mettre un terme. Et de revenir à ce que je connaissais. Mais ça ne veut rien dire du tout. Et ça ne fait pas de moi ce que Fynn a dit.

« Tu es bien silencieuse, ce soir, Saffy », me dit Ray, le deuxième mari d'Imogen. Je lève les yeux de mon verre de vin, et nos regards se heurtent l'un à l'autre.

Il a raison. J'ai à peine dit deux mots depuis que nous avons été conduits dans le grand et impeccable salon pour boire l'apéritif. Je suis inquiète. Je préfère encore les restaurants : on peut picorer différentes choses, prétendre que la cuisine est mauvaise ou ne nous plaît pas, et si on ne se « remplit pas la panse », comme disait Joel à l'époque où je l'ai rencontré, personne ne le remarque vraiment. Même quand il s'agit de l'un de ces restaurants où la cuisine est excellente, où la cuisson est toujours parfaite et où les couverts et assiettes sont impeccables, et même quand on a été bien pendant des jours pour pouvoir justement y aller, il reste encore la solution des toilettes. On peut s'y rendre pour prendre soin de soi sans que personne le remarque.

Mais à un dîner chez des amis, on vous considère comme un malotru si vous ne mangez pas, et vos absences sont remarquées si vous disparaissez dans les toilettes pendant de longues minutes. Il est difficile de se contrôler, de se purger de toutes ces graisses, tous ces hydrates de carbone, additifs alimentaires et autres calories au nombre indéterminé qui se sont glissés dans votre assiette. À un dîner chez des amis, on ne peut absolument rien contrôler. Ce qui a quelque chose d'extrêmement angoissant.

« Excuse-moi, finis-je par répondre. Je suis un peu soucieuse en ce moment. »

Je sens Lewis se crisper à côté de moi, pas beaucoup, mais suffisamment pour que je le remarque. Il pense que c'est sa faute, que je fais une fixation sur cette histoire de rancard.

« Je suis désolé, dit Ray. Pouvons-nous faire quelque chose ? »

Il a nonchalamment étendu son bras sur le dossier du canapé, et, de temps en temps, il baisse la main pour caresser affectueusement l'épaule découverte d'Imogen.

En les regardant, je sens ma gorge se resserrer et j'ai comme un petit pincement au cœur. Je me souviens de ce que c'est que d'être comme ça avec quelqu'un. De se toucher l'un l'autre, sans aucune raison valable. Cherchant un peu de réconfort dans mon verre de rosé, je détourne mon regard d'eux. « Non, je ne pense pas que vous puissiez m'aider, à moins que vous ne connaissiez quelqu'un qui pourrait héberger une femme d'une soixantaine d'années qui essaie tout le temps de faire le mur et qui constitue une menace pour tout homme de plus de... allez, je vais dire cinquante-cinq ans, mais la vérité, c'est que tout homme de plus de quarante-cinq ans représente une proie éventuelle à ses yeux.

— Oh !... Tu veux dire que ta tante habite avec vous, désormais ? » me demande Imogen, avec une note de désapprobation dans la voix. Elle est tout le temps en train de me conseiller de ne pas prendre de décisions hâtives, de ne pas oublier que je suis encore sous le choc et que mon chagrin tend à modeler, colorer et influencer chacun des choix que je fais. Je ne lui ai pas demandé son avis, nous n'en avons pas discuté, nous n'avons pas étudié la question ensemble sous tous les angles possibles, et, manifestement, elle s'en trouve gênée.

« Oui, tatie Betty a emménagé à la maison. Mais j'exagère un peu : ce n'est pas aussi horrible que je le dis. En fait, elle est très sympa, et les enf... » Ça ne me semble pas juste d'appeler Phoebe comme ça. En un sens, ce sera toujours mon enfant, mais quand je pense qu'elle est à quelques centaines de mètres d'ici à essayer de prendre des décisions d'adulte avec un cerveau d'enfant, je me dis que le mot « enfant » ne convient pas. « Phoebe et Zane sont ravis qu'elle soit là. Elle les bichonne. Et elle me bichonne aussi, à sa façon. Mais ça me fait tout de même un peu de travail.

— J'imagine. Accepter que sa tante vienne s'installer chez soi, ce n'est tout de même pas une décision que l'on peut prendre à la légère », remarque Imogen d'une voix douce. Elle paraît moins inquiète que condescendante. Et pour la première fois depuis « ça », l'irritation que m'inspire son attitude me paraît à la limite du supportable.

« Qu'avez-vous préparé pour le dîner ? » demande Lewis. Son intervention, qui tombe à point nommé, n'est certainement pas due au hasard. En tant que veuf, il a dû connaître cela, lui aussi : les gens qui, sous prétexte que vous êtes encore sous le choc, vous recommandent de vous montrer prudent, vous expliquent ce que vous devez ressentir et vous indiquent à quel moment vous devez passer à autre chose. Les gens qui cherchent à contrôler chacun des aspects de votre vie. « Ça sent divinement bon.

— Ah oui ! J'ai failli oublier ! s'exclame Imogen en se levant d'un bond. Vous pouvez passer à la salle à manger, le dîner sera bientôt servi ! »

Elle a mis du beurre, je le sens, je peux presque le voir en train de se figer, comme une seconde peau à peine formée, sur les minicarottes et les pommes de terre nouvelles rôties. Il aurait encore mieux valu de l'huile d'olive. Enfin, cela aurait été pire en termes de quantité de lipides et de calories, mais beaucoup moins grave en termes de graisses saturées. Elle a utilisé de la pâte brisée pur beurre pour l'abaisse de la tourte au poulet, mais comme c'est de la pâte toute faite, je ne peux pas savoir ce qu'il y a dedans. Certaines marques les font plus grasses que d'autres, et celles qui ne sont pas surgelées contiennent des conservateurs. Elle a probablement mis de la crème, aussi, dans sa béchamel. Et ce n'est sûrement pas un poulet bio.

« C'est magnifique », dit Lewis. J'ai beau ne pas le connaître depuis très longtemps, je sais qu'il ment. Ça n'a pas l'air bon, ça ne sent pas bon, et je suis persuadée que ce ne sera pas bon, et ce, parce que, Imogen, malgré toutes ses qualités, n'a ni respect ni amour pour la cuisine. Elle prend différentes choses au hasard et les dispose joliment sur un joli plat en espérant que ça passera. C'est elle-même qui me l'a dit. En règle générale, elle achète des plats tout prêts qu'il lui suffit de réchauffer avant de servir. Bref, si elle s'est essayée à la cuisine ce soir, c'est qu'elle a vraiment, mais alors vraiment envie de nous arranger le coup, à Lewis et moi.

Alors que je me fais cette réflexion, elle lui adresse un sourire radieux. « Merci.

— Vous savez, Lewis, je me demande souvent comment font les gens comme vous pour travailler avec les adolescents de notre époque », intervient Ray. Ils forment un beau couple, Imogen et lui. Il est juste légèrement plus grand qu'elle, et plus mince, parce qu'il aime prendre soin de lui en se rendant à la salle de sport trois fois par semaine. Il a une peau sans défaut, des traits durs mais réguliers, des dents parfaites (il est dentiste). Mais malheureusement, et c'est la raison pour laquelle j'évite de m'attarder chez eux autant que possible, il a des jugements qui confinent à la diatribe. Il peut se mettre tout à coup à fulminer contre les « parasites » de la société et il ne se calme que lorsque son public s'est dispersé ou a approuvé ses propos.

Mais Lewis ignore tout cela. Manifestement persuadé que le commentaire de Ray est parfaitement anodin, il répond : « Il y a plein de gens qui le pensent, mais les ados ne sont pas si durs que ça. D'ailleurs, je trouve que ce qu'il y a de plus gratifiant dans mon métier, c'est quand on réussit à tisser des liens avec un élève et qu'on comprend que, au bout du compte, il finira par faire quelque chose de sa vie. Ça ne se produit pas tous les jours, et il est vrai que certains d'entre eux peuvent se révéler pénibles, mais c'est comme dans n'importe quelle profession : la mienne a ses bons et ses mauvais côtés.

— Vous avez l'air tellement passionné ! s'exclame Imogen d'un air révérencieux. J'aurais donné n'importe quoi pour avoir un professeur comme vous quand j'étais au collège. »

Je coupe un morceau de ma part de tourte au poulet, dont la garniture blanche se met à suinter dans mon assiette, coulant vers les pommes de terre ; ça me retourne l'estomac. Elle n'a pas suivi la recette : il n'y a pas d'herbes, pas de poivre, mais une tonne de sel. Lentement, avec ma fourchette, je pousse la sauce vers un morceau de poulet. J'ai appuyé fort sur le manche pour y enfoncer ma fourchette, et j'en déduis que la viande est trop cuite : elle a coupé le poulet en trop petits morceaux et les a laissés dans le four trop longtemps. Il va falloir que je mange ça. Je n'ai pas le choix. Elle sera vexée si je ne le fais pas.

Elle me regarde. Peut-être a-t-elle parlé à Fynn ; je sais qu'elle l'appelle quand elle se fait du souci pour moi. Peut-être lui a-t-il répété notre dernière conversation. Mais je ne pense pas. Tout de même, c'est mon ami. Tentant de brider mes haut-le-cœur en pensant au respect et à l'affection que j'éprouve pour Imogen, je porte ma fourchette à ma bouche, avec son morceau de poulet imbibé de béchamel. Aussitôt, je sens les particules de graisse insipides recouvrir ma langue, l'excès de sel irriter mes papilles. Trop de sel, pas assez d'herbes, une sauce non adaptée. Je m'en veux de savoir tous ces trucs. Je m'en veux de ne pas être à même d'apprécier ce que je mange dans des moments pareils ; de rechercher tout de suite un problème pour ne pas avoir à m'alimenter, ne pas avoir à m'empiffrer devant d'autres personnes.

S'il te plaît, ne refais plus ça. Promets-moi que tu ne le referas pas, me dit Joel dans ma tête. *Écoute, on va essayer de trouver quelqu'un pour t'aider. Même si c'est cher, peu importe. Mais s'il te plaît, ne te refais plus ça à toi-même.*

Si j'avais été ton ami, un véritable ami, il y a longtemps que j'aurais dû t'obliger à reconnaître que tu souffres de troubles de l'alimentation, me dit Fynn.

Nonchalamment au regard du monde extérieur, mais déterminée à me prouver ainsi qu'à Joel et à Fynn que je n'ai pas de problème notable, juste un petit travers, je pousse davantage de tourte au poulet dans ma bouche, avec, cette fois-ci, un morceau de croûte friable à la base grasse. Après avoir coupé les carottes gorgées de beurre en deux, je les mets dans ma bouche. Je fais bouger mes dents. Je me force à mâcher, ignorant la salive qui afflue dans ma bouche, la bile qui remue dans mon estomac, et j'avale. Les pommes de terre nouvelles subissent le même sort. Je me force à mâcher, j'avale, j'ingurgite. Je peux y arriver. Je peux faire ça. Je n'ai pas de problème avec la nourriture, je n'ai pas besoin de faire face à ça, je n'ai pas besoin d'aide. Je ne souffre pas de troubles alimentaires.

« Je vais vous expliquer quel est mon problème, dit Ray pendant que je mange, que j'ingère de la nourriture comme une personne normale. Je paie mes impôts, j'envoie mes enfants à l'école comme la loi m'y oblige, et je n'obtiens de la société que des services médiocres. Alors que le petit merdeux qui vit d'allocations familiales, dont la mère s'est fait mettre en cloque quand elle était ado pour avoir un logement gratuit, qui n'a pas de père connu à la face du monde et qui ne comprendrait pas le sens du mot "travail" même si on le lui expliquait cinquante fois, eh bien, lui, il va recevoir des tonnes d'attention. Vous trouvez ça normal, vous ?

— Et si nous changions de sujet », dis-je en reposant ma fourchette. Je regarde fixement mon assiette, et le dégoût de moi se met à remonter de mon estomac en ondulant comme un serpent. *Je n'aurais jamais dû faire ça.* Horrifiée, je relève les yeux vers Ray, qui arbore un air docte et indigné. « Je n'aime pas que tu décrives d'autres êtres humains de cette façon, Ray, je suis désolée, ça n'a rien de personnel. Tu ne peux pas savoir ce que vivent les autres ; comme tu ne peux pas vivre dans leur peau, tu ne peux te faire qu'une vague idée de ce qu'ils ressentent, tout au plus. Il y a des personnes qui sont comme ça et il y en a plein qui ne le sont pas. Je n'aime pas que tu décrives les gens si méchamment. Alors s'il te plaît, changeons de sujet ; ne tombons pas là-dedans.

— Je suis d'accord, acquiesce Lewis, qui semble soulagé que je sois intervenue avant lui. Changeons de sujet.

— Ils ont raison, Ray », siffle Imogen entre ses dents souriantes.

J'en connais un qui va passer un sale quart d'heure ce soir.

Sur ce, je baisse de nouveau les yeux vers mon assiette. Pour ma part, le sale quart d'heure, c'est maintenant que je suis en train de le passer. Reposant ma serviette à côté de mon dîner à moitié consommé, je me lève de table. « Si vous voulez bien m'excuser. Il faudrait juste que j'aille me rafraîchir un peu. »

J'ai vingt-neuf ans

« *Je croyais que tu avais arrêté de faire ça, Frony. Tu m'avais dit que tu n'avais pas besoin d'aide et tu m'avais promis que tu allais arrêter.*

— *Je ne t'ai rien promis du tout. Je t'ai dit que j'allais essayer.*

—Mais pourquoi est-ce que tu ne peux pas juste manger et arrêter ça ?

—Je ne sais pas.

—Ça me tue, Frony. Ça me tue de ne pas pouvoir t'aider et de ne pas pouvoir te faire arrêter. Tu n'es pas heureuse, avec moi ? Tu n'es pas suffisamment heureuse pour arrêter ça ? Je serais complètement dévasté si je devais te quitter, mais s'il faut ça pour que tu parviennes à arrêter…

—Non, non, non. Ce n'est pas de ça que j'ai besoin. Je n'ai pas envie que tu me quittes. Jamais. Je suis très heureuse avec toi et Phoebe. Je ne sais pas pourquoi je n'arrive pas à m'arrêter. Je ne sais pas, je t'assure.

—Si c'est parce que tu ne te trouves pas suffisamment mince, tu te trompes, crois-moi. Tu es parfaite. Je ne t'aime pas pour la taille que tu fais. Je me fiche complètement de la taille ou du poids que tu fais.

—Je sais. Mais ce n'est pas le cas de tous les autres.

—Ils s'en fichent, eux aussi. Mais même si ça comptait pour eux, qu'est-ce que ça pourrait te faire à toi ? Ça t'importe vraiment, ce que les autres pensent ?

—Non. Mais si je perds encore un peu de poids, je sais que personne ne pourra me reprocher quoi que ce soit à propos de mon apparence. Personne ne pensera que je suis une grosse vache. Personne ne se dira qu'il y a le moindre problème chez moi. Il faut juste que je perde encore un tout petit peu de poids.

—Tu n'as pas besoin de perdre du poids. Tu n'as jamais eu besoin de perdre du poids.

—Tu dis ça parce que tu ne m'as pas connue quand j'étais plus jeune. C'est pour ça que je ne te montre jamais de photos. J'étais énorme.

— Tu étais ronde ? Et alors, je ne vois pas ce qu'il y a de mal à être ronde ?

— Tu ne vois pas ce qu'il y a de mal à être ronde ? Tu te fiches de moi ? Il n'y a que du mal à être ronde. Les gens te regardent de haut, ils pensent que tu es feignante, goinfre, moche. Tu ne rentres pas dans tes vêtements, et tout le monde te sort tout le temps des statistiques pour t'expliquer que tu vas mourir jeune parce que tu es une feignasse qui passe son temps à se goinfrer.

— Les gens qui sont minces ne sont pas épargnés par la mort. Tout le monde meurt ; ça n'a rien à voir avec le poids. Cela étant, j'ai commencé à me renseigner un peu sur ce que tu fais et les séquelles permanentes que ça peut engendrer : érosion des dents, gonflement des glandes salivaires, ostéoporose, tachycar…

— Tout est beaucoup mieux et beaucoup plus facile quand on est mince. La vie est plus facile et les gens sont plus sympas avec vous. Quand on est gros, on est sans intérêt.

— O.K. Et est-ce que tu te sens plus intéressante qu'avant, maintenant que tu as perdu tout ce poids ?

— Non. »

Je parviens tant bien que mal à maintenir un rythme normal, à ne pas me précipiter dans l'escalier comme j'ai envie de le faire, je monte les marches une par une pour contenir l'éruption volcanique qui menace. Une fois sur le palier, je prends le couloir pour me diriger vers les toilettes.

Au son d'une chasse d'eau qui se remplit, la porte que je convoite s'ouvre sur Damien, le fils aîné d'Imogen, qu'elle a eu de son premier mariage. Il est grand, athlétique mais pas trop large d'épaules, et il porte ses cheveux longs et lâchés, si bien qu'il doit, j'imagine, passer beaucoup de temps à les dégager de son visage ou à se cacher derrière.

Comme il me voit avancer dans sa direction, il se fige sur place, avant de se mettre à marcher d'un pas hésitant vers moi. Son visage devient pâle ; il essaie de déterminer quelle expression il doit arborer : sourire, grimace ou ce qu'il affiche actuellement, à savoir, un air terrifié ?

Il y a beaucoup de gens qui me regardent de cette façon : ils ont peur de moi, parce qu'ils ne savent pas de quoi me parler. Comme ils craignent de dire quelque chose qui me fasse pleurer ou hurler, ils passent leur temps à marcher sur des œufs, et je sens déferler sur eux par vagues successives leur embarras, la honte de ne pas pouvoir comprendre ce que ressentent les personnes en deuil.

Et pourtant, il me semble soudain que j'ai beaucoup vu Damien depuis « ça ». Il a assisté aux obsèques et est passé quelquefois déposer Zane avec Imogen. L'été dernier, après avoir obtenu son diplôme de l'université de Lincoln, il est revenu vivre ici. D'ailleurs, si je ne m'abuse, cela coïncide à peu près avec l'époque où Phoebe a commencé à passer des heures sur son téléphone.

« Bonsoir, Damien, finis-je par dire.

— Euh… bonsoir…, madame Mackleroy », me répond-il.

Je ne devrais sans doute pas tirer de conclusions hâtives. Il se peut très bien qu'il ait toujours été comme ça, que, comme tous les autres, il se sente mal à l'aise avec moi. Si c'était le cas, je ne l'aurais de toute façon pas remarqué, puisque cela ne fait que quelques semaines que je prête attention à ce qui se passe autour de moi.

« Ta recherche d'emploi avance ? lui demandé-je.

— Euh…, fait-il en me contournant pour se diriger vers sa chambre. Bien.

— Tu n'as encore rien trouvé ?

— Euh… non.

— J'en déduis que tu dois passer beaucoup de temps ici durant la journée. Tu ne t'ennuies pas ?

— Euh… non. Euh… je sors pas mal.

— Avec qui ?

— Euh… des amis.

— Des petites amies, j'espère ? »

Ses joues reprennent des couleurs.

« Euh… ouais, plus ou moins.

— Qu'est-ce que tu veux dire par là…

— Euh… il faut que j'y aille. Excusez-moi. Au revoir », balbutie-t-il. Et là-dessus, il disparaît si rapidement dans l'escalier qui mène aux combles que je n'ai pas le temps de lui dire quoi que ce soit pour prolonger la conversation.

Si c'est lui, Dieu me vienne en aide.

Sur cette réflexion, je ferme la porte des toilettes, avant de me préparer silencieusement à faire ce que je suis venue faire. Il ne faut pas que cela dure trop longtemps. Je ne peux pas courir le risque d'éveiller les soupçons de qui que ce soit.

29

« Je préfère ne pas te raccompagner jusqu'à la porte », me dit Lewis en se garant devant la maison. Je remarque qu'il a laissé le moteur en marche. « Tu sais, au cas où… »

J'ai envie de l'embrasser. J'ai tellement envie de l'embrasser pour voir ce que ça ferait que je me sens incroyablement calme en ce moment, tellement sereine que je pourrais presque me risquer à le faire. Mais je ne le ferai pas, naturellement, à cause de ma bouche, dont les recoins sont toujours tapissés de bile. Je l'ai rincée avec de l'eau, mais je suis certaine que quiconque s'en approcherait trop serait assailli par l'infâme pestilence de la femme que je suis réellement.

« Ça n'a rien de personnel, lui dis-je. Je t'assure. D'ailleurs, je… je t'apprécie beaucoup. »

Les rides de son visage, tendu d'avoir dû rester si réprimé et si maîtrisé, se relâchent comme il semble s'autoriser à sourire un peu. « Ce n'est pas l'impression que j'ai eue.

— Tu es veuf, tu dois comprendre à quel point la situation est difficile : tu rencontres quelqu'un, et cela t'ouvre toutes sortes de possibilités, mais pour ne serait-ce qu'envisager de réfléchir à ces possibilités, il faut abandonner un peu de la personne qu'on a perdue. Et l'idée d'abandonner Joel, même un peu… est impossible pour moi. Comment s'appelait ta femme ?

— Hallie, répond-il d'un air morose et réservé.

— Tu me l'avais déjà dit, mais quand est-elle… ?

— Il y a quatre ans.

— Des suites d'une maladie ? »

Il hoche pensivement la tête. « Oui.

— Et depuis, est-ce que tu es sorti avec des gens, je veux dire, des femmes ?

— Oui.

— Et à quel moment t'es-tu senti en droit de voir d'autres femmes, et non plus extrêmement coupable à la simple idée d'être attiré par une autre ?

— Je te le ferai savoir quand ça arrivera.

— Très bien. Alors si les choses sont comme ça pour toi, j'imagine que tu comprends ce que je ressens. »

De son regard marron noir, il passe en revue les traits de mon visage, finissant par s'attarder sur mes lèvres. « Je peux t'embrasser ? » me demande-t-il.

Une vague d'embarras et d'humiliation vient s'écraser sur moi. « J'en ai très envie, mais, euh… le repas de ce soir ne m'a pas vraiment convenu, et quand je suis allée aux toilettes tout à l'heure, j'ai, euh… Je ne pense pas que tu trouverais agréable de m'embrasser.

— O.K. », dit-il. Il y a un peu de malice qui danse autour de ses lèvres. Il ne me croit pas.

« Je t'assure que c'est vrai. » Et ça l'est. Même si je ne lui dirais pas que, si je l'ai fait, c'est parce que je me suis retrouvée contrainte de manger pour prouver que je ne souffrais pas de troubles de l'alimentation.

« Je vois », réplique-t-il. La malice a désormais gagné ses yeux, et il arbore un large sourire. Au moins, il trouve ça drôle. Au moins, il n'est pas vexé à l'idée que je puisse prétendre avoir vomi pour éviter de l'embrasser.

« Et de toute façon, dis-je après avoir jeté un coup d'œil en direction de la maison, si je ne me trompe pas, ma fille doit être à la fenêtre de ma chambre, en train de nous observer pour déterminer si nous sommes juste deux personnes qui se sont retrouvées au même endroit au même moment ou si nous sommes sortis ensemble. Or la dernière chose dont Phoebe et moi avons besoin en ce moment est d'une nouvelle raison de nous disputer. » *Et je ne te parle pas d'*elle, *qui doit aussi être quelque part en train de nous observer. De noter mes moindres faits et gestes pour pouvoir me les décrire plus tard dans une lettre.*

Faisant preuve d'une maîtrise de soi remarquable, M. Bromsgrove résiste à la tentation de regarder autour de lui. « C'est vrai ; j'avais oublié. La prochaine fois ?

— La prochaine fois », acquiescé-je. J'ai dit ça, mais ça ne m'engage à rien. Ça ne signifie pas que je serai obligée de faire quoi que ce soit. « Peut-être. »

Il se fend d'un autre sourire amusé.

Au moins, il trouve ça drôle.

30

Les efforts que j'ai faits pour me lever tôt en ce samedi matin afin d'éviter la foule au supermarché ont été complètement anéantis.

De l'endroit où je suis sur le trottoir, mes sacs réutilisables coincés sous un bras, mon sac à main en bandoulière, je reste figée sur place à regarder ma voiture. Les quatre pneus sont à plat; les petits bouchons de caoutchouc ont été consciencieusement laissés devant chacun d'entre eux. Les incisions, longues et larges, ont sans nul doute été faites avec une lame, qui a été enfoncée, tournée puis tirée vers le bas. Un couteau de chasse ou quelque chose comme ça, pour pouvoir transpercer le caoutchouc.

Sous l'essuie-glace gauche, celui qui est le plus proche du trottoir, positionné de sorte que cela soit la première chose que l'on voie après les pneus, se trouve un rectangle de papier plié en deux.

Sale pute

Et moi qui pensais que personne, pas même Phoebe, ne pouvait m'en vouloir plus que moi-même pour avoir eu envie de passer du temps avec Lewis Bromsgrove... je m'étais bien trompée. Cette personne m'en veut davantage. Cette personne m'a montré, en me rappelant ce que le couteau de cuisine a fait au ventre de Joel, à quel point elle était furieuse contre moi.

Mais qu'est-ce qui ne va pas chez moi ? Ne devrais-je pas réagir de façon différente ? Ne devrais-je pas appeler la police au lieu de replier le papier pour le glisser dans mon sac en me demandant combien je vais encore devoir débourser pour faire changer ces quatre pneus aujourd'hui même, puisque j'ai besoin de la voiture ?

Je suis à la frontière entre la peur et la colère. Titubant entre ces deux émotions, je me demande laquelle sera le plus susceptible de m'aider à affronter cette situation sans qu'aucune autre personne soit blessée.

De retour à la maison, je vérifie l'heure – 7 h 49 –, avant de rentrer dans la cuisine pour rechercher sur Internet les coordonnées d'un dépanneur. Il va de soi qu'on me posera des questions ; il va de soi que je jouerai les idiotes et prétendrai que je vais appeler la police. Alors que je me fais ces réflexions, la sonnerie du téléphone fixe éclate brutalement dans le silence de la maison à demi assoupie. Sans penser qu'il pourrait s'agir de la mère de Joel, je me jette sur le combiné.

« Tu l'as embrassé ? » Imogen. Mon cœur a un raté.

« Bonjour, Imogen. »

L'éclat de son sourire est insupportable, même au téléphone.

« Alors ? insiste-t-elle, incapable de dissimuler ou de contenir sa jubilation. Il est tellement beau garçon… Est-ce que tu nous as fait le plaisir de lui rouler une pelle ?

— Non.

— Ah ! fait-elle. Je croyais pourtant avoir perçu quelque chose entre vous.

— Et tu ne t'es pas trompée, avoué-je à contrecœur, tout en me dirigeant vers le salon.

— Oh ! mon Dieu, mais c'est super ! » s'exclame-t-elle d'une voix aiguë. Je l'entends reposer sur la table sa tasse de thé (deux sucres et un peu de lait) et son téléphone pour taper dans ses mains. « Je sais que ça doit être difficile pour toi de penser à tous ces trucs après ce que tu as enduré, mais je trouve ça génial. Vraiment. Ce n'est pas trop tôt ; ne te fais surtout pas de souci pour ça ! Et puis, vous êtes parfaitement assortis ; vous ferez un très joli couple !

— Ce n'est pas aussi simple que ça. » Je crois qu'il faut que je le lui dise. Ne serait-ce que pour déterminer si elle pense qu'il pourrait y avoir quelque chose entre Damien et Phoebe. Si tel est le cas, la nouvelle de la grossesse de Phoebe devrait déclencher une réaction qui pourrait signifier que c'est bien Damien le futur père. Je sais que je ne devrais pas révéler ce secret, mais j'ai vraiment besoin d'en parler avec quelqu'un qui n'est ni un homme avec qui j'ai couché, ni un homme par qui je suis attirée, ni une vieille dame qui me cache beaucoup de choses alors qu'elle vit sous mon toit.

Néanmoins, si c'est vraiment Damien... cela pourrait rendre la situation plus compliquée encore. Car si Phoebe ne lui a pas dit la vérité (et je la soupçonne de ne pas l'avoir fait), parler équivaudrait à l'exposer à des pressions et des exigences insupportables.

« Pourquoi ? me demande Imogen, coupant court à mes pensées.

— Je ne peux pas t'expliquer, lui dis-je en me frottant les yeux. J'aimerais pouvoir le faire, mais ce n'est pas à moi de t'annoncer ça ; je ne peux pas en parler. »

Ma pauvre petite voiture bleue semble complètement abattue, vue de la fenêtre du salon. Blessée, souffrante. Mais pourquoi est-ce qu'elle a fait ça ? Qu'est-ce qui lui est passé par la tête ? Est-ce qu'il est plus facile de résoudre un problème à coups de couteau quand on l'a déjà fait une fois et qu'on n'a pas été puni pour cela ? Pour ma part, il me semble toujours aussi difficile de me réveiller tous les matins en sachant que je vais devoir vivre un nouveau jour sans Joel. Peut-être est-ce parce que je ne l'ai pas choisi ? Si j'avais décidé de mon propre chef de me séparer de lui, ça ne me dérangerait sans doute pas de le faire et de le refaire encore. Peut-être est-ce la même chose pour elle ? Peut-être qu'au bout du deuxième pneu, cela lui a semblé facile, naturel.

« Oh !, ma chérie, roucoule Imogen au téléphone d'une voix mielleuse comme un baume. Tout bien considéré, c'est vraiment une bonne chose que Lewis et toi commenciez à vous rapprocher. Il se peut que Phoebe trouve à redire là-dessus, mais tu ne peux pas laisser les caprices d'une adolescente diriger ta vie. Et ce serait tellement bien pour Zane, aussi. Il a besoin d'une figure paternelle. Il y a Fynn, je sais, mais ce n'est pas la même chose. Quand on est dans une relation amoureuse avec quelqu'un, tout se passe beaucoup mieux. »

À ces mots, je détourne mon regard de la voiture pour revenir pleinement à la conversation : « Comment ça, mieux ?

— Tu t'es étonnamment bien débrouillée avec tes enfants depuis… mais je crois vraiment que tu as besoin de passer à autre chose, maintenant, et le fait d'être en couple t'aidera à te sentir plus en sécurité.

— Es-tu en train de me dire que le fait d'être veuve est déstabilisant pour mes enfants, plus que, disons, l'idée que leur père ait été assassiné ?

— Ne prends pas les choses comme ça, s'il te plaît. C'est juste que tes enfants ont besoin de deux parents ; ils ont besoin d'une maman *et* d'un papa. Ce n'est pas ta faute si tu es devenue une mère célibataire. Tiens, parlons de Phoebe, par exemple. C'était une petite fille tellement adorable, elle n'aurait pas fait de mal à une mouche, et, maintenant, elle commence à s'attirer des ennuis. Et la façon dont elle m'a parlé, l'autre jour, alors que je lui demandais juste comment elle… » Elle s'interrompt brusquement, et je peux presque entendre sa mâchoire tomber. « Oh ! mon Dieu, elle n'est pas enceinte, n'est-ce pas ? C'est pour ça que Lewis s'intéresse d'aussi près à elle ? » Mon cœur s'arrête dans ma poitrine. « Ou alors, elle a un problème de drogue ? Ou d'alcool ?

— Ravie d'apprendre ce que tu penses de moi et de ma famille, Imogen. » Tatie Betty n'avait peut-être pas tort, après tout.

« Ma chérie, non. Ce n'est pas comme ça que j'entendais les choses. C'est juste… Ce que je voulais te dire, c'est que, si tu te mettais avec Lewis, qui est réputé pour la bonne influence qu'il exerce sur les enfants difficiles, je suis certaine que cela vous ferait un bien fou, à toi et ta famille.

— Comment va Damien ? lui demandé-je pour changer de sujet et revenir à ce que j'ai soupçonné hier soir, peu de temps avant que ma voiture soit vandalisée.

— Damien ? Il va bien.

— Il a réussi à trouver un emploi, ou tu l'as dans les pieds toute la journée ?

— C'est tellement difficile, en ce moment, pour les jeunes diplômés, me répond-elle. Mais j'ai appuyé sa candidature à deux ou trois postes et je pense qu'il ne va pas tarder à trouver quelque chose.

— J'imagine qu'il doit passer beaucoup de temps avec des filles, quand il n'est pas occupé à postuler pour des emplois. Je l'ai croisé à l'étage, l'autre soir, et il a fait le timide quand je lui en ai parlé. J'ai trouvé ça vraiment mignon. On aurait presque dit un ado.

— Tu sais comment il est : il a toujours eu des tas de filles à ses pieds. D'ailleurs, à une époque, si je me souviens bien, même Phoebe craquait pour lui.

— Oui, il me semble aussi. » Elle vient de me confirmer que ça pourrait être lui le responsable, et non Curtis.

« Ça serait bien qu'on se voie, tous ensemble, un de ces soirs. Et tu pourrais aussi inviter Lewis ?

— Ouais, pourquoi pas ? » *Ça me ferait l'occasion de passer un peu de temps avec Damien. Excellente idée.*

Au moment où je raccroche le téléphone, toutes les choses auxquelles je dois penser fondent sur moi. Si je savais ce que Phoebe veut faire, je pourrais essayer de la convaincre de parler à la police. Mais tant qu'elle ne se sera pas décidée, je ne pourrais pas lui imposer de porter un poids supplémentaire sur ses épaules. Il faudra que je m'accommode du harcèlement d'Audra, des jugements d'Imogen, de la douleur que j'ai infligée à Fynn, du sentiment d'avoir trahi Joel en ayant des vues sur Lewis.

Tant que Phoebe ne saura pas ce qu'elle veut faire, rien ne pourra arriver. Je resterai bloquée là où je suis, sans aucun moyen de contrôle sur ma propre vie, à la merci de la femme qui a tué mon mari.

31

« Qu'est-ce que tu crois que je devrais faire, tatie ? » demande Phoebe.

Il est évident qu'elles ignorent que je suis ici. Comment le sauraient-elles ? Pourquoi y aurait-il quelqu'un dans les toilettes qui jouxtent la cuisine ? Pourquoi une personne se serait-elle gavée avec autant de nourriture qu'elle ait pu trouver, l'ingurgitant par poignées entières, se remplissant jusqu'à ras bord, engloutissant chacun de ses sentiments, dissimulant chacune de ses pensées désagréables derrière chacune des bouchées avalées, avant de se purger jusqu'à ce que sa gorge devienne douloureuse, jusqu'à ce que ses yeux se révulsent, jusqu'à ce qu'elle tremble sous le coup de la douleur provoquée par les vomissements dans sa poitrine ? Pourquoi une personne se serait-elle effondrée sur le sol et seraitelle restée ici, incapable de bouger, paralysée par la fatigue, la peur et le dégoût de ses propres actions ? Toute tremblante, comme si son cœur pouvait lâcher d'une seconde à l'autre ?

Aussi silencieusement que possible, je redresse mon corps encore tout frémissant pour m'adosser à la porte blanche.

« Ça, personne ne peut le dire à ta place », répond tatie Betty. Je me demande ce qu'elles peuvent bien faire ici à une heure pareille. Et moi qui pensais que j'étais la seule à souffrir d'insomnies... « Tu n'es encore qu'une enfant, mais dans la situation où tu te trouves, il va falloir que tu prennes de grandes décisions de femme.

— D'habitude, maman me dit toujours ce que j'ai à faire. Alors je croyais qu'elle me le dirait pour ça aussi.

— Ta mère ne peut pas faire ça. C'est ta vie et c'est ton corps. Ta mère ne peut pas faire ce choix à ta place.

— Mais je sais pas quel choix je dois faire.

— Aucun ne sera facile, dit tatie Betty. Pour résumer, on peut dire qu'il y a trois possibilités, tu me suis ?

— Oui.

— Garder le bébé, faire adopter le bébé ou avorter.

— Hmm.

— Quelle est celle qui te paraît instinctivement la plus juste quand j'expose les choses comme ça ? »

Phoebe garde le silence pendant un petit moment. « Je sais pas. Chaque fois que je pense à une, y en a une autre qui me paraît meilleure.

— Ma chérie, tu n'as que quatorze ans. À ton âge, aucune de ces possibilités ne peut être considérée comme meilleure qu'une autre. N'importe laquelle d'entre elles pèsera lourd sur ton esprit et sur ton cœur. La seule chose que nous puissions faire dans ce genre de situation est de choisir la possibilité qui nous paraît la plus facile à accepter.

— Je sais pas laquelle c'est et je sais pas quoi faire », répond Phoebe. Mon instinct me commande de me précipiter vers elle pour la prendre dans mes bras et lui dire que tout finira par s'arranger, que nous finirons par trouver ensemble la meilleure chose à faire. Je lutte pour me retenir.

« Je vais te dire un secret que tous les adultes connaissent, trésor : nous ne savons jamais ce qu'il faut faire ; on fait juste semblant en attendant qu'il y ait quelque chose qui marche.

— Papa savait toujours quoi faire, dit-elle.

— Si tu crois ça, si tu le crois vraiment, tu es la plus parfaite idiote qu'il m'ait été donné de voir », répond tatie Betty d'un air suffisant. Je l'imagine en train de secouer la tête. « Ton père savait toujours quoi faire. Ah, ah ! Je n'ai jamais entendu une telle absurdité de toute ma vie. Personne ne sait toujours ce qu'il faut faire. Personne. » Je l'imagine en train de secouer la tête une nouvelle fois. « Mis à part moi, naturellement. Je sais toujours ce qu'il faut faire. Toujours. »

Un instant plus tard, j'entends le grincement du bois sur le dallage. « Tu m'aides à remonter ? » demande tatie Betty.

Phoebe fait également grincer sa chaise en la tirant. Combien de fois vais-je devoir leur répéter de ne pas faire ça ? « Plein, aurait répondu Phoebe quand elle était petite. Plein, plein, plein, plein de fois. »

« Tu ne sais pas la chance que tu as, gamine, dit tatie Betty, alors qu'elles avancent toutes deux vers la porte. Je connais des filles qui se seraient fait jeter dehors si leurs parents avaient découvert qu'elles étaient enceintes. Connaissant ta mère, je suis sûre qu'elle ne t'a même pas crié dessus. Tu as beaucoup, beaucoup, beaucoup de chance.

— Mais elle n'a pas... » Leurs voix disparaissent dans la maison, loin de l'endroit où je me trouve, et le silence m'empêche de découvrir ce que j'ai fait pour susciter une telle haine chez ma fille.

Après avoir laissé passer quelques minutes, je me redresse et le tremblement disparaît, laissant place aux vertiges dus au sang qui afflue violemment vers ma tête.

Une fois à l'étage, ignorant les autocollants « Défense d'entrer » multicolores, je pousse doucement la porte de la chambre de Zane et m'approche de son lit à pas de loup. Mon petit garçon, qui m'a dit le jour des obsèques qu'il était désormais l'homme de la maison, est étendu sur son lit. Les bras en croix, le haut de son pyjama bleu relevé jusqu'au milieu du torse, sa couette d'été pendant sur la moquette comme de l'eau qui s'écoulerait d'une cascade.

Il ressemble à son père. Il a ses joues, ses longs cils, ses lèvres pleines. Ça me fait du bien de le voir dormir de cette façon, libre, détendu. Après… Après « ça », il dormait recroquevillé sur lui-même, roulé en une petite boule serrée, pour se protéger du monde extérieur pendant son sommeil, terrifié à l'idée que les malheurs du monde puissent trouver un nouveau moyen de faire irruption dans sa vie. Je suis contente qu'après la tentative d'intrusion dans la maison et le vandalisme dont a fait l'objet ma voiture, il se sente suffisamment bien pour être aussi libre dans son sommeil.

J'avais envie de le voir. Pour le regarder dormir et pour m'interroger sur les erreurs que j'ai commises avec lui aussi.

VIII

32

Ce que j'adorerais faire, en cet instant précis, ce serait de me promener sur la plage.

J'adorerais éteindre mon ordinateur, tirer ma chaise, prendre mon manteau, mon sac, mon ordinateur, mes piles de dossiers, et quitter directement les lieux, faire un signe de la main aux vigiles, longer la rue, tourner au carrefour, louvoyer entre les groupes de passants et, sans quitter des yeux l'horizon humide et bleuâtre, descendre peu à peu la colline jusqu'à arriver à destination. Je traverserais la rue, trouverais un passage qui mène à la plage et, en bas des marches, m'arrêterais pour me débarrasser de mes chaussures. Alors... tout mon corps frissonnerait de la sensation de douceur fraîche qui se développerait sur la plante de mes pieds ; il se contracterait sous le coup du choc, avant de se détendre sous l'effet du plaisir. Je me rapprocherais du bord de l'eau, et, avec les textures et températures différentes des galets, chaque pas serait une répétition de cette alternance de choc et de plaisir, jusqu'à ce que j'arrive à la zone de sable sombre et humide pour attendre que la mer vienne se répandre sur moi et prendre possession de mes pieds et de mes chevilles. C'est là tout l'intérêt de vivre près de la mer : on peut passer la voir à n'importe quel moment et la laisser nous taquiner et jouer avec nos pieds et nos chevilles, nos mollets et nos cuisses, nos fesses et notre taille, notre poitrine et notre cou, notre tête tout entière.

Comme beaucoup de choses depuis « ça », aller à la mer ne fait plus partie de mes possibilités désormais.

Six mois après « ça » (avril 2012)

La plante de mes pieds, couche de peau dure et délaissée, commençait à disparaître dans le sable humide, et des vaguelettes venaient régulièrement recouvrir le haut de mes pieds d'eau froide et écumeuse. Si je restais là suffisamment longtemps, les proportions s'inverseraient, la mer continuerait de monter et de descendre, s'arrêtant un peu plus longuement à chaque fois, jusqu'à emplir progressivement toute cette partie de la plage ; la recouvrir et la révéler, la recouvrir et la révéler, jusqu'à cesser de la révéler et me recouvrir complètement.

Si je restais là suffisamment longtemps, je pourrais disparaître comme Joel. Alors que je me faisais cette réflexion, et comme chaque fois que je me la faisais, je me suis demandé laquelle de ces deux disparitions serait la plus douloureuse sur le plan physique : la façon dont il était parti ou celle dont je partirais. J'ai fait un pas en avant, puis un autre, puis encore un autre, faisant disparaître le haut de mes pieds, puis mes chevilles, puis mes mollets. J'avais à l'épaule un sac qui contenait non seulement mon ordinateur, mais aussi un dossier que je devais finir de rédiger, des pages et des pages de documents à lire, et d'autres choses encore à corriger. La sacoche débordait de tout le travail que j'avais à faire pour la soirée. Accroché en travers de mon corps se trouvait mon sac à main, autre objet bourré à craquer des détritus essentiels de ma vie quotidienne. Sur les galets, derrière moi, il y avait mes chaussures. *Elle n'a laissé derrière elle que ses chaussures*, diraient-ils. *Tout le reste a été emporté avec elle.*

Je ne voulais pas attendre que la mer prenne possession de moi, remplace l'air qui m'entourait par de l'eau, je voulais jouer un rôle actif, avancer jusqu'à ce que je me mette à flotter. Je savais néanmoins que je ne flotterais pas, j'étais trop lourde, plombée par la complexité de ma vie nouvelle. Je savais également que je ne nagerais pas, que je ne serais pas à même de bouger les bras et de me battre pour rester en vie, même si je me débarrassais des choses qui m'alourdissaient. Je savais à peine nager. Et de toute façon, je ne me donnerais pas la peine d'essayer. Je laisserais la mer faire à son idée.

Mes pieds se sont de nouveau mis à avancer. Déterminés à aller droit au but, disposés à marcher dans la mer et à me faire disparaître.

C'est à ce moment-là que le visage de Phoebe, petit ovale innocent et émacié, s'est mis à miroiter dans mon champ de vision. Et le visage de Zane, plus petit, plus rond, mais tout aussi innocent, n'a pas tardé à le rejoindre. Le visage de Joel s'est lui aussi matérialisé.

Comme si je pouvais leur faire ça...

Trouve autre chose, me suis-je dit, dans un exceptionnel moment de gentillesse à l'égard de moi-même. J'étais tellement habituée à me réprimander, me mépriser, me rappeler que je n'étais pas assez bien, me condamner, que j'ai été prise de court par la bonté de cette suggestion. C'était presque comme si je parlais à quelqu'un d'autre. *Ne reviens plus à la plage, ne recommence pas. Trouve autre chose. Ne te refais pas ça à toi-même.*

Cette voix intérieure, qui m'évoquait un double bienveillant, avait raison. Je ne pouvais pas laisser tomber mes enfants, mais le besoin en lui-même était destructeur, il déchirait mon âme en petits morceaux, l'érodait comme la mer a érodé les rebords rugueux des galets, et si je n'avais rien fait, j'aurais sans doute bien vite perdu le goût de vivre. J'avais envie de mourir, mais je n'étais pas suicidaire ; j'avais envie de rejoindre Joel, mais pas suffisamment pour entreprendre quoi que ce soit en ce sens. Si je ne trouvais pas autre chose, j'allais devenir une femme qui compterait les jours en attendant la mort, ignorant toute la valeur et la beauté de la vie. Je n'aurais pas ma place dans l'univers ; ce ne serait pas tenable.

Mes pieds ont un peu glissé sur le sable trempé au moment où j'ai reculé, et, instinctivement, j'ai levé le bras pour protéger l'ordinateur, mais, au bout du compte, j'ai fini par retrouver mon équilibre. Lentement, prudemment, j'ai tourné les talons, savourant les sensations qu'ils me procuraient en s'enfonçant dans le sable et les petits fragments de coquillages, et j'ai commencé à retraverser la plage. Il fallait que je trouve un autre moyen de tenir le choc, un autre moyen de me connecter à l'univers.

Deux jours plus tard, j'ai embrassé Fynn.

Il y a des fois où j'aimerais vraiment pouvoir, même pour un petit moment, rejoindre Joel et ne pas avoir à affronter tous ces trucs ici. C'est parce que je ne pouvais plus me rendre à la plage que je me suis mise à le rechercher ailleurs. Finir son livre de cuisine m'apparaît désormais comme le seul et unique moyen de me connecter à lui. Trouver la parfaite combinaison de saveurs qui me rappellera comment il était, comment était la vie avec lui. Mais je n'ai pas eu une occasion de réfléchir à quelque chose de nouveau, d'essayer quelque chose de nouveau, depuis ce coup de téléphone du collège il y a seize jours. Ma quête de lui a été ralentie par la réalité du quotidien et par les lettres de menaces de sa meurtrière.

Imogen est devant l'immeuble où je travaille. Elle en regarde la façade comme si elle s'apprêtait à entrer, ou bien comme si elle attendait quelqu'un. Moi; c'est moi qu'elle attend. Je le comprends au moment où elle réajuste son sac sur son épaule d'un air décidé.

«Je suis désolée, me dit-elle, sans me laisser le temps de me composer une expression et de choisir les mots que je vais lui adresser ("Bonjour", "Salut" ou "Tu m'attendais?"). Il y a des fois où je me comporte vraiment comme une garce trop sûre d'elle, et grande gueule avec ça, poursuit-elle. Je suis désolée. Je n'aurais pas dû te dire toutes ces choses. Rien d'étonnant à ce que tu ne m'aies pas parlé: je ne peux pas m'empêcher de l'ouvrir et je ne prends jamais le temps de réfléchir.» De façon un peu trop théâtrale à mon goût, ses yeux vert noisette s'emplissent de larmes. «Je trouve que tu te débrouilles merveilleusement bien avec tes enfants, et tu ne peux pas savoir comme je regrette de t'avoir laissée entendre le contraire. Je pense que tu es une mère extraordinaire, et je suis sûre que tu seras une grand-mère extraordinaire.

— Je te demande pardon ? »

De façon toujours aussi théâtrale, elle jette un coup d'œil autour d'elle, avant de se rapprocher de moi pour chuchoter : « Damien m'a dit que Phoebe était... » Elle baisse encore d'un ton, et sa voix n'est plus qu'un murmure à peine audible. « ... *enceinte.*

— Damien te l'a dit. C'est Damien qui te l'a dit. Mais comment se fait-il que c'est Damien qui t'a dit ça ?

— Promets-moi de ne pas te fâcher », déclare-t-elle en guise de prélude à sa réponse. Les enfants font ça quand ils s'apprêtent à m'informer d'une chose face à laquelle la seule réaction envisageable est une frappe nucléaire. « Après le dîner de vendredi, je lui ai demandé de lui téléphoner, parce que je sais qu'ils étaient assez proches à un moment. Je lui ai dit que ce serait sympa de l'appeler pour prendre de ses nouvelles, et que si, dans la conversation, il pouvait lui demander ce qu'elle pensait de l'éventualité que tu sortes avec l'un de ses professeurs, ce serait vraiment super. Je suis désolée. Je sais que ce ne sont pas mes affaires, mais j'avais tellement envie que tu rencontres quelqu'un de gentil. Je vois bien que tu te sens seule parfois, et Lewis me paraît vraiment parfait pour toi.

— Et au cours de cette conversation, Phoebe lui a révélé qu'elle était enceinte ? » Compte tenu du fait que, pour le savoir, il a fallu que je me rende au collège et qu'une tierce personne m'en informe ; compte tenu du fait qu'elle m'a hurlé dessus quand elle a cru que je l'avais dit à tatie Betty ; compte tenu du fait que je suis terrorisée par la réaction qu'elle pourrait avoir si elle venait à apprendre que je l'ai dit à Fynn ; et compte tenu du fait qu'elle ne me parle pas du tout, ou quasiment, je suis tout de même très étonnée qu'elle soit allée annoncer la nouvelle à une simple connaissance. Et, surtout, qu'elle lui ait apparemment laissé entendre qu'elle avait décidé de garder le bébé. « Mais pourquoi est-ce qu'elle aurait fait ça ?

— Parce qu'ils sont amis. »

Ou alors, parce que c'est lui, le père.

« Cette conversation que nous avons eue l'autre jour… je comprends tellement mieux, maintenant. Et je m'en veux énormément. Je n'aurais jamais dû te dire ces choses. Je ne pensais même pas ce que je disais. Je crois que je voulais juste te faire comprendre que tu te sentirais beaucoup moins seule si tu laissais sa chance à Lewis. Je n'aurais pas dû remettre en question ta façon d'élever tes enfants. Si quelqu'un m'avait fait ça, à moi, je crois que je lui aurais arraché les yeux.

— Je te remercie, Imogen, d'être venue t'excuser. Mais il faut que j'y aille, maintenant. J'ai deux mots à dire à ma fille. »

Sans attendre sa réponse, je me mets à courir sur le trottoir en direction du parking.

Comment ai-je pu me montrer aussi bête ? Lui laisser tout le loisir de réfléchir à ce qu'elle veut faire plutôt que de lui imposer ma volonté ou de la forcer à me parler ? Tout ce temps, elle l'a passé à comploter et à conspirer, à intriguer derrière mon dos, comme elle le faisait déjà avant. Elle n'a aucun respect pour moi. Elle sait que j'ai peur de perdre son amour, elle doit comprendre instinctivement que je ne veux pas qu'elle éprouve pour moi les sentiments que j'éprouve pour ma mère, et que, par conséquent, je pourrais presque littéralement la laisser faire n'importe quoi. Y compris le pire.

33

« Téléphone ! » dis-je à Phoebe en entrant dans la maison.

Sans me donner la peine de retirer mon manteau, je balance mon ordinateur et mon sac sur le canapé et viens me poster près de ma fille, la main tendue.

Zane détache son regard de l'écran de télévision pour se tourner vers moi. Terrifié, j'imagine, par la fureur qu'il a perçue dans le ton de ma voix. Je ne leur ai jamais parlé de cette façon. Même avant que j'essaie de ressembler davantage à Joel, de le garder en vie pour eux en tentant de réagir avec eux comme il le faisait, il ne m'est jamais arrivé d'exprimer tant de colère.

Tatie Betty, resplendissante avec sa perruque au carré bordeaux et son rouge à lèvres assorti, baisse sa cigarette électronique et me fait les gros yeux. Quant à la principale intéressée, elle relève la tête de l'écran qui se trouve dans sa main, comme pour réfléchir à la meilleure façon de réagir.

« TÉLÉPHONE ! » hurlé-je.

Sans chercher à ourdir la ruse de la batterie, elle place docilement l'objet dans ma main.

« Monte. Il faut qu'on parle. »

Ses yeux d'acajou liquide largement ouverts, elle regarde d'abord Zane, puis tatie Betty, comme si elle espérait que l'un d'entre eux lui vienne en aide. Mais naturellement, personne n'intervient. Zane était en train de regarder un film d'action ; tatie Betty a sa cigarette électronique à la main. Aucun d'entre eux ne semble en mesure de prendre sa défense.

« EST-CE QUE TU M'AS ENTENDUE ? » hurlé-je. Elle se lève d'un bond et monte les marches quatre à quatre ; je me retourne lentement vers les deux autres individus qui se fichent de moi.

« Toi, dis-je en pointant du doigt Zane. Privé de télé pendant deux semaines. Je t'ai dit que je ne voulais pas que tu regardes de films interdits au moins de douze ans ; tu ne m'as pas écoutée ; privé de télé pendant deux semaines. Et de console aussi. Quant à vous, continué-je en avançant d'un pas déterminé vers tatie Betty, je vous ai déjà dit que je ne voulais pas que l'on fume chez moi. » Folle de rage, j'essaie de lui arracher sa cigarette des mains, mais elle s'y oppose fermement, elle lutte contre moi, elle s'accroche au tube noir et chromé comme si sa vie en dépendait. Ses mains de femme de soixante-six ans, quoique décharnées et ridées comme un vieux parchemin noirci, sont encore agiles et puissantes ; elles ne veulent pas céder. Je parviens néanmoins à mes fins. Comme si elle n'arrivait pas à croire que j'aie pu lui faire ça, elle ouvre à son tour de grands yeux.

« Tu ne peux pas me demander de sortir chaque fois que j'ai envie de tirer une latte ou deux, gamine. Il fait froid, dehors. Tu n'as pas le droit de demander à une femme de mon âge de sortir par ce temps-là.

— Vous avez vraiment envie de pouvoir fumer à l'intérieur ? lui demandé-je.

— Oui.

— Eh bien, vous auriez dû y réfléchir avant de vous faire virer du seul endroit où vous pouviez faire tout ce que vous vouliez quand vous vouliez. »

À ces mots, elle se laisse retomber contre le dossier et me regarde de haut en bas comme si elle avait été blessée par mes propos. Blessée, j'en doute. Surprise, en revanche…

« Zane, dis-je en essayant de normaliser le ton de ma voix.

— Oui, maman ? me répond-il en se levant.

— Va mettre ton manteau, s'il te plaît. Tatie et toi, vous allez chercher des frites pour le dîner de ce soir.

— Oui, maman, murmure-t-il en quittant la pièce.

— Un problème, avec ça ? demandé-je à tatie Betty.

— Absolument pas, réplique-t-elle aussitôt. C'est moi qui offre.

— J'imagine qu'à un moment ou à un autre, vous me le ferez payer d'une façon ou d'une autre, mais merci tout de même de l'avoir proposé. »

Phoebe croit apparemment qu'elle pourra s'en tirer en se cachant sous ses couvertures. Que lorsque j'aurai constaté qu'elle a essayé de se couper du monde extérieur en se pelotonnant sous sa couette imprimée de paysages marins, je respecterai son besoin de tranquillité. Je la laisserai en paix.

Comme je m'y attendais, elle m'a royalement ignorée au moment où j'ai frappé à sa porte. Mais je suis tout de même entrée. À la fenêtre, sur cinq fils, est suspendu le reste des papillons de cristal qu'elle avait attachés ensemble pour confectionner les rideaux de la cuisine. En tournant doucement sur eux-mêmes, ils accrochent la lumière, projetant sur les murs de petits éclats de couleur obliques qui confèrent le sentiment que toute la chambre est en train de danser. Je ne viens pas souvent ici. J'essaie de respecter son intimité, de lui faire confiance pour ne pas laisser d'assiettes ou de tasses moisir, mettre son linge dans le panier, maintenir les lieux propres et bien rangés pour son propre confort, et non pas parce que je lui ai demandé de le faire.

Moi, je n'ai jamais eu droit à la moindre intimité. Je n'ai jamais été autorisée à avoir de secrets, tout ce que je faisais était minutieusement étudié. Je ne voulais pas que Phoebe connaisse ça. Je voulais davantage d'ouverture d'esprit, une complicité que je n'ai pas eue avec ma mère.

« Tu ne peux pas ignorer ça aussi. Tu ne vas pas pouvoir y échapper, Phoebe, dis-je à ma fille en m'asseyant sur son fauteuil de bureau. Aussi j'apprécierais que tu sortes de sous ta couette pour me parler.

« *Phoebe.* » Au son de ma voix, menaçante, je vois lentement émerger de sous la couette l'éclat noisette de sa peau de jeune fille de quatorze ans, les jolis arrondis de ses joues, son petit nez retroussé qui est une version mini-moi du mien, la courbe de ses lèvres marron foncé, la raie parfaitement droite qui sépare sa chevelure en deux couettes symétriques.

« Alors comme ça, tu as dit à Damien que tu étais enceinte ? »

Ses yeux, qui étaient jusqu'alors restés fixés d'un air de défi sur le plafond couvert d'étoiles scintillantes, s'écarquillent sous le coup de l'inquiétude.

« C'est lui, le père ?

— Non ! s'exclame-t-elle d'un air dégoûté. Tu sais bien que c'est Curtis. » *Elle ment.* Mais je ne me donnerai pas la peine de relever.

« À qui d'autre l'as-tu dit ?

— Personne. » *Elle ment.*

« Alors, pourquoi lui as-tu dit à lui ?

— Parce qu'il m'a demandé. Parce que tu l'avais déjà dit à Imogen. » *Elle ment.*

« Je ne l'ai pas dit à Imogen. Et pourtant Dieu sait que j'en avais besoin, Dieu sait que ça m'aurait soulagée.

— Mais tu l'as dit à tonton Fynn. » *Elle cherche à faire diversion.*

« C'est vrai. Peu de temps après que je l'ai appris, comme j'étais encore sous le choc, je me suis confiée à lui.

— Tu vois ?

— Je vois quoi ? Que ma fille ne me parle pas ? Que quand elle le fait, c'est pour me mentir ? Que j'ai de nouveau une peur bleue de ce qui va se passer maintenant ? Oui, tout ça, je le vois. »

Comme si elle essayait de lire quelque chose écrit sur le plafond, elle serre ses lèvres l'une contre l'autre et étrécit les yeux.

« Pourquoi as-tu dit à Damien que tu étais enceinte ?

— Parce que… Parce que j'avais envie de voir ce que ça fait de le dire. Des fois, j'ai l'impression que c'est pas vrai, que c'est un rêve, alors j'avais juste envie de le prononcer à voix haute, pour voir ce que ça faisait. » *Elle dit la vérité. Enfin un peu de vérité.*

« Est-ce que tu as décidé de ce que tu allais faire ? Parce que d'après ce que Damien a dit à sa mère, j'ai cru comprendre que tu avais l'intention de garder le bébé.

— J'ai jamais dit ça ! Je lui ai dit que j'étais enceinte, et il m'a dit : "Quoi ? Waouh ! Je parie que ta mère fait grave la gueule." C'est tout. » *Là encore, c'est la vérité.*

« Qu'est-ce que je peux faire pour t'aider ? lui demandé-je. Est-ce qu'il y a quelque chose que je pourrais faire pour t'aider à prendre ta décision ?

— Non ! » siffle-t-elle. *Le mépris. Comme j'ai arrêté de lui crier dessus, comme j'ai arrêté de me montrer autoritaire et distante, elle a recommencé à me mépriser.*

« Très bien, d'accord », dis-je. Je suis bouleversée de me rendre compte qu'elle me voit de cette façon, qu'elle juge que je ne suis pas assez bien pour continuer de me parler. Qu'elle se confie à sa grand-tante dans la cuisine, mais qu'elle ne veut rien me dire à moi. J'ai envie de pleurer, mais il est hors de question que je me laisse aller à cela devant elle. « Si tu as envie de parler, tu sais où me trouver. »

Elle étouffe un petit rire de dérision.

« Phoebe, il va falloir que nous retournions chez le médecin très bientôt. Quelle que soit ta décision, il faut que tu passes une échographie pour vérifier que tout va bien. Ou, éventuellement, pour prendre une autre sorte de rendez-vous. Quoi qu'il en soit, et quel que soit le choix que tu feras, sache que je serai avec toi à cent pour cent. »

Tournant son regard vers le plafond, elle essaie apparemment d'ignorer ce brouhaha dérangeant de mots qui s'échappe de ma bouche.

« Tiens, ton téléphone, dis-je en me levant pour poser l'appareil sur le bureau. Je vais appeler M. Bromsgrove pour lui dire que tu retourneras au collège dès demain. Zane et toi, vous réintégrerez l'école tous les deux dès demain.

— Mais…

— Tu retourneras à l'école demain. Et tu retourneras au centre de loisirs le matin et à l'aide aux devoirs le soir, jusqu'à ce que je vienne te chercher.

— Mais…

— Oui ?

— Rien. O.K. »

Lewis garde le silence pendant quelques instants après que je lui ai dit que Phoebe retournerait au collège demain matin. « Si tu penses que c'est mieux pour elle…, finit-il par déclarer.

— Le mieux pour elle, en tout cas, ce n'est pas de rester assise toute la journée à ne rien faire, répliqué-je.

— A-t-elle décidé de ce qu'elle… ?

— Elle ne m'a rien dit. Et à Curtis ?

— Pas que je sache.

— Je ne me fais pas d'illusions : ça ne restera pas secret bien longtemps, mais je crois qu'il vaut mieux qu'elle poursuive sa scolarité, en tout cas autant que possible. » J'ai l'air d'une mère convenable, cette fois-ci. Ferme et déterminée, ni effrayée ni dépassée.

« Je suis d'accord, me dit Lewis. Euh… Tu peux m'excuser, une seconde ? » Je perçois des mouvements, et je comprends qu'il est en train de se déplacer, probablement pour fermer la porte de son bureau.

En attendant, je m'approche de la petite console qui se trouve dans le couloir et coince le téléphone entre mon menton et mon épaule pour passer en revue les dernières lettres que nous avons reçues. Entre les factures et les prospectus se trouve une nouvelle enveloppe crème non timbrée.

« Voilà, excuse-moi », me dit Lewis, coupant court à mes pensées et me faisant brutalement sursauter. Je ne m'étais pas rendu compte que j'étais à ce point concentrée sur cette enveloppe. Incapable de la lâcher, je libère le téléphone de sous mon menton pour le reprendre dans ma main libre.

« Je t'écoute.

— Euh… je… Est-ce qu'on pourrait se voir ? me demande-t-il. Juste tous les deux ? »

Ma réponse est un profond soupir.

« Je ne demande pas ça tous les jours, Saffron. Je regrette que nous nous soyons rencontrés en de telles circonstances, mais il n'empêche que j'ai envie de te voir. »

Je sais que je devrais dire non. Et pourtant, voilà ce que je dis : « Comment est morte ta femme ? »

Si un homme m'avait posé une question similaire après que je lui ai demandé de sortir avec moi, je lui aurais tout bonnement raccroché au nez. Il faut voir les choses en face : je suis indiscrète. Je n'ai aucune raison de lui demander ça. Ou plutôt si : je veux le toucher là où sa question m'a touchée, lui faire comprendre que ce n'est pas aussi simple qu'un oui ou qu'un non.

Lewis garde le silence pendant plusieurs secondes, qui s'écoulent bruyamment sur la pendule pendant que j'attends qu'il me réponde, ou que Zane et tatie Betty rentrent avec leurs *fish and chips*.

« Il faut que je te laisse », finis-je par dire. Il n'a pas envie de me répondre et il n'a pas à le faire.

« Non. Non, ne raccroche pas. Elle est morte d'une cirrhose du foie. Ç'a été très difficile pour nous tous.

— Je suis désolée d'entendre ça.

— C'est la culpabilité qui t'empêche de me dire oui ?

— Peut-être.

— Je veux dire, est-ce que tu te sens responsable de sa mort ? »

En général, les gens pensent que je me sens coupable à l'idée de voir quelqu'un après Joel, mais ils ne comprennent pas que je m'attribue une part de responsabilité dans sa mort. Ce sentiment de culpabilité remue l'immuable bac de nausée au creux de mon estomac, ce mélange de bile et de désolation qui ne me laisse jamais en paix. Je n'en parle à personne, parce que je sais qu'on me répondrait que ce n'est pas ma faute, que je n'ai rien à me reprocher, que c'est le meurtrier le coupable, pas moi. Tous les gens diraient cela, naturellement, parce qu'ils ne savent pas de quoi ils parlent.

« Et toi ? finis-je par répliquer.

— Oui. J'aurais voulu qu'elle m'aime suffisamment pour arrêter de boire avant d'en mourir. J'aurais voulu réussir à lui faire comprendre le mal qu'elle faisait à Curtis. J'aurais voulu être suffisamment fort pour prendre Curtis et l'emmener loin de tout ça, de sorte qu'il ne se trouve pas contraint de la voir mourir de cette façon. Je me sens vraiment coupable.

— D'accord, oui. On pourrait se voir, oui, bientôt.

— Ce soir, ce serait trop tôt ?

— Oui, répliqué-je en riant. Beaucoup trop tôt.

— Très bien, mais ne laissons pas passer trop de temps, O.K. ?

— O.K. Au revoir, Lewis.
— Au revoir. »

Glissant mon doigt dans le rabat de l'enveloppe, j'essaie de me préparer mentalement à ce que je vais y trouver. Ces missives ne me font pas peur ; je préfère encore ça à ses tentatives d'intrusion ou aux deux cents livres sterling qu'elle m'a coûté en pneus et en coups de fil hors forfait, sans parler des explications absurdes que j'ai dû servir à ma famille.

La seule chose que contient l'enveloppe est une photographie.

« Ça »

Mes doigts sont engourdis, mon corps est engourdi, et, soudain, je manque d'air. Il y a le crépitement de dizaines de mûres qui tombent sur le sol, il y a le fracas d'un bol de céramique blanche qui percute le dallage de céramique blanche.

La photo repose sur le parquet couleur érable de notre hall. Elle a été prise d'un téléphone portable ; sa qualité n'est pas fameuse : l'image est légèrement floue, mais suffisamment claire pour que j'y voie ce qu'il y a à voir.

Phoebe et Joel, en train de parler dans le parking extérieur qui est tout en haut du centre commercial de Churchill Square, le jour où « ça » s'est passé.

34

« Ça »

« À tout à l'heure, mon cœur, il faut que j'y aille. Plus vite j'aurai déposé la voiture, plus vite je pourrai la récupérer.

— D'accord, me suis-je écriée depuis la chambre. Tu es sûr que tu ne veux pas me dire ce que c'est que ce cadeau exceptionnel que tu vas m'acheter ?

— Certain. »

Là-dessus, j'ai entendu la porte se refermer et, toujours vêtue de ma chemise de nuit, je me suis jetée sur le lit. Joel étant allé déposer les enfants à l'école, je pouvais me permettre de remettre à plus tard le moment de m'habiller. Pour la première fois depuis des mois, nous avions tous les deux réussi à prendre un jour de congé. Je pouvais donc faire ce que j'avais envie de faire. À savoir, rien.

Quelques secondes plus tard, j'ai entendu le bruit de la porte qui se rouvrait et se refermait, suivi de celui des pas de Joel, qui montait l'escalier quatre à quatre, sans s'être apparemment donné la peine de retirer ses chaussures.

« Qu'est-ce que tu as oublié, encore ? ai-je demandé, en faisant de mon mieux pour dissimuler l'amusement que m'inspirait sa légendaire étourderie.

— De t'embrasser, m'a-t-il répondu, en pressant contre mon cou ses lèvres fraîches, qui n'ont pas manqué de déclencher en moi ce frisson si délicieux et si familier. À plus tard, mon cœur.

— À plus tard. »

Phoebe et Joel sont debout, tout près l'un de l'autre, en plan américain. Joel, qui est en train de lui parler, a les mains levées, les doigts largement écartés. Il est sans doute en train de la réprimander, de lui rappeler qu'elle avait promis de ne plus recommencer, mais il est incapable de le faire sans cette expression d'adoration absolue qu'il arborait chaque fois qu'il regardait l'un ou l'autre de ses deux enfants. Même quand ils faisaient tout pour le rendre fou, il ne pouvait pas se mettre en colère contre eux. Il essayait, parfois, mais cela se finissait toujours de la même façon : il ne pouvait s'empêcher d'arranger les choses, d'arrondir les angles, parce que, dans son esprit, peu importe ce qu'ils avaient pu faire, ils n'étaient pas animés de mauvaises intentions. Il était nul pour la discipline ; c'était donc à moi qu'incombait cette tâche.

Phoebe, dans son uniforme gris, porte les couettes que je lui avais faites le matin : à cette époque, c'était encore moi qui m'occupais de ses cheveux ; elle restait assise par terre entre mes jambes pendant que je domptais ses jolies boucles à l'aide de bandeaux, ou en lui faisant des tresses ou des vanilles. Sur la photo, elle fait de grands yeux repentants à Joel, certaine qu'il ne lui en voudra pas, qu'il réglera les choses avec le collège, qu'il écrira une lettre pour dire qu'il avait oublié qu'il devait l'accompagner à un rendez-vous médical ; certaine qu'il se chargera lui-même de me le dire et m'empêchera ainsi de lui hurler dessus.

Perdue dans mes pensées, je m'agenouille par terre pour ramasser la photo. Joel. C'est comme cela qu'il était, le dernier jour. Il était censé me revenir. Il avait des courses à faire, sa voiture à aller chercher, un cadeau à m'acheter. Il était censé me revenir, se pelotonner avec moi dans le canapé du salon pour bavarder tout en regardant d'un œil distrait la télévision. Ou peut-être faire des bulles avec moi dans le jardin sous le regard désapprobateur des enfants. Il était censé me revenir.

« *À plus tard, mon cœur.*

— *À plus tard.* »

Je l'ai vu plus tard : immobile, figé, parti à jamais loin de moi. Mais lui n'a pas pu me voir. Il ne m'a jamais revue.

Cette meurtrière a une photo de lui le jour où « ça » s'est passé.

Les lettres, la tentative d'intrusion, les pneus… tout cela semble presque insignifiant à la lumière de cette image. Elle a quelque chose de lui que je n'aurai jamais, et elle s'en sert pour me faire du mal.

Si cette femme se trouvait devant mes yeux en ce moment, je crois bien que je pourrais la tuer.

35

Je suis à la recherche de la parfaite barquette de myrtilles.

Je suis restée longtemps éveillée dans mon lit, la nuit dernière, à passer en revue mon carnet et à y noter des choses : idées de recettes, ingrédients que je pourrais combiner pour créer un mélange idéal.

Mes gribouillages – hystériques, avec des tas et des tas de mots barrés, beaucoup d'autres soulignés, quelques-uns illisibles – avaient pour principal objectif de m'aider à effacer la photo de mon esprit. Il fallait que je trouve un moyen de m'empêcher de me la remémorer. Je l'avais cachée et pourtant j'avais toujours l'impression de l'avoir sous les yeux. Je pouvais voir le visage de mon mari dans ses derniers instants. Je pouvais voir le sourire enjôleur de Phoebe, un sourire que je n'ai pas eu l'occasion de contempler depuis « ça ». Chaque fois que l'image se faisait plus nette dans mon esprit, je me mettais à écrire plus vite, plus mal.

Et j'ai fini par trouver quelque chose avec des myrtilles. Ce n'est pas encore tout à fait la saison ; celles qui sont sur le marché sont importées, ce qui signifie qu'elles seront soit fermes et acides, soit molles et suintantes d'une subtile douceur. Quoi qu'il en soit, il me fallait rechercher un ingrédient qui ne tendrait ni à les affadir ni à renforcer leur éventuelle acidité. Un ingrédient qui les mettrait en valeur. Des abricots doux.

Au moment où je suis allée me coucher, j'étais convaincue que cette combinaison serait la bonne. Qu'elle aboutirait à la saveur qui, au moment où elle entrerait en contact avec mes papilles, me rappellerait le goût qu'avait la vie avant que je perde Joel.

Après avoir déposé Phoebe à l'école, avec la ferme instruction d'attendre que je vienne la chercher le soir si elle voulait conserver son téléphone, son ordinateur et le privilège de vivre à la maison sans y être enfermée à double tour, je suis allée faire quelques courses au supermarché. J'ai commencé par les bocaux, qu'il me faudrait stériliser au bain-marie ou au lave-vaisselle : des petits pots dotés d'un joint de caoutchouc hermétique orange vif et d'un couvercle avec étrier en métal. J'ai dû ensuite fureter un peu pour trouver des gousses de vanille issues du commerce équitable, et puis je suis allée chercher du sucre. Comme j'avais l'intention de faire de la confiture de myrtilles et d'abricots sans pectine, il fallait que je me décide entre sucre et miel, mais j'ai fini par choisir le sucre. J'ai pris un paquet de beurre en retournant vers le rayon des fruits et légumes (par où j'aurais probablement dû commencer, puisqu'il est littéralement situé à l'entrée du magasin) pour y chercher les myrtilles. Les citrons, j'en ai à la maison, de même que les abricots, bien sucrés et avec une peau un peu duveteuse, mais pas suffisamment pour que leur texture me dérange, comme c'est le cas pour les pêches. J'ai trouvé des myrtilles, mais elles ne sont pas bio. Il m'en faut des bio pour ma confiture. C'est indispensable.

« Il m'avait bien semblé que c'était toi ! fait la voix d'Imogen dans mon dos. Plus je regardais, et plus je me disais que c'était toi ! Mais ensuite, je me suis dit que ce n'était pas possible, que tu devais être au travail ! Mais j'avais raison ! C'est bien toi ! »

Imogen aime s'exprimer en poussant des exclamations. Par petites phrases qui doivent nécessairement être dites à voix très forte. Et cette caractéristique me paraît tout à coup extrêmement irritante. Est-ce parce que, depuis l'annonce de la grossesse de Phoebe, j'ai retrouvé l'usage de mes sens et cessé d'être la femme engourdie qui a laissé tomber les mûres ? Sans doute. Le mode silencieux s'est désactivé, et je fais de nouveau l'expérience de la vie. Or la vie est douloureuse. Depuis que j'ai reçu la photo hier soir, depuis cet effort colossal que j'ai dû faire pour paraître normale devant les enfants, le monde me paraît tumultueux et empli de personnes qui ne cessent de hurler, à l'exemple de la femme qui se trouve juste derrière moi.

« Imogen ! Salut ! » m'exclamé-je en me retournant. Je fais comme elle. Et ma propre voix envoie des décharges de douleur dans mes oreilles, des aiguilles de souffrance dans ma peau.

« Alors ? Qu'est-ce que tu fais ici, en pleine journée ?

— Je travaille chez moi maintenant ! » répliqué-je avec la même voix de fausset masochiste tout en soulevant un peu mon panier en métal. (Franchement, Kevin peut aller se faire voir. J'ai hésité à lui présenter les choses comme ça, mais j'ai fini par me décider à lui dire que j'en ferais davantage si j'étais chez moi, et que, s'il voulait vraiment ce rapport urgent que son assistant aurait dû faire mais n'a pas fait parce que cela dépasse ses compétences, il était préférable que je ne sois pas au bureau.) « Ou plutôt je cuisine chez moi ! J'avais envie de faire quelque chose d'apaisant avant de me mettre au travail ! »

Imogen acquiesce avec gravité. « Je vois ce que tu veux dire ! J'imagine que les niveaux d'hormones doivent être assez élevés en ce moment chez toi ! »

Imogen a-t-elle toujours été aussi présente dans ma vie ? me demandé-je vaguement. Elle est venue chez moi, puis il y a eu le dîner, puis le coup de téléphone, puis elle s'est pointée à mon travail, et maintenant ça. J'ai été en contact avec elle au moins cinq fois dans les sept jours qui viennent de s'écouler. Jusqu'ici, ce n'était pas un problème, je dois même reconnaître qu'elle m'a beaucoup aidée après la mort de Joel, mais à quel prix ? Depuis samedi, j'en suis venue à me demander si je l'appréciais tant que ça.

« Je n'arrive pas à croire que tu sois sur le point de devenir grand-mère ! » me dit-elle brutalement, d'un air tout excité.

Est-ce que je l'apprécie tant que ça ? Est-ce que je l'apprécie tout court ? Rien de personnel là-dedans ; je suis en train de tout remettre en question.

« Je dois aller acheter deux ou trois petites choses, finit-elle par me dire. Tu m'accompagnes ? On pourrait aller se prendre un petit café, ensuite ?

— Je suis désolée, il faut vraiment que je retourne travailler.

— Oh, tu n'es pas marrante. Allez, reste avec moi quand même. Je n'en ai pas pour longtemps.
— Bon. »

Pommes
Lait
Œufs
Pain de mie complet
Concombre
Beurre
Saucisses

L'écriture d'Imogen est totalement différente de celle du corbeau. Le tracé est excessivement courbe, les « e » semblent avoir besoin d'un peu de repos, les « l » étendent quasiment leurs boucles jusqu'à la ligne qui se trouve au-dessus d'eux et les ventres des « b » sont ornés d'une sorte de petit tourbillon.

« Je suis sûre que tu seras une supergrand-mère ! me dit-elle en me prenant le bras. Et puis tu es jeune, tu en profiteras longtemps ! Encore un point positif ! »

Je voudrais qu'elle arrête d'en parler comme s'il n'y avait d'autre choix possible. Elle a déjà fait ça hier devant mon bureau et, là, cela fait deux fois en moins de dix minutes. Il faut qu'elle arrête. Tout de suite. « Phoebe n'a pas encore décidé de ce qu'elle allait faire », dis-je simplement.

Imogen, l'amie que j'ai rencontrée devant les grilles de l'école, et qui s'est tout de suite montrée plus sympathique avec moi que les autres mères d'élèves, s'arrête brusquement au milieu du rayon boucherie, devant des rangées de poulets. Elle me regarde longuement. Ses sourcils parfaitement épilés se rejoignent comme les points de couture d'un ourlet, ses lèvres sont serrées comme une fermeture à glissière. Elle finit par les ouvrir brièvement pour souffler : « Qu'est-ce que tu entends par là ? » Et elle les zippe à nouveau.

« J'entends… J'entends que ma fille a quatorze ans, et que rien n'a encore été décidé. »

Elle sépare de nouveau ses lèvres : « Et qu'y aurait-il à décider ? »

Comme je ne lui réponds pas, elle se remet à parler : « Tu envisages vraiment de lui faire faire *ça* ? »

Je ne t'aime pas, finis-je par trancher. *Tu as eu beau m'aider et me soutenir quand le monde s'est écroulé, je ne t'aime pas. Je ne sais pas si j'ai le droit de penser ça, si j'ai le droit de « ne pas aimer » quelqu'un qui m'a tendu la main quand j'étais au fond du gouffre, mais le fait est que je ne peux pas m'en empêcher. Je ne t'aime pas, c'est tout.*

Tatie Betty avait raison : Imogen est un vampire qui se nourrit du malheur des autres.

« Je n'envisage pas de lui faire faire quoi que ce soit », répliqué-je. Quand on reste à côté des réfrigérateurs pendant un certain temps, on finit par se rendre compte de tout le bruit qu'ils font en pompant l'air froid.

« Elle le regrettera jusqu'à la fin de sa vie, me dit Imogen, la voix perchée entre l'hystérie et la prémonition, comme si elle pouvait savoir tout ce que ma fille allait ressentir au cours de son existence.

— Et comment le sais-tu ? » lui demandé-je.

Ignorant ma question, elle poursuit : « C'est déjà assez triste comme ça qu'elle n'ait pas pu s'empêcher d'écarter les cuisses. Mais si en plus elle fait ça… elle ne sera plus jamais la même. On ne peut pas combattre le mal par un mal pire encore. Et si cela lui laissait des séquelles et qu'elle ne puisse plus avoir d'autres enfants ? Je n'arrive pas à croire que tu laisses ta fille faire ça.

— Et l'autre solution, tu y as pensé ? » rétorqué-je. Je sens le tambourinement des réfrigérateurs dans mes veines, leur son se déplace dans mon corps en vagues apaisantes. « Admettons que ma fille de quatorze ans mette au monde un bébé, où vais-je trouver l'argent nécessaire pour l'élever ? Parce qu'il faut voir la vérité en face : ce sera à moi de trouver cet argent. Et comment ferai-je pour travailler et m'occuper du bébé en même temps ? Parce que je te rappelle que Phoebe n'a pas encore l'âge légal de quitter l'école. Il faudra soit que je trouve une nourrice, soit que je démissionne. Mais comment vais-je survivre financièrement ? Parce que j'ai eu beau rembourser le crédit de la maison avec l'assurance-vie de Joel, j'ai toujours du mal à joindre les deux bouts, tu sais ? Alors, que suis-je censée faire ? Essayer d'obtenir des allocations ? Je ne sais pas si je pourrais en bénéficier, mais, de toute façon, je te rappelle que ton mari a toujours été parfaitement clair sur ce que lui-même et toi, si je ne m'abuse, pensez des gens qui touchent des allocations. Et vous ne serez pas les seuls à nous regarder de travers ; ce sera comme ça dans tout le quartier. Et puis il y a Zane : pourquoi sa vie devrait-elle être complètement chamboulée par les choix d'une autre personne ? Et moi ? Je n'ai jamais voulu que deux enfants. Je me suis toujours occupée des miens, et je n'ai aucune envie de tout recommencer de zéro. Mais tout cela te paraît peut-être sans importance au regard des principes auxquels je devrais souscrire pour la seule et unique raison que ce sont les tiens. »

Imogen garde les lèvres pincées ; sa bouche est une ligne sévère de désapprobation crispée.

« Mais comme je te l'ai déjà dit, aucune décision n'a été prise. Si Phoebe veut garder le bébé, je ferai tout ce que je peux pour la soutenir. Je te vois venir, alors, sache que je ne lui ai pas parlé des bouleversements que le bébé engendrerait en entrant dans nos vies, parce que je ne veux pas que ça parasite son esprit avant qu'elle ait fait son choix.

— Mais ça ne devrait même pas être une possibilité ; c'est ça que tu ne comprends pas, Saffron. C'est juste mal. »

Cette conversation ne me mènera nulle part. Je ne sais même pas pourquoi je lui parle. Ce ne sont pas ses affaires. « Tu penses vraiment que c'est mal de se faire avorter ? lui demandé-je.

— Oui, vraiment, me dit-elle.

— Alors ne le fais pas », répliqué-je en laissant tomber mon panier avec mes ingrédients.

Furieuse, je tourne les talons et la laisse seule dans le rayon réfrigéré. Je ne sais pas pourquoi j'ai cherché à lui faire entendre raison. C'est comme essayer de vider la mer avec une petite cuillère : frustrant, impossible et, au bout du compte, parfaitement inutile.

Chacun des pas que je fais pour m'éloigner d'elle devrait être un véritable déchirement pour mon cœur déjà blessé. Parce que je pensais que j'aimais Imogen. Parce que je pensais que nous étions amies et que, même si nous avions des désaccords, les liens d'affection qui nous unissaient étaient suffisamment forts pour nous permettre de prendre un peu de distance, de laisser l'autre commettre ses erreurs et de l'aider à se relever si elle venait à tomber.

Mais il me semble désormais évident que je me suis trompée sur la nature exacte de notre amitié, que je me suis montrée aveugle, stupide et *engourdie*. Et par conséquent, je ne ressens rien du tout. C'est ainsi que les choses se passent quand on entre dans un processus d'émancipation.

36

Six mois avant «ça» (avril 2011)

«Tu savais qu'elle séchait les cours?» Joel, fou de rage, arpentait la chambre de long en large, essayant en vain de baisser le ton.

«Mais bien sûr, Joel. D'ailleurs, il m'arrive parfois de faire l'école buissonnière avec elle.

— Ça ne me fait pas rire, m'a-t-il sèchement répondu.

— O.K., O.K. Je sais que je suis moyennement drôle quand je suis sarcastique. Je le noterai dans mon CV.

— Frony!

— Ce n'est pas moi qui sèche les cours, alors je ne vois pas pourquoi je devrais écoper des problèmes. Mais tant que tu continueras de faire comme si c'était le cas, je continuerai de faire dans le sarcasme pas drôle. Bref, est-ce que tu pourrais te calmer un peu et t'asseoir pour que nous puissions en discuter raisonnablement?

— Elle et deux de ses copines ont séché les cours et pris un train pour Worthing. Il aurait pu lui arriver n'importe quoi.»

J'ai hoché la tête comme si l'idée ne m'était pas venue à l'esprit, comme si je n'avais pas déjà mentalement élaboré plusieurs scénarios catastrophe. «Le problème, c'est que, toi et moi, nous étions des enfants à qui il ne venait même pas à l'idée de sécher. Nous ignorons tout de son état d'esprit.

— Je vais lui en faire changer, moi, d'état d'esprit.

— O.K. Très bien, mais, d'après toi, pourquoi est-ce toi que le collège a appelé et pas moi ? Ta fille de douze ans sait parfaitement ce que nous savons tous : tu lui manges dans la main. Elle te fait ses grands yeux tristes, une petite moue, un petit "Pardon, papa", et tu l'aides à planifier sa prochaine excursion.

— Je ne suis pas aussi nul que ça.

— Si.

— Bon, admettons. Mais qu'est-ce qu'on fait ?

— On frappe là où ça fait mal : on la prive de téléphone et on lui fait le plaisir de l'accompagner et d'aller la chercher à l'école tous les jours pendant une période de temps indéfinie.

— Est-ce que je peux tout de même l'engueuler un peu ?

— Tu peux toujours essayer. Mais ne viens pas me chercher si tu te retrouves à pleurer à sa place à cause de la tête qu'elle t'aura faite.

— Je suis vraiment aussi pathétique que ça ?

— Seulement quand il s'agit des enfants, mon cœur. Mais je suis là pour ça. Ça ne me gêne pas, moi, de les engueuler pour des choses de ce genre.

— Je serai avec toi quand tu le feras, pour montrer que je te soutiens. Et c'est moi qui lui confisquerai son téléphone.

— Parfait. Une fois qu'on en aura terminé avec elle, il ne lui viendra plus jamais à l'idée de sécher les cours. J'en mets ma main à couper. »

37

La photo est toujours là.

Après avoir verrouillé la porte de ma chambre, je me suis agenouillée pour toucher la pochette A4 en plastique transparent dans laquelle je l'avais rangée avant de la scotcher à l'arrière de ma table de chevet. Je passe mes doigts sur le plastique froid, et au moment où mes sens perçoivent les contours et le volume des enveloppes, tous les muscles de mon corps se contractent brutalement.

Toc-toc-toc ! Quelqu'un vient de frapper à la porte de ma chambre. Arrachant mes doigts de ma cachette, je me redresse avec difficulté.

« Oui ? m'écrié-je.

— Saff-aron, dit tatie Betty, je peux te parler ? »

Aujourd'hui, elle porte un carré long blond et des perles aux oreilles. Elle est vêtue de son kimono de soie noire et chaussée de pantoufles roses avec de petites boules duveteuses à l'avant. Pas de maquillage, mais elle n'en a pas besoin, parce qu'elle a été dotée d'une beauté tenace qui, me semble-t-il, est entretenue par son attitude désinvolte.

« Bien sûr, lui dis-je. Allons bavarder dans votre chambre. » Cela lui permettra de se reposer un peu une fois notre discussion terminée. Tatie Betty marche parfois comme si elle était portée par des anges, sans faire le moindre bruit, mais il y a des jours, comme aujourd'hui, où sa démarche lente et raide trahit sa douleur. Je ne me suis jamais permis de lui demander ce qui n'allait pas, si c'était sa hanche qui lui faisait toujours mal ou bien autre chose, car je suis certaine que, si je me risquais à faire cela, elle m'enverrait balader en me reprochant de l'encourager à se comporter comme une personne qu'elle n'est pas, c'est-à-dire une personne âgée qui parle constamment, voire uniquement de ses problèmes de santé. Je n'ai même pas pensé à lui prendre rendez-vous chez le médecin. Il va falloir que j'ajoute ça à ma liste.

« Ça n'a rien d'urgent », me dit-elle. Elle s'appuie avec la paume de sa main contre le mur qui monte aux combles ; manifestement ça lui est nécessaire pour se hisser de marche en marche. J'aurais peut-être dû mettre Zane là-haut. L'ancienne Saffron, la femme que j'étais avant de devenir celle qui a laissé tomber les mûres, l'aurait fait sans avoir besoin de réfléchir. Elle aurait donné à Zane ou Phoebe la chambre des combles, qui s'étend sur toute la longueur de la maison et dispose d'un dressing mansardé et d'une salle d'eau avec toilettes. L'ancienne Saffron aurait pris des rendez-vous chez le médecin et le dentiste pour tatie Betty, et elle se serait assuré qu'elle avait accès à tout ce dont elle a besoin.

Après s'être lourdement laissée tomber sur le lit, elle se débarrasse de ses pantoufles et se met à masser sa hanche douloureuse. « Si tu étais un homme, si tu avais dix ans de moins et si tu ne faisais pas partie de ma famille, il y a longtemps que je t'aurais retiré ton pantalon et demandé de me masser les pieds, me dit-elle, avant de pousser un gloussement plein de malice.

— Ce n'est vraiment pas le genre de choses que j'ai envie d'entendre. »

En deux semaines, elle s'est approprié cette pièce. Toutes les surfaces planes sont couvertes de photos encadrées : des souvenirs des personnes qu'elle a aimées, des lieux qu'elle a visités, des « autres célébrités » qu'elle a autorisées à se faire photographier avec elle. Elle a recouvert le lit d'un édredon soyeux couleur chocolat brodé de strass. Elle a placé des tapis ruchés en forme de cœur chocolat de chaque côté du lit. Sur le buffet, à droite de la cheminée, elle a disposé quelques livres, sans doute ceux qui sont les plus précieux à ses yeux. C'est à cela que sa chambre ressemblait dans son appartement bourgeois, et dans les différentes résidences où elle a vécu. Si j'entrais dans la salle de bains, je sais que j'y trouverais toutes ses perruques alignées sur des têtes de mannequins noirs sans visage.

« Mon frère m'a appelée, tout à l'heure, me dit-elle rapidement, sèchement, comme on annoncerait une nouvelle désagréable. Il voulait savoir comment tu allais, parce que Elizabeth t'a laissé plusieurs messages.

— C'est exact.

— Tu n'as pas envie de lui parler ?

— Pas spécialement.

— Ils veulent passer ici.

— Je sais.

— Je lui ai dit que la chambre d'amis était occupée. Par moi. Ce qui n'a pas manqué de le surprendre.

Quoi qu'il en soit, ils ont accepté de ne rester qu'une journée ou de trouver un hôtel.

— D'accord. Est-ce qu'ils ont dit quand ?

— Ce week-end, je pense, à cause du pont. Mais il vaudrait mieux que tu les appelles pour t'en assurer.

— Oui, j'imagine.

— Tu voudrais que je parte vivre avec eux ? me demande-t-elle du même ton sec et rapide que tout à l'heure.

— Quoi ? m'exclamé-je. Mais certainement pas. Pourquoi dites-vous ça ? Écoutez, je ne sais pas si je vous ai donné l'impression que votre présence ici était indésirable... mais si tel est le cas, vous m'en voyez désolée ; ce n'était pas du tout mon intention.

— Non, non, gamine, ce n'est pas ça. Je me disais juste qu'il se passait tellement de choses ici en ce moment que tu n'avais pas besoin que je reste fourrée dans tes pattes.

— Savez-vous pourquoi nous avons fait aménager les combles ? Parce que Joel a toujours pensé que vous viendriez habiter avec nous un jour. Avant même que vous vous installiez dans votre premier "appartement résidentiel", il savait que vous finiriez par vous en faire éjecter, et que ce serait pareil pour les suivants jusqu'à ce que vous compreniez que c'était ici que vous vouliez vivre. »

Tatie Betty m'adresse son légendaire sourire malicieux. « Tu es une bonne fille, Saff-aron. Je t'aime bien.

— Même si je ne vous laisse pas fumer à l'intérieur de la maison ?

— Même si tu ne me laisses pas fumer à l'intérieur de la maison.

— Il faut que j'aille travailler, dis-je, bien que ce soit la dernière chose que j'aie envie de faire.

— Personne ne t'a dit, je me trompe, que la plus grande perte, quand un être qui nous est cher disparaît, est la perte de ce que l'on est ? » m'assène tatie Betty.

Surprise, je me rassieds.

« Quand on atteint mon âge, on commence à perdre beaucoup de gens. D'ailleurs, quand mon premier amant... Ne fais pas cette tête-là, Saff-aron. J'ai eu des amants ; il faut t'en remettre. Bien, où en étais-je ? La mort du premier homme que j'ai connu intimement. Il n'était pas si bien que ça et ce n'était pas le grand amour, mais quand il est parti, j'ai pleuré. Je suis restée assise chez moi à pleurer, parce que c'était le premier. Le premier des gens de mon âge à partir, et j'ai compris que j'allais en perdre beaucoup d'autres, qu'ils allaient tous finir par me quitter jusqu'à ce que ce soit mon tour, et que j'étais totalement impuissante face à ça.

« J'ai pleuré à cause de toutes ces disparitions que j'allais devoir endurer. Enfin, c'est ce que je croyais. Mais avec le temps, j'ai fini par comprendre que, si j'avais pleuré, c'était également parce que la Betty que j'étais quand ce premier amant était encore en vie avait disparu elle aussi. Il faisait partie de moi, que je le veuille ou non, et, tout à coup, il avait disparu. La femme que j'étais, la façon dont mon rôle dans le monde était défini par lui... tout cela était terminé. Plus on est proche de la personne, plus la perte d'une partie de notre identité est importante, me semble-t-il. »

Pour la première fois de ma vie, il me semble voir la tatie Betty qui se cache derrière le masque. Elle est incroyablement humaine, tout à coup, son visage marqué par la douleur, ses yeux, de la même extraordinaire couleur acajou liquide que ceux de Joel, Phoebe et Zane, baignés de larmes. Je ne l'ai jamais vue pleurer. Je ne pense pas qu'elle m'ait déjà vue pleurer, elle non plus. Malgré tout ce qui s'est passé, nous n'avons jamais pleuré ensemble. Les larmes étaient inutiles : je savais à quel point elle était triste. Je sais à quel point elle est triste.

« J'aurais décroché la lune pour Joel, dit-elle en battant furieusement des cils pour retenir ses larmes. Mais je pense que j'ai tout de même de la chance, parce que je vous ai toujours, toi et les enfants, qui êtes une petite part de lui et qui jouez un rôle relativement similaire au sien dans ma vie. Je suis toujours tatie Betty. Mais ce n'est quand même pas tout à fait pareil, parce que je ne serai jamais plus la femme qui a fait toutes ces choses que les parents de Joel ignorent. Tu savais que c'était moi qui lui avais acheté sa première boîte de préservatifs ?

« Oh, ne me refais pas cette tête ! Je ne voulais pas devenir grand-tante avant l'heure, et puis mon garçon était tellement beau. Il y avait plein de filles qui lui couraient après. C'est pour ça que j'ai tout de suite compris que tu étais spéciale quand il est venu te présenter à moi. Tu es la seule qu'il m'a amenée de son propre chef. Les autres, pour les voir, il fallait que j'use de subterfuges.

— De subterfuges ? Tiens donc. Pourquoi est-ce que ça ne me surprend pas ?

— Est-ce qu'il t'arrive de te sentir en colère, parfois, de ne plus être la femme que tu étais quand tu étais avec lui ? Ç'a l'air un peu bizarre, dit comme ça, mais tu comprends ce que j'entends par là, n'est-ce pas ? »

J'acquiesce. « Parfois. Pour être tout à fait honnête, plus honnête que je ne l'ai été depuis un bon moment, je dois admettre que, quand je ne suis pas tout engourdie et incapable d'éprouver quoi que ce soit, la seule chose que je ressens, c'est de la colère. Une véritable colère. Contre le monde, contre moi-même, contre Joel. Contre tout. Mais je ne peux pas en parler, naturellement, parce que ce n'est pas ce qu'on est supposé éprouver, si on ne veut pas passer pour quelqu'un de froid et de désagréable. Et notamment quand on est une femme. Je suis censée me montrer désorientée et fragile, et rechercher quelqu'un qui m'aidera à panser les blessures de mon cœur, mais moi, la seule chose dont j'ai envie, c'est de hurler ma colère à toutes les personnes qui ont laissé ça arriver. Ou de casser des choses pour me passer les nerfs.

« Je ne peux pas le faire, naturellement, mais c'est comme ça que je me sens, tout le temps. Je pensais que ce serait terminé. C'est ce qu'on m'avait plus ou moins promis dans tous ces trucs que j'ai lus sur le deuil. Ils disaient qu'après la colère, je passerais à autre chose, à une autre "étape", comme la dépression, l'acceptation ou que sais-je encore. N'importe quoi aurait fait l'affaire. N'importe quoi. Même le désespoir. Mais malheureusement, c'est encore et toujours la colère. »

Il m'arrive parfois de penser que, si je vis comme une somnambule, c'est parce que je n'ai pas envie d'affronter la colère qui bout en moi. Je n'ai pas envie d'être la femme qui se met en colère. Je n'ai pas envie de ne pas être féminine, de ne pas être belle, parce que je ressens cette émotion si peu féminine. Je suis censée être déprimée, garder le silence ou m'effondrer en sanglots. Il me paraît plus facile d'être la femme qui regarde pensivement dans le vide quand ses supérieurs la rétrogradent, quand des professeurs et des amis la traitent avec condescendance, quand une meurtrière la terrorise, plutôt que la femme qui éprouve une telle rage contre les injustices qu'elle a subies. Ou bien la femme qui a couché avec le meilleur ami de son mari parce qu'elle avait besoin de sexe, besoin de jouissance physique et besoin des sensations de la peau d'un homme contre la sienne. Je suis une veuve furieuse, mais je ne peux pas le révéler à la face du monde parce que ce n'est pas ce que le monde attend de moi. Des larmes, oui ; un majeur dressé, non.

— Et puis, bien sûr, il y a toute cette culpabilité », ajoute tatie Betty.

Est-ce si évident que ça ? Je dois vraiment la porter sur mon visage si tatie Betty le mentionne, après Lewis, déjà, hier soir. À moins bien sûr… que tatie Betty ne cherche à me tirer les vers du nez. « Comment ça, la culpabilité ?

— Tu ne ressens pas plus de culpabilité que de colère ?

— Peut-être. Peut-être pas. Je ne sais pas. »

Tout ce que je sais, c'est que j'ai un sac de nœuds en moi, des nœuds serrés, complexes, alambiqués, qu'il m'est impossible de dénouer. À chaque occasion qui se présente à moi de le faire, à chaque fois que je pense avoir une raison de sourire, de me détendre et d'être tout simplement moi-même, un nouveau nœud, fermement serré, vient s'ajouter aux autres.

Tatie Betty ferme les yeux, puis semble lutter pour les rouvrir.

« Il faut que j'aille travailler, lui dis-je.

— Merci pour cette conversation.

— Merci à vous.

— Joel aurait accepté l'idée que tu trouves quelqu'un d'autre, ajoute-t-elle. À partir du moment où cette personne aurait été bien avec toi et les enfants, il aurait accepté l'idée que tu trouves quelqu'un d'autre, même provisoirement.

— Vous avez sûrement raison. Mais moi, j'ai du mal. Beaucoup de mal. »

Tu ne trouverais pas super que nous devenions amies ? m'a écrit la meurtrière de Joel. Je ne sais pas pourquoi, mais ça m'énerve. Je la soupçonne de penser ce qu'elle dit. Je la soupçonne de croire sincèrement que n'importe qui peut devenir ami avec une personne qui a tué l'un des êtres les plus chers à ses yeux. Et ça m'énerve d'une façon que je suis toujours incapable d'expliquer.

38

« Ç'a été, au collège ? »

Elle hausse une épaule.

« Tu as vu tes amis ? »

Elle hausse les deux épaules.

« Tu as vu Curtis ?

— Ouais.

— Tu lui as parlé ?

— Ouais.

— De ta grossesse ?

— Non.

— Est-ce que tu pourrais me répondre par des phrases de plus de deux syllabes, de temps en temps ? »

Elle hausse les épaules.

L'idée de la renvoyer au collège n'était peut-être pas si bonne que ça, après tout : on dirait que ses capacités de communication ont régressé d'un ou deux crans sur l'échelle de l'évolution.

« Au vu de la façon dont tu as parlé de lui, de l'affection que tu avais pour lui et de ta situation, je suis tout de même étonnée que tu ne lui parles pas davantage de ta grossesse et de ce que tu envisages de faire.

— De toute manière, au final, c'est toi qui vas me dire ce que j'ai à faire. Alors, quel intérêt j'aurais à lui parler ?

— Je ne te dirai pas ce que tu as à faire, Phoebe», répliqué-je, en espérant qu'elle n'aura pas remarqué que je serre le volant de toutes mes forces et que j'ai attendu une ou deux secondes de trop pour changer de vitesse, de crainte d'arracher le levier. Je m'aperçois que rares sont les gens qui parviennent à me décevoir autant qu'elle. Que rares sont les gens qui savent, rien que par leur attitude, me mettre dans cet état-là. «Si tu as besoin de conseils, si tu veux te confier à moi, si tu veux que je te trouve des gens avec qui parler, alors, tu pourras compter sur moi pour le faire. Mais je ne t'obligerai jamais à rien. Je pensais t'avoir fait clairement comprendre que je te soutiendrai quel que soit le choix que tu ferais, mais que ce choix, ce serait à toi de le faire.»

Même si j'ai les yeux fixés sur la route, je sais qu'elle m'a regardée en plissant les paupières avant de lever les yeux au ciel.

«De quoi Curtis et toi avez-vous parlé, alors?

— Il m'a dit que son père et toi, vous aviez blablaté pendant des heures au téléphone hier soir, et que vous alliez encore sortir ensemble, et que vous essayiez de savoir à quel moment vous alliez pouvoir vous pécho. C'est de ça qu'on a parlé.

— Je suis vraiment très étonnée que tu puisses être tombée amoureuse d'un garçon qui ment autant. Et qui ment aussi mal. Pour commencer, il te dit qu'on ne peut pas tomber enceinte la première fois, ensuite, il te dit que son père et moi passons des heures au téléphone à essayer de savoir quand nous allons nous "pécho". Et la prochaine fois, qu'est-ce qu'il inventera? Qu'il y a des monstres qui vivent dans son grenier?

— Ça serait plutôt dans notre grenier à nous », marmonne-t-elle.

Je fais de mon mieux pour m'empêcher de sourire. « Tatie Betty est une femme adorable. Ne dis jamais de choses pareilles devant elle.

— Ça la ferait rigoler encore plus que nous. »

C'est possible. « N'essaie pas de changer de sujet. Qu'est-ce que ça te fait que ton petit ami mente tout le temps ?

— Il m'a pas menti. C'est moi qu'ai mal compris. Il voulait dire qu'on avait peu de chances de tomber enceinte la première fois, mais que si on utilisait des tampons et des trucs comme ça, ça pouvait empêcher…

— Quoi ? Empêcher la magie vaudoue d'opérer ? Mon Dieu, il faudrait vraiment que je lui dise deux mots, à ce garçon ; je trouve qu'il n'y connaît pas grand-chose en matière de reproduction. Mais peut-être que c'est avec son père, plutôt, que je devrais avoir une explication ? Car il se trouve que M. Bromsgrove m'a dit qu'il avait répété plusieurs fois à son fils qu'il fallait toujours utiliser un préservatif. Mais peut-être qu'il m'a menti, lui aussi ? Peut-être que c'est à tous les deux que je devrais passer un savon ? Tu sais quoi ? Ils doivent être en train de rentrer chez eux, eux aussi, alors on pourrait passer les voir et discuter tous les quatre…

— Non, maman, s'il te plaît ! » Je sens de la panique dans sa voix, dans la façon dont les muscles de son corps se contractent. « C'est pas exactement ça qu'il a dit. Je dois mal me souvenir.

— Bon. » Ignorant le coup de Klaxon furibond du conducteur qui se trouve derrière moi, j'éteins mon clignotant et continue tout droit.

« Tu vas quand même pas aller l'engueuler ou engueuler son père ? me demande ma fille, après une ou deux minutes de silence.

— Pas dans l'immédiat, non, mais je pourrais le faire.

— Si tu fais ça, je te jure que je te parle plus jamais de ma vie », affirme-t-elle avec toute l'assurance d'une adolescente.

Ça ne changera pas grand-chose, tu sais ? suis-je tentée de lui répondre. « Si tu veux, mais tu ne m'empêcheras pas de parler à M. Bromsgrove et à son fils, si j'estime qu'ils mentent tous les deux à ma fille, et, par conséquent, à moi.

— Ils nous mentent pas, finit-elle par dire. On s'est mal compris, c'est tout. » Chaque fois qu'elle essaie de défendre Curtis, j'ai l'impression que c'est son père qu'elle veut protéger de ma colère. Ces manipulations ne peuvent provenir que d'un homme plus âgé, plus expérimenté. Damien, peut-être, mais je pencherais plutôt pour quelqu'un de plus âgé encore, habitué à manœuvrer subtilement les autres pour obtenir d'eux ce qu'il veut.

Une fois devant la maison, je coupe le moteur et pose ma main sur le bras de Phoebe pour l'empêcher de sortir de la voiture. « Tes grands-parents paternels vont passer nous voir ce week-end », lui dis-je comme un avertissement.

Apparaissent soudain, gravés dans ses yeux, le trouble et la tourmente qui sommeillent en elle depuis la mort de Joel. J'aurais dû me douter qu'il se passait quelque chose, qu'elle était amoureuse, parce que cette expression avait disparu de son visage depuis quelques semaines. Remplacée par un bonheur radieux dont tout son corps semblait rayonner. Elle était heureuse, toute pétillante de joie. Je l'avais remarqué, mais je n'avais rien dit, parce que je pensais qu'elle était en train de passer à autre chose, qu'elle était la première d'entre nous à avoir atteint l'étape de l'« acceptation » sur laquelle j'avais lu tant de choses. J'étais ravie de voir que, pour quelqu'un au moins, la douleur s'était atténuée, et j'étais un peu jalouse aussi.

« Super. Et j'imagine que tu vas le leur dire, à eux aussi, marmonne-t-elle.

— Non. Ce sont tes affaires. C'est à toi de leur annoncer si tu en as envie, et si tu préfères qu'ils ne sachent rien, je ne dirai rien.

— Merci, balbutie-t-elle.

— L'autre chose que je voulais te dire, Phoebe, c'est que je ne veux pas te mettre la pression, c'est la dernière chose que je souhaite faire, mais il va falloir que tu prennes une décision assez rapidement. Et quelle qu'elle soit, plus tôt nous la connaîtrons, moins ce sera difficile pour toi. Tu as le droit de changer d'avis, naturellement, mais je ne veux pas que tu oublies que, comme te l'a dit le médecin, chaque possibilité a sa limite de validité. Il va par ailleurs falloir que nous prenions un nouveau rendez-vous chez le médecin.

— Et tu veux pas me mettre la pression, hein ? », commente-t-elle sur un ton narquois, avant d'ouvrir la portière pour sortir. J'anticipe le moment où elle va la claquer, mais elle la referme doucement, normalement. Ce qui ne fait que souligner une autre chose que j'ai apprise récemment : je ne connais absolument pas ma fille.

Jeudi 2 mai
(pour le vendredi 3)

Saffron,

Qu'est-ce que tu as pensé de la photo ? Est-ce que tu as souri en te rappelant à quel point il était beau ?

Je suis très en colère contre toi.

Excuse-moi pour ta voiture, mais j'ai vraiment eu du mal à y croire quand je t'ai vu sortir avec un autre type. Si tu étais comme ça, et tu dois certainement l'être parce que personne ne peut oublier aussi rapidement l'amour de sa vie, alors, pourquoi as-tu fait tant d'efforts pour le garder ? Pourquoi l'as-tu forcé à me dire toutes ces choses ?

Est-ce parce que tu savais que tu n'étais pas assez bien pour lui que tu laisses désormais d'autres hommes faire de toi ce qu'ils veulent ?

Plus j'observe ta vie, plus je me dis que ç'aurait dû être toi.

Je n'ai jamais voulu que ce soit lui, et si j'avais pu choisir quelqu'un, ç'aurait été toi. Toi qui étais toujours là, entre nous, indésirable et encombrante.

Nous nous sommes disputé le couteau. Ce n'était pas contre lui que je voulais l'utiliser, mais contre moi. Je voulais lui montrer que toutes les choses que tu l'avais obligé à me dire m'avaient blessée, que mon cœur saignait.

Tu crois vraiment que tu mérites de vivre ?

Maintenant qu'il n'est plus là, tu crois vraiment que tu mérites de continuer de respirer comme s'il ne s'était rien passé ? Comme si ce n'était pas toi qui avais déclenché tout cela en refusant de le laisser partir ?

Qui sème le vent récolte la tempête. Tu l'apprendras à tes dépens.

A

39

Treize ans avant « ça » (septembre 1998)

« Ça ne s'est pas si mal passé que ça, tu ne trouves pas ? »

Joel était assis dans sa voiture, les yeux écarquillés et vides, la respiration rapide et superficielle comme s'il venait de courir le cent mètres hommes des jeux Olympiques. Il n'a pas pu me répondre tout de suite.

J'étais apparemment la plus calme des deux, et pourtant j'avais l'impression que mon cœur, qui cognait violemment dans ma poitrine, n'allait pas tarder à faire céder mes côtes.

« Ouais, on peut dire ça, a-t-il fini par me répondre.

— Enfin, en dehors de leur regard horrifié et dégoûté, et du fait que ta mère t'a demandé en aparté, mais sans prendre la peine de chuchoter, si tu étais sûr que tu étais bien le père…

— Et moi, qui lui ai hurlé comme un fou que si je l'entendais redire un truc comme ça, je ne lui adresserais plus jamais la parole…

— Oui, et n'oublions pas ton père, qui s'est empressé de prendre la défense de ta mère en prétendant qu'il s'agissait là d'une remarque judicieuse, puisque personne ne me connaissait vraiment et qu'il était tout à fait possible que j'aie fait ça pour te piéger…

— Et moi, qui lui ai hurlé que j'étais à deux doigts de m'en aller et de ne plus jamais leur parler de ma vie.

— C'est vrai, j'allais oublier. Mais en dehors de tout ça, il me semble que ça ne s'est pas si mal passé. D'ailleurs, ta mère m'a même prise dans ses bras, quand ils se sont tous les deux un peu calmés.

— Et papa m'a serré la main.

— Tu vois ? Et ils se sont tous les deux forcés à dire qu'ils avaient hâte de devenir grands-parents et qu'ils avaient simplement été choqués parce que nous n'étions pas encore mariés. Bref, tu admettras qu'on ne s'en est pas si mal tirés.

— C'est vrai », a fini par concéder Joel. Je ne l'avais jamais vu comme ça. C'était comme si la rage provoquée par la façon dont ses parents me traitaient depuis le début et qu'il avait réussi à refouler jusqu'à maintenant s'était déversée d'un seul coup. Au moment où il avait crié, on aurait presque pu croire que les murs de leur maison avaient tremblé. Je n'avais jamais imaginé le voir un jour parler sur ce ton à ses parents.

« Bon, combien de temps penses-tu qu'il va nous falloir rouler pour arriver chez mes parents ? »

Manifestement sidéré, Joel a brutalement tourné la tête vers moi. « Qu'est-ce que tu racontes ?

— Il est hors de question que je revive une journée semblable à celle-ci, mon ami. L'appréhension, le trajet en voiture, l'annonce… je ne pourrais pas refaire ça. On va chez mes parents maintenant, on leur dit et on rentre à la maison se coucher tranquillement en sachant que ce sera fait une bonne fois pour toutes. Car je te rappelle que tes parents sont des modèles de tolérance comparés aux miens. La vingtaine, pas mariée, avec un homme qui n'est ni médecin, ni avocat, ni Premier ministre... On n'a pas vu de parents réagir de façon disproportionnée tant qu'on n'a pas expliqué à un Nzemi qu'on attendait un enfant d'un homme avec qui on n'était pas mariée. Ce n'est pas par hasard si ma sœur est partie habiter si loin. J'imagine que c'est moins culpabilisant de vivre au Japon que de couper définitivement les ponts.

— Aaaaah, a gémi Joel. O.K., donne-moi une minute pour me remettre. Je ne suis pas en état de conduire. Je ne suis même pas en état de respirer. » Là-dessus, il a donné deux coups dans sa poitrine pour aider ses poumons à reprendre leur fonction, puis il s'est tourné vers moi avec un sourire bienveillant. « On fait une bonne équipe, tu ne trouves pas ?

— Hmm.

— Le truc le plus triste, c'est que je me suis toujours bien entendu avec mes parents. Enfin, jusqu'au problème de Cambridge. Après ça, j'ai l'impression de n'avoir fait que les décevoir. Mais jusqu'ici, tout de même, je les trouvais plutôt normaux, faciles à vivre. Et d'ailleurs, je pensais qu'ils seraient contents d'apprendre cette nouvelle.

— Mais je suis sûre qu'ils le sont. À leur façon. Comme mes parents le seront certainement, d'ailleurs. Et de toute manière, une fois que le bébé sera là, ils auront envie de jouer un rôle dans sa vie. Ils ne sont peut-être pas contents de la mère, mais ce qui est sûr, c'est qu'ils seront contents du bébé. »

Joel a fait mine de tourner la clef de contact, puis, semblant se raviser, a entrelacé ses doigts aux miens. « Je pensais ce que je disais, tu sais, Frony ? Si mes parents me demandaient de choisir entre eux et toi, je n'hésiterais pas une seule seconde : ce serait toi.

— Je sais, lui ai-je répondu. Et ce serait pareil pour moi si on me demandait de choisir entre toi et qui que ce soit.

— L'important, Frony, c'est de ne jamais devenir comme eux. Aucun d'entre eux. Je sais que ce n'est pas bien de penser ça et que c'est encore pire de le dire, mais je ne veux pas que nous devenions ce genre de parents pour nos enfants. Il faudra les laisser commettre leurs erreurs et les aider à ramasser les morceaux après.

— Je ne manquerai pas de te rappeler cette conversation le jour où tu puniras celui-là pour une bêtise qu'il aura faite.

— Mais je ne demande que ça. Promets-moi que tu le feras. Que tu ne me laisseras pas infliger ça à nos enfants.

— Marché conclu. Prêt pour notre nouvelle mission ?

— Prêt. Retournons, chers amis, retournons à la brèche[1].

— Retournons-y, oui. »

1. « *Once more unto the breach, dear friends.* » Citation tirée d'*Henri V*, acte III, scène I. Traduction de François-Victor Hugo. (*N.d.T.*)

40

Zane est le premier à réapparaître après s'être préparé pour la visite que nous devons recevoir. Mon petit garçon, qui déteste que je l'appelle comme ça, porte un pantalon beige et une chemise en jean sombre dont les premiers boutons sont ouverts. Il a pris une douche et n'y est pas allé de main morte avec le parfum. Après s'être nonchalamment laissé tomber dans le canapé, il récupère sa DS, qu'il a laissée par terre de l'autre côté de l'accoudoir. Il est tellement beau. C'est Joel en mieux encore, si tant est que cela soit possible. Des lèvres pleines, des joues rondes, des yeux immenses. La semaine dernière, quand je lui ai rasé les cheveux à six millimètres, j'ai remarqué que tatie Betty nous regardait alternativement lui et moi. Visiblement, il lui a fallu un certain temps pour admettre que ce n'était pas Joel à dix ans qu'elle avait sous les yeux.

Arrive ensuite Phoebe, et je suis un peu choquée de constater qu'elle porte des vêtements normaux – c'est-à-dire ni un uniforme ni un pyjama, car depuis que je l'accompagne et que je viens la chercher tous les jours au collège, j'ai rarement eu l'occasion de la voir habillée autrement, y compris le week-end – mais je ne le lui reproche pas ; il me semble que nous avons déjà suffisamment de sujets de dispute elle et moi pour ne pas en ajouter un nouveau. Elle porte une robe d'été à manches courtes imprimée de dizaines et de dizaines de toutes petites fleurs bleues et roses, et elle a laissé tomber les couettes afro d'adulte pour deux nattes enfantines attachées par des rubans. Pas de boucles d'oreilles, pas de bagues à tous les doigts, elle a même trouvé des socquettes avec un revers imprimé de fleurs elles aussi pour parachever son look. Après s'être jetée sur l'autre canapé du salon et avoir allumé la télévision, elle place la télécommande à côté d'elle et s'immerge dans le monde de son téléphone.

La dernière arrivante, qui a l'air de s'être apprêtée pour aller bruncher avec la reine ou je ne sais quel haut dignitaire du royaume, est tatie Betty, que je serais tentée de surnommer tatie Betty la dégonflée. Les enfants, je peux comprendre : je leur ai imposé pendant des années de s'habiller BCBG à chacune des visites de leurs quatre grands-parents. Mais tatie Betty, la rebelle ? La vieille dame qui s'est fait virer d'une résidence pour personnes âgées pour avoir forniqué en public ? Je ne comprends pas d'où elle a pu sortir ce déguisement de grand-mère en maison de retraite : twin-set en cachemire bleu marine, jupe aux genoux assortie, collant mousse, pantoufles en daim fourrées. Au vu de la forme qu'a prise sa poitrine, j'imagine qu'elle porte l'un de ces anciens soutiens-gorge qui remontent et moulent les seins en deux espèces d'obus d'un effet des plus comiques. Elle a même mis sa perruque noire (de grosses boucles dégradées s'arrêtant au niveau du menton), celle qui, à mon avis, évoque le plus ce à quoi ses vrais cheveux doivent ressembler. Je m'attendais à mieux de sa part, vraiment.

« À quelle heure ont-ils dit qu'ils devaient arriver ? » me demande-t-elle. L'espace de quelques secondes, nous la regardons tous avec de grands yeux étonnés. L'air inquiet, voire complètement désorienté, Phoebe et Zane finissent par se tourner vers moi. *Elle a un problème, ou quoi ?* semblent-ils me demander.

Oui, le même que vous, répliqué-je silencieusement. « Entre 10 h 30 et 11 heures. Ils n'ont pas donné d'heure plus précise, dis-je à tatie Betty.

— Pas d'heure plus précise ? Est-ce que Norman serait malade ? Ça ne lui ressemble pas du tout. Ni à elle, d'ailleurs.

— Je suis sûre qu'ils vont très bien, dis-je sur un ton rassurant, avant d'ajouter diplomatiquement : Vous êtes très jolie. »

À ces mots, toute ma famille, y compris la principale intéressée, se met à me dévisager comme si j'étais devenue complètement folle. « O.K., dis-je face à leur incrédulité manifeste. Vous avez l'air d'une personne différente. Est-ce cette impression que vous voulez donner ?

— On est déjà plus proche de la vérité », me répond-elle. De sa main osseuse, celle qui tient sa cigarette électronique, elle réajuste sa perruque, avant de tirer sur son soutien-gorge pour le remettre en place. Elle doit vraiment être très mal à l'aise, parce que c'est la première fois que je la vois faire quelque chose de semblable. D'aussi peu distingué. Par ailleurs, je ne l'ai jamais vue dans un accoutrement aussi terne et discret. Sauf, bien sûr, pour la partie « officielle » des obsèques de Joel. Mais au moment de la veillée, elle était réapparue dans un tailleur-pantalon rouge, qui lui avait valu un sourire de ma part et des regards extrêmement désapprobateurs de la part de son frère et de sa belle-sœur. Est-ce pour essayer de se racheter qu'elle a revêtu ce déguisement de vieille dame digne ?

Fut une époque, naturellement, où j'étais pareille, où je me précipitais sur ma balance dès l'annonce de leur visite pour définir le nombre de calories que je pourrais éviter d'ingurgiter sans que Joel s'inquiète pour moi. À cette époque, comme elle, j'aurais pu passer toute la matinée à essayer différentes tenues, à tenter en vain d'en trouver une qui ne me fasse pas passer pour une « moins que rien », ou en tout cas une « grosse moins que rien ». Mais cette époque est révolue. Depuis « ça », le regard qu'ils portent sur moi n'a plus aucune importance.

Ils arrivent dans leur vieille Ford Fiesta, et ils affichent de larges sourires quand ils passent la porte, embrassent les enfants, s'asseyent et acceptent le thé et les muffins à la banane et aux trois chocolats (blanc, noir et au lait) que j'ai préparés un peu plus tôt.

Je remarque presque immédiatement que l'inventaire de mes erreurs a commencé : un regard qui s'attarde sur les cheveux de Zane pour me montrer que sa coupe ne leur convient pas, un regard perplexe sur les bras de Phoebe pour me faire savoir qu'il y a là trop de chair exposée, et un regard en biais en direction de tatie Betty pour me faire comprendre qu'ils savent très bien que l'habit ne fait pas le moine. À une époque, mon anxiété m'aurait poussée à bafouiller, j'aurais ordonné à Phoebe de mettre un cardigan, me serais mordu les doigts d'avoir coupé les cheveux de Zane si court, je me serais demandé comment convaincre tatie Betty d'adopter un comportement moins excentrique. À une époque, j'avais un mari qui donnait un sens à cette anxiété.

« Ces cupcakes sont délicieux, Saffron », me dit la maman de Joel. Peut-être est-ce le traumatisme de la grossesse de Phoebe, des lettres, de la dispute avec Fynn, de la photo, je n'en sais rien, mais, même à mon oreille rompue aux critiques de Mme Mackleroy, cette remarque paraît sincère.

« Merci, répliqué-je, tout en appréhendant le revers de la médaille, la petite subtilité acerbe dont elle accompagne quasiment chacun des propos qu'elle m'adresse.

— C'est vous-même qui en avez élaboré la recette ? »

Pourquoi me demande-t-elle cela ? Déstabilisée, je regarde mes enfants : lequel d'entre eux lui a dit ce que je faisais ? Phoebe affiche un sourire neutre ; elle doit compter les secondes qui la séparent du moment où elle pourra s'échapper pour retrouver son téléphone et sa chambre, tout en se demandant simultanément si quelqu'un pourrait la dénoncer à ces gens dont elle a peur. Ça ne peut donc être que Zane.

« Euh… oui, finis-je par répondre. J'ai fait plusieurs essais avec différents ingrédients et j'ai fini par obtenir des résultats plus ou moins heureux. » *Je suis à la recherche du parfait mélange de saveurs, celui de Joel,* ai-je envie de lui dire. *Quand je le trouverai, tout ira bien de nouveau. Il reviendra à moi, à nous. Mais je ne serai pas égoïste, vous savez, je le partagerai avec vous, ce n'est que justice, après tout, c'est vous qui l'avez mis au monde.* « Comment le savez-vous ?

— C'est Zane qui me l'a dit », me répond-elle. Et sans me laisser le temps de demander silencieusement à mon fils ce qui lui a pris, elle me sourit. Je la regarde fixement, subjuguée. C'est un si beau sourire, le même que celui que le photographe de notre mariage a capturé au moment où elle réajustait la boutonnière de Joel quelques minutes avant la cérémonie, celui qu'elle adressait à son fils quand elle pensait que personne ne la regardait. Son visage, tellement marqué par les rides que le chagrin y a imprimées, semble tout à coup revivre. Époustouflée, je me retrouve contrainte de baisser la tête : des larmes menacent de couler de mes yeux.

Je ne m'étais pas rendu compte, jusqu'à cet instant même, que j'avais tant attendu ce petit signe de gentillesse de sa part.

« Il faut que vous me donniez la recette, me dit-elle.

— Très bien, oui, d'accord. » Je n'arrive pas à relever les yeux vers elle : si elle continue de sourire, je crois que je ne pourrai plus m'empêcher de pleurer.

« Phoebe, dit brutalement le père de Joel, nous faisant tous sursauter, comment ça se passe au collège ?

— Très bien, papy », répond ma fille. Douceur et chaleur. Elle peut vraiment s'illuminer face aux gens dont elle a peur.

« Sais-tu déjà dans quelle université tu comptes aller étudier ? » lui demande-t-il. Il lui a posé la question la dernière fois qu'il l'a vue, il y a plus de dix mois de cela, et elle lui avait répondu du tac au tac qu'elle allait essayer de voir quelle université avait la meilleure réputation pour l'enseignement qu'elle voulait suivre. Que va-t-elle répondre, maintenant? *Euh… tu sais, papy, je suis enceinte, là. Alors cette histoire de fac, je vais devoir la mettre de côté. Pour un petit moment, au moins, voire pour toujours, puisque je vais avoir un bébé. Oui, tu as raison, je ne vaux pas mieux que ma moins que rien de mère.*

« Euh… non. Pas encore.

— D'accord, mais ne tarde pas trop, lui dit-il gentiment. Choisir son université, c'est se choisir un bon chemin à suivre. Même si on doit tout de même faire quelques détours pour arriver au but… Vous n'êtes pas d'accord, Saffron ? »

Moi ? Est-ce à moi qu'il vient de parler ? Sur ce ton-là ? Comme si ce que je pensais avait une quelconque importance à ses yeux, à leurs yeux, aux yeux de quiconque ?

« Euh… oui. Vous avez sûrement raison », dis-je sans le regarder en face. Si je le regarde et qu'il me sourie, je crois que je vais m'évanouir. Il y a des comportements qui sont parfois littéralement insupportables, et après dix-huit mois de néant, de comme si de rien n'était et de « serait-ce arrivé s'il ne t'avait pas rencontrée ? », cette gentillesse soudaine me semble absolument impossible à assimiler, et par conséquent je ne vois pas comment je pourrais l'affronter.

Tatie Betty s'est montrée curieusement silencieuse, elle aussi. La tension dont l'atmosphère semble imprégnée émane d'elle et de moi, finis-je par comprendre, chacune d'entre nous attendant de passer devant le peloton d'exécution. Il y a quelque chose qui cloche, ici. J'ai eu ce sentiment juste avant d'apprendre que Phoebe était enceinte, mais je l'ai ignoré. Je ne me suis pas attardée dessus, parce que j'étais ravie, mais aussi un peu perturbée qu'elle ait pu passer à autre chose quand c'était inimaginable pour moi.

Il y a quelque chose qui cloche, ici. L'équilibre de l'univers a été ébranlé.

Instinctivement, sans même me laisser le temps de me dire que je suis ridicule ou paranoïaque, je me lève. « Zane, mon chéri, tu peux venir m'aider, s'il te plaît ? » demandé-je à mon fils.

Après avoir baissé les yeux vers sa DS, puis jeté un coup d'œil à chacun de ses grands-parents, il se lève prudemment. Je ne me suis pas trompée. C'est un coup de poignard porté à mon estomac déjà mutilé, mais je ne me suis pas trompée.

Une fois que nous sommes dans sa chambre, je referme la porte derrière nous. La pièce est propre, rangée, chaque objet se trouve exactement à l'endroit où il doit être, et ce, bien que je ne consacre qu'un temps limité à m'occuper du ménage. Il range sa chambre sans que j'aie à le lui demander, repose les jouets sur les étagères, fait son lit le matin, plie son pyjama et le replace soigneusement sous son oreiller.

Je lui souris, alors que nous nous asseyons ensemble sur le lit. « Excuse-moi, lui dis-je. Je ne t'ai pas prêté suffisamment d'attention et je te demande de m'excuser. » Après avoir passé mon bras autour de ses épaules, je l'attire contre moi et dépose un tendre baiser sur le sommet de sa tête. Il y a un bouchon dans ma gorge, qui m'empêche de parler correctement, et un poignard planté dans mon cœur, qui m'empêche de faire ce que j'ai à faire. Est-ce cela que

Joel a ressenti ? J'ai conscience que je suis en train de saigner à mort, j'ai conscience que ce qui va arriver est inévitable et que je suis absolument impuissante face à cela. J'ai conscience que j'en suis arrivée à un point où je ne peux plus rien faire.

« Il s'est passé beaucoup de choses ces derniers temps, hein ? lui dis-je. Entre Phoebe, tatie Betty, l'histoire de la semaine dernière, ma voiture, moi qui suis tout le temps en train de courir pour régler les choses… ça fait beaucoup, pour toi, je me trompe ?

— Non », me répond-il, et je suis contente qu'il l'admette. Qu'il ne cherche plus à faire semblant.

Rassemblant mes forces, je prends une profonde inspiration. « Tu veux aller vivre chez papy et mamie quelque temps ? » Dans l'attente de sa réponse, je ne bouge pas, ne respire pas, ne me risque même pas à penser.

Il lui faut une éternité pour trouver ce courage : celui de me dire qu'il ne veut plus rester ici. Qu'il ne veut plus être avec moi. « Ouais », finit-il par murmurer.

Est-ce ce que Joel a ressenti au moment où le couteau s'est enfoncé dans son ventre ? A-t-il eu cette impression que rien ne pourrait être plus douloureux ?

« D'accord, mon bébé. D'accord. » Il va falloir que j'appelle St Caroline mardi, mais ils se sont montrés tellement attentionnés depuis « ça », tellement accommodants et solidaires, que je suis certaine qu'ils comprendront. Il va falloir que je lui prépare ses affaires pour partir. Il va falloir que je donne de l'argent aux parents de Joel. Il va falloir que je refoule ça dans un petit coin de mon esprit et de mon cœur, et que je me rappelle à chaque seconde de chaque jour qui passera jusqu'à son retour que c'était la meilleure solution. Oui, il va falloir que je fasse cela si je ne veux pas passer les prochaines semaines à fondre en larmes chaque fois que je croiserai un garçon de son âge dans la rue.

« Excuse-moi, maman », dit-il doucement.

Bouleversée, je l'attire contre moi, l'enveloppe de tout l'amour que j'ai pour lui, dépose un nouveau baiser sur son front. « Tu n'as pas à t'excuser. C'est moi qui m'excuse de ne pas avoir remarqué plus tôt que tu avais besoin de changer d'air.

— Je pourrais rentrer quand je voudrais ?

— Mais bien sûr. Ce n'est pas pour toujours ; tu reviendras très bientôt. Dès que tu en auras envie. Même si c'est au milieu de la nuit, il te suffit de m'appeler, je viendrai tout de suite te chercher.

— Tu dis ça pour de vrai ? » Il n'a pas utilisé cette expression depuis ses six ans. Son père, en revanche, l'a fait jusqu'au jour de sa mort.

« Mais bien sûr. Chaque fois que tu auras besoin de moi, même si c'est juste pour discuter un peu, il te suffira de m'appeler. » Je dépose un nouveau baiser sur sa tête. « D'ailleurs, c'est l'une des conditions que tes grands-parents vont devoir accepter : tu dois m'appeler au moins une fois par jour. Et, au moins une fois tous les deux ou trois jours, tu dois m'appeler au milieu de la nuit pour bavarder avec moi ou te plaindre de quelque chose. D'accord ? Marché conclu ? »

Je lève ma main devant lui. Mais au moment où il comprend que j'attends un *check*, il m'adresse un regard horrifié. Honteuse, je baisse la main et le reprends dans mes bras.

« Bien. Je vais commencer à préparer tes affaires, dis-je brusquement pour couvrir le bruit du séisme qui fait rage dans mon cœur. Est-ce que tu peux aller dire à mamie de monter me voir pour discuter de deux ou trois choses avec moi ?

— Ça t'embête pas, t'es sûre ? Pour de vrai ? me demande à nouveau Zane.

— Non, ça ne m'embête pas. Ça te fera du bien de passer un peu de temps avec eux. Mais je te le dis à toi comme je vais le dire à mamie : tu reviendras bientôt, ce n'est pas pour toujours. Ce sera un peu comme des vacances, le temps que les choses se calment un peu. Allez, descends, maintenant, va chercher mamie. Moi, je vais faire ta valise. »

« Zane n'est pas votre seconde chance, lui dis-je au moment où elle referme la porte derrière elle.

— Je le sais bien, Saffron », me répond-elle sur ce même ton plaisant qui m'a fait comprendre qu'elle avait parlé avec mon fils et qu'ils avaient l'intention de me lécher les bottes pour me convaincre qu'ils pouvaient très bien s'occuper de lui à ma place.

Dans la valise, sous les habits de mon fils, j'ai glissé sa boîte de souvenirs de Joel. Je leur ai donné à chacun une boîte dans laquelle j'ai mis des photos de chacun d'eux seuls avec leur père. J'y ai également placé un carnet, un stylo et un petit mot pour leur dire à quel point il les aimait. C'était le moins que je pouvais faire, et je leur ai dit qu'ils avaient le droit d'y ajouter ce qu'ils voulaient, que, de toute façon, je ne regarderais jamais dedans, sauf s'ils voulaient me montrer leur contenu. Zane va en avoir besoin s'il n'est pas à la maison, et il pourra y ajouter des choses qu'il trouvera chez ses grands-parents.

« Je n'en suis pas si sûre, finis-je par lui répondre. Alors, je vous rappelle qu'il a beau ressembler à Joel enfant, ce n'est pas Joel. Zane est un individu à part entière. *Et ce n'est pas votre fils.*

— Je le sais bien, Saffron, répète-t-elle gentiment.

— Et ce n'est pas définitif. Je l'ai dit à Zane et je vous le dis à vous : ce n'est que pour quelque temps. Ensuite, il reviendra à la maison. Parce que, *sa* maison, c'est celle-ci.

— Je sais.

— Je lui ai également dit qu'il fallait qu'il m'appelle au moins une fois par jour. S'il se passe un jour sans qu'il m'appelle, je reviens immédiatement le chercher. Me suis-je bien fait comprendre ? »

Elle hoche la tête.

« Très bien », dis-je. Elle a posé sa main sur mon épaule. C'est la première fois qu'elle manifeste de la tendresse à mon égard depuis que nous nous connaissons. « Et je vous interdis de dire du mal de moi devant lui. Si vous faites ça, il me le répétera, il vous en voudra, et je viendrai le chercher.

— Nous ne sommes pas comme ça, proteste-t-elle, mais elle a au moins le bon goût de ne pas paraître vexée ou surprise que j'aie pu suggérer une telle chose.

— Si. Alors… évitez les petites remarques perfides. Et si vous avez un problème à régler avec moi, parlez-m'en directement. Laissez Zane en dehors de tout ça.

— Très bien. D'accord. »

Elle est à ma merci, elle a acquiescé à tout ce que j'ai dit jusqu'ici. *Avoue que tu t'es comportée comme une vieille garce injuste avec moi pendant toutes ces années*, devrais-je lui dire. *Reconnais enfin que j'étais assez bien pour ton fils.*

« Nous veillerons sur lui, affirme-t-elle, me ramenant brutalement à la dure réalité du départ de mon fils. Pas parce que vous en êtes incapable, non. Simplement parce qu'il a besoin de changer un peu d'air, en ce moment.

— Je sais, lui dis-je. Je sais. »

Si je parviens à finir de préparer sa valise, à le prendre dans mes bras pour lui dire au revoir, à le regarder s'éloigner dans la vieille Ford Fiesta, c'est pour une bonne raison : j'ai besoin de les savoir, lui et Phoebe, en sécurité et je n'aurai rien à craindre pour lui quand il sera à Londres. S'il restait là, je courrais le risque qu'elle ne lui fasse du mal pour me punir.

IX

Lundi 6 mai
(pour le mardi 7)

Saffron,

Je te prie de m'excuser. Je n'ai pas été juste avec toi.

Comme je te l'ai déjà expliqué, je suis un peu sur les nerfs, parce que ma vie à moi a pris fin, aussi, quand la sienne s'est arrêtée. J'ai dû tout laisser derrière moi pour partir vivre à l'étranger. J'ai essayé de fuir tout ce qu'il y avait ici, parce que je ne pouvais pas vivre avec la douleur de ce qui s'était passé.

Il parlait avec moi. Ça peut paraître bête de dire ça, voire pathétique, mais, tu sais, rares sont les gens qui parlent, de nos jours. Ils envoient des textos, des e-mails, ils se connectent aux « réseaux sociaux », mais ils ne parlent pas. Ils n'écoutent pas. Lui, il me parlait, il m'écoutait, il attendait patiemment d'entendre ce que j'avais à dire. Et c'est là un supermoyen de donner l'impression à une personne qu'elle est spéciale. On ne se concentre pas sur ce qu'on va dire quand elle aura fini de parler, on écoute, on entend et on assimile ce qu'elle a dit avant de prendre la parole.

Il était comme ça. Il écoutait, il entendait, il avait l'air de comprendre. Ça m'a fait bizarre qu'on parle de lui dans les journaux et à la télé, et c'est pour ça que j'ai dû m'enfuir. Je suis partie pendant toute une année, et quand je suis rentrée chez moi, j'ai essayé de reprendre le cours normal de ma vie. Mais il y avait un grand vide là où aurait dû se trouver mon cœur. Parce que la personne qui écoutait, qui entendait, qui essayait de comprendre, n'était plus là.

Je ne vivais que pour les mercredis soir. Même quand on ne travaillait plus ensemble, j'étais heureuse d'être près de lui. C'était la star du cours, il avait énormément de talent, et tout le monde l'adorait. Être près de lui, c'était magique.

Naturellement qu'il t'aimait. Naturellement que tu l'aimais. Je l'aimais, moi aussi. Nous sommes pareilles, toi et moi. Nous l'aimions. Nous avons eu cette chance.

Je regrette les choses que je t'ai dites, les choses que je t'ai faites. J'espère que tu pourras me pardonner. Je crois qu'il est temps pour moi de te laisser un peu tranquille.

Prends soin de toi, Saffron. Prends soin de tes adorables enfants. Je vais essayer de mettre tout ça derrière moi, maintenant, et reprendre le cours normal de ma vie.

Bonne chance pour le reste de la tienne.

A

41

Lewis Bromsgrove est en train de serrer ma fille dans ses bras.

J'ignore pourquoi il a posé ses mains sur elle, mais je présume qu'ils n'ont pas envie d'être vus et que c'est pour cette raison qu'ils sont ici, dans cette petite rue isolée qui se trouve derrière le collège. La quête futile que Kevin m'a imposé de faire pour essayer de conclure un marché avec une société située près du port de Shoreham s'est en fin de compte révélée fructueuse. Sans que je puisse expliquer pourquoi, mon instinct m'a poussée à prendre ce raccourci entre Old Shoreham Road et Dyke Road pour retourner en ville. Et c'est là que je les ai trouvés.

Aucun d'entre eux ne m'a vue, naturellement, ils sont trop absorbés l'un par l'autre. Tout mon être semble quitter mon corps au moment où je passe devant eux en luttant de toutes mes forces contre mon envie de sauter de la voiture pour aller les séparer. Aussi calmement que possible, pour ne pas éveiller les soupçons, je me gare un peu plus loin, de l'autre côté de la rue, derrière une Coccinelle rouge.

Quasiment certaine qu'ils ne m'ont pas remarquée, je détache ma ceinture de sécurité d'une main tremblante, avant de me tourner pour les regarder à travers la lunette arrière.

Ils ne sont plus dans les bras l'un de l'autre, mais ils sont toujours très proches, les épaules voûtées et la tête baissée de Phoebe laissant présager qu'elle est contrariée. M. Bromsgrove, car c'est ainsi qu'il m'apparaît désormais, a l'air d'écouter ce qu'elle est en train de dire. Je ne peux pas les entendre, bien sûr, mais les propos qu'elle tient semblent l'inciter à passer son bras autour de ses épaules, et, de nouveau, cela se produit : il l'attire vers lui, la serre contre lui.

Les enseignants, à ce que je sache, ne sont pas autorisés à toucher leurs élèves de cette façon. Et certainement pas deux fois dans la même minute.

M. Bromsgrove est en train de serrer ma fille dans ses bras.

Ce n'est pas Damien. C'est lui. Ç'a toujours été lui. C'est pour ça qu'il a essayé de me séduire ; ce n'est pas moi, c'est ma fille qu'il veut. Il a essayé de détourner mon attention en me faisant croire qu'il essayait de me « pécho », comme dirait Phoebe. Et moi, j'ai été assez stupide pour entrer dans son jeu. Je me suis laissée aller à croire que quelqu'un d'autre que Joel pouvait s'intéresser à moi, me trouver attirante. Quand j'avais le droit d'aller à des bals de fin d'année, j'étais toujours celle qui restait le long du mur pendant les slows. Et quand j'ai pu fréquenter les boîtes à l'époque où j'étais à l'université, j'ai dû apprendre à maîtriser l'art de danser seule, dans lequel j'excellais pendant que toutes mes amies embrassaient les garçons qu'elles avaient rencontrés ou partaient avec eux. Je n'étais plus grosse à cette époque, mais je n'avais pas le genre de minceur qui aurait pu me rendre intéressante ou attirante aux yeux d'un homme normal, un homme qui n'aurait pas déjà épuisé sa dernière chance. Aucun garçon ne passait sa soirée à essayer de me convaincre de passer la nuit avec lui ; ils ne me voyaient qu'à deux heures du matin, quand ils comprenaient qu'ils risquaient fort de rentrer seuls. Et finissaient par se dire que j'étais tout de même mieux que rien.

Lewis Bromsgrove a dû voir cela en moi, il a dû repérer cette faiblesse. Il a dû se douter que je serais touchée par ses flatteries et que je ne remarquerais pas qu'il cherchait en réalité à séduire ma fille. À lui bourrer le crâne de mensonges, à laisser son fils endosser la responsabilité de ses actes.

Ils se séparent de nouveau ; il semble évident qu'il a peur que quelqu'un ne les voie. Après avoir fait un pas en arrière, il pose ses mains sur les épaules de ma fille et baisse les yeux pour lui parler. Phoebe a toujours la tête courbée, mais je peux néanmoins la voir acquiescer, accepter ce qu'il lui dit. Et que j'imagine être une variante quelconque de : *Nous serons bientôt ensemble, mon cœur, je te le promets.*

Et puis, il enfonce ses mains dans ses poches, l'air mal à l'aise. Malgré la distance, je n'ai aucun mal à me rendre compte que Phoebe ne le regarde pas langoureusement, comme j'aurais imaginé qu'elle regarderait le garçon dont elle se sentait si proche qu'elle avait couché avec lui. Non, elle le regarde comme elle regarderait un professeur, un père. Est-ce ainsi qu'il est parvenu à la séduire ? En la désorientant, en parlant à la part d'elle-même qui lui manquait ?

Zane est devenu taciturne ; Phoebe est devenue une version d'elle-même rongée par le remords. Elle a repris le cours normal de sa vie, mais elle s'en voulait et elle s'en veut toujours. Peut-être recherche-t-elle désespérément quelqu'un qui pourrait combler en partie le vide laissé par son père ? J'ai recherché Joel dans mes recettes de cuisine ; il se peut très bien que Phoebe l'ait recherché dans cet homme.

Alors que je me fais ces réflexions, ma fille continue de parler à M. Bromsgrove, qui secoue lentement la tête, puis ouvre ses deux mains devant lui en un geste de désespoir. Elle veut dire la vérité, et il lui répond que les gens ne comprendront pas ; qu'il est préférable d'attendre qu'elle décide de ce qu'elle veut faire par rapport à sa grossesse ou d'attendre ses seize ans pour rendre leur relation publique.

Oui, c'est ça. Ou peut-être pas. Il faut absolument que je sache de quoi ils parlent.

Elle ne me le dira pas, et lui encore moins. Mais je ne peux pas fermer les yeux sur ce que je viens de voir. Même si j'ignore la teneur de leur propos. Il y a quelque chose qui « sonne faux » dans la façon dont ils se comportent l'un envers l'autre, et je me demande si c'est parce qu'ils sont habitués à faire comme s'il n'y avait rien entre eux en public ou si c'est parce qu'il n'y a tout simplement rien entre eux. Je les ai observés ensemble, comme je pourrais observer n'importe qui, je crois, et je n'ai pas perçu cette sorte d'intimité latente que les gens qui sont attirés l'un par l'autre révèlent inconsciemment à la face du monde ; ni embarras, ni regards secrets, ni indifférence feinte. Mais il y a quelque chose, néanmoins. Pour qu'il l'ait prise deux fois dans ses bras de façon si naturelle, pour qu'elle ait accepté si facilement ce geste, il faut bien qu'il y ait quelque chose. Et si je n'étais pas aussi douée que je le pensais ? Et si Lewis Bromsgrove l'avait bernée et était en passe de me berner moi aussi pour m'empêcher de voir ce qu'il fait à son élève, ce qu'il fait à une enfant, à mon enfant ?

C'est elle qui retourne au collège en premier. Les mains enfoncées dans les poches, le regard fixé sur le sol, l'air désorienté, M. Bromsgrove attend que suffisamment de temps soit passé pour se diriger à son tour vers l'entrée principale du collège. Une fois qu'ils ont tous les deux disparu, je redémarre la voiture. Il faut que je trouve un moyen de comprendre ce qui vient de se passer sous mes yeux.

« Comment s'est passée ta journée ? » demandé-je à ma fille au moment où elle s'installe sur le siège avant de ma voiture.

Haussement d'épaules.

« Il ne s'est rien passé d'intéressant ? » insisté-je. *Tu n'aurais pas par hasard serré dans tes bras l'un de tes professeurs, avec qui tu couches peut-être, ou peut-être pas ?*

« Non », répond-elle, avant de tourner sa tête et la plus grande partie de son corps dans la direction opposée à la mienne, comme elle l'a fait le jour où j'ai appris qu'elle était enceinte, pour regarder son collège disparaître derrière nous qui roulons vers la maison. J'ai beau conduire et avoir les yeux fixés sur la route, je sens que son regard est perdu dans le lointain. Sa grossesse doit la perturber, c'est certain, mais ne serait-ce pas aussi parce qu'elle a serré dans ses bras le père, aujourd'hui ? À moins qu'il ne s'agisse encore d'autre chose ? Quoi ? je n'en ai aucune idée, mais je parie que M. Bromsgrove, lui, est au courant.

« Phoebe », dis-je, après m'être éclairci la gorge, après avoir essayé de déloger la boule de peur qui m'empêche de parler. Sans donner le moindre signe qu'elle m'a entendue, elle continue de regarder par la fenêtre, de dériver, triste et mélancolique, comme un bateau désemparé sur la mer. «Phoebe, tu peux me parler d'absolument n'importe quoi, je t'écouterai. Si tu veux que j'écoute toutes les choses qui te viennent à l'esprit concernant ta grossesse, je le ferai très volontiers. Si tu veux me parler de tout ce que tu ressens vis-à-vis de ton père, on peut le faire aussi. N'importe où, n'importe quand, si tu veux me parler, je t'écouterai.

— Ça m'étonnerait.

— Ah oui, pourquoi?

— Parce que. Tu pourrais pas capter. Une mère, ça peut pas capter ce genre de trucs.»

Elle pense que ma vie a commencé avec Joel, que rien de moi n'existait avant lui. La première fois, j'avais dix-sept ans, j'étais donc un peu plus âgée qu'elle, mais, comme elle, je pensais que j'étais amoureuse. Ou pour être exacte, j'ai fait comme si je pensais que j'étais amoureuse, afin de pouvoir le faire sans trop le regretter. Je me souviens d'être rentrée avec lui dans son petit appartement miteux du centre de Londres après avoir quitté le grand magasin où nous travaillions tous les deux. Cela faisait des semaines que je courais après lui, et j'avais fini par me convaincre que c'était de l'amour, et que, par conséquent, c'était bien de lui rendre ses baisers, de le laisser me déshabiller et de le regarder enfiler un préservatif. Mais ce qui m'est le plus resté, c'est l'idée de faire comme si. Je ne peux pas dire que ça ait été douloureux, d'être physiquement pénétrée pour la première fois, mais, pour lui comme pour moi, j'ai fait comme si j'éprouvais quelque chose. Comme si j'avais trouvé cela génial, comme si j'avais ressenti autre chose que le néant quand il bougeait au-dessus de moi et comme si je pouvais *mourir* si je ne le refaisais pas avec lui. Faire comme si, c'est une chose pour laquelle j'ai toujours été très douée.

J'ai fait comme si une ou deux fois avec lui, jusqu'à ce qu'il décide que la fille du rayon mercerie était mieux que moi. Alors, j'ai pleuré, parce que je pensais que c'était comme ça que j'étais censée réagir, mais, en réalité, ça ne me gênait pas de ne pas avoir à le faire à nouveau. Ce qui m'a fait du mal, en revanche, c'est l'humiliation de les voir ensemble, lui et la fille de la mercerie, tout mielleux en public, alors qu'il avait lourdement insisté pour que notre « histoire » à nous reste secrète. Leurs fréquentes démonstrations d'affection m'ont remise à la place que j'avais toujours occupée : désespérée de m'en sortir, de m'insérer, d'être acceptée, d'être mieux que je ne l'étais en réalité.

« Essaie, finis-je par dire à ma fille, et tu verras que je suis parfaitement en mesure de capter.

— Non merci », me répond-elle d'une voix chargée de mépris.

Bip-bip-bip, entonne son téléphone dans son sac à dos gris et turquoise estampillé St Allison.

« Téléphone, lui dis-je, surprise qu'il ne se trouve pas déjà dans sa main.

— Ouais, je sais.

— Tu as un message, on dirait.

— Ouais, je sais.

— Tu ne le lis pas ?

— Je suis pas obligée de lire tous mes messages à la seconde même où ils arrivent », me dit-elle, le regard toujours perdu dans le vide.

Ah oui !, depuis quand ? « Comment va Alzira ? Ça fait longtemps que tu ne m'en as pas parlé. »

Elle relève le nez d'un air méprisant. « Sa famille et elle, ils ont déménagé au Portugal.

— Ah bon, quand ? Tu ne me l'as pas dit.

— Tu m'as rien demandé. »

Je laisse passer quelques secondes. « Très bien, Phoebe, as-tu beaucoup d'amis qui sont partis s'installer à l'étranger, aujourd'hui ?

— Ah, ah, très drôle.

— Alors, avec quelles filles est-ce que tu traînes, en ce moment ? Tu veux les inviter à la maison ? »

Elle relève de nouveau le nez, en émettant un son des plus dédaigneux pour bien me montrer à quel point je suis à côté de la plaque. « Pour que tu ailles leur raconter des trucs bizarres et leur cuisiner des trucs bizarres ? Non merci.

— Ç'a le mérite d'être franc. Contente de savoir ce que tu penses objectivement de moi. » Mon ego me brûle de la claque bien balancée qu'il vient de se prendre.

« Ouais, enfin, tu vois ce que je veux dire.

— J'imagine qu'il m'arrive en effet de dire ce que d'aucuns pourraient considérer comme des trucs bizarres. Mais, que ça te plaise ou non, je suis comme ça, et tu es en quelque sorte obligée de me supporter.

— Ouais. Mais ça veut pas dire que je doive nécessairement faire subir ça à d'autres gens. »

Pourquoi se montre-t-elle aussi méchante, blessante ? Je sais qu'elle me déteste, qu'elle ne veut pas me parler, mais ça, c'est bas, inutile et même vicieux. « Tu as des problèmes, en ce moment ? » lui demandé-je.

Elle laisse passer un petit moment, suffisamment long pour que je commence à m'impatienter. *Oui, c'est à toi que je parle*, ai-je envie de lui dire. « Non », finit-elle par rétorquer. Et le haussement d'épaules qui suit est un frein à toute tentative de poursuivre la conversation : il me dit que je peux parler tant que je veux, elle ne me fera pas le plaisir de me gratifier d'une quelconque réponse ; pas même un autre haussement d'épaules.

Cette attitude n'est pas sans lien avec Lewis Bromsgrove et ce que j'ai vu aujourd'hui. J'en suis absolument convaincue.

Vendredi 10 mai
(pour le samedi 11)

Saffron,

Je suis vraiment déçue. Je pensais qu'après ma dernière lettre, tu ferais un effort pour venir vers moi, ne serait-ce qu'un tout petit.

Laisse tes stores ouverts ou quelque chose comme ça pour me montrer que tu m'as crue quand je t'ai dit que j'étais désolée.

Je n'ai jamais voulu que les choses se passent comme ça.

Fais-moi confiance, s'il te plaît. Montre-moi que tu me fais confiance en rouvrant tes stores.

A

42

« Merci d'avoir daigné passer », me dit Kevin au moment où je commence à ranger mes affaires à la hâte.

Je suis déjà en retard. Il est 17 h 35. Même avec beaucoup de chance, je ne serai pas au collège pour 18 heures, l'heure à laquelle se termine l'aide aux devoirs.

Je suis certaine que Phoebe voit le père entre le moment où elle termine l'école et le moment où je viens la chercher ; il faut absolument que j'arrive à l'heure pour voir si quelqu'un rôde dans les parages. J'ai passé la plus grande partie de mon week-end (les stores toujours fermés) à me demander si Lewis pouvait ou non être coupable, et je n'arrêtais pas de me dire « non coupable », mais, aussitôt, l'idée qu'ils partageaient quelque chose de secret me faisait revenir à « coupable », c'était un cercle vicieux. Avec tous ces trucs dans ma tête, je n'avais vraiment pas besoin que Kevin vienne en rajouter.

J'étais en train de ranger mon ordinateur dans sa housse. Je m'interromps. Mon supérieur se tient debout dans l'embrasure de la porte de son bureau vitré, sa tête de fouine déformée par un méchant rictus. Je pense à Joel, à la façon dont il aurait fait face à cette situation : il se serait efforcé de prouver à Kevin qu'il avait tort en lui rappelant toutes ces occasions où il n'avait rien pu lui reprocher. Cette stratégie a fonctionné au cours des derniers mois, mais quand ma vie s'est remise à se désagréger, et qu'il s'est aperçu que je n'étais plus à sa botte chaque fois qu'il avait besoin de moi, Kevin s'est empressé de me mettre la pression. La méthode de Joel ne pouvait marcher qu'à partir du moment où je faisais exactement ce que Kevin voulait au moment même où il me le demandait. Je suis harcelée par la personne qui a tué mon mari. Comment se fait-il que j'aie moins peur de cela que de Kevin ? Pourquoi dois-je supporter cette situation, alors que quelqu'un est probablement en train de planifier mon assassinat ?

« Officiellement, je termine à 17 h 15, lui dis-je. C'est l'heure de rentrer chez moi. Passée. J'aurais déjà dû partir il y a vingt minutes. »

Kevin prend le temps d'observer le vaste *open space* divisé par rangées de quatre bureaux, eux-mêmes séparés par de petites cloisons visant à empêcher les employés de discuter trop facilement avec leurs voisins. Il y a encore une dizaine de personnes qui travaillent, les trente-cinq autres sont déjà parties, disparues au moment même où la petite aiguille s'est alignée sur le cinq. Mais il ne me semble pas avoir entendu Kevin faire des reproches à qui que ce soit avant moi.

« C'est en partie vrai, je suppose », finit-il par me dire en me souriant d'un air aimable. Il sait parfaitement qu'il m'arrive très souvent de terminer ce que j'ai à faire à la maison, que, malgré ma rétrogradation, je fais quasiment le travail que je faisais avant, alors que c'est son copain Edgar qui bénéficie désormais du titre et du salaire qui va avec. « Comme je te l'ai dit, merci d'avoir daigné passer. J'espère que nous aurons le plaisir de te revoir demain, s'il ne survient pas un nouveau drame dans ta famille. »

À ces mots, je me souviens tout à coup très nettement de l'humiliation intense et douloureuse que j'ai ressentie au moment où j'ai quitté mon ancien bureau, celui qui se trouvait derrière les cloisons de verre, à côté du poste de travail de Kevin. C'était déjà assez dur comme ça, d'avoir à mettre mes affaires dans un carton pour m'exiler à l'autre bout de la salle, mais m'obliger à le faire sous la surveillance de Kevin et de mon remplaçant, Edgar… j'ai trouvé cela d'une cruauté innommable. Je ne m'en suis pas encore totalement remise. Ils sont même allés jusqu'à m'accompagner à mon nouveau bureau, situé le plus près de la sortie et le plus loin des vastes fenêtres. Le but était bien sûr de faire comprendre, à moi-même et à toutes les personnes présentes dans la pièce, que je n'avais plus aucun lien avec la direction et que j'appartenais désormais à cet espace anonyme. Que je n'étais plus rien. Que j'avais non seulement été rétrogradée, mais aussi dégradée.

D'un geste brusque, je repose mon ordinateur et me penche vers mon bureau, ce qui ne m'empêche néanmoins pas de remarquer le sourire satisfait qui s'est dessiné sur le visage de Kevin : il pense qu'il a réussi à me faire honte ; il pense que je vais me remettre à travailler. Je n'ai jamais vraiment bien compris ce qu'il avait contre moi, étant donné que j'ai toujours terminé mon travail en temps et en heure. Même quand ma vie a implosé, j'ai toujours terminé mon travail en temps et en heure. Je me demande parfois si ce ne serait pas parce qu'il a peur de la mort. On dirait qu'il cherche à se convaincre que je suis un être inférieur à lui, et que c'est pour cette raison que la mort a choisi de frapper ma famille ; cela expliquerait sa volonté de démontrer par tous les moyens possibles qu'il est mieux que moi. Mais, la plupart du temps, je me dis que s'il se comporte ainsi, c'est tout simplement parce qu'il s'agit d'un petit enfoiré à tête de fouine.

Une fois qu'il a vu que je m'étais rassise à mon bureau, il retourne dans le sien. J'observe sa frêle silhouette du coin de l'œil : il s'assied, s'empare du téléphone et tourne sa chaise vers le mur pour mettre ses pieds sur le rebord de la fenêtre qui surplombe Brighton.

J'agite mes doigts sur le clavier pour finir de transférer mes fichiers sur la clef USB noire que j'ai insérée un peu plus tôt, puis je referme mon ordinateur et ramasse mon portable. Bouillante de rage, je quitte la salle comme une furie, longe le couloir au tapis bleu marine et monte quatre à quatre l'escalier qui mène au dernier étage, celui de la direction.

Au moment où j'ouvre la porte palière, un brûlant sentiment d'embarras s'empare de moi : à une époque, je pensais que ma carrière m'amènerait jusqu'ici, j'étais persuadée que, un jour, je me retrouverais dans l'un ou l'autre de ces bureaux en récompense de tous les efforts que j'aurais fournis.

Mais manifestement, l'univers et Kevin en ont décidé autrement.

Tâchant de ne plus y penser, je pénètre dans le hall d'entrée du bureau du P-DG, une vaste pièce, décorée de panneaux de boiseries sombres et de meubles de cuir sombres, qui inspire toujours un silence respectueux quand on y entre. L'assistante de Gideon, qui n'est plus la même que la dernière fois que je suis montée ici, est assise derrière son onéreux bureau. Elle est au téléphone, et je vois qu'elle s'apprête à dire à son correspondant de patienter, mais je ne lui laisse pas le loisir de le faire, parce que je ne m'arrête pas pour lui parler, je poursuis mon chemin. Je n'ai pas envie qu'elle me dise de prendre un rendez-vous pour plus tard. Je n'ai pas envie de donner à Gideon l'occasion de parler avec Kevin avant d'entrer dans son bureau. J'ai envie de comprendre ce qu'ils ont à l'esprit et j'ai envie de l'apprendre de la bouche d'une personne dont je suis sûre que la seule préoccupation est l'entreprise et ses profits.

La nouvelle assistante s'est levée de sa chaise, son visage exprime la stupéfaction que j'aie pu passer devant elle comme ça. Ça ne se fait pas. Mais Gideon pourrait être au beau milieu d'une réunion de la plus haute importance que je m'en ficherais totalement. Je veux l'interrompre, je ne veux pas attendre mon tour, je veux lui montrer à quel point il y a urgence. Je frappe un petit coup sec à la porte avant d'ouvrir et d'entrer. Plus rien de tout cela ne m'importe, vraiment. J'ai donné tout ce que j'avais à cette société, et voilà comment ils me traitent, voilà comment ils me récompensent. Je ne sais pas pour qui ils se prennent, mais je vais leur montrer qui je suis, moi.

Mon ouragan d'indignation et de colère est coupé en plein élan par un boxer blanc imprimé de marques de rouge à lèvres rouge qui se trouve au-dessus d'une paire de jambes hâlées, poilues et flasques. En bas de celles-ci, des chaussettes noires. Au-dessus du boxer, une chemise blanche ouverte qui révèle un ventre bronzé et légèrement enrobé, ainsi que des mains, fièrement plaquées de chaque côté d'un bassin, qui ne font que mettre en valeur ce qui se trouve juste en dessous. Et ce qu'il y a en dessous, malheureusement pour moi, est un renflement enthousiaste, comprimé par le tissu bien ajusté du boxer.

Je relève la tête, horrifiée, et Gideon fait de même. Mon corps n'étant fort heureusement pas aussi figé que mon esprit, je parviens à faire un pas en arrière et referme brutalement la porte devant moi.

Un lavage de cerveau. J'ai besoin d'un lavage de cerveau. Je me rappelle que Phoebe a dit quelque chose à ce sujet l'autre jour, quand tatie Betty a mentionné qu'elle avait embrassé l'un des membres d'un groupe que Phoebe aime bien. J'ai besoin de ça, désespérément besoin de ça.

La nouvelle assistante, pétrifiée, est restée dans la position où je l'ai laissée au moment où j'ai ouvert la porte : une main sur le téléphone, l'autre tendue comme pour essayer de m'arrêter, la bouche ouverte, l'air terrorisé.

J'ai eu plusieurs fois l'occasion de rencontrer la femme de Gideon. C'est une belle femme, qui a eu la délicatesse de m'envoyer un petit mot écrit à la main après ce qui est arrivé à Joel. La pauvre. Se doute-t-elle de quelque chose ? Cela m'étonnerait. Derrière cette porte close, Gideon peut faire tout ce qu'il veut avec son assistante, il sera de toute façon à la maison pour coucher les enfants. Et sa femme, trompée, restera persuadée qu'il n'a ni le temps ni l'envie d'avoir une liaison.

De l'autre côté de la porte, je l'entends tâtonner. Le mieux serait que je m'en aille et fasse comme si je n'avais rien vu. Mais je ne peux pas faire ça. Et je ne ferai pas ça. Je me fiche bien de qui il baise ou ne baise pas ; j'ai besoin que cet homme se montre honnête avec moi.

Déterminée, je frappe de nouveau, mais attends cette fois-ci qu'il ait répondu avant d'entrer.

« Saffron », me dit-il. Il est derrière son bureau, rhabillé, reboutonné, il a même une cravate en soie bleue autour du cou. « Entrez et asseyez-vous, je vous prie. » Ses yeux, alors qu'il me parle, sont fixés sur l'épais sous-main de cuir noir qui se trouve sur le bureau en face de lui.

Je m'exécute.

« Euh… en quoi puis-je vous aider ? »

Il a, fort heureusement, opté pour la solution osée de faire comme s'il ne s'était rien passé. J'essaie d'invoquer la masse écumante d'indignation et de colère justifiée qui m'a amenée jusqu'ici, mais elle refuse de se rappeler à ma mémoire. L'image du boxer blanc l'a submergée.

« Avez-vous un problème avec le travail que je fournis ? » demandé-je.

Il me regarde enfin dans les yeux. Ma question a dissipé son embarras. Il a toujours été très porté sur le business, les résultats, l'argent. Le reste lui importe peu. « Bien sûr que non. Pourquoi me demandez-vous cela ?

— Si je peux m'exprimer franchement, j'en ai plus qu'assez des commentaires que j'entends au sujet des heures que je fais. Je travaille aussi de chez moi, et même si je ne le faisais pas, il n'y a rien qui me contraint à consacrer toute ma vie à cet emploi, me semble-t-il.

— Personne ne vous le demande, en effet.

— Si. Chaque fois que j'entre dans le bâtiment et que je m'assieds à mon bureau, j'ai l'impression qu'on me le demande. Chaque fois que j'entends un commentaire sur l'heure à laquelle je m'en vais, j'ai l'impression qu'on me le demande. Chaque fois que j'entends une remarque perfide sur des événements qui échappent à mon contrôle et qui m'obligent à prendre une journée, j'ai l'impression qu'on me le demande. Je ne serais pas assise ici à tenir cette conversation, si je n'avais pas l'impression qu'on me le demandait constamment.

— Vous exagérez un peu.

— Sachez que j'envisage de donner ma démission. » Je n'avais pas prévu de dire cela, mais ce n'est pas du bluff. Il faut que je sois plus souvent à la maison, il faut que je surveille davantage Phoebe, et, si je suis à la maison, tout ira beaucoup mieux quand Zane reviendra : il comprendra tout de suite que j'aurai davantage de temps à lui consacrer.

« Votre démission ? répète Gideon en se penchant au-dessus de son bureau.

— Parfaitement. » Tout bien considéré, c'est la meilleure chose à faire. Je pourrais aussi être là, la journée, au moment où les lettres arrivent. Je pourrais voir son visage, je pourrais même peut-être la prendre la main dans le sac et… je ne sais pas. Je ne pourrais peut-être pas l'arrêter, mais, au moins, j'aurai le sentiment de reprendre le contrôle sur une partie de ma vie.

« Pouvez-vous vous permettre de faire ça ?

— Non, mais peu importe. Je ne vois pas pourquoi je devrais rester ici à laisser Kevin s'essuyer les pieds sur moi.

— Si vous pensez être victime de harcèlement…

— Ce n'est pas du harcèlement, c'est un manque de respect continu. C'est une volonté manifeste de me faire passer pour quelqu'un d'inutile et d'insignifiant alors que je fournis un travail de qualité et… Oui, en fin de compte, vous avez raison : maintenant que j'ai dit tout ça à voix haute, je crois pouvoir affirmer qu'il s'agit bien de harcèlement. Et je n'ai plus envie de subir ça, Gideon. La vie est trop courte. »

C'est la première fois que j'utilise cette expression depuis que Joel est mort. Et pourtant, je disais tout le temps ça quand il était en vie, y compris à lui, certainement. Je prononçais ces mots quand je cherchais à me convaincre de faire quelque chose que je savais que je n'aurais pas vraiment dû faire. Ou quand je voulais paraître cool et ouverte comme tous les autres hédonistes en herbe que je rencontrais. Je laissais ces mots sortir de ma bouche, mais je ne les pensais pas ; à cette époque, je croyais encore que je vivrais éternellement. Si je disais cela, c'était parce que je n'avais pas fait l'expérience de la brièveté de la vie. Il a fallu qu'elle me soit révélée de la façon la plus hideuse qui soit pour que j'en prenne réellement conscience. Avant cela, je ne croyais pas que la vie était trop courte. Je n'imaginais même pas qu'elle puisse s'achever si brutalement.

« Que diriez-vous d'un congé sans solde ? me dit Gideon, coupant court à mes pensées.

— Pour revivre ça à mon retour, voire pire ? Non. Je vous remercie, mais non. »

Gideon reste silencieux pendant quelques instants. «Ne partez pas, Saffron. Vous savez, ça n'a pas été facile pour moi d'apprendre que vous aviez ressenti le besoin d'être rétrogradée alors que vous veniez tout juste de perdre votre mari.

—Je n'ai jamais ressenti ce besoin. J'ai proposé cela parce que tout mon univers était en train de s'effondrer; il fallait absolument que je garde un emploi.

—Je vous en prie, prenez un congé d'un mois et profitez de ce temps pour réfléchir correctement à vos différentes possibilités. Vous n'êtes pas obligée de revenir, mais, au moins, réfléchissez.»

Très bien. Je vois. «Vous savez, je n'envisage pas d'aller raconter ce que j'ai vu à qui que ce soit, affirmé-je. Je me fiche pas mal de ce que vous faites. Vous n'êtes pas obligé de me retenir pour essayer de garder un œil sur moi.» *Mais je ne vais pas vous mentir: si quelqu'un me demande, je ne plaiderai pas l'ignorance.*

Un rouge sombre mais vif, de la même couleur que le pull que je portais le jour où j'ai laissé tomber les mûres, se répand comme du sang sur ses joues. «Il ne s'agit pas de ça, répond-il. Je voudrais que vous preniez un congé d'un mois pour réfléchir à vos différentes possibilités, parce que j'estime que vous êtes un bon élément. Pour ma part, je vais m'efforcer de faire comprendre à vos supérieurs qu'il faut qu'ils reconsidèrent leur attitude générale à l'égard de l'ensemble du personnel. J'avais entendu des rumeurs, mais il m'était difficile d'agir tant que personne n'était venu se plaindre. Je vous assure que c'est la première fois que quelqu'un vient officiellement me parler de ce qui se passe. Mais, maintenant que je suis pleinement conscient du problème, je vais lancer une enquête. Il faut que je protège mes employés ; il en va de mon devoir. Je vais m'entretenir avec la DRH pour étudier la question, voir ce que les gens qui ont démissionné ont dit et essayer de trouver des solutions.

« J'aimerais vous demander, et je peux même vous supplier, s'il le faut, de me laisser du temps pour résoudre ce problème. En revanche, si, après votre congé, vous ressentez toujours le besoin de demander votre démission, je ne chercherai pas à vous en empêcher. Je vous laisserai partir, à regret, et nous passerons tous à autre chose. Alors, qu'en dites-vous ? » Une fois encore, je remarque qu'il a pesé chacun de ses mots pour ne pas faire de promesses qu'il ne serait pas à même de tenir.

« D'accord. »

Son soulagement est manifeste. Ce n'est pas tant à moi qu'il tient, j'en suis certaine, il y a des tas de gens compétents qui ne demandent qu'à prendre ma place. S'il a fait cela, ce doit être pour protéger la réputation de la société : les employés qui sont partis récemment, et il y en a eu quelques-uns, n'ont peut-être pas su tenir leur langue quant à la façon dont ils avaient été traités. Une entreprise dont la fonction consiste à aider d'autres entreprises à mieux se présenter et mieux se vendre vit aussi bien de sa réputation que de son travail. « Je vais demander immédiatement aux ressources humaines de rédiger un avenant à votre contrat, de sorte que vous puissiez partir dès que possible.

— Merci.

— Saffron, m'interpelle-t-il au moment où je m'apprête à sortir.

— Oui ? » Je m'attends à ce qu'il me reproche d'être entrée sans frapper ou à ce qu'il me demande de faire comme si je n'avais rien vu.

« J'imagine que, si nous avons besoin de renforts dans le mois à venir, vous ne refuserez pas de nous donner un petit coup de main ? » J'aime bien Gideon, vraiment. Certes, il a beaucoup baissé dans mon estime depuis que je sais que c'est une ordure qui trompe sa femme, mais si j'ignorais ce fait, je l'apprécierais pour sa franchise. Il va toujours droit au but. Et tout ce qui l'intéresse, c'est de faire des affaires, de faire de l'argent, et, apparemment, de me faire travailler gratuitement aussi.

« Nous verrons, d'accord ? » répliqué-je.

Son assistante, toute honteuse, garde les yeux rivés sur son écran d'ordinateur au moment où je quitte le bureau, convenant tacitement avec elle que je n'ai rien vu.

43

Il y a comme une cicatrice en dents de scie brillante, étincelante, qui s'étend sur toute la longueur du côté conducteur de ma voiture. C'est *elle* qui l'a faite, sans doute avec un tournevis.

Elle est venue jusqu'ici pour faire ça. Sous la poignée de la portière pour s'assurer que je ne pourrais pas la manquer. Que je comprendrais bien le message. Elle m'a suivie jusqu'à mon bureau. Pour me dissuader de m'arrêter en chemin à un commissariat de police, j'en suis certaine. Mais il y a au moins un point positif là-dedans : si elle est là, à m'observer, c'est qu'elle n'est pas à Londres avec Zane, qu'elle n'est pas au Queen's Park avec tatie Betty et qu'elle n'est pas à Hove avec Phoebe. Elle est partout où je vais. Et je trouve en cette idée un sentiment de réconfort étrange et perturbant. La nausée, toujours au creux de mon estomac, devient soudainement un peu moins âpre.

Il faut que je me maîtrise. Si elle m'observe, elle s'attend certainement à ce que je pleure ou me mette à hurler (chose que j'ai, soit dit en passant, très envie de faire), parce que ce qu'elle veut, notamment comme j'ai refusé d'ouvrir les stores, c'est obtenir une réaction de ma part. Un signe qui lui prouverait qu'elle a fini par me toucher.

Je jette un rapide coup d'œil au parking, recherchant dans l'obscurité une ombre de trop à côté des lourds piliers, une silhouette tapie derrière les autres voitures, un souffle d'air dans le silence du souterrain. J'essaie de percevoir quelque chose, une présence, *n'importe quoi*. Je devrais pouvoir le faire maintenant que j'ai retrouvé l'usage de mes sens, mais il n'y a absolument rien ici. On dirait presque que c'est un fantôme qui a fait ça. Je suis harcelée par une personne qui ne laisse aucune trace derrière elle, une personne qui n'a pas l'air vraiment réelle.

Il y a des embouteillages, ce qui me paraît curieux pour un lundi soir.

Une file de voitures, pare-chocs contre pare-chocs, s'étend tout le long de Dyke Road. Les feux arrière, comme une rangée d'yeux vitreux qui cligneraient, s'éteignent au moment où les voitures se mettent à rouler et se rallument quand elles freinent. J'ai appelé Phoebe avec le kit mains libres et n'ai obtenu aucune réponse de sa part. Je n'ai pas le numéro du professeur qui s'occupe de l'aide aux devoirs.

Certes, je pourrais appeler M. Bromsgrove, mais je ne suis pas disposée à lui donner plus d'occasions de parler à ma fille que celles qu'il a déjà. Je suis certaine qu'elle va bien. Qu'elle m'attend à l'extérieur et qu'elle va bien. La panique que je ressens ne provient que de l'angoisse d'être coincée ici dans les bouchons. Elle n'a aucun lien avec la peur qu'*elle* ne soit pas restée pour voir ma réaction après que j'aurai découvert ce qu'elle a fait à ma voiture. Ou avec la crainte qu'elle ne s'en prenne à Phoebe.

J'appuie sur le bouton « appel » à côté du volant, et le téléphone de ma fille se met directement sur messagerie. Rien d'inhabituel là-dedans. Il est tout à fait possible qu'elle n'ait plus de batterie, puisqu'elle ne lâche jamais ce fichu truc… mis à part ces deux derniers jours, curieusement, au cours desquels on aurait quasiment dit qu'elle ne voulait plus s'en approcher.

La voiture qui se trouve devant moi est un immense monospace, dans lequel je distingue un conducteur et trois passagers. Peu de temps avant « ça », Joel s'était mis à parler d'acheter un camping-car. Il voulait vendre sa BMW parce que nous n'avions eu le droit qu'à un seul permis de stationnement pour riverains. J'avais dû lui rappeler plusieurs fois que je n'étais pas du tout camping. « J'emmènerai les enfants tout seul, alors », avait-il répondu gaiement. Je me demande si les quatre personnes qui voyagent dans cette auto forment une famille au sens traditionnel du terme : deux enfants et leurs deux parents. Je me demande s'ils partent faire du camping. Je me demande si Joel serait parti faire du camping s'il était encore en vie.

Le trafic devient plus fluide au moment où j'arrive à l'intersection de Dyke Road et d'Old Shoreham Road. Je passe le carrefour, et le nœud d'anxiété se desserre un peu dans ma poitrine. Je ne vais pas tarder à arriver. J'y serai sans doute vers 18 h 15. En retard, mais pas trop. Je suis sûre qu'elle va bien. Qu'elle m'attend. Qu'elle ne monterait jamais dans la voiture d'un inconnu.

J'ai beau savoir pertinemment que les contractuels se montrent toujours très consciencieux jusqu'à 20 heures, je n'hésite pas à me garer devant le collège en double file. Mais au moment où je sors de la voiture et où je lève les yeux vers l'établissement, plongé dans l'obscurité et sans aucun signe de Phoebe à l'extérieur, la terreur atteint de nouveaux sommets en moi. C'est un peu comme de chercher une chose qu'on a perdue. On regarde partout, mais on a beau tout retourner, ouvrir tous les tiroirs et les placards, au fond de soi, on sait pertinemment qu'elle a disparu.

Au fond de mon cœur, je sais que Phoebe n'est pas là. Je sais qu'elle est partie.

Mais il ne faut pas que je panique. Je n'ai aucune raison d'imaginer tout de suite le pire. La meurtrière de Joel n'a rien à voir avec ça, c'est simplement moi qui suis en retard. Il n'y a absolument rien d'inquiétant là-dedans. Absolument rien.

Je compose son numéro sur mon téléphone.

«*C'est moi. Laissez-moi un message. Ou pas. À vous de voir*», fait sa voix avenante après un claquement qui n'est précédé d'aucune sonnerie. Il m'arrive parfois d'oublier que Phoebe peut avoir l'air heureux, qu'elle a en elle la capacité d'être et de paraître joyeuse, jeune et enthousiaste.

«Phoebe, c'est moi. Je t'attends devant le collège. Je suis vraiment désolée d'être en retard. À tout de suite.»

Mon corps se met à frissonner, la nausée monte en moi. Phoebe est partie. Je sais qu'elle est partie.

Non, elle n'est pas partie, réplique mon côté rationnel. *Tu te fais un film.*

Je me ferais des films si Joel n'avait pas été assassiné, s'il n'y avait pas toutes ces lettres, si je n'étais pas harcelée.

Des ténèbres du collège émergent deux silhouettes : l'une grande et l'autre un peu plus petite. Alors qu'elles avancent dans ma direction, la petite deux pas derrière la grande, je finis par reconnaître M. Bromsgrove et Curtis. M. Bromsgrove a un carton rempli de livres dans les bras, sa sacoche d'ordinateur sur son épaule gauche et un cartable suspendu au poignet de sa main droite. Curtis marche avec son cartable dans le dos, les yeux fixés sur son téléphone.

Il est vraiment beau, Lewis Bromsgrove. Ce n'est pas seulement la façon dont il vous regarde de ses grands yeux sombres, ce ne sont pas seulement ses sourires qui semblent sur le point d'étirer ses lèvres pleines et appétissantes, ce ne sont pas seulement ses traits irrésistibles. C'est aussi la façon dont il se tient, l'assurance qui émane de lui, la façon dont il s'habille. Il a tout pour lui. J'ai du mal à croire qu'il ait pu avoir avec Phoebe une relation malséante.

« Madame Mackleroy, me dit-il, sans chercher à dissimuler le plaisir qu'il a de me voir. Bonsoir. Qu'est-ce qui vous amène ici ? »

À l'évocation de mon nom, Curtis lève la tête, avant de rebaisser immédiatement les yeux, non plus vers son téléphone mais vers ses pieds.

« Je suis venue chercher Phoebe, dis-je.

— Phoebe ? Elle est partie depuis longtemps. C'est moi qui m'occupais de l'aide aux devoirs, et elle m'a dit que quelqu'un venait la chercher. »

Curtis continue d'inspecter ses pieds comme s'il venait tout juste de les découvrir.

« C'était moi qui devais venir la chercher. Elle sait parfaitement qu'elle n'a pas le droit de quitter le collège sans moi. »

Je n'ai même pas besoin de regarder Curtis pour savoir que son visage est désormais déformé par l'anxiété. C'est le complice de Phoebe, il est au courant de ce qui s'est passé.

« Est-ce que tu sais quelque chose, Curtis ? lui demandé-je. Est-ce que tu vois pourquoi elle aurait pu mentir à ton père ? »

Il secoue la tête sans la relever.

Haussant les sourcils, je tourne mon visage vers M. Bromsgrove. « Curtis ? fait celui-ci sur un ton qui suggère qu'il ne se laissera pas embobiner s'il essaie de lui mentir.

— Elle m'a pas dit grand-chose, je te jure. Juste que quelqu'un devait la ramener chez elle et qu'il fallait que je la couvre, marmonne-t-il.

— Elle ne t'a pas dit qui ? » lui demande M. Bromsgrove avant que j'aie eu le temps de le faire.

Curtis secoue la tête. « Je te jure », ajoute-t-il.

Il ne faut pas que je panique. Il ne faut pas que je panique. Il ne lui est rien arrivé. Il ne va rien lui arriver.

Il ne faut pas que je panique, mais on ne peut pas dire que M. Bromsgrove me donne le bon exemple : son visage est crispé par l'angoisse. Il sait quelque chose que je ne sais pas ; il n'y a aucune raison de s'inquiéter comme cela pour une adolescente qui a filé en douce. Après avoir posé le carton par terre, il sort un trousseau de clefs de sa poche. « Va m'attendre dans la voiture », dit-il à Curtis d'une voix agitée.

Une fois son fils isolé, il se tourne de nouveau vers moi.

« Pourquoi as-tu pris ma fille dans tes bras ? lui demandé-je.

— Quoi ? fait-il en fronçant les sourcils, manifestement déconcerté.

— Je suis passée par hasard devant le collège jeudi dernier et je t'ai vu la prendre dans tes bras. Pourquoi ? »

Les rides de son front se creusent. « Tu ne t'imagines tout de même pas... Parce que si c'est le cas, tu peux aller directement à la police pour tirer ça au clair. Je n'ai aucune envie de te laisser entretenir l'idée que je puisse avoir eu un comportement déplacé envers ta fille.

— Ne monte pas sur tes grands chevaux », lui dis-je. Mais j'irai tout de même voir la police. Si c'est bien un sale petit manipulateur, comme je le pense, il s'imagine que je ne le ferai pas, il croit que le simple fait d'avoir dit ça m'en dissuadera. Malheureusement pour lui, il se trompe. « Je te demande simplement pourquoi tu as pris ma fille dans tes bras. C'est une question tout à fait légitime.

— Je l'ai prise dans mes bras parce qu'elle était bouleversée.

— À cause de quoi ?

— Je... Je ne peux pas te le dire. Je lui ai promis que je ne te dirais rien.

— Ah bon ? Tu as promis à ma fille de quatorze ans, qui est enceinte, que tu me dissimulerais une chose aussi importante que la cause de sa détresse ? Vraiment ? » Ma voix est devenue incontrôlable. « VRAIMENT ? Écoute, je ne sais pas ce qui me retient de te mettre mon poing dans la figure. » *Peut-être le fait que je ne sois pas du genre à régler les conflits de cette façon.*

« Phoebe a besoin de quelqu'un à qui elle peut se fier.

— Non, elle a d'abord besoin de quelqu'un qui assure sa sécurité. Si elle n'est pas en sécurité, je ne vois pas l'intérêt pour elle d'avoir autour d'elle des gens à qui elle peut se fier. Pourquoi était-elle bouleversée ? »

Lui a-t-elle dit ? Lui a-t-elle expliqué que nous avons dissimulé à la police des informations capitales ?

« À la fin de la semaine dernière, nous ignorons comment, la nouvelle de sa grossesse a fini par éclater au grand jour. Et depuis, elle n'arrête pas de recevoir des messages en ligne à ce sujet. Certains sont vraiment ignobles, mais elle n'a pas voulu que j'en parle officiellement au principal. Ni à toi. Néanmoins, je lui ai dit que si ça ne s'était pas calmé d'ici demain matin, il en allait de mon devoir de vous en tenir informés.

— Et tu m'as caché ça ?

— Je pensais faire ce qu'il y avait de mieux pour Phoebe.

— Eh bien, tu t'es planté. Que disent ces messages ?

— Je ne peux pas… Je ne peux pas te répéter ça. Je préférerais que tu les lises. Elle en a effacé quelques-uns, mais il en reste sur quelques sites.

— Des sites ? Tu veux dire qu'il y en a plus d'un ?

— Oui. » Il se remet à fouiller dans sa poche et en sort son téléphone. « J'ai déjà vu des cas de harcèlement en ligne, mais, là, on a vraiment touché le fond : je n'ai jamais lu de telles horreurs de toute ma vie. »

Si j'étais paniquée jusqu'à cet instant, je bascule dans la terreur absolue, et ce, avant même qu'il ne me tende son téléphone.

« Phoebe, dis-je, il faut que je sache où tu es. J'ai besoin de savoir si tu n'es pas en danger. S'il te plaît, appelle-moi. Ou envoie-moi un message. Juste pour me dire que tu vas bien. S'il te plaît, ma chérie. » Il faut que je me calme, sinon je n'arriverai jamais à effectuer les gestes nécessaires pour faire démarrer ma voiture. Je reprends le téléphone que j'ai jeté sur le siège passager et appuie de nouveau sur son nom. « Phoebe, c'est encore moi. Si tu ne veux pas me parler, ce n'est pas grave. Appelle Curtis, M. Bromsgrove, tatie Betty ou ton oncle Fynn. Même Zane. N'importe qui. Juste pour leur faire savoir que tu vas bien. Que tu n'es pas en danger. » *Pas en danger.*

Il faut que je m'arrange pour que cela se finisse bien. Il faut que je m'arrange pour ne pas redevenir la femme au bol de mûres qui se fracasse contre le carrelage blanc de sa cuisine.

Avant de démarrer, je passe un autre appel.

Lundi 13 mai
(pour aujourd'hui)

Il prononçait ton nom, non pas comme si c'était celui d'une épice luxueuse et parfumée, mais comme s'il s'agissait de quelque chose d'amer et d'infect. Je comprends mieux pourquoi maintenant.

44

Toc-toc!

Phoebe a la clef, et je ne l'imagine pas frapper, mais ça ne m'empêche pas de me précipiter vers la porte d'entrée pour ouvrir ; on ne sait jamais.

Fynn.

« *Je sais que tu n'as pas envie de me parler en ce moment*, ai-je dit dans le message que je lui ai laissé un peu plus tôt, *mais Phoebe a disparu. J'ai besoin de ton aide. Il y a deux personnes qui sont parties à sa recherche, et tatie Betty est restée à la maison au cas où elle rentrerait, mais avant que j'appelle la police, je voudrais que tu réfléchisses un peu avec moi aux endroits où elle pourrait se cacher. J'espère que tu n'ignoreras pas ce message.* »

J'ai tant de mal à cacher ma déception que je me sens obligée de m'expliquer : « Je croyais que c'était elle.

— Quand l'as-tu vue pour la dernière fois ? » me demande-t-il. Il ne me regarde pas : ses yeux sont fixés sur le mur qui est à côté de la porte de la cuisine, au bout du couloir, bien loin de moi.

« Je l'ai déposée au collège ce matin. Elle devait rester à l'aide aux devoirs pour que je puisse aller la chercher après le travail. Mais je suis arrivée un peu en retard, et le professeur qui s'en occupe m'a dit qu'elle n'y était pas allée. C'est M. Bromsgrove, tu sais, son professeur principal. Apparemment, elle lui a dit que quelqu'un venait la chercher après les cours, et, du coup, elle est partie à 15 h 30.

— Est-ce qu'il y a eu un problème, une dispute, je ne sais pas... ?

— Non, mais il y a quelques jours, les autres élèves du collège ont découvert qu'elle était enceinte. Et depuis, elle reçoit des messages haineux via des sites Internet, et sans doute par textos aussi. Elle ne m'en a pas parlé. Je voulais lui laisser un peu de liberté. Je ne voulais pas faire pression sur elle en attendant qu'elle prenne sa décision, et, du coup, je ne suis pas allée voir sur ses comptes Facebook, Twitter, etc. Mais comment ai-je pu me montrer aussi stupide ? Elle est quelque part dehors, seule et perturbée, et elle doit avoir tous ces trucs dans la tête – j'ai lu ce qu'ils ont écrit – tout ça parce que je n'ai pas voulu la punir. J'ai tellement peur pour elle. »

Il prend une profonde inspiration. « Qui est parti à sa recherche et où l'avez-vous cherchée ? » dit-il d'une voix égale. Il a peur, comme moi. Ça le ramène à « ça », lui aussi, et il essaie de se convaincre que tout finira par s'arranger.

« C'est elle ? me demande tatie Betty, depuis le salon.

— Non, c'est Fynn ! crié-je à mon tour, avant de reprendre ma conversation avec lui : M. Br...

— Est-ce qu'il sait où elle est ? m'interrompt tatie Betty.

— Non ! Il est venu pour nous aider à la chercher !...

— Dis-lui bonjour de ma part ! m'interrompt-elle de nouveau. Et merci !

— Mais c'est pas vrai, je… Oui ! D'accord ! »

J'entraîne Fynn à l'écart pour ne plus être dérangée :

« Lewis et son fils sont partis à sa recherche. Et j'ai fait un petit tour en voiture, en passant par quelques endroits de Brighton où elle aime bien aller, puis je suis revenue pour prendre des nouvelles auprès de tatie Betty. Je m'apprêtais à repartir.

— Où veux-tu que j'aille ?

— Je ne sais pas trop. M. Bromsgrove est sur la marina et Saltdean. Pour ma part, je crois que je vais essayer le Preston Park.

— Alors je vais aller à Hove, dit-il.

— Je sais que ce n'est pas ton problème, mais… s'il lui était arrivé quelque chose ? Si quelqu'un l'avait enlevée ?

— Je ne vois pas qui aurait pu faire ça.

— Je ne vois pas qui aurait pu tuer Joel. »

Au même instant, la même pensée nous vient à l'esprit : Joel.

« Est-ce que tu as… ?

— Non. Ça ne m'était même pas venu à l'esprit. Mais pourquoi est-ce que je n'ai pas commencé par là ? Il faut que j'y aille.

— Je t'emmène.

— Non, ne t'inquiète pas ; je peux y aller toute seule.

— Tu trembles ; tu n'es pas en état de conduire. Je vais t'emmener. »

« Comment vas-tu ? » demandé-je.

Cela fait cinq minutes que nous sommes partis, cinq minutes que nous ne nous sommes pas parlé, autant dire une éternité. Je voulais le laisser prendre l'initiative de lancer la conversation, lui donner la réplique.

« Bien », me répond-il. Concis, formel. « Et toi ?

— Bien. » C'est l'homme qui m'a tenue dans ses bras pendant des heures après la mort de Joel, l'homme qui a dormi dans mon canapé pour pouvoir prendre soin de moi quand mes terreurs nocturnes ont commencé, l'homme qui compte le plus à mes yeux désormais. Et il n'a pas envie de me parler. Et il n'a rien à me dire. Venant de la part de qui que ce soit d'autre, mis à part mes enfants, j'aurais sans doute pu le supporter. De sa part à lui, c'est un supplice.

« On est pas obligés de se comporter comme ça, Fynn, lui dis-je. Si on pouvait juste parler normalement…

— Zane est chez Imogen ? » Sa distance laisse le fossé qui nous sépare grand ouvert. « On passera le chercher en rentrant ?

— Non, il… il est à Londres. Il passe quelques jours chez les parents de Joel. »

À l'entrée du cimetière s'élève un porche gothique de brique rouge constitué de cinq passages en ogives, dont le plus vaste se trouve au centre. Les deux arches extérieures sont barrées par des grilles en fer forgé, les deux arches intérieures sont dotées de portillons en fer forgé qui permettent aux piétons d'accéder aux lieux, et l'arche centrale comporte un portail à double battant destiné aux véhicules motorisés. De l'autre côté de cette vaste entrée, à quelques mètres seulement, les lumières du bâtiment administratif, autre structure de brique rouge qui évoque un minimanoir gothique, sont allumées. Devant chacun des portails piétons, deux arbres aux troncs immenses, immobiles et menaçants, s'élèvent comme des gardes du corps de la nature veillant sur les résidents.

Au moment où nous arrivons devant le grand portail fermé par une chaîne, je l'aperçois : elle est assise, le dos appuyé au portillon de gauche, les genoux repliés contre la poitrine, les bras enroulés autour des jambes, la tête appuyée contre les genoux. Sans attendre que la voiture se soit complètement arrêtée, j'arrache ma ceinture de sécurité et ouvre la portière.

Je me jette à genoux par terre et je la prends dans mes bras. Elle respire, elle n'a pas l'air blessée, je peux la toucher. Elle n'a pas disparu, elle n'est pas devenue une « pièce à conviction », elle est toujours avec moi, vivante. « Ça va ? murmuré-je contre ses cheveux. J'ai cru qu'il t'était arrivé quelque chose. Je n'aurais pas pu le supporter. Tu es tout pour moi, Phoebe. Toi et Zane, vous êtes tout pour moi. Tu vas bien ? » Je la serre aussi fort que je peux contre moi. Son corps est froid, et elle tremble très légèrement.

« Je voulais parler à papa, marmonne-t-elle, le front contre les genoux. Mais c'était fermé. »

Quand elle avait quatre ans, après avoir passé une matinée de février ensoleillée dans le jardin, elle était rentrée en courant à la maison pour ramener son nouveau ballon, mais, en chemin, elle avait trébuché sur une dalle de la terrasse qui dépassait un peu. Horrifiée, je l'avais regardée tomber en avant, ses mains et son menton heurtant le sol au même moment, la surface poreuse et irrégulière des dalles égratignant la peau de son menton et la paume de ses mains. Joel, qui était plus proche d'elle, avait sauté de son siège et couru auprès d'elle pour la prendre dans ses bras. « Non ! avait-elle gémi, tandis qu'enceinte de huit mois, je luttais pour me redresser. Non, papa. Je veux maman. Je veux maman. Je veux maman. »

« Je suis désolée qu'il ne soit pas là, Pheebs, lui dis-je. Si tu savais comme je regrette.

— Tu crois qu'il aurait honte de moi ? me demande-t-elle.

— Mais bien sûr que non ! Pourquoi aurait-il honte de toi ? Ton papa… il pensait que le soleil et la lune se levaient et se couchaient avec Zane et toi. Il n'aurait certainement pas eu honte de toi. Mais comment est-ce que tu as pu te mettre une chose pareille dans le crâne ? »

Haussement d'épaules.

« Ça n'aurait pas quelque chose à voir avec la personne qui t'a mise enceinte ?

— Non ! » s'exclame-t-elle. Elle relève la tête pour s'assurer que je l'entends bien. « C'est juste qu'Imogen m'a envoyé un texto pour me dire qu'elle voulait me parler, alors on s'est retrouvées après les cours. Je suis montée dans sa voiture, on est allées dans un café, et, là, elle m'a dit plein de trucs. Elle m'a dit que j'avais déjà beaucoup déçu papa en tombant enceinte si jeune, et qu'il aurait honte de moi si je tuais le… tu sais ? Papa. Je veux pas que papa ait honte de moi. » Elle renifle à cause de tout ce temps qu'elle a passé dehors dans le froid. « Elle avait l'air tellement sûre d'elle que je me suis dit qu'elle devait avoir raison. Je savais pas quoi faire. J'étais complètement perdue. Alors je me suis dit que si je faisais un truc comme me jeter sous les roues d'un bus, je serais plus enceinte, et le problème serait réglé et papa aurait plus honte. C'est pour ça que je suis venue lui parler. Je voulais lui demander pardon de l'avoir déçu. Et je voulais lui demander ce que ça faisait qu'être mort. Et s'il serait là pour m'attendre si je mourais moi aussi.

— Ce n'est pas vrai, affirmé-je. Tu ne l'as pas déçu. N'écoute pas Imogen. J'ai connu ton père bien avant qu'elle le connaisse. J'étais amoureuse de lui, j'ai eu deux enfants avec lui, je mangeais avec lui, je me disputais avec lui. Je le connaissais très bien et je peux t'affirmer que tu ne l'as jamais déçu et qu'il n'aurait jamais eu honte de toi.»

Ses jeunes yeux recherchent mon visage, alors que sa bouche se plisse pour former une moue d'incertitude: elle ne sait pas si elle doit me croire. Elle se demande si je lui dis cela pour la consoler.

«Je faisais des trucs vraiment stupides à l'époque où j'ai rencontré ton père, affirmé-je.

— Tu prenais de la drogue?» me demande-t-elle, l'air horrifié. Non pas par l'idée de drogue en soi, à mon avis, mais plutôt par celle que j'aurais pu, moi, en prendre.

«Non, répliqué-je. Je n'ai jamais pris de drogue. Et j'espère que tu ne le feras jamais toi non plus. Non, mais c'étaient des trucs idiots, et potentiellement dangereux.» Constatant que Fynn nous observe, je me remémore soudain ce qu'il m'a dit dans la rue et la façon dont je l'ai repoussé. «Quand ton père a fini par le découvrir, il est venu me voir et m'a dit qu'il m'aimait et qu'il voulait que je me fasse aider. À aucun moment, il n'a fait ou dit quoi que ce soit qui m'ait laissé entendre qu'il avait honte de moi.

Et pourtant Dieu sait qu'il aurait pu. Mais quand on aime vraiment quelqu'un, il en faut vraiment beaucoup pour avoir honte de lui. Or il t'aimait énormément. Tu aurais dû voir comme il était fier quand tu es née. Il a appelé tous les gens qu'il connaissait, même des gens avec qui il n'avait pas parlé depuis des années. Ce que j'essaie de te dire, Phoebe, c'est qu'il aurait fallu que tu fasses bien pire que de tomber enceinte pour que ton père ait honte de toi. Il aurait été bouleversé de te savoir dans cette situation, avec une décision si difficile à prendre, mais il n'aurait pas été déçu par le choix que tu aurais fait, quel qu'il soit, à partir du moment où tu aurais pensé que c'était le meilleur pour toi. »

Elle ne dit rien, mais j'ai l'impression qu'elle me croit, que mes mots l'ont en partie apaisée, maintenant que je lui ai rappelé quel genre d'homme était son père.

« Viens, rentrons. Tatie Betty s'est fait beaucoup de souci. Nous nous sommes tous fait beaucoup de souci.

— T'étais alcoolique, maman ? me demande-t-elle au moment où nous nous relevons.

— Non. Et ce n'est pas la peine de m'interroger, je ne te dirai pas ce que c'était.

— Tu penses que je suis une salope ?

— Non. Je ne pense pas que tu sois une “salope”. Ni toi ni qui que ce soit, d'ailleurs. C'est horrible d'appeler les gens comme ça. Les trucs qui ont été écrits sur toi sont horribles et complètement faux. »

Quelque chose se déplace entre nous, quelque chose d'aussi éthéré que l'air, mais d'aussi tangible que nos corps, et le lien qui était à peine formé entre nous vient de se rompre.

« Tu as lu ma page Facebook ? Tu m'avais promis que tu le ferais pas, et tu l'as fait quand même ? J'aurais dû me douter que je pouvais pas te faire confiance.

— Tu peux me faire confiance. Je ne t'ai pas promis de ne jamais regarder tes comptes Facebook, Twitter et je ne sais quoi ; je t'ai promis de ne pas les consulter tant que je n'aurais pas de raisons de le faire. Or j'en avais une excellente : j'avais besoin de savoir ce qui y avait été écrit pour trouver un moyen de t'aider. M. Broms…

— Il doit être d'accord avec eux, lui aussi, hein ?

— Pas du tout, non.

— Ça m'étonnerait. Tout le monde pense ça. Tout le monde pense que je suis une salope, que je suis une pute, que je suis débile d'être tombée enceinte et d'avoir encore rien fait pour régler ça. Alors pourquoi pas toi et lui ?

— Il n'y a que des gens bornés, dérangés et lâches pour se cacher derrière leurs écrans d'ordinateur et écrire des choses ignobles de ce genre. Les gens qui te connaissent et qui t'aiment, en revanche, ne penseront jamais ça.

— Si, Imogen.

— Ce n'est pas la même chose.

— Si, c'est la même chose. Elle m'a dit ce que tout le monde me dit. Avec des mots plus gentils, c'est tout. Mais de toute manière, ça revient au même. Même toi, tu étais fâchée quand tu l'as appris.

— J'étais tout de même en droit d'être fâchée », répliqué-je. Les souvenirs de ce que j'ai pensé et ressenti à ce moment-là sont difficiles à invoquer. «Mais d'ailleurs, je ne pense pas que j'étais fâchée. J'ai d'abord été choquée, et, ensuite, contrariée, parce que j'ai pensé que la vie de ma brillante et magnifique fille, qui était censée aller à l'université, accomplir des exploits, changer le monde, avait pris un tournant totalement inattendu. J'étais en droit de ressentir ça et d'oublier, l'espace d'une minute, que ce n'est pas parce qu'on a un enfant qu'on ne peut pas faire toutes ces choses, que ce n'est pas parce qu'on se fait avorter qu'on est traumatisée à vie, et que ce n'est pas parce qu'on fait adopter son enfant qu'on ne peut pas le revoir à un moment ou à un autre dans le futur. J'étais en droit d'oublier tout cela pendant un petit moment et de ne pas réagir de façon parfaite à l'une des nouvelles les plus bouleversantes qu'il m'ait jamais été donné d'apprendre, parce que je suis un être humain, tout simplement.

— Mais pas moi, hein, *maman*? contre-attaque-t-elle. Je suis pas un être humain, moi. Il faut que je sois parfaite tout le temps, que je fasse tout bien tout le temps, sans quoi c'est la fin du monde.»

Elle ne parle pas de sa grossesse; elle parle du jour où Joel est mort. De ce qu'elle a fait le jour où cette photo dissimulée dans ma chambre a été prise. «Personne n'attend de toi que tu sois parfaite, Phoebe. Je n'ai jamais attendu ça de toi.

— C'est ça, ouais. J'ai fait une erreur, une fois, mais ça t'a suffi, comme raison, pour aller fouiller dans mes affaires.

— Je ne "fouille" pas dans tes affaires, Phoebe. Je me faisais du souci pour toi. Et je te rappelle que nous nous étions mises d'accord, quand tu t'es inscrite sur tous ces sites et quand je t'ai rendu ton téléphone, pour que je puisse aller y jeter un œil chaque fois que j'en ressentirais le besoin.

— Ouais, comme si je pouvais te faire confiance pour t'en tenir à ça.

— Eh bien, parlons-en, de la confiance, répliqué-je. Chaque fois que je t'accorde un peu de liberté, tu montes un coup tordu pour anéantir celle que j'ai placée en toi. Y compris ce soir, d'ailleurs. Je t'avais dit de ne pas quitter le collège sans moi. Avant de parler de la confiance que tu as en moi, tu ferais bien de te demander si, moi, je peux t'accorder la mienne. »

Constatant sans doute que les choses sont en train de dégénérer, Fynn, qui n'a rien manqué de la conversation puisque nous sommes juste à côté de sa voiture, ouvre sa portière.

« Je crois que nous devrions tous nous calmer un peu, intervient-il. Je vais vous raccompagner à la maison ; je pense qu'il vaut mieux que vous vous asseyiez autour d'une table pour discuter de tout ça tranquillement.

— Non. Merci, mais non, dis-je sans laisser le temps à ma fille de contester l'idée de se retrouver coincée dans une voiture avec moi. Ramène Phoebe. Moi, je vais prendre un taxi. »

Le désaccord de Phoebe, qui s'est rapidement épanoui sur son visage, s'étiole aussitôt, et ne tarde pas à se voir remplacé par un nouveau fruit : l'incrédulité.

« Ne sois pas ridicule, me dit Fynn.

— Je ne suis pas ridicule, rétorqué-je. Phoebe a besoin de passer du temps avec toi et j'ai besoin de rentrer à la maison à pied ou en taxi. Il est hors de question que je retourne dans cette voiture pour que vous m'ignoriez tous les deux. »

Ma fille paraît sincèrement surprise, et il me semble aussi discerner dans ses yeux une toute petite lueur d'admiration. Je l'aime, je suis soulagée de savoir qu'elle va bien, mais je ne peux pas prolonger ce tête-à-tête avec elle pour le moment. Ni rester avec Fynn.

« Je t'aime, Phoebe. » J'ai envie de passer mes bras autour d'elle au moment où je lui dis ça, j'ai envie de la serrer contre moi pour lui faire comprendre que, comme je l'ai toujours fait, je la protégerai, quoi qu'il puisse m'en coûter. Mais je sais qu'elle ne me laissera pas faire. Le mur qu'elle a érigé autour d'elle est presque tangible, c'est une défense qu'elle ne veut pas voir percée par qui que ce soit pour le moment, et je dois respecter sa volonté.

Sans rien dire, elle monte dans la voiture.

« Je veillerai à ce qu'elle rentre bien à la maison », me dit Fynn.

Je hoche la tête. *Je t'aime*, articulé-je silencieusement au moment où il se tourne pour monter à son tour dans la voiture. *Tu es mon meilleur ami et je t'aime.*

Neuf semaines après « ça » (décembre 2011)

« Je suis pas allée au collège ce matin-là, m'a dit Phoebe, en s'interrompant entre chaque mot. J'ai séché pour aller voir Molly en ville, parce qu'elle avait été exclue. Mais l'amie de papa m'a vue dehors et l'a appelé. Alors papa est venu me chercher avant que je retrouve Molly. Son amie l'a emmené en voiture et l'a attendu au parking de Churchill Square jusqu'à ce qu'il me retrouve, et, ensuite, ils m'ont ramenée au collège, et papa est venu avec moi et a donné un mot d'excuse qui disait que j'avais rendez-vous chez le dentiste. Il m'a dit qu'il aimait pas mentir et que c'était la dernière fois qu'il faisait ça, et qu'il allait te le dire après, et que je serais punie. Mais il m'a dit qu'il voulait bien me couvrir auprès du collège, à condition que je lui promette de plus jamais recommencer.

— Je ne comprends pas.

— Ton saladier, maman. Papa était parti l'acheter ce jour-là. Il était sur le siège arrière de la voiture de la fille ; j'étais assise juste à côté.

— C'était une femme ?

— Ouais. Une de son cours de cuisine. Il m'a dit qu'il t'expliquerait tout, que c'était pas la peine que je t'en parle.

— Mais je ne comprends pas pourquoi tu as attendu si longtemps pour me dire ça.

— Ton saladier. Il était dans sa voiture à elle. Et ensuite, il était dans le coffre de la voiture de papa. »

Et tout à coup, j'ai compris où elle voulait en venir : ce matin-là, son père avait emmené sa voiture au garage pour une révision, et elle s'y trouvait encore après son assassinat. Le garage était situé à plusieurs kilomètres de la maison, et les mécaniciens s'étaient souvenus que Joel était revenu plus tôt que prévu. Il leur avait dit qu'il fallait qu'il laisse le saladier dans le coffre, parce qu'il devait repartir pour chercher son téléphone, qu'il avait soi-disant perdu. Mais personne n'avait su expliquer comment il était arrivé et comment il était reparti ; tout ce dont se souvenaient les mécaniciens, c'était qu'il n'était pas revenu.

Il semblait désormais évident que c'était son «amie» qui l'avait déposé. Et que c'était son «amie» qui l'avait emmené chercher son téléphone. Mais les inspecteurs de police n'avaient jamais réussi à localiser l'endroit où ledit téléphone avait été «perdu», parce qu'il était apparemment éteint dans l'intervalle de temps où Joel ne l'avait pas avec lui, et en étudiant son signal et les bornes qu'il avait déclenchées, ils avaient découvert qu'il avait été allumé pour la dernière fois sur Montefiore Road, la route sur laquelle il était mort. Et comme il se trouvait à côté de son corps et que les empreintes avaient apparemment été nettoyées (il n'y avait dessus que les siennes, couvertes de sang), son examen n'avait rien donné ; encore une question non résolue dans le mystère des circonstances de sa mort.

La police avait vérifié la liste de ses appels, et tous les gens qui lui avaient téléphoné ce jour-là, moi comprise, avaient un alibi. Personne, en dehors des membres de sa famille, ne se souvenait de l'avoir vu. Mais je savais désormais qu'au moins deux témoins n'étaient pas là où ils avaient dit se trouver : Phoebe, et l'«amie» de Joel. Audra.

C'était elle. C'était elle qui avait fait ça. Elle avait menti à la police sur les raisons qui l'avaient amenée à lui parler pendant quelques brèves minutes ce matin-là, et, ensuite, elle avait menti sur l'endroit où elle se trouvait ; s'ils avaient vérifié son alibi, ils auraient découvert qu'il était faux. D'autre part, elle savait que Phoebe leur avait menti, elle aussi. Car si ma fille avait parlé d'elle à la police, elle aurait bien sûr été interpellée.

« Est-ce que tu vas le dire à la police ? m'a demandé Phoebe.

— Il le faut.

— Mais ils vont me faire la misère quand ils comprendront que je leur ai pas dit la vérité dès le départ.

— Ils ne te feront rien du tout ; tu n'as rien fait de mal.

— Mais si jamais ils pensent que si ?

— Ils ne penseront pas ça, Phoebe.

— S'il te plaît, maman, non.

— Mais, Phoebe…

— Fais pas ça, maman. S'il te plaît. S'il te plaît. S'il te plaît. S'il te plaît. S'il te plaît. S'il te plaît. J'ai peur. J'ai trop peur.

— Phoebe, on ne peut pas…

— S'il te plaît, maman. Je suis vraiment désolée, mais s'il te plaît, fais pas ça.

— Chut, chuuuuut. N'en parlons plus pour le moment. Tout va bien se passer. Je vais m'arranger, tout va bien se passer. »

Phoebe était terrifiée, elle était déjà traumatisée et rongée par la culpabilité, persuadée qu'elle avait sa part de responsabilité dans ce qui était arrivé à son père ; elle n'allait pas pouvoir subir un interrogatoire par-dessus le marché. C'était donc moi qui allais parler à la police, il fallait que je le fasse, je l'avais décidé. Mais ensuite, l'officier de liaison familiale s'est mis à me parler de prostituées, à suggérer que Joel avait une double vie. Et j'ai compris que cela risquait de détruire définitivement ma Phoebe. Leur façon d'interroger – violente, crue et totalement dépourvue de compassion – lui aurait été impossible à supporter. J'ai donc pris ma décision, une décision que Joel aurait approuvée : protéger ma fille à tout prix.

J'attends le taxi debout devant les portes du cimetière, trop épuisée pour avoir peur. De quoi pourrais-je avoir peur, de toute façon, alors que Joel se trouve là ? Il voulait être incinéré, avait demandé à ce que ses cendres soient dispersées dans la mer devant notre cabine de plage. Mais cela aussi nous a été dérobé. L'incinération ne peut être pratiquée sur les victimes d'homicide tant que l'affaire n'a pas été résolue. C'était l'une des conditions qui avaient été posées quand nous avons récupéré le corps quatre mois après le décès : il nous a fallu accepter qu'il puisse, à n'importe quel moment, être exhumé dans le but de lui faire subir de nouveaux examens. En d'autres termes, il nous a fallu accepter que son repos éternel commence dans des conditions définies par des étrangers.

Il est là-bas, en haut du sentier sinueux qui remonte la colline. Pour aller jusqu'à lui, il faut marcher un peu, puis, après le virage, tourner vers la mare. Il est près d'un arbre, pas très loin de l'eau ; c'était le mieux que je pouvais faire, puisque je ne pouvais pas disperser ses cendres dans la mer.

Je ne viens pas ici très souvent.

C'est trop difficile. À chaque fois, je me retrouve accablée par le chagrin. Ce ne sont pas les failles temporelles avec lesquelles je suis désormais habituée à vivre ; ce sont des pensées qui s'amassent brusquement dans ma tête, mon corps et mon cœur. Je suis emplie de lui dans une soudaine explosion de souvenirs que je ne peux ni séparer, ni éprouver ni, même envisager de savourer. C'est une masse homogène qui prend le contrôle sur moi. Généralement, je reste debout devant la tombe, incapable de faire quoi que ce soit, contrainte d'attendre que les choses se calment en moi.

Venir ici est trop difficile pour moi ; je l'évite autant que je le peux.

45

D'ordinaire, je me sers du heurtoir de cuivre en forme de lion parce que je peux moduler le son dans la maison afin de ne déranger personne, mais, à cet instant précis, je me fiche totalement de qui pourrait être importuné par ma visite : j'appuie violemment sur la sonnette, dont le son puissant retentit dans toute la maison.

Le visage inquiet d'Imogen, un ovale surmonté de blond, ne tarde pas à apparaître dans l'entrebâillement de la porte. « Saffy ? fait-elle d'un air surpris. Tout va bien ?

— Euh… pas vraiment. Est-ce qu'on pourrait discuter quelques minutes toi et moi ?

— Mais, bien sûr », me répond-elle. Il ne lui est pas venu à l'esprit que j'avais découvert ce qu'elle a fait à ma fille. Si c'était le cas, elle n'aurait pas l'air si inquiet, elle ne ferait rien pour cacher le peu de crédit qu'elle accorde à ma réaction. Mais Imogen ne me connaît pas. Elle ne connaît que la personne qu'elle a envie de voir en moi, la veuve incapable de se débrouiller toute seule qu'elle peut toujours pousser à faire ce qu'elle croit être le mieux pour elle. Si ça se trouve, d'ailleurs, elle se fait tellement d'illusions sur moi qu'elle pense que je suis venue pour m'excuser de l'avoir plantée au supermarché l'autre jour.

« Viens dans la cuisine ! J'étais en train de préparer les sandwichs d'Ernest pour demain ! »

Je n'avais jamais remarqué jusqu'ici combien le silence lui était intolérable et qu'il fallait toujours qu'elle le comble avec des mots et des phrases exclamatives. Elle gesticule d'une manière excessive, son corps se balançant au même rythme que ses mains.

La lumière m'assaillit au moment où je quitte la pénombre du couloir pour entrer dans la cuisine, et je m'immobilise quelques instants avant de pénétrer avec elle dans cette vaste pièce dotée de placards en érable, de plans de travail en granit noir et d'une grande table rectangulaire sur laquelle Imogen, son mari et ses enfants prennent leurs petits déjeuners. Il m'est arrivé bien souvent de venir chercher Zane ici le matin, et il était assis dans cette pièce, parfaitement intégré à la famille Norbert, couvé et dorloté comme s'il était l'un des leurs. C'est pour cette raison que ce qu'elle a fait à ma fille m'apparaît comme une trahison. Elle connaît ma famille ; ce n'est pas l'un de ces internautes anonymes qui peuvent dire tout ce qu'ils veulent depuis la courageuse distance que leur confère leur position derrière leurs écrans d'ordinateur ; ce n'est pas l'une de ces personnes qui se dressent soudain pour faire des discours passionnés sur des sujets généraux, alors qu'elles ignorent tout des trajectoires particulières et personnelles. Elle connaît ma fille. Elle sait ce par quoi elle est passée, et elle n'a pas hésité à *utiliser* son traumatisme pour essayer d'influer sur sa décision.

« Que puis-je faire pour toi ? » me demande-t-elle. Elle est retournée se poster devant le plan de travail qui est à côté de l'évier. Les ingrédients de ses sandwichs sont étalés devant elle : le paquet de jambon bio, dont deux tranches ont été déposées sur un morceau de pain complet, a été refermé. La partie supérieure du sandwich se trouve juste à côté, prête à être mise à la place qu'elle doit occuper. La laitue bio prélavée attend dans un sachet encore fermé, alors que les petites tomates cerises se trouvent sur la planche à découper, tranchées et prêtes à être déposées sur le jambon. C'est grâce à tout cela que je parviens à me mettre immédiatement dans le feu de l'action. Si je n'étais pas venue jusqu'ici, j'aurais sans doute pu lui parler de façon calme et rationnelle pour lui reprocher ce qu'elle avait fait, mais constater qu'elle a repris le cours normal de sa vie comme si de rien n'était… tout cela m'est absolument insupportable. Ma vie à moi ne reprendra jamais son cours normal, c'est un fait que je dois m'efforcer d'accepter ; Imogen, pour sa part, n'a pas ce souci. Elle peut faire du mal aux autres, et comme elle est persuadée qu'elle a raison, elle peut ensuite rentrer chez elle l'esprit tranquille pour dîner avec ses hommes et leur faire des sandwichs.

Maintenant que je me rends compte avec quelle insouciance elle a quasiment détruit ma fille, je suis en proie à une réaction violente, et mes yeux se mettent à chercher frénétiquement quelque chose. Je sais où cet objet se trouve dans ma cuisine, mais, dans la familiarité étrangère de la sienne, il me faut une bonne minute pour localiser le combiné noir brillant, qui repose sur son discret socle argenté. D'un geste vif, je le prends dans ma main, et un petit bip se fait entendre au moment où je le coince brutalement sous l'aisselle d'Imogen. L'air médusé, elle resserre légèrement son bras pour l'empêcher de tomber.

«Appelle la police», lui dis-je calmement.

Elle ne me répond pas, ne s'exécute pas, mais sa frêle silhouette recule, et elle me dévisage en fronçant un peu les sourcils. Lentement, ses lèvres se resserrent pour former une moue de confusion.

«Tu m'as bien entendue: appelle la police et dis-leur qu'il y a une femme qui s'apprête à tout casser chez toi.»

Sa seule réaction est un petit sourire perplexe et suffisant.

«Tu as entendu ce que je t'ai dit, bordel», m'efforcé-je de dire entre mes dents serrées. Il est rare que je jure. Ma colère est généralement intériorisée. Même quand elle devrait être dirigée vers des personnes de l'extérieur, c'est généralement à moi qu'elle s'en prend: elle s'attarde en moi, me ronge de l'intérieur, me dévore les entrailles jusqu'à ce que je sois obligée de la faire taire de la seule façon que je connaisse. «Si tu peux rentrer dans mon foyer pour tout casser, il n'y a aucune raison que je ne fasse pas la même chose chez toi.

—Je n'ai rien cassé du tout, dit-elle d'un air dégoûté.

—Il ne t'est pas venu à l'esprit que la petite conversation que tu as eue avec ma fille pouvait lui bousiller la tête, la briser? dis-je d'une voix forte. Peut-être même la rendre suicidaire?»

À ces mots, elle s'empresse de refermer la porte de la cuisine. Elle ne veut pas que sa famille apprenne ce qu'elle a fait aujourd'hui.

« Elle était tellement bouleversée après votre conversation qu'elle a envisagé de se jeter sous les roues d'un bus pour résoudre le problème.

— Quoi ? Pas à cause de ce que je lui ai dit ; c'est impossible.

— Ma fille a envisagé d'attenter à ses jours parce qu'elle avait déçu son papa et qu'elle ne voulait pas continuer de lui faire honte.

— Elle a mal compris ; ce n'est pas du tout ce que je voulais dire. »

C'est elle qui a mal compris si elle pense qu'elle va s'en tirer avec un argument d'hypocrite qui est censé la faire passer pour la victime de l'histoire. J'ai déjà perdu mon calme, mais l'idée qu'elle puisse essayer de se dédouaner en mettant ses erreurs d'adulte sur le dos d'un enfant déclenche en moi un véritable accès de rage. « APPELLE LES FLICS, BORDEL ! hurlé-je. MAINTENANT ! »

Imogen se met à trembler à mesure qu'elle prend conscience de ce qu'elle a fait, de ce qu'elle a failli pousser quelqu'un à faire. La main sur la bouche, elle laisse son dos retomber contre la porte. « Est-ce qu'elle va bien ? demande-t-elle entre ses doigts. Dis-moi qu'elle ne s'est pas blessée, s'il te plaît. »

Je fais un pas en arrière, ces paroles, l'inquiétude qu'il y a derrière, ayant un peu apaisé ma rage. Un autre pas en arrière, et je me retrouve face à une chaise. Il ne serait pas irraisonnable de s'asseoir, de se calmer. « Elle ne s'est pas blessée, mais on ne peut pas dire que ce soit grâce à toi.

— Oh, mon Dieu, si j'avais su… », murmure-t-elle avant de se laisser tomber sur une chaise. Les stores sont baissés, et leur imprimé de cerises rouge vif sur fond blanc confère à la pièce une gaieté qui paraît forcée. C'est ça qui est curieux chez Imogen, dans sa maison et dans tout ce qu'elle fait : on a l'impression que tout est forcé, que rien ne vient naturellement, tout n'est qu'une question d'apparences, et ces apparences doivent être joyeuses, vives, positives. *Tout le temps.*

Je prends une profonde inspiration et soupire longuement. Mon esprit est agité à cause des événements qui se sont passés aujourd'hui mais aussi ces derniers jours, ces dernières semaines, ces derniers mois, ces dernières années. Mon esprit ne peut jamais se détendre. Jamais. « Mais qu'est-ce qui t'a pris ? » lui dis-je. Elle n'est plus qu'une forme nébuleuse avachie sur une chaise à la périphérie de mon champ de vision. Si je la regardais, si je la voyais vraiment, j'imaginerais sans doute ses lèvres en train de remuer pour faire du mal à Phoebe, et je perdrais de nouveau mon calme retrouvé.

« Saffron, dit-elle d'une voix lourde, condescendante, sans se rendre compte, apparemment, qu'elle est sur le point de déchaîner de nouveau ma colère, je voudrais vraiment que tu comprennes que ce qu'elle s'apprêtait à faire était mal. Il fallait que quelqu'un lui explique. Il fallait que je lui explique, puisque personne ne l'avait fait. Je ne pensais pas que ça la bouleverserait autant, et je le regrette, mais il fallait absolument que je la convainque de réfléchir. Et de *bien* réfléchir. Elle n'avait aucune idée de la blessure que cela laisserait dans sa vie.

— Mais as-tu pensé aux blessures qu'elle aurait pu garder si elle avait essayé d'attenter à ses jours? Et puis combien de fois vais-je devoir te répéter que rien n'a encore été décidé? Et que personne ne te demande ton avis?»

Elle a vu de ses yeux qu'après la mort de Joel, nous ne pouvions plus penser, nous ne pouvions plus manger, nous pouvions à peine dormir. Elle a vu à quel point Phoebe et moi étions brisées. Elle a vu Zane se dépouiller de sa personnalité, se retrancher derrière un mur de peur, de silence et d'incertitude. Elle a vu cela, elle en a été témoin, et ça ne l'a pas empêchée de se comporter ainsi avec Phoebe.

«Mais je te le donne tout de même, mon avis. Avorter, c'est mal. Ça ne devrait même pas être une possibilité. Elle ne sera plus jamais la même après ça. Ta petite fille sera partie à tout jamais, et je veux vous épargner ça, moi. À toi et à elle.

— Tu ne peux pas savoir comment elle sera si elle se fait avorter ou comment elle sera si elle garde le bébé. Personne ne peut savoir ça.

— Si, moi, insiste-t-elle.

— Et comment peux-tu le savoir? Tu as une boule de cristal qui te dit tout ce que les gens vont ressentir après chacun des choix qu'ils feront dans leurs vies?

— Non! me répond-elle sèchement.

— Alors, tais-toi. Si tu n'es pas médium, je ne vois pas pourquoi tu me dis tout ça.

— Parce que je l'ai fait. Tu comprends? Je l'ai fait, et il ne se passe pas un seul jour sans que je le regrette horriblement.»

À ces mots, je me remets à scruter les cerises des stores, avant de passer aux mugs de couleurs vives suspendus aux crochets métalliques vissés sous les placards muraux à côté de la bouilloire, et mon regard finit par tomber sur une série de planches à découper multicolores posées sur le plan de travail et adossées au mur, à droite. Afin d'éviter de la regarder et de faire face à cette confession à laquelle elle n'avait certainement pas l'intention de se livrer, je passe en revue la pièce, ingérant la jovialité imposée qui semble émaner de chacun des éléments visibles de leurs vies quotidiennes. *Tu penses vraiment que c'est mal de se faire avorter, Imogen ?… Alors ne le fais pas*, me rappelé-je avoir dit. Si j'avais su…

« Je suis tombée enceinte très rapidement après Damien, est en train de me dire Imogen. Je n'arrivais pas à y croire : j'allaitais encore et nous faisions attention. Mais le fait est que six mois après Damien, j'attendais de nouveau un enfant. Quand j'ai annoncé à mon mari, mon premier mari, il a fait comme s'il était content, mais j'ai bien vu qu'il ne l'était pas. Il se faisait du souci, il se demandait comment nous allions nous en sortir financièrement, parce que ça voulait dire qu'il allait falloir attendre plus longtemps que prévu pour que je retourne travailler.

« Je me fichais bien de tout cet aspect matériel, mais plus nous en parlions, plus je voyais qu'il avait raison. Nous ne pouvions vraiment pas assumer un autre enfant… Je n'avais pas envie de le faire, mais c'était le seul moyen de garder mon mari. Je savais qu'il me quitterait si je ne le faisais pas, et je n'aurais pas pu supporter de devenir mère célibataire. Les enfants ont besoin de deux parents. Je pensais que Damien méritait ce qu'il y avait de mieux, et je ne voyais pas comment j'aurais pu le lui offrir toute seule.»

Elle s'interrompt pour reprendre son souffle; ne pouvant toujours pas me résoudre à la regarder, je continue d'examiner les cerises des stores.

«Alors j'y suis allée et... et j'ai passé toute une semaine à pleurer, après. J'étais complètement brisée. J'avais l'impression d'avoir trahi Damien. Rien ne m'a plus jamais semblé juste, après ça, et je n'ai jamais pardonné à mon mari de m'avoir forcée à le faire.» Elle sanglote. «Et le pire, c'est qu'il m'a tout de même quittée. Il a eu une petite histoire sordide avec une jeune écervelée qui s'est jetée à son cou, et il est parti. Jamais je n'aurais dû faire ça pour lui.» Nouveau sanglot. «Tu vois? Je sais très bien de quoi je parle. J'ai une parfaite idée de ce que ça pourrait lui faire.

—Non», répliqué-je doucement. J'ai beaucoup de peine pour elle, mais ce qu'elle a fait à Phoebe continue d'agiter mon esprit. «Je suis vraiment, sincèrement navrée que tu aies dû endurer cela, Imogen. Ç'a dû être terrible pour toi, mais la seule chose que tu sais, c'est la façon dont cela t'a affectée, toi. Ce n'est pas parce que tu as ressenti cela que tout le monde aurait ressenti la même chose à ta place.

—Je ne vois pas comment on pourrait ressentir autre chose.» Ses larmes se sont taries; elle a repris sa position de madame je-sais-tout.

«Allons, Imogen, tout le monde est différent, on ne réagit pas tous de la même manière. Tu le sais très bien. Tu n'es *pas* Phoebe. Tu ne peux pas savoir comment elle prendra la chose si elle interrompt sa grossesse ou si elle garde le bébé.

— Mais je pense que…

— Si tu avais eu quatorze ans au moment où tu t'es fait avorter, coupé-je, tu serais peut-être un peu mieux placée pour la comprendre. De même, si ton père avait été tué quand tu avais douze ans et que son assassin n'avait toujours pas été arrêté. Ou si tu avais une mère qui était au bord de la dépression nerveuse depuis que ton père était mort. Ou encore si un petit enfoiré t'avait menti pour te mettre dans son lit et que tu t'étais par conséquent retrouvée enceinte. Mais comme tu n'as vécu aucune de ces choses, tu n'as aucune idée de la façon dont elle va réagir pour celle que vous avez en commun. Personne ne peut prédire ce qui va se passer, pas même Phoebe, alors s'il te plaît, laisse tomber.

— Saffron…

— Ne va pas au bout de cette phrase, s'il te plaît. À moins bien sûr que tu n'aies envie de dire : "Saffron, je suis vraiment désolée de m'être montrée aussi ignoble avec ta fille, je vais aller m'excuser auprès d'elle et lui dire que j'ai eu tort."

— J'espère sincèrement que quelqu'un réussira à te faire entendre raison avant que tu… »

De nouveau, la rage se met à bouillir dans mes veines, gonflant mes muscles et m'écorchant la poitrine au moment où elle jaillit de mes lèvres : « NE T'APPROCHE PAS DE MA FILLE ! NE T'APPROCHE PAS DE MOI ! LA PROCHAINE FOIS, JE TE PRÉVIENS, JE NE TE LAISSERAI PAS LA POSSIBILITÉ D'APPELER LES FLICS ! » Le son qui sort de ma bouche est un beuglement que je n'ai jamais entendu auparavant. Je me fiche royalement qu'on puisse m'entendre, qu'on pourrait être effrayé par mes paroles, la seule chose qui compte, c'est qu'elle comprenne. Peu m'importe ce qu'elle pense, peu m'importe qu'elle exige que le monde entier fasse ce qu'elle dit et pas ce qu'elle fait, je veux simplement qu'elle sache que si je dois encore une fois entendre ma fille parler de mettre fin à ses jours, de s'arracher définitivement à moi à cause de quelque chose qu'Imogen lui aurait dit, elle ne survivra pas. « ME SUIS-JE BIEN FAIT COMPRENDRE ? »

La plus grande partie de son corps reste crispée, mais, lentement, elle hoche la tête, ses yeux vert noisette fixés sur moi.

Il y a des choses que je sais sur elle : elle se maquille tous les jours ; elle se fait laver les cheveux et coiffer par un coiffeur toutes les semaines ; elle s'est mise à fréquenter l'église pour pouvoir inscrire son fils à St Caroline, parce que cette école était exceptionnellement bien classée à l'Ofsted[1] et parce qu'elle n'habitait pas dans le bon district ; elle tient sa maison avec une rigueur toute militaire.

Il y a des choses qu'elle ne sait pas sur moi : j'ai fait des trucs impensables pour protéger ma fille ; je ferais littéralement n'importe quoi pour protéger ma fille et mon fils ; s'il fallait choisir entre lui faire du mal à elle et laisser mes enfants souffrir, je n'hésiterais pas une seule seconde.

« J'allais ressortir pour te chercher ; je me faisais du souci. » Il n'a plus envie de me voir, il n'a plus

1. *Office for Standards in Education* (Bureau des normes éducatives). Organisme d'État chargé entre autres de l'inspection et du classement des établissements primaires et secondaires. (*N.d.T.*)

envie de me parler, mais il a attendu des heures mon retour. Fynn. Alors que je me fais ces réflexions, je sens mon cœur se serrer.

« Merci, lui dis-je. De m'avoir emmenée chercher Phoebe, de l'avoir raccompagnée à la maison, d'être resté là pour m'attendre. Et de t'être inquiété. »

Il regarde droit devant lui.

Le long chemin que j'ai parcouru pour rentrer ne m'a pas aidée à m'éclaircir les idées ; j'avais le sentiment de dériver comme un morceau de bois flotté sur l'océan, cahotée, bringuebalée de-ci de-là au gré de la marée, des caprices d'autrui. Il faut que je fasse la cuisine. Ou que je mange. J'ai besoin de faire quelque chose pour éliminer ce sentiment de « totalitude ». Une conversation avec mon meilleur ami pourrait faire l'affaire.

« Fynn… »

Ses yeux bleu marine se fixent brusquement sur moi. Froids, implacables, bien déterminés à me dire de ne pas faire ça, de ne pas aller dans cette direction. C'est terminé ; il faut passer à autre chose.

« Rien. À plus tard.

— Prends soin de toi », me répond-il, le regard de nouveau rivé sur son pare-brise, avant de quitter son emplacement sans avoir daigné jeter un autre coup d'œil dans ma direction.

Rentrer chez moi me paraît inenvisageable pour le moment. Laissant la fraîcheur de l'air nocturne s'infiltrer dans ma peau, je m'assieds sur la quatrième marche de pierre, mon sac sur mes genoux. Je sais qu'elle est certainement dans les parages, en train de m'observer de l'endroit où elle se trouve. Mais je sais aussi que si je rentre, je ne pourrai m'empêcher de me goinfrer. Il faudra que j'engloutisse tous ces sentiments, toute cette souffrance, et je n'ai pas envie de ça. J'en ai besoin, mais je n'ai pas envie de ça. Je ne pourrai pas me battre bien longtemps, mais rester assise ici me permet de repousser un peu ce moment.

J'entends la voiture avant de la voir. Le bruit de son moteur m'est familier, sa couleur vert anglais est inimitable, de même que le regard bleu marine de son conducteur, qui se tourne dans ma direction et rencontre le mien. Le sourire qu'il m'adresse est triste, mais tendre. Il accélère de nouveau.

Reviens, lui ordonné-je silencieusement. *Je veux le faire à nouveau.*

X

Lundi 13 mai
(pour le mardi 14)

Saffron,

En fin de compte, c'est peut-être une bonne chose que Joel n'ait pas vécu pour voir que sa petite fille adorée était devenue une aussi grosse salope que sa mère. Je pense que ça lui aurait brisé le cœur.

Je ne savais même pas qu'elle était enceinte. Je voulais juste te faire comprendre à quel point tu t'occupais mal d'elle, te montrer que tu ne la protégeais pas assez de tous ces gens animés de mauvaises intentions. Tu ne t'imagines même pas à quel point il m'a été facile de contacter ses « amis » virtuels. Un vrai jeu d'enfant. Ils ne se donnent pas la peine de vérifier l'identité des gens avant de les accepter comme « amis ». Phoebe a rejeté mes demandes, mais ses contacts m'ont acceptée. Après ça, il ne me restait plus qu'à inventer la rumeur et à la propager. Je l'ai fait, et, tout à coup, j'ai appris que c'était vrai. Que c'était une salope, comme sa mère.

Une salope qui ne peut pas s'empêcher d'écarter les cuisses.

Comme je viens de te le dire, je pense que c'est une bonne chose qu'il ne soit plus là pour voir ça. Ça lui aurait brisé le cœur.

Je suis désolée, Saffron, mais tu méritais une bonne leçon. Tu en as pris une. Et je pense qu'il t'en faudra quelques autres encore.

A

46

Dans mon rêve, je ne suis pas là. Je suis sur la plage.

Dans mon rêve, la plage n'est pas le lieu où je vais pour explorer l'idée d'en finir avec la douleur. Dans mon rêve, je suis assise dans la cabine de plage, dont les portes sont ouvertes vers l'intérieur. Nous avons sorti la table de camping bancale, avec son plateau de Formica craquelé et écorné au niveau des angles de son cadre en métal. Nous avons des transats en toile ; quatre au total, mais nous avons de la place pour cinq, parce que l'un d'entre eux est un double. Dans ma vie parfaite, je suis lovée sur les genoux de mon mari, lui-même étendu sur le transat double, ses longues jambes soutiennent mon corps, et je suis substantielle et réelle, mais ni grotesque ni immense, comme j'en ai souvent la sensation. Il me tient par la taille et, de sa main libre, joue avec mes cheveux. L'aînée de mes enfants, une fille, les jambes repliées sous elle, interrompt régulièrement sa lecture pour envoyer des textos. Le cadet de mes enfants, un garçon, est assis sur le goudron irrégulier devant son transat, occupé à trier un gros tas de pierres et de coquillages, qu'il classifie méthodiquement.

Dans mon esprit, j'ai atterri ici, sur ma plage, avec la mer qui vient faire coucou et repart à toute allure, comme un enfant turbulent et tumultueux qui aurait du mal à croire qu'autant de gens soient venus lui rendre visite. Il y a des personnes qui passent devant nous en flânant, mais nous sommes bien au chaud dans notre petit monde, les morceaux de nos vies encastrés les uns dans les autres, si bien que, de près comme de loin, nous formons une image pleine de détails mais cohérente. Nous sommes une famille.

Dans ma vraie vie, je suis ici. Mon peignoir blanc grisâtre tombe mollement sur le sol au moment où je m'en débarrasse pour me laver. Mais au lieu de me précipiter directement dans la douche, comme je le fais généralement afin d'éviter le vague reflet de ma silhouette dans le verre taché de calcaire de la cabine de douche ou le miroir en pied qui se trouve derrière la porte, je m'arrête. L'air, qui va et vient dans mes poumons, force ma poitrine à se tendre et se détendre, me permettant de rassembler mon courage. Il y a bien longtemps que je n'ai pas fait ça. Je me pèse tous les jours, mais ça, j'évite. Je me goinfre et me purge régulièrement, mais ça, j'esquive. Je n'hésite pas à prendre à pleines mains les parties superflues de mon corps pour sentir leur masse dégoûtante s'écouler entre mes doigts, mais ça, je fuis.

Complètement nue, je me tourne vers le reflet fantomatique qui se détache sur la paroi en verre de la cabine de douche. Une image de moi très floue se dessine, et les contours de mon corps ne ressemblent pas du tout à ce que je redoutais. Au vu des chiffres qui s'affichent sur la balance, au vu de tout ce qui entre et de tout ce qui sort, au vu de ce que je ressens parfois sous mes doigts, ma silhouette ne devrait pas du tout être comme ça. Elle devrait être plus grosse, beaucoup plus grosse.

« Je croyais que tu avais arrêté de faire ça, Frony. Tu m'avais dit que tu n'avais pas besoin d'aide et tu m'avais promis que tu allais arrêter. »

« Tu n'es pas grosse ; tu es maigre. »

J'entends ces mots sans arrêt, ils m'accompagnent en permanence, dans le tourbillon incessant de pensées, sentiments et souvenirs qui virevolte dans mon esprit.

Instinctivement, lentement, je me tourne vers le miroir, jusqu'à ce que mon identité, lorsque je suis dépouillée de tout, me soit révélée.

Dans ma vie rêvée, ce n'est pas comme ça que je suis. Je suis parfaite, pleine et sereine. Peu importe ce à quoi mon corps ressemble, peu importent les chiffres qu'affiche la balance, je suis complète. Cette partie extérieure de moi ne compte pas ; la seule chose qui importe est ce qui est en moi. Je serai aimée quoi qu'il arrive, je serai soutenue, chérie et désirée. Dans ma vie parfaite, je peux me détacher des chiffres qui varient sans cesse, je peux me libérer du besoin d'engloutir les choses, de faire *n'importe quoi* pour me sentir vide à nouveau. Dans mon esprit, je sais que la nourriture n'est ni amour, ni récompense, ni punition, ni perfection, ni moyen de contrôle, ni objet incontrôlable, ni haine, ni péché, ni l'une de ces nombreuses choses avec lesquelles je me torture tous les jours. La nourriture est un carburant, rien de plus, rien de moins.

Dans mon existence rêvée, je sais que la minceur n'est pas synonyme de perfection. Que la minceur n'est pas le bonheur. Pas la réponse à tous mes problèmes, pas le but à atteindre pour que ma vie puisse commencer. Vouloir être mince, c'est vouloir être autre part pendant que la vie continue autour de soi. Être mince ne change rien par rapport à être grosse. Ronde. Obèse. La minceur ne va pas changer ma vie : je suis déjà mince, et je ne suis pas heureuse. Je contrôle ma nourriture, et mon corps et moi-même ne sommes pas heureux.

Dans ma vie idéale, je ne me regarde pas dans le miroir et ne vois pas ce que je suis en train de voir maintenant. Je ne vois pas que je suis mince et ne prends pas conscience que je ne suis pas heureuse. Je ne vois pas que je contrôle mon corps, que j'en contrôle chacun des éléments et que je ne suis pas heureuse. Je ne me regarde pas dans le miroir et ne vois pas la seule chose pour laquelle Joel et moi nous sommes jamais disputés. Je ne me regarde pas dans le miroir et ne vois pas que Fynn avait raison.

Dans mon monde merveilleux, je ne me souviens pas de la voix intérieure que j'ai choisi d'ignorer quand j'avais dix-neuf ans pour pouvoir prendre un nouveau départ sur ce cheminement vers la minceur, et je ne perçois pas dans une douloureuse clarté la raison pour laquelle je me suis scindée en deux pour pouvoir tenir le choc.

Il m'arrive souvent de pleurer sous la douche. Les cheveux ramenés en chignon sous une charlotte en plastique transparent, je me mets face à la grosse pomme de douche métallique et je laisse l'eau me percuter le visage, je laisse son rythme résonner sur ma peau et je pleure. Je laisse mon corps trembler, je serre mes bras contre moi et je sanglote, mon souffle, rapide, m'évoquant les courtes rafales d'une mitraillette. Je peux le faire, là, avec le bruit de l'eau pour me couvrir ; personne ne m'entend. Je ne suis jamais assez seule pour pleurer correctement, pour me laisser totalement aller à gémir. Alors je le fais là, dans la solitude la plus absolue que je puisse trouver.

Et quand je suis épuisée, fatiguée de pleurer, consciente que ce sera suffisant pour la journée, je me redresse. Je me force à me tenir droite, je libère mon corps de ma propre étreinte et j'ouvre les yeux, prête à me concentrer sur la réalité et à l'affronter.

Il me faut davantage de temps, aujourd'hui, pour m'extirper de ma vie rêvée et revenir à cette vie. Dans cette vie, j'ai dévasté mon corps, j'ai les dents qui me font constamment mal et qui sont si abîmées que je sens parfois de petits morceaux s'en détacher lorsque je mange ; je n'ai pas pris soin de ma famille, qui est divisée, effrayée, fragile ; j'ai perdu mon meilleur ami. J'ai échoué à tous les niveaux. Il me faut davantage de temps, mais, avec détermination, je finis par ouvrir les paupières et tendre la main pour attraper le petit morceau de savon sans parfum qui devrait suffire à laver mon corps. Mes yeux, probablement rouge vif et gonflés d'avoir tenté de soulager mon cœur en pleurant, tardent à percevoir la réalité.

Mais une fois que le monde alentour a refait surface, je la vois très nettement. Elle a un corps parfait, cylindrique, mais galbé ; des rayures jaunes et noires nettes et régulières ; deux paires d'ailes transparentes et gracieuses ; un long dard effilé à son extrémité.

Neuf ans avant « ça » (mai 2002)

« Tu t'occupes des araignées et des limaces, chérie, et moi, je fais les guêpes.

— Nous n'avons jamais de guêpes.

— Ça ne veut pas dire qu'on ne doit pas avoir un chasseur de guêpes désigné.

— Et pourquoi aurais-je deux boulots et toi un seul ?

— Les guêpes, c'est plus dangereux, Frony. »

Il aurait trouvé ça hilarant, j'en suis certaine. Les limaces ont massacré mes plantations, il y a des araignées et des toiles d'araignées partout, et maintenant, ça. Je ne me rappelle même pas la dernière fois où j'ai vu une guêpe dans la maison.

« Espèce d'enfoiré, dis-je face au sourire que Joel arbore certainement là où il est, tu aurais fait n'importe quoi pour ne pas avoir à t'occuper de ce genre de trucs, hein ? »

Je regarde la guêpe, qui remonte d'un pas chancelant la colonne de douche.

Du Joel tout craché. Il était très doué pour me rappeler l'ordre des priorités. En ce moment précis, mon plus gros problème n'a rien à voir avec les choses pour lesquelles j'ai pleuré ; mon plus gros problème est de sortir de la douche sans me faire piquer.

« *Voyons comment tu vas te tirer de là, hein, Frony ?* »

47

Avec mon carnet de notes ouvert devant moi, un stylo niché au milieu de la vallée des pages comme une chenille bleue enveloppée de cristal, je suis assise à la table de la cuisine.

Voilà ce que je viens d'écrire :

La nourriture n'est pas l'amour

et :

L'amour est l'amour

et :

La nourriture est la nourriture

et :

Rien ne peut avoir la saveur de l'amour

et :

Tout a un goût délicieux
quand on aime ce qu'on mange

et :

Aime ce que tu manges

et :

Mange ce que ton corps aime

Je pense tout cela. J'accepte toutes ces choses intellectuellement, je sais ce que j'ai à faire, je sais que j'ai commencé à imaginer mon cheminement vers la guérison, mais que c'est le fait de le suivre qui la rendra effective.

Si je me débarrasse de ça maintenant, je me retrouverai de nouveau projetée dans cet espace atemporel, je redeviendrai la petite fille qui s'entendait dire de manger moins de pain et davantage de fruits par sa mère bien intentionnée, je serai la meilleure amie qui est toujours très sympa mais qui devrait tout de même perdre du poids pour être à la hauteur, je serai l'employée à qui on ne peut pas trouver d'uniforme parce qu'elle est obèse, je serai l'étudiante que personne ne remarque parce qu'elle est énorme. Je serai une grosse, une moche, une ratée. Je serai aussi la femme dont Joel est tombé amoureux. Et je serai la femme qui a laissé tomber les mûres, la femme qui ne s'était pas préparée au pire, et qui, par conséquent, a failli être détruite par la disparition de son mari.

Sur le plan intellectuel, je sais ce que j'ai à faire ; sur le plan émotionnel, j'ai bien trop peur pour agir. Mais si je couche les choses sur papier, je pourrai y revenir, je pourrai régulièrement voir ce en quoi je crois. Et le déclic finira peut-être par se faire dans mon esprit et mon cœur, et je serai alors en mesure d'agir. Si je couche les choses sur papier, je me rappellerai que je ne peux pas penser correctement quand je me goinfre et me purge, et que, en ce moment, j'ai besoin de penser correctement.

En ce moment, j'ai de petits morceaux de Joel devant moi. Ces notes qu'il a prises me rapprochent de lui, me rappellent qu'il était plus que sa mort, qu'il était vivant aussi. Qu'il était énormément de choses, et qu'il était ça : un recueil de recettes, dont chacune contient des ingrédients dont il était amoureux.

J'adore son écriture amusante et penchée, les barres de ses « t », la courbe de ses « s », la longueur de ses « j », qui démontre, me semble-t-il, qu'il s'agissait de la lettre de l'alphabet la plus importante à ses yeux. Il avait pris des notes sur du papier libre, quelques-unes de ses idées avaient été archivées dans un carnet et certaines avaient été griffonnées sur des Post-it de formes et de couleurs différentes. Certaines feuilles sont chiffonnées et froissées, d'autres sont divisées en deux sections égales par une marque de pliure au milieu.

Je recherche le parfait mélange de saveurs qui, une fois au contact de mes papilles, me ramènera tout ce qu'il y avait de bon dans ma vie avec lui. Je fermerai les yeux, le goût submergera mes sens, et je serai transportée en un autre lieu, à l'époque où j'étais avec lui. Je serai cette femme qui peut se regarder dans le miroir sans se soucier de la personne qu'elle verra apparaître en face d'elle. Je serai cette femme qui peut éprouver des choses pénibles sans être terrifiée à l'idée qu'elles la consument tout entière. Je serai cette femme qui peut affronter la réalité, affronter une guêpe dans la douche. Affronter la personne qui s'apprête à essayer de la tuer.

Quand je parviendrai à trouver le parfait mélange de saveurs, je serai avec lui à nouveau. Il reviendra à moi. Je retrouverai cet amour qui me donnait le sentiment d'être normale et en sécurité.

Joel aimait suivre les recettes traditionnelles à la lettre et y ajouter une petite touche personnelle. Je ne suis pas comme ça. Il me faut toujours essayer différentes choses, inverser les proportions des ingrédients, remplacer un ou deux éléments et goûter les différentes versions. Voir si ce goût sera lui. Nous. Et la vie que nous avions avant « ça ».

J'ai tout un mois pour aller au bout de cette tâche, si je le souhaite. Je pourrais prétendre que tout va pour le mieux dans le meilleur des mondes possibles et m'immerger totalement dans la préparation, la cuisson, la réalisation et la création. Mais je pourrais aussi choisir de regarder la réalité en face et de prendre les choses à bras-le-corps.

« T'es toujours en peignoir ? » dit soudain ma fille, coupant court à mes pensées. Mon cœur a un raté. Instinctivement, je cherche à dissimuler les papiers avec mes mains. Et puis je me rends compte qu'il s'agit de Phoebe. Que ce n'est pas quelqu'un qui risque de se moquer de moi.

« J'ai pris un mois de congé, lui dis-je, avant de rassembler les papiers et de les classer.

— Pourquoi ? » me demande-t-elle.

Après la crise d'hier soir, la façon dont elle m'a parlé, la haine qu'il y avait derrière ses mots, je suis surprise qu'elle n'ait pas déjà fait ses bagages pour partir.

« C'est une longue histoire », répliqué-je, et, pour être honnête, je suis surprise, également, d'être capable de lui parler. Les choses qu'elle m'a dites m'ont blessée à des endroits où j'avais oublié que l'on pouvait avoir mal. Ma fille. Elle se tient debout devant moi, dans son uniforme gris et turquoise, son sac hissé sur une épaule, prête à retourner au collège. Prête à affronter tous ces mots qui ont été crachés sur elle. Je ne lui parle pas assez. Je ne lui dis pas ce que je pense, alors, pourquoi le ferait-elle ? « Mais pour faire court, ça ne se passait vraiment pas bien au bureau, alors j'ai décidé d'aller voir le big boss, le président. Et j'ai obtenu bien plus que ce que j'avais espéré. Il m'a dit de prendre un mois pour réfléchir. Alors, voilà : je réfléchis.

— Après le petit déj, tu m'emmèneras au collège ? me demande-t-elle, moyennement intéressée par mon histoire.

— Non. Je ne crois pas que tu devrais aller au collège aujourd'hui. Je pense que tu devrais rester à la maison pendant quelques jours. Je vais appeler M. Newton pour en discuter avec lui. Mais je crois que tu devrais rester à la maison.

— Je veux aller au collège.

— Tu es victime de harcèlement, Phoebe. Et c'est vraiment horrible, à ce que j'ai pu constater.

— Et alors ? Je vois pas pourquoi je me cacherais. Il faut que je sois là pour répliquer.

— Oui, tu as raison, lui dis-je. Mais, parfois, c'est bien de faire une pause, de prendre un peu de recul avant de retourner au combat. Par ailleurs, il est toujours préférable d'assurer ses arrières, d'être soutenu par quelqu'un.

— Tu sais de quoi t'as l'air quand tu dis des trucs comme ça ?

— Phoebe, je sais que ça va à l'encontre de tous tes principes, mais je te serais vraiment reconnaissante si tu me faisais une faveur.

— Laquelle ?

— Reste à la maison pendant quelques jours. Laisse la situation s'apaiser un peu, laisse le collège s'occuper des principaux coupables s'ils parviennent à les trouver, et ensuite, si tu en as vraiment envie, tu pourras reprendre les cours. » Mais il faudra d'abord que je te trouve un nouveau collège. Car même s'il me faut pour ça retourner travailler avec Kevin afin de renflouer mes caisses pour t'envoyer dans le privé, tu ne remettras pas les pieds à St Allison.

Elle n'en a pas encore conscience, mais les choses qu'elle fait en ce moment et la façon dont les gens réagissent par rapport à cela vont modeler l'image qu'elle aura d'elle-même pendant des années.

Ces choses vous suivent partout. On a l'impression qu'elles disparaissent, que c'est enterré et oublié, mais au moment où on essaie de passer à autre chose, elles reviennent brusquement à nous. Échappées de la bouche de quelqu'un qui ne vous connaissait même pas à cette époque, écrites sur un tableau noir exposé aux yeux de tous, répétées par un professeur à vos parents. On ne peut pas échapper à ces choses-là, on ne peut que prétendre qu'elles n'ont jamais eu lieu, les engloutir dès qu'elles commencent à pointer leur nez dans notre esprit. Elles restent comme des taches sur notre âme, et il nous faut faire de notre mieux pour vivre avec elles.

Une partie de mon identité a été modelée à partir de choses de ce genre-là. J'ai été façonnée par des mots écrits à la craie sur un tableau noir décrivant quelque chose que je n'aurais pas dû laisser un garçon me faire ; quelque chose que je n'aurais jamais pensé qu'il dirait à qui que ce soit quand il avait fini par me persuader de le laisser me toucher. Une seconde à peine, mais une fois que ç'a été fait, je n'ai jamais pu m'en débarrasser.

Je ne pensais pas que ma fille connaîtrait ça, elle aussi. C'est tellement public, tellement officiel, marqué à l'encre indélébile sur l'édifice de temps qu'est Internet. Non seulement cela suivra Phoebe, mais cela demeurera aussi dans l'histoire des individus qui en ont parlé. Ces personnes, même les plus anonymes, resteront connues comme les architectes du malheur d'une autre.

« Pourquoi ça se passait pas bien, au bureau ? » Après avoir posé son sac par terre, elle se laisse tomber sur une chaise et, comme si elle ne les avait pas vus en entrant, se met à inspecter d'un œil inquisiteur les papiers qui sont sur la table devant moi.

« Quelqu'un me pourrissait la vie. En faisant de petits commentaires méprisants et en remettant en question tout ce que je faisais : l'heure à laquelle j'arrivais, l'heure à laquelle je partais, ce que je faisais, si je prenais ou non le temps de déjeuner...

— Eh ben..., ça ressemble pas mal à ce que tu fais avec moi », me dit-elle, avant d'éclater de rire. J'aimerais qu'elle puisse se voir, la façon dont son visage s'est illuminé, rayonnant de pur bonheur. Voilà comment elle était avant que son père meure.

« Bon, j'imagine qu'à ta place, je penserais sûrement la même chose que toi, répliqué-je, désespérée de l'entendre rire à nouveau. Mais en qualité de maman, c'est mon boulot de faire ce genre de choses. »

Comme si elle avait très envie de ramasser les recettes pour les regarder de plus près, elle se penche en avant, inclinant son buste naturellement mince. Il n'y a que Joel et moi qui avons touché ces papiers. Chaque fois que je les ressors, j'essaie de le ressentir en eux, d'imaginer où ses doigts se sont posés, où il a placé sa main pour commencer à écrire. Je ne peux pas la laisser en prendre un ; ce serait la fin de ce monde.

La « Ratatouille *J's House* » attire mon œil. J'en regarde souvent la recette, parce qu'elle semble tellement compliquée qu'il faudrait énormément de courage et de force de caractère pour se lancer dans sa réalisation.

« Ça te dirait de jouer les seconds pendant que je fais la ratatouille *J's House* ?

— Maman, on n'est pas dans une série télé pour ados où il suffit que la mère fasse une activité avec sa fille pour qu'elles deviennent supercopines.

— Bon, je vais me débrouiller toute seule, alors. »

Tâchant de dissimuler ma déception, j'examine de nouveau la recette :

Aubergines
Courgettes
Poivrons
Tomates
Oignons
Basilic
Herbes de Provence
Huile d'olive

La liste n'est en fin de compte pas si longue et, en lisant les instructions, je me rends compte qu'elles ne sont pas non plus aussi compliquées qu'elles en ont l'air. J'ai dû monter les choses en épingle. Je ne vais pas me laisser impressionner par ça. Je peux le faire. Je passerai l'après-midi à couper des légumes s'il le faut, mais je réussirai.

« Bien, je vais m'habiller, et, ensuite, je sortirai acheter les ingrédients dont j'ai besoin. C'était vraiment délicieux quand ton père la faisait. Jusqu'ici, je n'avais jamais eu le courage de m'y essayer. Mais ça y est : je me suis décidée », dis-je en me levant. L'effort déclenche en moi une sensation de vertige familière et presque réconfortante. Je n'ai pas pris de petit déjeuner. Il faut que je le fasse. Il faut que je mange.

Je vais le faire, vraiment. Je vais d'abord aller acheter ces choses. Mais ensuite, je m'assiérai pour prendre mon petit déjeuner. J'essaierai de me concentrer sur ce que j'ai écrit dans mon carnet. De me souvenir que j'ai besoin de garder les idées claires.

« Pourquoi est-ce que tu ne demanderais pas à Curtis de te ramener le travail à faire le soir après l'école ? » suggéré-je à Phoebe. Je suis folle de rage qu'il n'ait pas été traité de la même façon qu'elle, qu'il n'ait pas reçu de message l'accusant d'être un salaud, de ne pas pouvoir s'empêcher de la sortir ou je ne sais quelles autres variantes des choses horribles qui ont été crachées sur Phoebe. Même s'il s'avère qu'il est vraiment le père, il s'en tirera quasiment indemne.

Elle hausse les épaules. « Je vais rester à la maison aujourd'hui.

— Très bien. En ce cas, si tu pouvais préparer le petit déjeuner de tatie en même temps que le tien...

— Ouais. Pas de souci.

— Merci. À tout à l'heure, alors. »

Je prends le risque de la serrer dans mes bras.

Aussitôt, je devine qu'elle lève les yeux au ciel ; elle soupire d'un air exaspéré, mais elle ne cherche pas à se dégager de mon étreinte ni à me repousser, elle ne rejette pas mon amour. Elle accepte mon câlin, elle m'accepte. Petit à petit, lentement, je gagne du terrain.

Je commence enfin à sortir la tête de l'eau.

48

La grande planche à découper rectangulaire, dont la surface est marquée de centaines de petites entailles, repose sur le plus grand plan de travail de notre cuisine. Il y a quatre poêles de tailles différentes sur les brûleurs de tailles différentes de notre gazinière à six feux. La grande passoire en acier inoxydable et la petite, qui était à l'origine un panier de cuiseur vapeur, attendent devant l'évier d'être remplies et utilisées.

Phoebe se lève de son siège au moment où j'entre dans la cuisine. Je remarque avec un petit pincement au cœur qu'elle a noué sur son jean rouge et son T-shirt blanc le tablier noir Run DMC que nous avions acheté à Joel il y a quatre ans. Il n'a pas bougé de son crochet de métal derrière la porte depuis sa mort. Chaque fois qu'il le mettait, Joel entonnait «*J-J-J-J-J's House!*» pour nous faire savoir qu'il s'apprêtait à cuisiner.

Le nœud de souvenirs qui vient souvent m'obstruer la gorge se forme subitement, et je m'arrête sur le pas de la porte. Il ne faut surtout pas que je gâche ce moment en souriant, en pleurant ou en faisant quoi que ce soit qui l'amènerait à arracher ce tablier et à retourner comme une furie à l'étage.

Déterminée à ne pas casser l'ambiance, j'entre donc dans la cuisine comme une infirmière débordée entrerait dans une salle d'hôpital et je dépose les sacs lourds et volumineux sur le sol.

Craignant de la perturber, je n'ose pas lui demander de m'aider à les vider. Je commence donc à le faire moi-même, mais je m'interromps brièvement, le cœur serré par l'émotion, quand je remarque qu'elle a drapé mon tablier blanc sur le dossier de la chaise sur laquelle je m'assieds toujours à table.

Un instant plus tard, Phoebe glisse sa main dans le second sac, dont elle sort des aubergines lustrées noir violacé qu'elle soupèse dans sa main. Viennent ensuite les courgettes vert foncé à la peau tachetée, le gros oignon marron parcheminé, les grosses tomates rouges et lustrées, les poivrons rouges, verts et jaunes, et le bouquet d'herbes de Provence. J'ai de l'huile d'olive et je pourrais prendre des feuilles de basilic dans le pot qui se trouve sur le rebord de la fenêtre.

« Tatie Betty dort, dit Phoebe, gênée, me semble-t-il, par mon silence. Elle n'a pas bougé d'un pouce quand je suis entrée, alors j'ai laissé son plateau dans sa chambre.

— Elle n'a pas bougé d'un pouce ? répété-je, inquiète.

— Elle ronflait comme un sonneur, mais elle ne s'est pas réveillée, précise-t-elle.

— Aaah !, d'accord. »

Quelques autres choses sortent des sacs : filets de poulet, farine de blé complet pour la machine à pain, que j'ai à peine daigné regarder ces dix-huit derniers mois. À une époque, je la programmais le soir et nous nous réveillions le matin dans la délicieuse odeur du pain frais que nous allions pouvoir savourer au petit déjeuner, mais cette époque, et tous les petits plaisirs qui allaient avec, est depuis longtemps révolue.

« Et si tu commençais à laver les légumes, pendant que je m'occupe du pain ? » dis-je à Phoebe. Les mots se mélangent de façon délicate et délectable sur ma langue ; ils déversent des étoiles de bonheur dans mes oreilles : je passe du temps avec ma fille parce qu'elle en a éprouvé l'envie ; je suis en train de cuisiner avec ma petite fille chérie et je ne l'ai pas forcée à être là.

« O.K. », me répond-elle, sans haussement d'épaules dédaigneux, sans regard irrité, sans soupir exaspéré. C'est presque trop délicieux pour être vrai.

« Comment tu veux que je coupe les poivrons ? me demande Phoebe.

— En gros morceaux. » Je me fais violence pour résister au besoin de lui montrer. « Il me semble que c'est plus facile quand on les place à l'envers sur la planche à découper et qu'on les coupe en deux. Ensuite, je retire les tiges et les graines, et je tranche les moitiés en deux dans le sens de la longueur, avant de les diviser en trois. Mais c'est ma façon de faire à moi. Tu trouveras peut-être plus facile de les couper autrement.

— Je vais faire à ta façon », me dit-elle.

Je suis en train de couper de larges rondelles d'aubergine. Une fois qu'elles sont toutes sur la planche à découper comme de gros jetons blanc verdâtre, je commence à les trancher en deux afin d'obtenir des morceaux suffisamment grands pour ne pas se désintégrer pendant la cuisson, mais suffisamment petits pour être mangés en une seule bouchée. Le secret, apparemment, pour que la ratatouille ne se transforme pas en bouillie visqueuse et insipide, est de faire cuire les ingrédients séparément, puis de les mélanger vers la fin de la cuisson. Joel adorait les aubergines. Je pourrais vivre sans personnellement, mais lui en aurait mangé à tous les repas s'il avait pu.

« Ça me fait penser à l'époque où tu étais bébé, dis-je. Quand tu avais six mois environ et qu'il a fallu te faire passer à l'alimentation solide, je rendais ton père complètement fou à cause du temps que je passais à cuisiner. Comme j'étais obsédée par l'idée que ton alimentation soit la plus saine possible et comme je ne voulais pas te donner de petits pots du commerce, dès que tu fermais l'œil, je me précipitais dans la cuisine pour faire cuire à la vapeur des patates douces, des carottes et des brocolis. Non, non, pas des brocolis : j'ai essayé une fois, mais ç'a empesté toute la maison ! Bref, je passais les légumes au presse-purée et je les mettais dans de petits pots ou des bacs à glaçons pour les congeler.

« Parfois, je passais mon dimanche à ça pour que tout ce que tu manges soit fait maison. Mais, la plupart du temps, tu recrachais – sûrement parce que tout avait le même goût une fois décongelé et réchauffé – et tu regardais fixement ce que ton père et moi mangions. Tu essayais toujours d'attraper ce qu'il y avait dans nos assiettes. Et malgré toutes les choses que nous avions lues et tout le temps que je passais à cuisiner, il m'arrivait souvent de surprendre ton père à te donner de toutes petites bouchées de mini-épis de maïs, de pain à l'ail ou je ne sais quoi encore. Je me souviens qu'une fois, tu devais avoir un an, il t'a même donné deux frites de fast-food.

« J'étais folle de rage : j'avais passé Dieu sait combien de temps à calculer les nutriments dont tu avais besoin pour chaque repas, et je me suis vraiment demandé comment il avait osé faire ça. Mais il m'a dit un truc du genre : "Sérieusement, Frony, c'est juste deux frites. Tous les aliments sont bons, à partir du moment où ils sont consommés avec modération." Il avait raison, mais tout de même… À l'époque où Zane est né, quasiment tous les plats pour bébés étaient estampillés "bio", et j'ai perdu la volonté de tout réduire moi-même en bouillie, alors j'ai laissé ton père faire à son idée. Pauvre petit. Je suis bien placée pour savoir que le deuxième est toujours moins bien loti que le premier. »

Le seul son qui émane de la direction de Phoebe est le claquement du couteau qui tranche les poivrons et vient percuter la planche à découper en bois, marquant sa surface de nouvelles entailles. Prenant conscience de ce que je viens de faire, je m'immobilise et ferme les yeux. Ce n'était pas intentionnel, mais le résultat est le même.

« Qu'est-ce que ça fait, me demande-t-elle doucement, d'avoir un bébé ?

— Tu parles du fait de le mettre au monde ou de tous les trucs qui viennent après ?

— Des deux, j'imagine.

— C'est différent à chaque fois. Enfin, en tout cas, ça l'a été pour moi. Toi et Zane, ç'a été des expériences très différentes, mais, les deux fois, j'ai eu vraiment très peur, parce que je ne savais pas à quoi je devais m'attendre. Mais ce n'est là qu'une partie de ce qu'on ressent quand on met au monde un enfant. Il faut un peu de temps pour capter ça, mais il ne s'agit pas seulement d'avoir un bébé, parce que les bébés sont des personnes. Je veux dire par là que les bébés ne restent pas bébés bien longtemps : on a à peine le temps de dire ouf qu'ils ont déjà un an, cinq ans, sept ans, dix ans, quatorze ans. Ils ont leur propre petite personnalité, et c'est vraiment merveilleux. C'est très dur aussi, et épuisant. Avant toi, je n'avais jamais fait l'expérience d'un amour comme celui-ci. » Et parfois, j'aimerais revenir à mon ancienne vie, j'aimerais ne pas être liée à l'existence d'un autre individu et responsable de celle-ci. Mais je ne pourrais jamais dire ça à Phoebe, enceinte ou pas, car cela la blesserait à des endroits où elle ne doit surtout pas avoir mal ; elle ne pourra pas comprendre ce que je veux dire tant qu'elle ne se sera pas elle-même retrouvée dans cette situation. « Et c'est vraiment très angoissant, parce que, quand on est comme moi, on a toujours peur de faire du mal à son enfant, on est toujours en train de se demander ce qu'on risque de foirer, et, au final, on foire des trucs qu'on pensait maîtriser. Ce que j'essaie de te dire, en fait, c'est que, quand tu mets au monde un bébé, tu ne dois pas oublier que c'est le commencement de toute une vie nouvelle : pas seulement celle de l'enfant ; la tienne aussi.

— Tu t'es déjà fait… ? Enfin, tu vois. Est-ce que tu l'as déjà fait ? me demande-t-elle.

— Non, répliqué-je.

— Tu me le dirais, si tu l'avais fait ?

— En temps normal, non, parce qu'il y a certaines choses qu'on n'est pas censé savoir sur ses parents, mais dans ce cas précis, et compte tenu des circonstances, oui. Je crois que ce serait bien pour toi que tu saches ce que j'ai fait et que tu comprennes que j'y ai survécu, mais je connais une ou deux personnes qui pourraient en discuter avec toi, si ça t'intéresse. » Je tourne mon regard vers elle.

Elle secoue la tête, avant de s'emparer du poivron vert pour commencer à le démanteler.

« Qu'est-ce que tu ferais, toi, si t'étais à ma place ? » me demande-t-elle.

C'est là la question qu'elle me pose, mais je comprends bien que ce n'est pas celle à laquelle elle veut que je réponde. Je regarde la surface blanc verdâtre des tranches d'aubergine que je suis en train de couper. Et ce faisant, je lutte de toutes mes forces pour essayer de trouver les bons mots, le parfait mélange de mots qui lui dirait ce qu'elle a besoin d'entendre. Je sais comment Joel formulerait les choses, mais c'est moi qui dois le faire. Il faut qu'elle les entende de ma bouche, dans mon style à moi, sans quoi elle ne me croira pas. « Phoebe, finis-je par répondre aussi gentiment que je le peux, j'aimerais de tout mon cœur pouvoir te dire ce que tu as à faire. En qualité de mère, j'aimerais te rendre les choses aussi faciles que possible, et notamment après ce qui est arrivé à ton père… mais je ne peux pas faire ça.

— Pourquoi ? D'habitude, t'es tout le temps en train de me dire ce que j'ai à faire.

— Mais ce n'est pas comme d'habitude ; c'est bien ça le problème. C'est quelque chose de vraiment trop important, et je voudrais vraiment, vraiment, vraiment que tu ne te sois pas retrouvée dans cette situation qui te contraint à prendre une décision d'adulte, alors que tu n'as officiellement pas le droit de faire la plupart des trucs que les adultes font. Je peux t'aider à réfléchir à la question, je peux répondre à tes questions, je peux dresser pour toi la liste des pour et des contre, je peux écouter tout ce que tu as à me dire, et j'aimerais m'asseoir avec toi avant que tu prennes ta décision définitive pour passer en revue toutes les solutions au cas où tu ne les aurais pas toutes explorées, mais je ne peux pas te dire ce que tu as à faire. La décision finale doit venir de toi. C'est ton choix à toi. Je ne suis pas toi, et la solution que tu choisiras devra être celle qui, à ton avis, sera la plus facile à accepter. Si je t'empêchais de décider toi-même, je détruirais ta vie. Il n'y a pas de solution simple, seulement ce que tu penses qui sera le plus facile à accepter pour l'avenir. Quel que soit le choix que tu feras, je te soutiendrai à cent pour cent, mais ce choix doit impérativement venir de toi et correspondre à ce que tu penses être le plus facile à accepter.

— C'est ce que m'a dit tatie Betty.

— C'est une femme très sage et très avisée. »

Nous gardons le silence, nos couteaux continuant de marteler en décalé, comme deux cœurs proches l'un de l'autre, mais battant à leurs propres rythmes.

« Maman, me dit-elle soudainement, avec la voix d'une petite fille perdue. J'ai peur. J'ai super, superpeur. »

Il me faut deux pas pour l'atteindre, il me faut une seconde ou deux pour retirer le couteau de sa main et le placer prudemment à côté du tas de poivrons. Il me faut deux secondes de plus pour la prendre dans mes bras et l'attirer près de moi. Mais c'est fini, terminé : le malheur, la suspicion, la colère, la haine, le désespoir, la douleur, la culpabilité et le sentiment de deuil continuel qui nous ont séparées depuis « ça » se sont dissous brutalement.

Ses sanglots sont bruyants, incontrôlés, de plus en plus forts ; chacun creuse un nouveau sillon de douleur dans mon cœur. Une main sur sa nuque, une main au milieu de son dos, je l'attire aussi près de moi que possible.

Et soudain, tous les moments de désespoir fragmentés de la coquille déchiquetée de nos vies se rassemblent. Je retrouve ma fille. Elle retrouve sa mère.

49

Huit mois avant « ça » (février 2011)

« Tu écoutes les battements de mon cœur, ma chérie ? »

Sa main effleure doucement les boucles de mes cheveux noirs.

Je pose ma tête contre sa poitrine, et le tissu de son T-shirt me caresse doucement la joue. « Oui. Je voulais m'assurer que tu fonctionnais toujours correctement.

— Et ?

— Et tu es réglé comme une horloge.

— Génial. Tu pourrais te rasseoir, maintenant ? Je ne peux pas laisser le son de la télé aussi fort ; ça me casse les oreilles.

— Désolée, mon chéri, le son restera comme ça tant qu'il me faudra écouter les battements de ton cœur et entendre le film.

— Et combien de temps est-ce que ça prendra ?

— Aussi longtemps qu'il le faudra. »

50

Nous sommes allées à la plage.

Quand ses larmes se sont taries, nous avons eu envie de quitter la maison. Nous avions besoin d'espace, de l'étendue et de la fraîcheur du monde extérieur pour pouvoir parler sans craindre que tatie Betty, qui semble parfois flotter dans les airs, n'apparaisse inopinément. Elle ne doit pas entendre cette conversation ; personne ne doit l'entendre.

Ayant mis de côté mes remords et le dégoût que je m'inspire à moi-même, j'ai ouvert la cabine de plage. Fynn s'en est bien occupé. Elle a été repeinte, isolée, aérée ; aimée et chérie durant le temps où il en a eu la « propriété ». Je vois bien, néanmoins, qu'il ne l'a pas utilisée. Il ne s'est pas assis là pour profiter de la vue, pour regarder les gens passer, ou, comme le faisait souvent Joel, pour bavarder. À l'époque où Phoebe était à l'école maternelle et où Joel emmenait régulièrement Zane faire sa promenade, il s'était rapidement aperçu que le mélange cabine de plage-bébé était un excellent aimant à relations humaines – notamment pour les mères de jeunes enfants. Il rentrait toujours à la maison avec plusieurs numéros de téléphone et plusieurs invitations pour Zane à venir jouer chez des dames (« *Pour Zane, tu es sûr ? Notre fils a sept mois* », commentais-je face à son sourire). Je vois bien que Fynn s'est contenté de l'entretenir.

Nous sortons la chaise longue double de la cabine et nous l'installons face à la jetée de Worthing. Après m'être enveloppée dans ma veste, je m'assieds ; comme elle le faisait quand elle était plus petite, Phoebe s'installe sur mes genoux et fond son corps dans le mien.

C'est une journée froide et venteuse ; les températures ont baissé à cause des rafales de vent qui fouettent les crêtes écumeuses à la surface de la mer. Le mauvais temps a découragé les joggeurs et les promeneurs de chiens les plus assidus. Par ailleurs, aucun autre propriétaire ne serait assez fou pour venir s'aventurer ici : presque toutes les cabines de plage que je peux voir, qu'elles soient orientées vers Brighton ou vers Worthing, sont barricadées. Mis à part une, au loin, qu'un homme est en train de réparer, ses outils étalés sur la promenade à côté d'un établi tout équipé de machines électriques branchées sur un groupe électrogène portable. Je serre Phoebe contre moi, partage ma chaleur corporelle avec elle, et je regarde l'homme, d'une quarantaine d'années, corpulent et coiffé d'un catogan, travailler. Ses doigts doivent être complètement engourdis, avec ce vent.

« Pourquoi tu parles jamais de papa ? me demande Phoebe.

— Il m'arrive d'en parler, répliqué-je.

— C'est pas vrai. Tout à l'heure, quand tu m'as raconté ce que tu me donnais à manger quand j'étais bébé, c'était la première fois depuis je sais pas combien de temps que tu me parlais de lui sans que je te pose une question avant. Si je dis toujours des trucs sur lui et sur ce qu'il faisait, c'est parce que tu parles jamais de lui.

— Je ne m'en étais pas rendu compte.

— C'est à cause de ce que j'ai fait ?

— Qu'est-ce que tu entends, par là ?

— À cause… Genre, parce que tu m'en veux pour ce que j'ai fait ce jour-là et que t'en veux aussi à papa, parce qu'il t'a pas appelée tout de suite pour te le dire ?

— Non. » Je la serre aussi près de moi que possible. « Non, ça n'a rien à voir avec tout ça. C'est parce que… » C'est parce que je veux éviter de créer de nouvelles blessures, éviter de rouvrir les anciennes, éviter les blessures à tout prix, même si la douleur me hante, me pourchasse sans relâche pour remuer le couteau dans la plaie. La douleur ne veut rien d'autre que se blottir contre moi pour s'infiltrer en moi. Aussi tenté-je autant que je le peux d'éviter de me confronter à elle pour faciliter au maximum la cohabitation. « J'ai peur de craquer si je parle de lui. Maintenant encore, je pense sans arrêt à lui, crois-moi. Dans presque tout ce que je dis ou fais, il y a quelque part une pensée inspirée par lui, mais il faut que cette pensée reste à l'état de pensée pour que je puisse tenir le choc.

« Il n'y a pas beaucoup de gens qui ont envie de parler à une femme qui éclate en sanglots deux ans après la mort de son mari juste parce qu'ils ont dit qu'ils envisageaient de partir en vacances à Lisbonne et que c'est là qu'elle l'a rencontré. Le seul moyen que j'ai trouvé de ne pas craquer quand je suis avec d'autres personnes, c'est de ne pas parler de lui plus que nécessaire.

— Mais c'est pas grave si moi j'en parle, ou Zane ?

— Bien sûr que non. » Je l'embrasse sur la tête, me réjouis de son odeur inimitable. « Naturellement, vous pouvez en parler. Je te demande pardon si je t'ai donné le sentiment que tu ne pouvais pas le faire. Tous les deux, vous pouvez parler de lui autant que vous le voulez. Est-ce que vous le faites, d'ailleurs, entre vous ?

— Ouais. Et on écrit dans ces cahiers que tu nous as donnés et on met des trucs dans les boîtes à souvenirs. Mais c'est toi qui le connaissais depuis le plus longtemps, alors y a des trucs que je voudrais te demander. Et Zane aussi.

— Comme quoi ? »

Elle prend un moment pour réfléchir, puis avec un haussement d'épaules : « J'en sais rien. Des trucs.

— Quand tu te souviendras de ces "trucs", n'hésite pas à m'en parler.

— Est-ce que tu vas te remarier ?

— Non. Question suivante.

— Est-ce que tu vas te marier avec M. Bromsgrove ?

— Non.

— Mais il te plaît bien, je me trompe ? »

Il y a quelques heures de ça, j'avais fini par me persuader qu'il fallait que je me montre plus honnête avec Phoebe. Mais j'avais oublié que cette résolution devait passer par le filtre de la « Liste des choses que l'on ne doit pas savoir sur ses parents ». « Il m'a tout l'air d'un homme bien.

— Mais c'est quand même mon prof, alors je crois pas que tu devrais t'engager là-dedans.

— C'est noté.

— J'ai toujours pensé que je me marierais avec tonton Fynn », me dit-elle soudainement d'un air rêveur.

Une stalactite de consternation se met à glisser douloureusement le long de mon échine dorsale. Quand elle avait cinq ans, Phoebe m'interrogeait régulièrement sur la personne avec qui elle allait se marier. Énumérant la liste de tous les hommes qu'elle connaissait en dehors de la famille, y compris un ou deux voisins âgés, elle me demandait sans arrêt qui cela serait. Je n'ai pas souvenir qu'elle ait inclus Fynn dans cette liste. Non, pas une fois.

« Fynn ? répété-je, l'air aussi détaché que possible, alors que tous les poils de ma peau sont hérissés. Pourquoi Fynn ? »

Ayant apparemment oublié à qui et de qui elle parlait, elle garde le regard perdu dans le vide pour me répondre : « Tu trouves pas qu'il est bien gaulé ?

— Bien gaulé ?

— Ouais, bien gaulé.

— Il est assez vieux et assez proche de toi pour être ton père. »

Haussement d'épaules. « Ouais, mais il est quand même bien gaulé. »

Si c'était lui, elle n'en parlerait pas si librement. Elle se montrerait discrète, comme elle l'était avant que cette histoire éclate au grand jour. Elle ne dirait pas tout cela, de crainte d'éveiller mes soupçons. J'ai l'impression que je cherche à me convaincre que ça ne peut pas être lui. Mais ça ne peut pas être lui. Il n'est pas comme ça.

Son téléphone bipe dans sa poche, et, après avoir hésité quelques secondes, elle s'en empare. Toutes les applications de réseaux sociaux ont été effacées, mais il reste les textos. Les messages de personnes qui doivent être ses amis pour obtenir son numéro. Elle semble chercher à se reprendre avant de baisser les yeux vers l'écran.

Tonton F

Tout en poussant un soupir de soulagement, elle remet son téléphone dans sa poche. C'est une coïncidence, naturellement. Il m'a dit qu'il ne voulait plus me parler, pas qu'il ne voulait plus parler à mes enfants. Je suis sûre qu'il envoie des textos à Zane, aussi, maintenant qu'il sait qu'il n'habite plus avec nous. Et après le drame d'hier soir, le connaissant, il me semble parfaitement normal qu'il ait cherché à contacter Phoebe aujourd'hui.

Une nouvelle stalactite de glace glisse le long de mon dos. *Ça ne peut pas être lui.* Il n'est pas comme ça. Phoebe est comme une fille pour lui, elle sera comme une sœur pour les enfants qu'il aura, il ne lui ferait jamais ça.

« Phoebe », dis-je d'une voix grave. Il faut que j'écarte ces pensées de mon esprit, sans quoi elles risquent non seulement de me rendre folle, mais aussi de me distraire de ce que j'ai à faire. Si je l'ai amenée ici, c'est dans un but bien précis ; si j'ai éprouvé le besoin de m'éloigner de la maison et du risque que notre conversation soit surprise par quelqu'un, c'est pour une bonne raison. J'ai pris soin de bien regarder autour de moi pendant que je parlais à Phoebe et je n'ai vu personne qui paraissait s'intéresser à nous, personne de suffisamment proche pour entendre ce que nous disions. L'homme qui travaille sur sa cabine de plage est trop loin de nous, trop absorbé par sa tâche pour nous prêter attention.

« Oui ? me répond-elle prudemment.

— Il faut que je dise à la police ce que nous savons. »

Rapide, net, précis.

Jusqu'à cet instant, où elle se fige dans la crainte, je n'avais pas remarqué à quel point elle paraissait libre, détendue et soulagée depuis qu'elle avait pleuré. Elle est désormais comme un bloc de glace entre mes bras. « Pourquoi ? finit-elle par bredouiller.

— Je sais que le moment ne paraît pas vraiment bien choisi à cause de tout ce qui se passe, mais il faut le faire. Nous ne pouvons pas vivre avec ça indéfiniment. » Maintenant que je sais jusqu'où *elle* est prête à aller pour me faire du mal (les rumeurs qu'elle a propagées sur Phoebe étant bien pires que tous les mots qu'elle pourrait m'écrire ou tous les actes de vandalisme qu'elle pourrait pratiquer sur ma voiture), il faut que je mette un terme à cela. Et pour cela, il faut que je lui retire le pouvoir qu'elle a sur nous en confessant notre secret. « D'autre part, Phoebe, il y a les gens comme Zane, tes grands-parents, tatie Betty et tonton Fynn. Ils ont le droit de savoir qui a fait ça et de savoir que cette personne sera traduite en justice. Cette incertitude dans laquelle ils vivent est horrible. Nous devons, ou plutôt je dois mettre un terme à cela. »

Elle demeure silencieuse, reste immobile.

« Tu n'es plus une petite fille, tu es forte, et je sais que le moment n'est pas vraiment bien choisi, mais je t'assure que les enquêteurs ne te feront pas de mal. Je serai avec toi à chaque instant pour te protéger et les empêcher de te malmener. Mais nous devons le leur dire pour qu'ils puissent l'arrêter.

— Et s'ils l'arrêtent pas ? Et s'ils arrivent pas à prouver que c'est elle ? S'ils l'arrêtent et qu'ils la relâchent, elle sera superénervée, et elle saura que c'est moi, alors elle viendra me chercher.

— Je sais que tu n'apprécieras pas que je dise ça, mais je serai là pour assurer tes arrières, te soutenir. Il faut que je le fasse.

— C'est elle qui a essayé d'entrer chez nous, hein ?

— Pourquoi est-ce que tu dis ça ?» demandé-je, horrifiée que, malgré sa grossesse et tous les problèmes qui lui sont liés, elle soit parvenue à établir ce lien.

Haussement d'épaules. « Je me suis dit ça, c'est tout. J'ai raison, non ?

— Oui. Tu as raison.

— Et c'est elle qu'a crevé tes pneus, hein ?

— Comment tu sais ça ?»

Nouveau haussement d'épaules. « T'as laissé Zane s'en aller. Tu détestes papy et mamie, mais tu l'as laissé partir avec eux. Tu l'aurais jamais laissé avec eux si t'avais pas eu superpeur.

— Je ne déteste pas tes grands-parents, répliqué-je d'une voix peu convaincante. On ne s'entend pas très bien, c'est tout. Pourquoi est-ce que tu ne m'as rien dit, si tu avais deviné ?

— Parce que tout ça, c'est ma faute. Tous les trucs qui sont arrivés, c'est à cause de moi.

— Non. Ce n'est la faute que de la personne qui a tué ton père.» Et la mienne.

« Zane, papy, mamie, tout le monde va me détester, tu crois pas ? sanglote-t-elle.

— Non. Parce qu'ils comprendront que ce n'est pas ta faute. Ce n'est pas toi qui as fait ça, et ils comprendront pourquoi tu avais peur, trop peur pour parler à qui que ce soit. Je peux te promettre que personne ne te reprochera quoi que ce soit.

— J'ai peur, maman, sanglote-t-elle.

— Je sais, ma chérie.» Je la serre contre moi, l'embrasse sur la tête. « Je sais que tu as peur. Moi aussi, j'ai peur.»

Jeudi 16 mai
(pour le vendredi 17)

Saffron,

Et si on faisait un marché, toutes les deux ? Tu ouvres tes stores, et, la prochaine fois, je m'efforcerai de te donner une leçon un peu moins dure.

Je voudrais juste que tu ouvres tes stores pour me montrer que tu me fais confiance à nouveau. Tu peux me faire confiance, je t'assure.

Si je me suis mal comportée dans le passé, ce n'est qu'à cause de la frustration. Je me suis énervée, parce que je me sentais complètement impuissante par rapport à ce qui lui était arrivé. Est-ce que tu comprends ?

Je crois qu'on pourrait s'entraider, toutes les deux. Et je pense que ce marché serait une bonne façon de commencer, tu ne trouves pas ?

Je n'ai jamais voulu être comme ça. J'espère que tu comprends ça.

A

51

« Qu'est-ce que tu fais, Saff-aron ? »

Mon cœur a un raté. Elle a récidivé : réussi à traverser toute la maison en partant des combles sans émettre le moindre son.

« Tu sais quelle heure il est ? me demande-t-elle, comme si elle n'avait pas remarqué que son apparition m'avait terrorisée, me poussant à m'adosser au plan de travail, les mains sur la poitrine.

— Je dirais 2 heures du matin, soufflé-je.

— Alors, qu'est-ce que tu fais debout ? »

Je sais que je ne pourrais plus dormir.

« Et pourquoi est-ce que tu fais la cuisine ? »

Parce que si je ne fais pas la cuisine, j'engloutirai tout ce qu'il y a à manger à la maison, et, ensuite, je me purgerai. Et je suis dans un tel état d'anxiété que, après ça, j'irai au supermarché de la marina ouvert vingt-quatre heures sur vingt-quatre pour remplacer ce que j'ai englouti et acheter d'autres trucs à engloutir et à purger. Mais si je cuisine, je pourrai me concentrer sur autre chose, je pourrai me concentrer sur les mesures, les mélanges, je pourrai travailler méthodiquement. Et ensuite, je pourrai ranger et nettoyer, voire m'asseoir quand le plat sera cuit, et peut-être même le manger. Peut-être même le savourer. Déterminer s'il s'agit du parfait mélange de saveurs qui me ramènera mon Joel.

« Je réfléchis, dis-je à tatie Betty. Cuisiner m'aide à réfléchir, et il y a beaucoup de choses auxquelles je dois réfléchir. » Si je me goinfre et que je me purge, je ne pourrai pas réfléchir. Et il faut que je réfléchisse. Il faut que je m'efforce de rassembler mon courage pour parler à la police. Il faut que je mette de côté toutes les inquiétudes que ces gens m'inspirent. Et il faut que je veille à ce que la meurtrière, le corbeau, ne sache rien de tout cela. Elle s'est montrée très claire sur ce point : si je vais parler à la police, elle le saura et elle disparaîtra, mais pas avant de s'en être prise à l'un d'entre nous. J'aurais probablement pu me faire à l'idée que ce soit moi si Zane et Phoebe avaient toujours eu leur papa, mais ce n'est pas le cas. D'autre part, je ne pourrais pas supporter que l'un d'entre eux soit blessé. Je ne peux pas sacrifier l'un des miens à la justice.

« Qu'est-ce que tu prépares ?

— Une galette des rois. C'est une pâtisserie que Nathalie, une amie française, m'a appris à faire il y a quelques années. La recette contient de la poudre d'amandes, des œufs, du sucre, du rhum et de la pâte feuilletée. Je fais des expériences en ajoutant des fruits au mélange. Et en essayant différentes formes. »

Sans faire de commentaires, elle va ouvrir le grand placard du bout de la cuisine, dans lequel elle enfonce tout son bras, au niveau de l'étagère du haut. Comme elle n'a pas de talons, pour atteindre ce qu'elle recherche, elle doit se hisser légèrement sur la pointe des pieds afin de passer sa main derrière les boîtes de conserve et les paquets de pâtes, de lentilles et de riz. Puis, quelques secondes après, sa main émerge du placard, fermement agrippée à une bouteille en verre sombre de porto Late Bottled Vintage. Je savais qu'elle buvait du porto – de qualité – depuis l'époque où Joel et moi nous sommes rencontrés : il lui avait rapporté deux bouteilles de ses vacances au Portugal. Mais tout est clair, maintenant : elle s'est entraînée à marcher silencieusement pour pouvoir venir picoler en douce dans la cuisine au milieu de la nuit. La solution la plus simple, bien sûr, aurait consisté à garder une bouteille dans sa chambre, mais je ne me souviens pas d'avoir jamais vu tatie Betty faire quelque chose de simple.

L'air de rien, elle s'installe à table avec sa bouteille de porto et le petit verre à côtes qu'elle va toujours chercher dans le placard en ignorant tous les autres (y compris les vrais verres à porto).

« À quoi est-ce que tu réfléchis ? me demande-t-elle.

— À des trucs.

— C'est-à-dire ? me répond-elle, accompagnée par le subtil "pop" du bouchon sortant de la bouteille.

— C'est-à-dire… des trucs.

— Comme le fait que tu aies "pécho" le jeune Fynn ? »

Ma tête se tourne brusquement vers elle. « Je vous demande pardon ? »

Au-dessus de son verre aux trois quarts plein, elle m'adresse son fameux « sourire tatie Betty », tout en fronçant légèrement les sourcils pour faire bonne mesure. « J'ai bien vu qu'il y avait un truc entre vous.

— Ah oui ? Et moi, j'ai bien vu que vous bluffiez tout le temps pour faire parler les gens. Y compris quand il n'y a rien à dire du tout.

— Hmmm », réplique-t-elle. Elle prend une délicate gorgée de porto. Et enfin, elle concède : « Mais ça ne coûte rien d'essayer.

— J'imagine. Mais s'il vous plaît, évitez de prononcer le mot "pécho" devant moi. Je le trouve déjà assez pénible quand Phoebe l'utilise.

— Je ne peux rien te promettre. » Elle boit une longue gorgée de porto. « À quoi réfléchis-tu ?

— À Phoebe. À Zane. À vous. À Joel. » Je prononce son nom parce qu'il faut que je le fasse. Il faut que je le fasse davantage pour que Phoebe et Zane comprennent qu'ils ont le droit de parler de lui devant moi. Que je ne l'ai pas oublié.

« Et pourquoi ne réfléchis-tu pas à toi, aussi ?

— Et pourquoi devrais-je réfléchir à moi ?

— Combien de fois devrais-je te répéter, Saff-aron, que si tu ne prends pas soin de toi, tu ne peux pas prendre soin des autres ?

— Euh… vous ne m'avez jamais dit ça.

— Ah !; eh bien, j'aurais dû. Parce que ça me semble évident. Surtout depuis que je suis ici. »

Lentement, j'incorpore les amandes en poudre au beurre fondu dans la casserole en acier inoxydable, et j'obtiens, grâce à ma persévérance et à une cuillère en bois, une masse de petites vagues beiges et tachetées. Je baisse le feu et continue de remuer jusqu'à ce que le beurre absorbe les amandes en poudre. Viennent ensuite le sucre et les œufs battus. La cuillère les lie ensemble, avant que le rhum et la vanille viennent les rejoindre. C'est une tâche hypnotique, et presque abrutissante. Je sais qu'il y a une réponse quelque part, et si je me mets sur veille en faisant cela, elle finira par se présenter à moi. Je trouverai la solution «la moins pire» pour moi, tout comme Phoebe doit trouver la sienne.

«Joel me disait souvent qu'il estimait qu'il avait beaucoup de chance de t'avoir», me dit soudain tatie Betty, dont la voix me fait presque bondir sur place.

Elle a envie de parler, et je n'arriverai à rien si des éclats brisés de conversation viennent ponctuer mon raisonnement. Aussi décidé-je d'abandonner ma pâte pour aller m'asseoir avec elle. Elle a placé un verre sur la table pour moi. Après avoir rempli à nouveau le sien, elle passe au mien. «C'est suffisant», lui dis-je, une fois le verre plein au tiers.

Elle lève vers moi un sourcil parfaitement arqué.

«Très bien. Un peu plus, alors.» Rouge noir et dégageant des senteurs impétueuses de raisin rouge, le liquide, qui paraît épais, semble porter en lui de belles promesses.

Tatie Betty est vêtue de son peignoir de soie chocolat, et ses véritables cheveux sont cachés sous la soie violette de l'écharpe qu'elle porte pour dormir. Sans perruque pour encadrer son visage, elle paraît plus petite, plus âgée.

Il y a quasiment trois semaines, elle était assise à cette table avec ma fille, et elles ont parlé de ce que je n'avais pas su lui donner. Il y a trois semaines environ, j'ai eu une crise si horrible que ma gorge et ma poitrine ont atrocement souffert du passage des morceaux de nourriture que j'avais à peine mâchés avant de les forcer à s'enfoncer en moi, et la purge a provoqué de nouveaux ravages dans mon corps. Le soulagement qui est venu après n'a été que très léger, le sentiment de vide et de calme pas aussi satisfaisant que d'habitude, car tout mon buste, mes mâchoires et ma gorge palpitaient de souffrance. Mon visage était humide de douleur et de la colère que je m'inspirais à moi-même pour m'être laissée aller à recommencer. Et puis j'ai écouté tatie Betty et Phoebe, et une nouvelle tristesse est née quand j'ai entendu de la bouche de ma fille que je l'avais déçue. J'ai envie de demander à tatie Betty ce que Phoebe lui a raconté. Qu'est-ce que je n'ai pas su faire ? Qu'est-ce que j'aurais dû faire ?

J'ouvre la bouche. Et la referme.

« Allez, vas-y », me dit tatie Betty sans me regarder. Un instant plus tard, ses yeux, de la même couleur acajou liquide que ceux de Joel, finissent par rencontrer les miens. « Pose-moi la question qui te brûle les lèvres depuis que j'ai emménagé ici.

— Quand Joel a-t-il découvert que vous étiez sa mère biologique ? »

Affichant un sourire hérissé comme du fil de fer barbelé, elle verse davantage de porto dans son verre, qu'elle remplit à ras bord, si bien qu'il lui faut baisser la tête sans le lever de la table pour boire la première gorgée. Quand elle se redresse pour me regarder, le sourire fil de fer barbelé est toujours là, et ses yeux m'évoquent des rayons laser.

« Je ne sais pas, finit-elle par dire. Il ne m'a jamais interrogée là-dessus, et j'avais promis à ses parents de ne rien lui dire tant qu'il ne poserait pas la question. Comment l'as-tu su ?

— J'ai vu son acte de naissance après… après sa mort. Le nom de jeune fille de la mère était Elizabeth Mackleroy. Sur le coup, je n'ai pas tilté. Mais quand j'ai vu "père inconnu", j'ai fini par me rendre compte que le nom de naissance de sa mère ne pouvait pas être Mackleroy.

— Bien joué, Columbo. » Son rire m'évoque un vieux soufflet crevé : un petit son de va-et-vient haletant, avec un sifflement dans son sillage.

« Vous n'en avez jamais parlé avec lui ?

— Il y a des choses qui ne doivent pas être dites aux enfants.

— Je me suis toujours demandé pourquoi ses parents vous traitaient avec un tel mépris, sans pour autant chercher à se désolidariser totalement de vous.

— Ils ne pouvaient pas avoir d'enfants, et quand je me suis retrouvée dans cette "situation délicate", ils se sont montrés plus que disposés à m'aider, avec beaucoup de condescendance. À la façon dont ils se sont comportés avec moi, personne n'aurait jamais pu croire que j'avais vingt ans passés. On aurait plutôt dit que j'avais l'âge de Phoebe.

— Ça ne me semble pas très juste, dis-je avec diplomatie.

— Ils ne pouvaient pas faire autrement, répond-elle. Ils avaient passé toute leur vie à me juger, ils n'allaient pas s'arrêter comme ça. Quand ils ont compris que je ne comptais pas leur laisser le champ libre en débarrassant le plancher, ils ont fini par se faire à l'idée qu'il allait leur falloir me supporter. Elizabeth n'aime pas se voir rappeler que je n'étais pas une fille bien, que je ne suis pas restée sagement à attendre l'homme qui allait m'épouser et que j'ai tout de même eu la "chance" d'avoir un bébé, tandis qu'elle, qui a tout fait bien, suivi les préceptes de la Bible à la lettre jusqu'à aller à la messe tous les dimanches, n'a jamais rien eu. Elle voulait que je parte, que je disparaisse. Mais je ne pouvais pas faire ça.

— Ça ne vous gênait pas d'être si proche de lui ?

— Absolument pas ! Je suis une tatie ; je suis faite pour ça. Je ne pourrais pas faire ce que tu fais, Saff-aron, je ne pourrais pas être une maman.

— Je crois que si.

— Regarde-toi. Tu t'inquiètes tout le temps pour les autres avant de t'inquiéter pour toi. Je ne suis pas comme ça. Je suis la femme la plus égoïste de toute la planète. Toi, tu ferais n'importe quoi pour tes enfants, probablement sans te poser la moindre question. Moi, je pense d'abord à l'impact que les choses vont avoir sur moi, et personne d'autre, moi et moi seule. J'aimais Joel comme personne sur terre ne pouvait l'aimer, mais ce n'était pas un critère suffisant pour que je puisse l'élever. Je crois, et très fermement, que chaque enfant qui naît doit être désiré plus que toute autre chose, et c'est pour cette raison que je l'ai confié à la maman qui aurait fait n'importe quoi pour lui sans se poser la moindre question. Eux, ils le désiraient ; moi, j'en avais juste accouché.

— Vous êtes une femme curieuse, tatie Betty. Vous êtes toujours en train de dire que vous pensez à vous avant tout le monde, mais, d'un autre côté, vous vous êtes délibérément fait renvoyer de votre résidence pour venir vivre ici, avec nous. Dans le but de m'aider à prendre soin des enfants.

— Je n'ai pas…

— Si. Mais c'est tout à fait naturel. Cohabiter avec une adolescente en cloque, un gamin obsédé par les ordinateurs et une veuve névrosée, les gens ne rêvent que de ça. Du reste, nous en avons plein sur liste d'attente. »

À ma grande surprise, elle prend ma main dans la sienne. « Saff-aron, n'oublie pas qui tu es. Tu es la femme qui a tenu tête aux Mackleroy. Je n'aurais jamais cru ça possible, mais tu es restée là où tant d'autres auraient fui. Tu as fait le bonheur de mon beau Joel, tu as élevé deux enfants toute seule pendant dix-huit mois. Et tout ça avec ton secret.

— Quel secret ? » Je peux dire à la lueur de ses yeux et à l'expression de son visage qu'elle ne bluffe pas.

« Je descends ici presque toutes les nuits ; c'est pour ça que je me lève toujours très tard. Je sais, Saff-aron. Je sais ce que tu fais pour apaiser tes souffrances. »

À ces mots, je retire ma main de la sienne pour la poser sur mes genoux, à côté de l'autre. La honte et l'humiliation enflamment mes joues, et je dois fixer mon regard sur les cicatrices de mes mains pour m'empêcher de me fâcher contre elle, de réagir comme j'ai réagi avec Fynn.

« Je ne vois pas de quoi vous parlez. » Le porto a changé de goût : on dirait désormais du vinaigre de malt bon marché, âpre et écœurant.

« Ne le prends pas mal, s'il te plaît. Je sais à quel point on souffre quand on perd quelqu'un, je sais à quel point il peut être difficile de se contrôler, je sais que cela change complètement ce que nous sommes. Et je comprends pourquoi tu fais ce que tu fais. Je suis désolée. Sincèrement désolée. Pour ce que tu as enduré, et pour ce que je viens de te dire.

— Ce n'est rien.

— Puis-je te dire autre chose ?

— Allez-y.

— Tu dois croire en toi, Saffron. » Je relève les yeux vers elle : c'est la toute première fois qu'elle prononce mon nom correctement. « Ce que j'essayais de te dire avant de commettre cette bourde, c'est qu'en dépit de toutes ces choses, tu t'en sors merveilleusement bien. S'il te plaît, crois-moi. Tu peux le faire. Tu peux faire plus que tenir le choc, survivre au jour le jour, tu peux réussir.

— Merci, marmonné-je.

— Tu me croiras, un jour », me dit-elle. Et tout à coup, elle fait un geste méprisant de la main dans ma direction. « Maintenant, va. Va finir de cuisiner, de réfléchir ou de faire ce que tu as à faire. Moi, je veux finir mon porto en paix. »

Je me lève pour retourner à ma place devant la casserole que Joel utilisait pour faire son porridge-ciment et à côté de laquelle j'ai placé la pâte feuilletée pour qu'elle prenne la température de la pièce. Le pinceau à pâtisserie aux poils blancs et au manche en bois et caoutchouc attend d'être plongé dans le bol d'eau pour sceller le rebord de la pâte, puis dans les jaunes d'œufs battus, qui seront étalés sur le dessus. Je ne sais plus ce que je dois faire. Tous ces objets me paraissent étrangers. Je suis censée faire des choses avec. Or je sais ce que sont ces choses, mais je n'ai aucune idée de la méthode que je dois utiliser pour les faire.

« Je l'aimais, l'homme qui m'a donné Joel, je l'aimais énormément, me dit tatie Betty. Il faisait partie de moi, et quand je l'ai perdu, j'ai trouvé un moyen de me cacher du monde, et j'ai aussi trouvé un moyen de vivre à nouveau dans le monde. J'espère que tu trouveras le tien, toi aussi. »

Mon esprit ne retournera pas là où la pâtisserie était la page blanche qui me permettait de réfléchir et où mon activité faisait sens. J'ai des problèmes. J'ai besoin d'aide. Mais je ne peux pas lui expliquer cela. Je ne peux pas lui dire ce que j'ai fait il y a dix-neuf mois pour protéger ma fille.

Je ne peux pas lui expliquer que ce qu'elle m'a vu faire tire son origine dans mon désespoir. Mon désespoir a débuté à l'époque où j'étais une jeune fille de treize ans à laquelle personne ne prêtait attention si ce n'est dans les moments négatifs et que personne n'approuvait jamais malgré tous les efforts qu'elle pouvait faire. Je me suis arrêtée pendant des années, j'ai vécu avec ma graisse pendant des années. Et mon désespoir a recommencé à l'époque où j'étais à l'université et où j'avais besoin d'amis. Je n'avais pas envie de rester à jamais la grosse intello, c'est pour ça que j'ai récidivé. Mais ensuite, je me suis battue contre moi-même pendant des années et j'ai fini par retrouver une certaine stabilité. Dans les périodes d'équilibre, Joel m'embrassait la paume de la main et me disait qu'il était fier de moi. Et puis « ça » s'est produit. J'ai tenu le choc pendant six mois, mais le désespoir est revenu il y a un an. Il m'a fallu reprendre le contrôle de moi-même, trouver un autre moyen de faire taire la douleur, parce que coucher avec Fynn n'avait pas été une bonne idée. Mais ce désespoir n'est plus là désormais. Je suis dans une période où je dois avoir les idées claires, l'esprit rationnel. Il faut que je résolve ce problème et que je sauve ma famille, indépendamment de mon envie d'engloutir ces feuilles de pâte crue ou d'enfoncer la garniture dans ma bouche. Je ne le ferai pas. Parce que je ne suis plus comme ça.

Au moment où je me tourne vers elle pour le lui dire, pour lui expliquer que j'avais mes raisons, mais que je ne suis plus comme ça, je m'aperçois qu'elle a disparu. Envolée jusqu'à l'étage, comme transportée par le silence des anges.

Samedi 18 mai
(pour le dimanche 19)

Saffron,

Très bien. Comme tu voudras. Mais quoi qu'il puisse se produire désormais, n'oublie pas que tu aurais pu l'éviter en ouvrant tout simplement tes stores.

A

52

Lewis…

se met à clignoter sur mon téléphone. D'un côté, j'ai envie de lui parler, mais de l'autre... Sa seule présence me perturbait déjà suffisamment comme ça, je n'avais pas besoin d'apprendre en plus que Phoebe lui avait confié des choses qu'il s'était efforcé de me cacher. Ça me travaille. Quels autres secrets détient-il? Que serait-il prêt à faire pour que je ne les apprenne pas?

Avant toute chose, il me faut réfléchir à un moyen de mettre un terme au harcèlement avant qu'*elle* fasse davantage de mal à Phoebe, voire qu'elle s'en prenne à Zane. Je n'ai pas envie d'essayer en plus de comprendre ce que je ressens pour Lewis. Mes sentiments pour lui m'apparaissent comme un nœud inextricable dans le sac de nœuds qui est déjà en moi.

Il m'appelle tous les jours depuis une semaine et me laisse de longs messages. Il m'a dit que la direction avait retrouvé quelques-uns des responsables du harcèlement, qu'ils avaient été exclus et contraints de retirer de la Toile leurs messages haineux. Il m'a raconté que Curtis avait discuté avec Phoebe et qu'il avait été ravi d'apprendre qu'elle et moi avions fini par nous réconcilier. Il m'a expliqué qu'il regrettait de ne pas m'avoir informée plus tôt de ce qu'il savait.

Il m'a dit ce qu'il devait dire, et je sais qu'il pense ce qu'il dit, et si je n'étais pas terrorisée par la meurtrière de Joel et inquiète au sujet de tout le reste, je pourrais peut-être lui parler. Mais en l'état actuel des choses, je ne peux pas. Je ne peux pas. Je ne peux pas. Je ne peux pas.

Mon pouce se pose sur le bouton «ignorer». Et je suis sur le point de me laisser dévorer par la culpabilité que m'inspire mon geste quand un bruit attire mon attention. Surprise, je quitte la pièce et m'immobilise dans le couloir, à mi-chemin entre la porte de la cuisine et celle du salon.

«Et où comptez-vous aller, comme ça?» demandé-je à tatie Betty, qui s'apprête visiblement à filer en douce de la maison. Je lui ai déjà dit plusieurs fois que je l'accompagnerais quand elle voudra sortir, mais ma proposition est apparemment chaque fois tombée dans l'oreille d'une sourde.

Elle a sa perruque noire d'apparence normale et elle s'est maquillée: fond de teint, poudre, eye-liner (avec une petite virgule à l'extrémité de ses paupières) et mascara. Ses lèvres sont laquées de gloss mais pas colorées. Elle porte son beau manteau de laine noire aux larges et élégants revers, et elle tient à la main un adorable petit sac noir carré doté d'une poignée dorée.

«J'envisageais simplement de me rendre à la poste», me répond-elle. On a toujours l'impression qu'elle a quelque chose à cacher.

«Pour quoi faire?» demandé-je.

Elle cesse de s'admirer dans le grand miroir en pied à côté du portemanteau pour se tourner lentement vers moi. «À ton avis? Pour poster une lettre.

— C'est tout ?

— Oui.

— J'ai des timbres. Ils sont dans la boîte qui est sur la cheminée. De quoi avez-vous besoin ?

— De rien, gamine. J'ai besoin de marcher un peu.

— Marcher un peu ?

— Oui. Marcher un peu, c'est tout.

— Écoutez, je suis peut-être la pire maman qu'ait jamais eue une adolescente, mais je sais reconnaître une fille qui fait le mur pour aller retrouver un garçon. Qui est-ce ? »

Mon adolescente de soixante-six ans me regarde quelques instants en plissant les paupières, avant de lever les yeux au ciel.

« Ça ne marche pas avec Phoebe ; il n'y a donc pas de raison que ça marche avec vous.

— Tu n'as pas à me dire ce que j'ai à faire ; tu n'es pas ma mère.

— J'aurais littéralement tout entendu. O.K. Attendez-moi ici : je vais chercher mon sac et mes chaussures.

— Mais…

— Soit je vous accompagne, soit je vous donne un timbre. Qu'est-ce que vous préférez ?

— Bon, bon, tu m'accompagnes, marmonne-t-elle.

— Je vais chercher mes affaires.

— Grilléééé », murmure-t-elle d'un air misérable, au moment où j'entreprends de monter l'escalier quatre à quatre.

Nous marchons jusqu'au bout de la rue, avant de traverser la chaussée pour rejoindre le trottoir qui longe le Queen's Park. À chaque pas que je fais, je sens qu'*elle* me regarde, qu'*elle* observe mes moindres faits et gestes pour pouvoir ensuite les commenter. C'est pour cette raison que j'ai demandé à tatie Betty de me laisser l'accompagner partout où elle irait. Elle n'a pas conscience du danger dans lequel elle et nous tous nous trouvons. Phoebe est dans sa chambre, et elle sait qu'elle ne doit ouvrir à personne.

« Tout ça, c'est ta faute, me dit soudain tatie Betty alors que, un peu fatiguées, nous ralentissons notre marche à l'approche du bureau de poste, qui se trouve presque au sommet de la côte de Rislingwood Road. Tu reçois tout le temps des lettres. Quasiment tous les jours. Du coup, ça m'a donné envie d'écrire au petit Zane.

— C'est à lui que vous comptez envoyer cette lettre ?

— Oui. Et j'y ai glissé un petit billet de cinq livres. Ça ne te gêne pas, j'espère ? »

Je secoue la tête. « Absolument pas. Mais je suis sûre que ça gênera Phoebe quand elle l'apprendra.

— Hmm, tu n'as pas tort. De qui proviennent les lettres que tu reçois, un admirateur secret ?

— Un truc comme ça. »

Sur ce, nous entrons, et la queue s'étend presque jusqu'à la porte. Il y a deux employés derrière le comptoir. L'un d'entre eux, dont la peau hâlée fait ressortir la blancheur de ses épais cheveux, relève les yeux de ses lunettes demi-lunes, et son visage s'illumine comme un lever de soleil un matin d'été au moment où il aperçoit tatie Betty.

Ah !, d'accord, me dis-je en faisant quelques pas de shimmy pour accompagner la progression de la file d'attente, *au moins, il y a quelqu'un qui a des raisons d'être heureux dans cette famille.*

53

Les journées s'écoulent beaucoup trop rapidement. C'est comme si j'étais dans un sablier et que ma force vitale, le temps dont je dispose pour trouver une solution, touchait à sa fin. Le temps qui m'est imparti touche à sa fin, mais je ne peux rien faire d'autre qu'attendre.

Attendre que Phoebe prenne sa décision. Attendre la prochaine lettre. Attendre que mon cœur passe à une autre étape du deuil et me permette de ressentir quelque chose de différent en moi. Attendre le moment où mon fils pourra rentrer à la maison sans danger. Attendre qu'un événement capital se produise et vienne mettre un terme à la situation.

Il faut que j'aille voir la police. Je le sais. Mais j'ai peur d'*elle*, j'ai peur de ce que cela risque de déchaîner en elle.

Rien de tout cela ne serait arrivé sans elle. Et sans moi, bien sûr, car c'est moi qui ai offert ces cours de cuisine à Joel. C'est moi qui lui ai mis le doigt dans l'engrenage. C'est ma faute s'il est mort de cette façon, c'est à cause de moi s'il n'est plus de ce monde.

Ce matin, j'ai entendu Phoebe se précipiter aux toilettes, et je crois qu'elle commence à éprouver quelques-uns des désagréments liés à la grossesse, et notamment à souffrir de nausées matinales.

Je regarde la frêle silhouette de mon aînée s'approcher du magasin d'alimentation biologique auquel nous nous rendons. Elle se déplace lentement, l'épaule droite légèrement en arrière, comme si elle la faisait souffrir. Je me rappelle les maux de dos que j'ai ressentis à chacune de mes deux grossesses : tiraillements et élancements évoquant des élastiques trop tendus entre les muscles. Les angoisses et les spasmes se produisaient quant à eux la nuit, accompagnés par un goût étrange et presque métallique que l'eau ne parvenait pas à atténuer, et j'avais souvent le teint brouillé. Nous avions voulu ce bébé, mais ce n'est que quand mon corps s'est mis à changer d'une façon que je n'aurais jamais imaginée que la terreur s'est installée en moi. Il ne s'agissait pas simplement de ma prise de poids : ma silhouette était différente, mais ma façon de penser aussi. Rien ne m'avait préparée à cette première grossesse. Aussi préférerais-je vraiment que Phoebe prenne sa décision avant cette phase. Si elle veut garder le bébé, elle sera à même de supporter tout ça et dans le cas contraire, en avortant, elle se l'épargnera.

D'un pas déterminé, je rattrape ma fille. « Il faut que je te pose une question et il faut que tu m'apportes une réponse honnête, lui dis-je.

— Oh ! mon Dieu, quoi ?

— Il faut que tu me dises qui est le père.

— Je te l'ai déjà dit.

— Ce n'est pas Curtis.

— Si ! s'exclame-t-elle avant de baisser la voix. C'est lui.

— Je vous ai vus tous les deux ensemble, et je sais que ce n'est pas la personne dont tu parlais il y a cinq semaines. C'est un garçon charmant, et je ne crois pas une seule seconde qu'il ait pu te mentir en prétendant qu'on ne pouvait pas tomber enceinte la première fois. Il n'est pas comme ça. Tu l'aimes beaucoup en tant qu'ami, oui, ça, je le vois bien, mais il ne te fait pas chavirer le cœur et tu n'es pas désespérée d'être avec lui au point de gober n'importe quelle histoire de bonne femme sur la contraception. Dis-moi qui est le véritable père. »

Après s'être un peu tortillée sur place comme pour essayer de soulager son dos, elle fait rouler ses épaules tout en baissant les yeux vers les marchandises qui se trouvent dans le chariot.

« Je pensais qu'on avait superbien avancé, toi et moi », lui dis-je. Je ne suis généralement pas portée sur le chantage émotionnel, mais peu importe : la fin justifie les moyens. « Je pensais qu'on pouvait de nouveau se faire confiance toutes les deux, se confier presque tout. Je voudrais vraiment que tu me dises qui c'est. Je te promets que j'essaierai de ne pas me mettre en colère.

— Je peux pas te le dire, répond-elle à voix basse. Il aurait trop de problèmes.

— Des problèmes ? Avec qui ? »

Haussement d'épaules. « Tout le monde. »

Instinctivement, je place ma main sur son avant-bras. Sa peau est froide et moite sous mes doigts. Je prends son visage entre mes mains et le relève légèrement pour qu'elle me fasse face. Ses yeux sont troubles et injectés de sang. Une ligne de sueur est en train de se former en travers de son front. Et soudain, elle se met à se masser le ventre. « Tu as mal ? » lui demandé-je.

Haussement d'épaules.

« Depuis combien de temps ? »

Haussement d'épaules.

« Pourquoi est-ce que tu ne me l'as pas dit ? »

Haussement d'épaules.

« On va aller chez le médecin », dis-je en me baissant pour ramasser les sacs dans le chariot. Mais entre le moment où je tends la main et celui où je prononce le mot « médecin », les yeux de Phoebe se révulsent, et elle s'effondre sur le sol.

54

J'ai envie de pleurer.

La douleur dans ma gorge, l'air emprisonné dans ma poitrine, l'humidité brûlante derrière mes yeux, tous ces signes précurseurs des larmes que j'ai envie de verser.

Mais je ne peux pas me laisser aller à cela. Pleurer serait un signe de faiblesse. En temps normal, ce n'est pas comme ça que je verrais les choses, mais, en ce moment précis, verser ne serait-ce qu'une larme reviendrait à admettre que mon univers continue de s'effondrer, alors que les choses étaient censées s'améliorer.

J'ai envie que les choses s'améliorent. J'en ai besoin. J'ai besoin de me sentir pleine, remplie de tellement de trucs qu'il n'y aurait plus d'espace pour quoi que ce soit d'autre, pas même une toute petite cavité pour cette angoisse et cette terreur. J'ai envie de me purger, aussi. J'ai envie que tous ces trucs qui sont en moi, l'inquiétude, l'incertitude, la culpabilité, me soient arrachés. Pour que je sois vide ; pour que je ne sois rien.

Est-ce ce qui se produit quand on veut à tout prix passer l'étape de la colère ? Est-ce qu'il faut se montrer plus spécifique et définir de façon plus précise ce par quoi on voudrait que cette étape soit remplacée ? Je n'ai rien demandé de spécial, et ma colère s'est changée en terreur, inquiétude et remords plus cuisants encore.

Je suis assise sur un fauteuil dans une chambre de l'hôpital pour enfants du Sussex Royal County Hospital, l'Alex, comme on dit ici. Phoebe a fait une grossesse extra-utérine, elle a dû se faire opérer de la rupture de la trompe de Fallope qui en a résulté, et j'attends qu'elle se réveille, j'attends qu'elle se réveille avant d'appeler tatie Betty et Zane, avant d'introduire de nouveaux soucis dans leurs vies.

La petite pièce, à peine plus grande que ma chambre à la maison, est remplie de machines : panneaux électroniques sur les murs, bras mécanique avec un petit écran de télévision suspendu au-dessus du lit comme une lampe de dentiste, et deux unités portables auxquelles elle est reliée et qui bipent par intermittence en affichant des représentations colorées des battements de son cœur et de son niveau d'oxygène sanguin. Malgré ces signaux sonores et ces flashs, tout paraît immobile ici. Tranquille, presque. Phoebe semble dormir d'un sommeil paisible, sa joue appuyée contre un oreiller replet.

Je vois bien les regards furtifs que s'échangent les infirmières et les médecins quand ils entendent ou lisent sa date de naissance et apprennent qu'elle était enceinte : ils se disent que je ne suis pas à la hauteur de ma tâche ; ils ne comprennent pas comment j'ai pu laisser cela arriver ; et ils se demandent comment j'ai pu laisser cela se poursuivre sans jamais juger nécessaire de prendre un rendez-vous avec une sage-femme ou un gynéco. Mais leur dégoût et leur dédain ne sont pas nécessaires : personne ne peut me détester autant que je me déteste moi-même. Je me déteste pour n'avoir rien remarqué, pour n'avoir pas insisté davantage auprès d'elle pour qu'elle bénéficie d'une véritable consultation gynécologique indépendamment du choix qu'elle ferait au final. Je me déteste pour ne pas avoir prédit ce qui allait se passer.

Perdue dans mes pensées, je laisse mon regard s'attarder sur les traits de son visage juvénile, ses cheveux tirés en arrière et la queue-de-cheval basse qu'elle porte depuis qu'elle ne va plus au collège. Elle paraît tellement sereine en cet instant. À la maison, quand je monte dans sa chambre pour jeter un œil sur elle la nuit, elle ne semble jamais complètement détendue : il y a toujours sur son visage cette ombre de deuil que nous emmenons souvent avec nous dans nos rêves. Mais là, assommée par les médicaments, elle peut dormir, elle peut enfin se laisser aller.

Depuis qu'ils l'ont descendue du bloc, je tiens dans ma main sa petite boîte à secrets noir et argent. Avant de me trouver dans l'obligation d'appeler une ambulance, je m'en sortais plutôt bien, j'avais le sentiment qu'elle n'allait pas tarder à me dire qui était le véritable responsable de tout cela. Elle m'a confirmé que ce n'était pas Curtis et qu'elle le voyait toujours, qu'il était sans doute toujours aussi déterminé à la manipuler. Il ne lui restait plus qu'à me dire son nom…

Il me suffirait de déverrouiller son téléphone pour obtenir cette information.

Il m'est devenu désespérément nécessaire de connaître la vérité, d'obtenir ce nom qu'elle était sur le point de me révéler. Mais fouiller dans son portable équivaudrait à transgresser une limite, violer son intimité, ce qui va à l'encontre de tout ce en quoi je crois. Mes parents n'avaient aucun sens des limites, je n'avais pas la moindre intimité parce que, à leurs yeux, je n'étais pas une personne autonome, ce qui leur conférait le droit de tout savoir, tout le temps. Même quand ma mère venait me rendre visite dans mon appartement avant que je m'installe avec Joel, elle se permettait d'ouvrir mon courrier, et parfois même de fouiller dans mes affaires, parce que, dans son esprit, j'étais toujours son enfant. J'ai fait beaucoup d'efforts pour adopter le comportement inverse, et voilà où cela m'a menée : Phoebe hospitalisée, parce que je l'ai laissée me cacher trop de secrets. Entre intimité et secret, la frontière est ténue, et cette frontière, Phoebe l'a franchie. En tant que mère de Phoebe, il me faut la franchir à mon tour, il en va de mon devoir, mais cette idée éveille en moi toutes sortes de sentiments désagréables.

J'ai l'impression que les rôles sont inversés, que je suis devenue ma mère.

Phoebe sait que je vérifie son historique de navigation, la règle étant que, s'il me semble que quelque chose a été effacé ou qu'elle a utilisé une fenêtre de navigation privée, elle perdra l'accès à son ordinateur pendant un laps de temps indéterminé. Je me suis par ailleurs réservé le droit de vérifier son téléphone chaque fois que je le juge nécessaire, et la règle veut que, s'il me semble que quelque chose a été effacé ou que les appels et textos ne collent pas avec les factures, elle soit privée de téléphone. Mais dans les faits, je n'ai jamais vérifié son portable. Je vérifiais régulièrement son ordinateur parce que j'étais jusqu'ici convaincue que le danger ne pouvait provenir que de cette chose nébuleuse que l'on appelle Internet ; et non des personnes qu'elle connaissait et qu'elle appréciait dans la vraie vie ; et non de ses amis de la vraie vie avec qui elle était en contact sur les réseaux sociaux. Le danger ne pouvait provenir que des chats, des pervers et du porno : d'étrangers, et non pas de gens qui avaient son numéro de téléphone, qui étaient amis avec elle dans le monde réel. Mais si, sur les réseaux sociaux, l'enfant n'était en contact qu'avec les gens avec qui il est en contact dans le monde réel, la maman n'aurait pas de souci à se faire. Elle n'aurait pas à craindre que sa fille sèche les cours, qu'elle soit là où elle ne devrait pas être, amenant par la même occasion son père à se trouver au même endroit et à rencontrer la personne qui va le faire disparaître à jamais.

Mais tout était là, naturellement. J'aurais dû interférer, j'aurais dû comprendre ce qu'elle manigançait via son téléphone. J'aurais dû vérifier.

Si je ne l'ai pas fait, c'est principalement parce que j'avais envie de croire qu'elle avait regagné ma confiance, parce que Joel aurait voulu que j'essaie à nouveau, il serait parvenu à me convaincre qu'elle avait commis une erreur, qu'elle regrettait amèrement et sincèrement et qu'elle ne recommencerait plus jamais.

Indécise, je tourne et retourne le téléphone dans ma main. Je le pose et le reprends.

J'ai peur de découvrir que c'est Fynn, le futur père. Ou Lewis. Ou un autre homme de ma connaissance. Si c'est quelqu'un de mon entourage, je vais perdre mon sang-froid, je le sais, je vais aller me confronter à lui et laisser se déchaîner contre lui toute la colère que m'inspire la disparition de Joel, la dévastation de ma vie et le sentiment d'impuissance généré par le corbeau. Ce salopard le mériterait, mais Phoebe et Zane, non. Mes enfants ne méritent pas de perdre un autre parent, car il faut voir les choses en face : je serais probablement emprisonnée. Mon surmoi comprend cela et adhère à cette idée, mais mon moi, qui n'aspire qu'à se venger de l'homme qui a fait ça à ma fille, ne se montrera sans doute pas aussi raisonnable.

Si je ne vérifie pas, cependant, je ne pourrai pas aller dénoncer le corbeau à la police avec cette bombe à retardement que n'importe quel journaliste pourrait déterrer et faire exploser à plus ou moins brève échéance ; je ne peux pas prendre un tel risque pour Phoebe.

À travers l'étroite fenêtre devant laquelle je suis assise, j'observe le paysage de Brighton : les bâtiments insérés les uns dans les autres comme les pièces irrégulières et multicolores d'un jeu de construction, et le front de mer brumeux et mystérieux au-delà. De cet angle, cependant, je ne peux pas voir la plage ; à cette hauteur, je ne peux pas voir les gens. Ils sont là, pourtant, ils existent, mais je ne peux pas les voir. La solution à mon problème est probablement de nature très similaire : elle se trouve juste devant mes yeux, mais il me sera impossible de la percevoir tant que je chercherai à regarder les choses sans changer de point de vue.

Que ferait Joel dans ma situation ? me demandé-je.

Que ferait Joel dans ma situation ? demandé-je à l'univers, à Dieu ou à toute autre entité cosmique.

Que ferait Joel dans ma situation ? demandé-je à Joel.

La réponse, comme un parfum délicat et onéreux, se diffuse en moi – à travers ma peau, mes poumons, mon cœur – avant d'arriver à mon esprit.

Je ne suis pas Joel.

Peu importe ce que Joel ferait puisque je ne suis pas Joel. Je suis moi. Et je dois faire ce que moi-même je ferais.

Lentement, je tape le code, la clef de la boîte à secrets. Je peux presque entendre le verrou se tourner, les gonds grincer et la porte de la vie intime de Phoebe s'ouvrir devant moi.

Il ne me faut que quelques secondes pour le trouver. Il me faut quelques minutes pour comprendre de qui il s'agit. Il me faut une vingtaine de minutes pour lire l'ensemble de leurs messages. Et il me faut une nanoseconde pour comprendre que l'explosion de ma colère anéantira toute personne et toute chose qui se trouvera dans mon environnement immédiat.

Mes mains tremblent au moment où je replace le téléphone sur la table de chevet. Je referme la boîte à secrets de ma fille pour qu'elle ignore que je connais la vérité. Je le lui dirai quand je serai allée voir cet enfoiré.

« Maman ? » fait-elle soudain d'une voix brisée. Elle essaie de bouger, mais n'arrive à relever son buste que de quelques millimètres. Elle doit avoir l'impression que son corps est écrasé sous des pierres, que sa gorge est desséchée. Elle n'ouvre pas les yeux ; cela nécessiterait sans doute trop d'efforts pour l'instant. Bouleversée, je prends ses mains dans les miennes.

« Je suis là, ma belle, je suis là », dis-je en souriant à ma fille, qui ne peut pas me voir, mais qui peut m'entendre.

Le regret de ne pas avoir pu toucher Joel à la morgue est un sentiment durable qui n'a fait qu'aiguiser ma douleur dans les jours, les semaines et les mois qui ont suivi. Depuis le jour où je m'étais accrochée à sa main dans l'avion pour Lisbonne, j'adorais le toucher, j'adorais qu'il me touche. Cette impossibilité de me connecter à lui a ajouté une dimension cruelle à mon deuil. La main du policier sur mon poignet, ferme interdiction de contaminer la « pièce à conviction », n'a fait que renforcer ma sensation de l'avoir perdu à jamais ; me rappeler que le lien qui m'unissait à lui dans le monde réel n'existait plus. Je me suis alors promis de toucher les gens que j'aimais aussi souvent que je le pourrais au cas où ce privilège me serait un jour de nouveau refusé.

Penchée au-dessus du lit, je caresse le visage de ma fille et dépose un baiser sur sa joue fraîche. D'ordinaire, elle se montre réticente à mes caresses, elle ne comprend pas, ne sait pas que, si j'éprouve le besoin de faire cela, c'est parce que j'ai peur de me voir un jour interdire de le faire à nouveau. Mais cette fois-ci, tout son être semble se détendre au moment où j'entre en contact avec elle.

« Je suis là, ma belle. Je suis là. »

55

« J'aimerais que vous restiez ici jusqu'à mon retour », dis-je à tatie Betty.

Elle n'a pas eu le temps de se changer de son escapade au bureau de poste, qu'elle a faite aujourd'hui toute seule. Ces trois derniers jours, j'avais réussi à la convaincre de l'accompagner. Et Phoebe et moi nous sommes efforcées de nous lever tôt ce matin, de sorte que je puisse être à l'heure pour l'emmener, mais elle était bien déterminée à se débarrasser de moi. Je n'ai ni le temps ni l'envie d'en parler avec elle pour le moment. Mais j'ai besoin qu'elle comprenne à quel point il est important que Phoebe ne se retrouve pas seule. Je ne veux pas qu'elle se réveille seule, qu'elle se demande pourquoi je ne suis pas avec elle.

« Je ne comprends pas où tu vas, me répond tatie Betty.

— J'ai un truc urgent à faire. Ça ne peut pas attendre. Mais je veux que vous me promettiez de ne pas quitter sa chambre. Jouez la carte de la vieille dame, et je suis sûre que les infirmières vous dorloteront. Ne parlez à personne qui ne soit pas une infirmière ou un médecin. Si quelqu'un ne peut pas prouver qu'il a le droit d'être ici, faites un scandale pour rameuter le personnel.

— Mais pourquoi quelqu'un... ? » Tatie Betty s'interrompt, et son visage d'ordinaire animé devient immobile, soucieux. C'est une femme très fine ; elle a compris ce que je voulais dire. « Les lettres ? »

J'acquiesce.

« Tu vas régler ce problème maintenant ?

— Non, un autre. »

Elle incline sa tête d'un air interrogateur en direction du corps à demi endormi de Phoebe.

J'acquiesce, l'air grave.

« Je ne quitterai pas son chevet.

— Ne lui dites pas où je suis allée ; je le ferai moi-même plus tard. Si elle se réveille et qu'elle me réclame, appelez-moi. Si vous ne pouvez pas me joindre, appelez le commissariat de Brighton ou celui de Hove : c'est là que je me trouverai probablement. »

L'espace d'une seconde, quand nos regards se rencontrent, je vois le visage de Joel, et la façon dont elle tord un peu sa bouche me rappelle la mimique de mon mari quand il allait me demander de ne pas faire quelque chose.

« Fais ce que tu as à faire », me dit tatie Betty.

Si elle m'avait demandé de ne pas le faire, j'y aurais réfléchi à deux fois. J'aurais essayé de trouver autre chose. Mais il faut que je le fasse. Il mérite de subir cela maintenant, pendant que je suis encore en colère. Si je prends le temps de me calmer, de me raisonner, de me décider à lui parler, je le laisserai s'en tirer. Et il recommencera. D'ailleurs, il l'avait probablement déjà fait avant.

« Merci », affirmé-je.

Un baiser et un câlin pour Phoebe. Le cœur serré de la voir si fragile, de constater que j'ai bien failli la perdre, je me tourne ensuite vers tatie Betty, que je prends dans mes bras. Mais mon geste a beau me paraître à moi-même maladroit, son corps a beau se raidir entre mes mains, je la serre plus fort contre moi. Je suis bien déterminée à tenir la promesse que je me suis faite à moi-même : toucher les gens que j'aime avant qu'il soit trop tard.

Une fois chez moi, je rassemble les objets dont j'ai besoin.

Je les entasse dans mon sac noir en cuir souple, me félicitant de ne pas faire partie de ces femmes qui peuvent transporter toute leur vie dans un sac à peine plus grand qu'un paquet de cigarettes. Avant de partir, je suis prise d'un besoin soudain de passer de pièce en pièce, de vérifier que je n'ai besoin de rien d'autre. Et une fois dans le salon, je m'arrête pour regarder la photo de Joel avec les enfants, qui se trouve sur la cheminée.

Je suis sûre qu'il me dirait de ne pas faire ça. Je suis sûre qu'il me dirait de trouver une autre solution. S'il était là, s'il faisait les choses à sa manière, je suis sûre que sa méthode fonctionnerait et que les conséquences ne seraient pas aussi dévastatrices. Dans ma poitrine, mon cœur s'est remis à battre sur un rythme saccadé, et ma respiration est désormais courte et superficielle.

Je ne devrais peut-être pas faire ça.

Fais-moi confiance… les autres adultes ne veulent pas que tu tombes amoureuse… c'est pour ça qu'ils ne te disent pas la vérité… on ne peut pas tomber enceinte la première fois… ne t'inquiète pas pour la pilule…, et ne demande pas à ta mère… elle ne comprendra pas… elle fera tout pour t'en empêcher… personne ne peut t'aimer autant que moi.

Les mots des textos reviennent à ma mémoire, et la rage reprend le dessus sur moi. Il ne s'en tirera pas comme ça, ce sale type qui a abusé de la confiance de ma fille, il ne s'en tirera pas comme ça.

Je ne devrais sans doute pas conduire dans cet état, mais je ne peux pas repousser ce moment plus longtemps. S'il me fallait attendre un taxi, parler de la pluie et du beau temps avec le chauffeur, le doute s'insinuerait à nouveau dans mon esprit. Il faut que je le fasse avant le coucher du soleil, tant qu'il est encore suffisamment tôt pour que j'aie une chance de m'en tirer sans problème, tant que le sang bout encore dans mes veines.

Je sais qu'il ne travaille pas aujourd'hui, et que lorsqu'il ne travaille pas, il reste généralement chez lui. Je suis donc quasiment certaine qu'il est là au moment où j'appuie de toutes mes forces sur la sonnette.

J'entends mon cœur battre dans mes oreilles, charriant les décharges d'adrénaline qui parcourent mon sang. Le tumulte fait rage dans ma tête.

Il ouvre la porte, et son instinct le pousse à sourire. À m'exposer ses dents immaculées et à ouvrir sa bouche parfaite pour me dire : « Saffron ! Quel bon vent t'amène ? »

Je comprends pourquoi elle l'apprécie. J'imagine que, quand on a quatorze ans, on peut facilement s'attacher à un adulte qui nous traite en adulte et qui nous sert régulièrement et généreusement des compliments et des paroles qui flattent l'ego, un peu comme un violeur servirait de l'alcool. Je comprends qu'on puisse se laisser convaincre que c'est ce dont on a envie, et notamment quand on se sent responsable de la mort de son père, quand sa mère est submergée par le chagrin et son frère trop jeune pour comprendre, et quand on pense qu'on connaît bien l'homme en question et qu'on peut se fier à lui. C'est un homme qui doit sembler séduisant quand on a quatorze ans, qu'on a peur et qu'on recherche de l'amour et de la compréhension partout où on peut en trouver.

« Ma fille est à l'hôpital à cause de toi.

— Phoebe ? demande-t-il, l'air désorienté. Est-ce qu'elle va bien ?

— Non. Mais son état ne va pas tarder à s'améliorer. Parce que je vais faire tout ce qu'il faut pour ça. À commencer sans doute par aller te dénoncer à la police pour lui avoir envoyé des messages à caractère sexuel et avoir abusé de sa confiance pour la séduire.

— Attends, je n'ai jamais…

— N'essaie pas de mentir : j'ai vu les textos.

— Écoute, tu te fais un film, là. Il ne s'est rien passé. Elle rentrait du collège un soir, je passais par là et je l'ai raccompagnée. C'était parfaitement innocent.

— "Je bande rien qu'à penser à tes lèvres." Tu trouves ça innocent, toi ?

— Saffy, hors contexte, on pourrait…

— Elle a quatorze ans !

— Mais elle ne se comporte pas comme si elle avait quatorze ans, me dit-il. Les filles grandissent plus vite que les garçons, et elles savent ce qu'elles veulent...

— *Quatorze ans!* Si elle en avait seize, je pourrais te qualifier de pervers, mais elle en a quatorze!

— Écoute, Saffy, ce n'est pas ce que tu crois, je voulais juste m'amuser un peu.

— T'amuser, ah oui?»

Je plonge ma main dans mon sac et attrape par la poignée l'objet que je suis allée chercher dans ma cuisine avant de partir. «Je vais te montrer comment je m'amuse, moi», dis-je en brandissant mon fer à repasser bleu et blanc, dont le câble blanc et gris est encore enroulé autour de la base. L'objet est lourd et solide; exactement ce dont j'ai besoin.

«Qu'est-ce qui se passe, chéri? fait soudain Imogen, que je vois apparaître derrière son mari par la porte toujours ouverte. Ah!, c'est toi, dit-elle d'une voix froide. Qu'est-ce que tu veux? Qu'est-ce que tu fais avec ce fer à repasser?

— Qu'est-ce que je fais? Je vais montrer à ton pervers de mari comment je m'amuse, moi.» Le long de la rue bourgeoise et cossue de ce quartier bourgeois et cossu de Brighton, les voitures semblent toutes issues de la même matrice: palette de couleurs limitée au bleu marine, à l'argenté et au noir; design lisse; toit ouvrant; sigle d'une marque de luxe à l'avant assorti à un grandiose nom de modèle à l'arrière. La voiture de Ray se détache du lot, cependant. Bien que lisse, prétentieuse et luxueuse comme les autres, elle est d'une horrible couleur bronze métallisé, qui la rend facilement identifiable à mes yeux.

Je m'immobilise un instant à côté de cet objet qui fait sa joie et sa fierté pour m'assurer qu'il me regarde et qu'il comprenne bien ce qu'il va se passer.

« Non ! » hurle-t-il alors.

Son capot rutilant tremble violemment au moment où je le frappe de toutes mes forces avec mon arme improvisée. Un creux, dont le contour irrégulier apparaît autour du fer, se forme dans le métal.

« Alors, tu trouves ça amusant ? » lui crié-je.

Et là-dessus, je frappe encore une fois : une nouvelle secousse fait trembler la voiture, et le capot se froisse comme une feuille de papier.

« Arrête, Saffron ! Arrête ! » hurle Imogen. Elle a les mains sur le visage, les yeux écarquillés. Son image est l'illustration même des sentiments que je ressens presque tous les jours depuis « ça » : elle est paralysée par les horreurs qui sont en train de se passer juste devant ses yeux.

Autour de moi, des gens commencent à sortir sur le pas de leurs portes, curieux de savoir ce qui vient troubler la quiétude de leur rue ; d'autres ouvrent leurs rideaux ou écartent les lattes de leurs stores.

« J'appelle la police ! » dit Imogen d'une voix perçante, avant de disparaître dans les profondeurs de sa maison.

Ray, pour sa part, est figé sur place. Non seulement à cause du choc, mais aussi des conséquences : il va falloir qu'il apporte une explication plausible à tout ça. Qu'il trouve une histoire qu'il pourra formuler de différentes façons, afin de convaincre à la fois Imogen et ses voisins.

Prise dans le feu de l'action, j'abats de nouveau le fer. « Et ça, ça t'amuse ? » Un trou se forme du côté avant gauche de la voiture. Mais ça ne me suffit pas : je frappe encore ; la tôle se froisse encore. « ÇA T'AMUSE ? »

Ivre de rage, j'agite le fer devant Ray, qui est désormais aussi blanc et immobile qu'une statue. « On rigole bien, hein ? » Au bout de deux coups puissants et déterminés, la fenêtre passager cède dans un craquement sourd. Le verre se déforme, avant de se diviser en petites perles qui vont presque toutes s'écraser sur le siège avant.

Je mets un dernier coup sur le capot, dont la surface ressemble désormais à celle de la lune, et je laisse le fer enfoncé dans la tôle.

Tout en inspirant de l'air à pleins poumons, je regarde fixement Ray. Il est grand, il est bien bâti, il est beau. C'est un homme absolument dégoûtant.

Entre deux bouffées d'oxygène, je lui dis : « Tiens-toi à l'écart de ma fille », suffisamment fort pour que notre public l'entende, suffisamment haut pour couvrir le bruit de mon cœur, qui continue de battre à tout rompre. « Et tiens-toi à l'écart des autres petites filles. Parce que je me fiche bien de tous ces pervers qui font des déclarations dans les journaux, de ces séries télé de merde qui prétendent que c'est très bien, ou de ces propédophiles qui nous disent que les adolescentes ne demandent que ça ; un adulte avec un enfant, c'est INTOLÉRABLE. Et si je te reprends à t'approcher de ma fille, dans les jours, les mois ou les années qui viennent, je reviendrai m'occuper de ton cas PERSONNELLEMENT. »

Il n'a pas bougé. Malgré les sirènes qu'on entend au loin et Imogen qui est réapparue sur le pas de la porte derrière lui, il ne bouge pas. Il est pétrifié. Tous les gens autour de nous ont entendu, y compris sa femme, qui arbore désormais un air consterné. Même en inventant des mensonges épiques, je ne vois pas comment il pourrait se tirer de là.

Tu aurais dû y penser avant de commencer à envoyer des sextos à ma fille, ai-je envie de lui dire. *Tu aurais dû réfléchir avant d'essayer de la forcer à se faire avorter en lui écrivant: «Je ne peux pas t'aimer si tu es dans cet état. Il faut que tu résolves le problème.» Tu aurais dû mettre un terme à toute communication quand elle a cessé de répondre à tes textos, plutôt que d'essayer de la séduire à nouveau en lui servant ce mélange de messages d'amour, de messages sensuels et d'arguments fallacieux pour la pousser à «résoudre le problème».*

«Je pense que tu auras compris le message», lui dis-je.

Ses mains fines toujours collées à son visage, Imogen reste elle aussi pétrifiée sur le pas de sa porte. Son expression horrifiée a disparu, remplacée par un masque de consternation et de désespoir. *Je sais bien ce que tu ressens*, suis-je tentée de lui dire. Mais naturellement, je ne le fais pas. Après la mort de Joel, beaucoup de gens m'ont dit cela en substance, et j'avais toujours envie de les faire taire. Personne ne savait. Personne ne pouvait savoir. Comment quelqu'un aurait-il pu savoir ce que je ressentais sans le connaître comme moi je le connaissais, sans être ce que moi j'étais? J'ignore ce qu'Imogen éprouve en cet instant précis, mais je peux l'imaginer. Je n'ai aucun mal à imaginer ce que l'on ressent quand le monde autour de nous est en train de s'effondrer et qu'on lutte pour rester debout et se tenir droit malgré tout.

Instinctivement, je baisse les yeux vers le trottoir. J'ai fait ce que j'avais à faire. J'ai fait passer le message et je n'ai plus envie de regarder le visage stupéfiait d'Imogen.

Je vois deux voitures de police arriver, mais je ne bouge pas. C'est inutile. Je ne veux pas aggraver mon cas en m'enfuyant. J'attends de les voir s'arrêter à ma hauteur, j'attends que les policiers m'interpellent, qu'ils me disent mes droits. J'attends qu'ils me passent les menottes, qu'ils me fassent monter dans un de leurs véhicules et qu'ils m'emmènent loin d'ici.

Attendre. Je ne fais que ça, attendre.

56

Ma cellule est assez agréable, tout bien considéré. Je suis assise sur un matelas recouvert de PVC dont l'épaisseur est totalement insuffisante pour isoler mes fesses du métal du sommier. Les cloisons rugueuses ont été peintes d'une étrange couleur blanc cassé dans le but, j'imagine, de faire paraître la pièce plus grande qu'elle ne l'est en réalité. Plus haut sur le mur, je peux voir une fenêtre munie d'une vitre qui, je suppose, est blindée. Au pied du lit, des toilettes et un évier mural métalliques. L'odeur qui règne ici est infecte, naturellement : mélange de détergent chimique puissant, d'eau stagnant dans les toilettes et de la transpiration de la personne qui m'a précédée. Mais peut-être est-elle plus complexe que cela, peut-être est-ce la superposition des odeurs de tous les crimes dont les auteurs ont été enfermés ici.

Il faut que j'arrête de divaguer. Non, non, ma cellule est agréable ; je ne dois pas l'oublier.

Elle n'est pas petite, confinée et étouffante. Elle ne me donne pas envie de hurler, d'arracher sa porte métallique ou d'escalader les murs pour casser la vitre afin de pouvoir un peu respirer.

Ils ont emporté mes baskets, ainsi que mon sac, mon manteau, ma ceinture et mes chaussettes. Mes baskets, je suppose, doivent se trouver à l'extérieur, face à la porte derrière laquelle je suis enfermée, comme toutes les autres chaussures que j'ai vues alignées devant les cellules quand on m'a conduite jusqu'ici.

Soudain, mon cœur a un raté : la porte vient d'être déverrouillée. Elle s'ouvre. Sur celui qui était jadis mon officier de liaison familial. Il s'arrête sous le chambranle. Je vois très nettement ce que j'envisage de faire : sauter sur lui, le pousser sur le côté et m'enfuir en courant. Mais... il faudrait que je m'arrête pour récupérer mes baskets, je n'irais nulle part sans mon sac, et, de toute façon, serais-je en mesure de retrouver le chemin de la sortie ? Non, c'est ridicule, vraiment. Cela étant, les actions que j'entreprends ne sont-elles pas toutes un peu déraisonnables depuis quelque temps ?

L'homme pousse un soupir, profond, le soupir que pourrait pousser un ami déçu et inquiet, et il s'arrange pour que son visage soit le reflet de son soupir avant de venir s'asseoir aussi loin de moi que possible sur le petit lit étroit. Le point positif, c'est qu'il a laissé la porte ouverte. Le point positif, c'est qu'il m'a offert la possibilité de devenir une fugitive.

« Je ne pensais pas vous revoir si tôt, madame Mackleroy.

— J'avais envie de savoir si vous pouviez prononcer mon nom correctement deux fois d'affilée. Bravo, vous avez réussi. Bien joué. »

L'homme ne rit pas, mais semble tout de même trouver cela vaguement amusant. « Qu'est-ce qui vous arrive, madame Mackleroy ? J'ai eu de la peine à y croire quand j'ai vu votre nom sur le procès-verbal. Acte de vandalisme ? »

Il a l'air sincèrement inquiet pour moi. Et je me sens soudain presque submergée par l'affection qu'il m'inspire. Il est tellement jeune, et il semble avoir tellement changé en quelques mois à peine. « Comment vous appelez-vous ? » lui demandé-je.

Il cligne des yeux d'un air surpris. « Vous ne connaissez pas mon nom ? »

Je secoue la tête.

« Je ne vous l'ai jamais dit, ou vous avez oublié ?

— Vous ne me l'avez jamais dit.

— J'aurais dû le faire. Inspecteur Clive Malone.

— Ravie de vous rencontrer, Clive Malone.

— Madame Mackleroy, vous êtes en détention provisoire ; je ne vois pas en quoi cette situation pourrait vous ravir.

— Oui, vous n'avez pas tort. Ma fille est à l'hôpital, et je préférerais de loin me trouver à son chevet.

— Mais vous allez devoir rester ici quelque temps, je le crains.

— Je ne vous demande rien. Je voulais simplement faire comprendre à cet homme, l'homme dont j'ai vandalisé la voiture, qu'il fallait qu'il reste à l'écart de ma fille.

— Il existe des moyens légaux pour arriver au même résultat, réplique-t-il.

— Oui, c'est vrai. Mais je voulais me faire arrêter. Je me suis comportée en mère indigne, j'ai été absente, je n'ai pas prêté attention à mes enfants et je n'ai pas remarqué à quel point les choses avaient dégénéré. Je mérite d'être punie pour ça. Terroriser et humilier l'espèce d'enfoiré qui a abusé de ma fille, ça, c'était juste du bonus. Mais je ne vais pas rester en prison, n'est-ce pas ?

— Pas si vous êtes disposée à payer une caution, je pourrais m'arranger pour que votre interrogatoire soit avancé de sorte que vous puissiez sortir le plus rapidement possible.

— Merci, inspecteur Clive Malone.

— C'est le moins que je puisse faire, compte tenu des circonstances.

— J'imagine que vous ne pouvez pas laisser la porte ouverte, lui demandé-je, alors qu'il s'apprête à sortir.

— Malheureusement non. Mais je vais voir si on peut vous faire transférer en salle d'interrogatoire.

— Merci. »

Clive Malone m'adresse un sourire avant de disparaître. Je ramène mes genoux contre ma poitrine et laisse mon menton retomber contre eux. Je mérite d'être là. Vraiment. Pour avoir vandalisé la voiture de Ray Norbert, mais surtout pour tout le reste.

Cela étant, je suis bien déterminée à arranger les choses. Il faut que je répare mes erreurs, c'est indispensable. Je n'ai pas d'autre choix.

Tatie Betty et Phoebe sont toutes les deux endormies quand je retourne à l'hôpital.

Manifestement, tatie Betty a joué de son charme : quelqu'un lui a installé un fauteuil totalement inclinable, et elle s'est mise au chaud sous une couverture blanche en coton gaufré. Dans la pénombre de la chambre, je me laisse tomber sur la chaise pliante que j'occupais un peu plus tôt. Le silence est ponctué de bips, l'obscurité tachetée de flashes.

J'ai envie de prendre une douche, j'ai envie de me laver des crimes dans lesquels j'ai macéré au sein de ma cellule. J'ai envie de me purifier pour pouvoir tout recommencer de zéro. Ce serait bien. Ce serait symbolique.

Aussi silencieusement que possible, je rapproche ma chaise de Phoebe pour lui prendre la main, avant de laisser doucement retomber mon front sur nos mains jointes. Sans elle, sans Zane, rien n'aurait d'importance.

Je ferme les yeux et ne tarde pas à m'endormir. Demain, tout ira mieux.

Jeudi 23 mai
(pour le vendredi 24)

Saffron,

Nous sommes tellement semblables, toutes les deux.

Quand tu t'en es prise à la voiture de cet enfoiré, je suis certaine que c'est la même rage que la mienne qui t'a animée. Je l'ai vu sur ton visage : c'était un élan de violence incomparable à tout ce que tu as pu connaître. C'était comme si tu étais devenue quelqu'un d'autre.

J'ai entendu tes paroles, aussi. Et je suis contente que tu lui aies dit ses quatre vérités. C'est un être ignoble. Je regrette d'avoir pensé que Phoebe était une fille facile. Je suis vraiment écœurée par ce qu'il lui a fait.

Quelqu'un m'a dit que tu avais payé une caution et que c'était pour cette raison que la police t'avait laissée sortir rapidement. Pourquoi as-tu fait ça ? À ta place, je leur aurais expliqué ce qu'il avait fait, et je suis certaine qu'ils auraient trouvé ton comportement totalement justifié.

Je pense qu'ils n'auraient pas de mal à comprendre ce qui m'a poussée à faire ça, moi aussi. Je n'ai pas prémédité mon acte ; j'ai simplement ressenti ce que toi-même tu as ressenti : j'étais aveuglée par la rage que ses mots avaient fait naître en moi. Ces mots, c'était toi qui les lui avais mis dans la bouche, mais il n'avait pas besoin de me les répéter. Je m'étais arrangée pour que nous soyons seuls. Il n'y avait personne pour nous écouter, personne pour venir te raconter ce qui s'était dit. Et il m'a quand même dit toutes ces choses.

Je n'aurais pas dû me comporter ainsi. J'étais comme… enragée. Mais tu me comprends, maintenant, n'est-ce pas ? Tu comprends pourquoi ce qui est arrivé est arrivé. Je ne l'ai pas assassiné, je n'ai pas projeté de le faire, c'est la rage qui a pris le dessus, voilà tout.

D'une voiture à une personne, le fossé n'est pas si grand, quand on y réfléchit bien.

Je pense que nous devrions nous rencontrer pour discuter de tout cela. Je pense que nous devrions devenir amies toutes les deux, vraiment.

A

57

Assise sur l'abattant des toilettes dans la petite salle de bains qui jouxte la chambre de Phoebe, je lis la lettre que je viens de recevoir accompagnée d'un bouquet de fleurs.

Cette femme est partout où je vais. On dirait qu'elle ne dort jamais, qu'elle ne manque pas un seul de mes faits et gestes. J'ai aussi l'impression qu'elle s'enhardit. Elle n'a plus l'air de se soucier que je la repère ou non. Si elle était là hier, suffisamment proche de moi pour entendre ce que je disais à Ray, suffisamment proche pour voir mon visage, c'est certainement qu'elle s'apprête à m'affronter. Il me faut me préparer à cela, et attendre. Perdue dans mes pensées, je replace la lettre dans son enveloppe que je glisse dans la poche arrière de mon jean.

Je me lave les mains avant de retourner dans la chambre de Phoebe. Tatie Betty a usé de son charme pour obtenir un lit plus ou moins correct dans la salle de repos des infirmières. Un peu plus tôt dans la matinée, je suis rentrée à la maison pour aller chercher des vêtements de rechange. Il m'a fallu prendre un taxi pour faire l'aller-retour, ma voiture étant toujours garée devant chez Imogen, où elle attend certainement d'être embarquée à la fourrière, le pare-brise couvert de contraventions.

Phoebe, qui a pris son petit déjeuner et reçu la visite d'un interne, est désormais assise sur son lit dans sa chemise de nuit blanche, sa perfusion toujours scotchée sur le dos de sa main gauche et son nom écrit sur une bande blanche attachée autour de son poignet droit. Depuis le début de la matinée, elle est occupée à passer et repasser compulsivement en revue l'éventail de chaînes limité dont dispose la petite télévision suspendue au-dessus du lit.

En ce moment précis, ma fille, qui semble attendre que les merveilles du monde lui soient révélées, paraît avoir six ans. Au moment où je me laisse lourdement tomber sur le siège à côté de son lit, elle m'adresse un coup d'œil en biais. « Hmm hmm, je connais ce regard », marmonne-t-elle, avant d'éteindre la télévision. Je déplace un peu mon fauteuil pour pouvoir mieux l'observer.

« C'est donc bien Curtis qui t'a mise enceinte », affirmé-je.

Elle tente de hausser les épaules, mais n'y arrive pas, les connexions nerveuses entre le haut de son dos et la zone opérée transformant chaque mouvement en un véritable calvaire. « J'ai jamais dit le contraire.

— Non. Mais tu ne t'es pas comportée comme si c'était Curtis le futur père. À cause de Ray. »

Ses pupilles assombries et enserrées de veines rouges se dilatent sous le coup de l'étonnement. « T'es au courant ?

— Oui. Je suis allée fouiller dans ton téléphone. Mais avant que tu commences à t'énerver, je voudrais que tu comprennes que j'aurais dû le faire il y a bien longtemps. Je n'avais aucune idée de ce qu'était ta vie, Phoebe, et ce n'était pas bien. Mon devoir est de te protéger des mauvaises choses qui peuvent t'arriver, et je n'ai pas fait mon devoir, en partie parce que je ne voulais pas me comporter comme ma propre mère. Je suis allée trop loin dans l'autre sens. Mais tout cela, c'est fini, maintenant. Je vérifierai ton téléphone et ton ordinateur régulièrement, et si je trouve quoi que ce soit de louche, tu perdras tes privilèges, d'accord ? »

Elle a envie de hausser les épaules, je le vois sur son visage. « C'est pas juste.

— Si. Tu es jeune. Je sais que tu te sens comme une adulte et que tu as envie de faire tout ce que tu veux, mais le moment n'est pas encore venu. Je peux t'accorder une certaine liberté et indépendance, mais pas te laisser le champ totalement libre. Quant aux moyens de communication comme le téléphone et Internet, tu peux en profiter tant que tu veux, mais à la condition que je puisse vérifier régulièrement ce que tu fais pour m'assurer que tu ne te lances pas dans des aventures dont tu risquerais de ne pas sortir indemne. Par ailleurs, j'aimerais que tu me parles davantage de ta vie, que tu me racontes ce que tu fais, que tu me demandes mon opinion ou des conseils, mais je ne peux pas te forcer à le faire. Tout ce que je peux te promettre, c'est d'essayer de trouver un juste équilibre entre la maman qui édicte les règles et l'amie à qui tu peux te confier. Ça ne te semble pas juste ?

— Ouais. Plus ou moins. »

J'appuie ma nuque contre le dossier et fixe le plafond. Il ne faut pas que je m'endorme. Il ne faut pas que je sombre dans un sommeil profond qui durera des milliers d'années.

« Tu m'engueules pas, pour Ray ? me demande-t-elle prudemment.

— Pas maintenant. Je n'ai pas la force.

— Tu… Tu vas lui dire que t'es au courant ? Et le dire à Imogen ?

— Je le leur ai déjà dit. Et fait comprendre qu'ils n'avaient plus intérêt à s'approcher de l'un d'entre nous. »

Manifestement sidérée, elle ouvre grand la bouche, et ses yeux semblent tripler de volume. « Qu'est-ce que tu leur as dit ? Qu'est-ce qu'ils ont dit ? Est-ce qu'ils sont fâchés contre moi ? Tu crois qu'Imogen va encore venir me prendre la tête ?

— Ils ne sont pas spécialement contents, mais comme je te l'ai déjà dit, ils ont compris qu'ils n'avaient pas intérêt à s'approcher de l'un d'entre nous. » Il va falloir que je songe à inscrire Zane dans une autre école pour qu'il ne voie plus Ernest. Ce n'est pas sa faute, naturellement, mais je dois l'éloigner du père de son copain.

Du bout de mes doigts, je frotte un peu mes yeux, qui sont comme deux charbons ardents dans le four de douleur glaciale qui était jadis ma tête.

« Maman ? » fait soudain Phoebe.

Je baisse les yeux pour la regarder.

« Il a été gentil avec moi. Tu te rappelles que tu m'as demandé s'il avait été gentil avec moi ? Eh ben, ouais, il a été gentil. Curtis, je veux dire. Il voulait mettre un préservatif, mais j'arrêtais pas de lui dire que c'était pas la peine, à cause de ce que Ray m'avait dit.

« Curtis, en fait, c'est un peu comme si c'était mon meilleur ami, même si c'est un mec, et, du coup, je lui ai dit que je voulais pas que Ray me prenne pour une petite fille débile. J'avais super-envie que Ray me trouve bien. Mais Curtis m'a dit que les coups d'un soir, ça l'intéressait pas, et qu'il m'appréciait beaucoup, et qu'il était pas sûr que ce soit une bonne idée qu'on le fasse. J'étais carrément dégoûtée, parce que je me suis dit que, si je voulais le faire avec Ray, il allait me repousser s'il voyait que j'étais pas expérimentée. Et tout d'un coup, Curtis a changé d'avis et il m'a dit qu'il voulait le faire. Alors on l'a fait chez lui après le collège, quand son père était encore au travail. »

L'état dans lequel je suis est parfaitement adapté à la situation, c'est-à-dire à l'élaboration d'une relation honnête avec ma fille : je suis beaucoup trop épuisée pour me boucher les oreilles et lui hurler d'arrêter de me parler de sa vie sexuelle.

« Il a été supergentil avec moi. Il arrêtait pas de me demander si j'étais toujours sûre et si j'avais pas mal. Et il m'a dit que si je voulais qu'on arrête, je n'avais qu'à demander, mais j'ai pas voulu qu'on arrête. Je me sentais vraiment bien. » *Je suis certaine que c'est pour cette raison qu'il a changé d'avis*, me dis-je en moi-même. *Il connaît ma fille, il savait que, si ça n'avait pas été lui, ç'aurait été quelqu'un d'autre, et il voulait qu'elle se sente bien pour sa première fois, qu'elle soit respectée.* « C'était sympa, en fait. Je dirais même que j'ai, tu vois, apprécié.

— Tant mieux. » Joel a été le premier homme avec qui je l'ai fait comme ça. J'ai eu de nombreux rapports sexuels avant lui, et, la plupart du temps, c'était merveilleux, jouissif, orgasmique, mais la première fois que je me suis sentie bien au lit, pas obligée de dissimuler ce que je ressentais, c'était avec l'homme que j'avais épousé. *C'était comme ça aussi avec ton père*, suis-je tentée de dire. Mais je me reprends à temps : il y a vraiment des choses que l'on ne doit pas savoir sur ses parents.

« Je voulais te le dire, parce que j'avais pas envie que tu lui en veuilles ou je ne sais quoi. Il a rien fait de mal et il a été gentil avec moi.

— Je ne lui en veux pas. Tu lui as dit ce qui était arrivé ?

— Ouais. Et à tonton Fynn, aussi. Ils vont venir tout à l'heure. Ça te gêne pas ?

— Pas du tout. Tu peux le dire à tous les gens à qui tu as envie de le dire. Sauf à tes grands-parents. Les quatre. Si je peux me passer de leurs sermons pour le moment… On le leur dira plus tard. Ou jamais. Je ne me suis pas encore décidée. »

À ces mots, son visage semble se décomposer. « Ah ! fait-elle d'un air gêné.

— Phoebe ! Tu aurais pu me prévenir, au moins. Quand leur as-tu dit ? Il va falloir que je trouve une histoire à leur raconter avant qu'ils arrivent.

— Grilléééé ! » s'esclaffe-t-elle. Elle se tient le ventre en riant, mais ne paraît pas souffrir du tout. « Tu pensais quand même pas que j'étais aussi stupide, maman ? »

Son visage, illuminé par son rire, est l'une des choses les plus belles qu'il m'ait été donné de contempler au cours de ma vie. J'en viendrais presque à oublier la lettre dans la poche de mon jean, et le compte à rebours qui, au-dessus de ma tête, me rapproche de l'inévitable moment où je vais devoir affronter la femme qui a tué mon mari.

58

J'arpente les couloirs en attendant que Fynn quitte la chambre de Phoebe.

Si je continue de marcher, je ne sombrerai pas dans le sommeil. Phoebe et moi avons toutes les deux somnolé par intermittence cet après-midi, mais ces petits moments de répit n'ont pas suffi à chasser ma fatigue et ma mauvaise humeur. Tatie Betty semble avoir trouvé toutes sortes de choses intéressantes à faire dans l'hôpital, et elle passe régulièrement dans la chambre pour me faire savoir qu'elle va bien, avant de disparaître à nouveau. Je me demande comment elle a réussi à obtenir un droit d'accès aux autres services, dont toutes les portes d'entrée et de sortie sont équipées de dispositifs de sécurité, mais je ne me suis pas donné la peine de lui poser la question. C'est une petite fille, à mes yeux : comme elle joue gaiement et gentiment dans un endroit sûr, je préfère la laisser tranquille.

Perdue dans mes pensées, je m'adosse contre le mur à côté de la chambre de Phoebe. Il est froid et dur, un peu comme un lit. Je ne tarde pas à sentir mes paupières tomber et mon esprit dériver. Je flotte loin de tout ça. Je m'accorde la liberté de lâcher prise sur la réalité pour succomber à la beauté de…

« Tu as l'air épuisé. »

M'extirpant de ma torpeur, je lutte pour me redresser. « C'est toujours sympa de connaître l'avis du miroir parlant. »

Il m'adresse un sourire entendu, avant de reprendre un air sérieux. « Tu aurais dû m'appeler, Saff », affirme-t-il.

Mon cœur fatigué me fait mal. J'ai mal, et j'ai envie de le lui dire, j'ai envie de lui parler, pour qu'il redevienne mon meilleur ami. Pour que nous reprenions notre relation. « Tu le penses vraiment ?

— Oui, et tu le sais très bien. » Son regard se pose sur le mur derrière ma tête, sur le couloir au-dessus de mon épaule, sur le plafond, mais jamais sur moi. N'importe où plutôt que sur moi. Il n'arrive toujours pas à se résoudre à me regarder. Je devrais prendre sa main et la poser contre ma poitrine, lui demander de sentir cette douleur affreuse et bien réelle qui émane de mon cœur à cause de l'attitude que nous avons l'un envers l'autre.

« Est-ce qu'on pourrait parler de ça, Fynn ? Voir si…

— Écoute, Saff, de quoi est-ce que tu veux qu'on parle ? Mes sentiments envers toi n'ont pas changé. Est-ce le cas des tiens ?

— Ce n'est pas aussi simple que ça.

— Je prends ça pour un… » Sa voix se brise. Il baisse la tête, il lutte pour dissimuler le mélange d'émotions que je peux lire sur son visage, la principale étant la déception infligée par la trahison. Mon estomac, chaudron de nausée en perpétuel mouvement, commence à se retourner : je sais à quoi il pense, je sais à qui il pense. Il croit que j'ai appelé Lewis à sa place, que, alors que Phoebe était à l'article de la mort, je n'ai pas songé à le contacter, préférant téléphoner au nouvel homme de ma vie. «… non. Je prends ça pour un non. À plus, Saff.

— À plus tard, Fynn.»

Pour ne pas avoir à le regarder me quitter à nouveau, je baisse les yeux et me mords la lèvre. Une fois, c'était déjà trop, bien trop. Je ne peux pas voir ça; mon cœur ne pourrait pas le supporter.

«Décidément, nos enfants ont un véritable don pour nous réunir», me dit Lewis.

Nous sommes dans la cafétéria au rez-de-chaussée de l'Alex, et la dernière fois que la porte de la cuisine s'est ouverte, il m'a semblé très nettement voir tatie Betty vêtue d'un tablier et coiffée d'une toque. Ce devait être une hallucination. Du moins, je l'espère.

J'adresse à Lewis un faible sourire. À côté de son grand *cappuccino*, j'ai devant moi un café allongé dans une tasse en carton et une pâtisserie. Je n'ai pas envie de ce feuilleté. Je ne me rappelle pas la dernière fois que j'ai mangé, mais je n'ai pas envie de cette pâtisserie. Il m'arrive souvent d'acheter ce genre de chose pour me couvrir, néanmoins, quand je bois un café ou un thé avec une autre personne. Je commence à manger et je «découvre» un cheveu ou une tache de moisissure; je ne peux donc pas manger le gâteau, et comme je n'ai pas envie de faire de scandale, il reste sur la table, intact. C'est le stratagème parfait et cela me donne l'occasion de me mettre à l'épreuve. De tester ma volonté de résister à la nourriture.

Mais parfois, quand je ne suis pas aussi forte que je le voudrais, je démantèle ce que j'ai commandé. Prétendant que c'est trop sucré à mon goût, je retire le glaçage du cupcake, la crème du gâteau à la carotte, la garniture de la tarte. Et je mange le reste. Les trucs qui contiennent moins de calories «vides». Puis, dès que je le peux, je fais ce que j'ai à faire pour ne pas garder ces calories en moi. Mais, en ce moment précis, je n'ai pas envie de cette pâtisserie et je n'ai donc pas besoin de recourir à ce stratagème. Je l'ai commandée parce que c'est ce que je fais toujours quand je prends un café avec quelqu'un.

Le brouhaha de la cafétéria se poursuit autour de nous, mais nous restons assis sans parler pendant de longues minutes.

«Je suis désolé, finit par dire Lewis. J'aurais dû te prévenir dès le départ.

— En fait, je ne suis pas certaine que cela aurait été mieux, avoué-je. J'y ai beaucoup réfléchi depuis et, comme Joel l'aurait fait remarquer, c'était bien qu'elle ait un adulte vers qui se tourner dans cette situation si désespérée. Tu as apporté ton aide à une jeune fille effrayée, et c'est très honorable de ta part.

— Mais?

— Mais je ne suis pas Joel. Je n'arrive pas à me faire à l'idée que tu m'aies caché quelque chose d'aussi important. Il m'a fallu un moment pour l'admettre, mais j'ai fini par comprendre que, si c'était un problème à mes yeux, c'était uniquement parce que nous étions attirés l'un par l'autre et qu'il y avait tout ce possible entre nous.»

Comme pour me concéder un point, il fait une petite grimace.

«Si tu n'avais été que le prof de Phoebe, ton comportement aurait pu être qualifié de juste et de compréhensible. Mais il y a quelque chose entre nous.

Et si cette chose se concrétisait et que tu deviennes une figure paternelle dans la vie de Phoebe, je n'arrêterais pas de me demander si elle et toi, ou Zane et toi, vous ne me cachez pas d'autres secrets. »

Presque comme un boxeur jetant sa serviette, il retire ses lunettes cerclées d'or et les fait claquer sur la table. Résigné à ce que je viens de dire, à ce que cela implique, il hoche la tête, avant de se frotter les yeux d'un air las.

« Par ailleurs, je te soupçonne d'être un prof qui fait toujours passer les besoins de ses élèves en premier, ce qui est tout à fait honorable dans l'absolu, mais pas forcément très approprié pour une personne comme moi, qui ai déjà beaucoup de mal à accorder ma confiance. »

Nouveau hochement de tête. Je me demande comment il voit sans ses lunettes et suis soudain prise d'une envie délirante de les mettre sur mon nez et de parader dans la salle en disant : *Coucou, je suis Lewis Bromsgrove et je suis tellement délicieux que Saffron a envie de me lécher partout.*

« À quoi pensais-tu ? me demande Lewis au moment où je parviens à me concentrer de nouveau sur lui. Tu avais le regard perdu dans le vide et on aurait dit que tu étais dans un autre monde.

— Oui, avoué-je. L'espace d'un instant, je me suis demandé comment tu réagirais si je mettais tes lunettes et faisais semblant d'être toi. »

Il me sourit d'un air tellement béat que je dois détourner mon regard de lui. Il est vraiment exquis.

« Et ça n'a rien à voir avec ce type, Fynn ? me demande-t-il en reprenant un air sérieux.

— Pourquoi est-ce que ç'aurait quelque chose à voir avec lui ?

— On ne peut pas dire qu'il se soit montré très sympathique avec moi. J'imagine qu'il y a une forme de compétition là-dedans.

— Je ne suis pas un trophée de chasse, ou je ne sais quoi, lui rappelé-je. Et la présence de Fynn ne change rien au fait que je n'arrive pas à accepter que tu m'aies caché ça.

— D'accord. Je suppose qu'on peut dire qu'il y a eu échec de lancement, conclut-il pour définir sans amertume ce qu'il est advenu du possible qu'il y avait entre nous.

— J'imagine, rétorqué-je. Mais dans ce genre de chose, la partie où on se demande si on le fera ou pas est aussi très agréable. Au moins, nous aurons pu profiter de ça. »

Le rire de Lewis, grave et rauque, touchant, envoie de petites décharges de joie le long de ma colonne vertébrale et pousse deux personnes à se retourner pour le regarder d'un air émerveillé. « Mais ce n'est pas la partie la plus agréable, s'esclaffe-t-il. Loin s'en faut.

— Oui, enfin, tu vois ce que je veux dire », repartis-je en riant à mon tour. C'est une véritable expérience que d'être à même de rire à nouveau. Quand ai-je ri pour la dernière fois ? Je ne m'en souviens même pas.

« J'aimerais que tu me laisses l'opportunité de te faire changer d'avis.

— Oui, d'accord, pourquoi pas ? » Comme je l'ai dit un peu plus tôt à Phoebe, je n'ai pas la force de contester. « Mais tu dois savoir que je ne suis pas du genre à changer d'avis.

— Mais tu dois savoir, dit-il en remettant ses lunettes et en souriant, que je suis du genre à aimer les défis. »

59

« Maman ! Maman ! Réveille-toi ! »

Alarmée par le ton de la voix et le poids qui pèse sur mon corps, j'ouvre brusquement les yeux.

L'espace d'un instant, je me demande où je suis. J'ai beau dormir là depuis trois jours, je me réveille tous les matins désorientée. Gênée par la lumière, je grimace légèrement ; nous ne sommes ni au début du jour ni au milieu de la nuit. Mon corps est lourd, entravé, et il y a quelque chose qui est bien trop près de mon visage pour que je puisse concentrer mon regard dessus. La chose en question s'écarte légèrement, me laissant la possibilité de déterminer ce que c'est. Et c'est un don du ciel.

« Zane ? » murmuré-je. J'ai peur de le dire trop haut, peur de me réveiller de ce si beau rêve. « Zane ?

— Ouais », fait-il d'une voix enjouée. Il rebondit sur moi, deux fois, et la courbe de ses genoux écrase la plus grande partie de mes organes vitaux. Son corps s'élève très haut au-dessus de moi ; on dirait qu'il a doublé de taille depuis qu'il est parti trois semaines plus tôt. « Je suis revenu. Pheebs m'a tout raconté. »

S'il est là, c'est qu'ils sont là eux aussi, ce qui signifie que... Ils sont debout de l'autre côté du lit de Phoebe, comme des sommets jumeaux de désapprobation. Et ils ont l'air de se demander à qui ils doivent adresser leurs reproches : quand l'un me regarde d'un air mauvais, l'autre regarde Phoebe, et inversement.

« Betty nous a appelés, dit la maman de Joel. Elle a pensé que nous devions être mis au courant.

— Ah ! d'accord. » Je n'arrive pas à croire que tatie Betty m'ait fait ce coup-là. C'est la dernière fois que je la prends chez moi.

« Tu te rends compte qu'elle est montée dans une ambulance, poursuit Zane. Avec le gyrophare et tout, elle m'a dit. C'est pas juste. »

Je prends Zane dans mes bras, l'attire plus près de moi pour l'empêcher de m'écraser le ventre plus longtemps, mais aussi, et surtout, parce que mon petit garçon est de retour. Je vais prendre le temps de savourer cette idée, je ne vais pas me laisser aller à penser que sa présence ici ne va pas générer une nouvelle source d'angoisse, parce que, pour le moment, ça m'est parfaitement égal. Il est revenu, il est là, et je peux le prendre dans mes bras.

« Vous auriez dû nous appeler, Saffron, me dit le papa de Joel. Nous serions venus plus tôt. »

Comme si j'avais besoin de me les coltiner en plus de tout le reste.

« S'il vous plaît », me dit tout à coup la maman de Joel. Elle me regarde en face, et elle arbore une expression que je n'ai jamais vue sur son visage, quelque chose qui ressemble à de l'humilité, à des regrets. « S'il vous plaît, répète-t-elle. Est-ce qu'on pourrait tout recommencer de zéro ? Je sais que Joel n'est plus là pour voir ça, mais laissons le passé derrière nous. Soyons plus aimables les uns avec les autres. Et essayons de mieux nous comprendre. »

Ai-je bien entendu ? Mais qu'est-ce que lui a dit tatie Betty ?

« Oui, bien sûr. » Je profite de l'occasion pour enfouir mon visage dans le cou de mon petit garçon, pour sentir son odeur, pour le serrer contre moi. J'ai tellement de chance de pouvoir faire ça, j'ai tellement de chance que mon rôle soit de faire ça.

Je pourrais dire que rien de tout cela n'est ma faute, que c'est la leur. Je pourrais lui rappeler que je me suis mise en quatre pendant des années pour essayer d'être assez bien pour eux. Je pourrais lui expliquer que je pensais que les choses seraient différentes après la mort de Joel, et que j'ai été totalement bouleversée quand je me suis rendu compte que rien n'allait changer. Je pourrais dire toutes ces choses, mais je ne le fais pas. Rien de tout cela ne compte, parce que mon bébé est de retour à la maison. Et, en cet instant, je pourrais leur pardonner presque tout.

XI

60

Elle va venir me trouver.

Ça fait partie de toutes ces choses que j'ai attendues, et c'est aujourd'hui que cela va arriver.

Je le sens.

Il n'y a pas eu de lettres à l'hôpital depuis trois jours, et je n'ai pas eu connaissance de nouveaux actes de vandalisme sur ma voiture, parce qu'elle a été mise à la fourrière et que je n'ai pas eu le temps d'aller la récupérer. Je sais en revanche que quelqu'un a appelé l'hôpital pour demander quand Phoebe devait rentrer chez elle. L'infirmière qui a répondu a dit qu'elle ne pouvait pas révéler cette information, mais a confirmé que Phoebe était bien hospitalisée dans cet établissement. Je sais que c'était *elle*, qu'elle voulait vérifier que nous étions toujours ici, savoir si j'avais appelé la police et si nous étions sous protection. Essayer de déterminer combien de temps je resterais seule à la maison pour pouvoir venir me trouver et me tuer.

Cela fait quatre jours que je rentre de l'hôpital à la même heure pour venir chercher des vêtements, rapporter le linge sale et préparer à manger pour Phoebe et pour moi. Tatie Betty va et vient comme bon lui semble au cours de la journée (elle se fait nourrir par diverses personnes), mais elle reste toujours avec Phoebe quand je ne suis pas là.

Je *la* sens approcher comme la venue d'un lugubre hiver. La sensation reste suspendue dans l'air, menace effrayante d'horribles choses à venir. Elle a toujours eu l'intention de venir m'affronter, ai-je fini par comprendre. Si je lis ses lettres depuis le début, c'est parce qu'il m'est apparu comme évident qu'elles n'étaient que le signe annonciateur de ce qui allait se passer aujourd'hui.

C'est aujourd'hui que cela va se produire, parce que Phoebe est censée quitter l'hôpital demain, ce qui signifie que nous serons tous réunis à nouveau, que la maison sera à nouveau vivante et que je ne serai plus seule.

Elle va venir m'affronter, mais je suis prête.

Je m'arrête sur le chemin de la maison pour acheter des mûres. Les mûres. La saveur que moi, j'aime. Je n'en ai pas mangé depuis « ça ». Je ne les regarde même pas sur les étals des magasins, mon cerveau semble déterminé à les placer dans un angle mort, et je saute toujours les recettes qui en contiennent dans les livres et sur Internet. J'adorais, il y a bien longtemps, la saveur acidulée des mûres. J'adorais la sensation de ces dizaines de petites explosions sous ma langue. Le jour où « ça » s'est produit, j'allais poser mon bol de mûres sur la table et m'asseoir pour lire un magazine avec la radio en fond sonore en attendant que mon mari rentre à la maison. Au lieu de cela, le jour où « ça » s'est produit, a commencé l'attente qui allait durer jusqu'à cet instant.

Elle va venir m'affronter aujourd'hui, et c'est cela que j'attends.

Je suis dans la cuisine, naturellement. Je n'envisage pas de manger les mûres, mais de faire ma recette pour le livre. Je vais les utiliser pour créer quelque chose que j'aime.

J'ai sorti les ingrédients dont j'ai besoin et je les ai examinés tour à tour très attentivement pour m'assurer que j'avais bien tout :

Mûres
Sucre blanc
Jus de citron
Extrait de vanille
Beurre
Sucre roux
Sel
Amandes hachées
Farine blanche

J'ai également sorti du placard au-dessus de l'évier le saladier en céramique blanche que Joel m'a acheté le jour où il est mort. Je l'avais rangé là parce que je ne pouvais pas me résoudre à le regarder. Pour quelque obscure raison, il était devenu le symbole de tout ce qui n'allait pas. Il était dans sa voiture à elle, et je me suis souvent posé cette question : s'il ne l'avait pas acheté pour me faire une surprise, serait-il revenu à la maison, plutôt que passer au garage pour le déposer dans sa voiture à lui ? Serait-il toujours en vie ? Quoi qu'il en soit, il se trouve désormais à côté des ingrédients. Cette activité me paraît on ne peut plus appropriée ; c'est exactement ce qu'il convient que je fasse avant qu'elle arrive.

Les fruits explosent et se désintègrent sous la pression de la fourchette. Ils se transforment en bouillie contre le rebord blanc du saladier, et, à intervalles réguliers, je me force à m'arrêter pour regarder la tache sur le dallage, pour me rappeler pour qui je fais ça. Pour Phoebe. Pour Zane. Pour moi. Pour Joel. Surtout pour Joel.

«*J-J-J-J-J's House!* s'exclame l'écho de la voix de Joel dans ma tête. *J-J-J-J-J's House!*

— *Votre mari a été impliqué dans un incident*, lui répond l'écho de celle de l'homme.

— *Eh, tonton, qu'est-ce qui t'est arrivé?* reprend l'écho de la voix de Zane.

— *Tout le monde cherche à pécho tout le monde*, fait l'écho de la voix de Phoebe derrière lui.

— *Mais je trouve ça très bien. L'idée de terminer le livre de cuisine et le fait que vous me parliez*, ajoute l'écho de la voix de Lewis.

— *Mais pour toi, ce n'était que du sexe?* demande l'écho de la voix de Fynn.

— *Tu dois croire en toi, Saffron*», conclut l'écho de la voix de tatie Betty.

Toutes ces voix, toutes ces choses qui ont été dites, les déclarations des gens qui font partie de ma vie, se répètent dans mon esprit. Tous parlent en même temps, tous ont laissé leur empreinte sur l'étoffe du cœur de notre maison, et, maintenant, leurs voix emplissent la pièce, emplissent ma tête. J'interromps ce que je suis en train de faire pour permettre aux différents éléments de ma vie, aux saveurs des différents types d'amour que j'ai expérimentés, de fondre en moi.

Et tout cela est tellement sonore, tellement clair, tellement prenant que je pourrais presque manquer le premier *toc-toc.*

Mon cœur bat à son rythme habituel, mes poumons continuent normalement à se remplir et à se vider alternativement. Je devrais être effrayée, terrorisée par la personne qui se trouve de l'autre côté de la porte. Mais je ne le suis pas. Ceci est inévitable, donc je n'ai pas peur.

Le *toc-toc* reprend. Plus fort, cette fois-ci.

Mon cœur se met à battre légèrement plus vite. Et si j'avais eu tort, et si j'avais peur malgré tout ? Et si j'avais vécu dans la peur pendant si longtemps, à savoir depuis « ça », que j'en étais venue à considérer comme normal ce que la plupart des gens considèrent comme terriblement effrayant ?

Il me faut quelques secondes pour atteindre la porte. J'ai la main qui tremble. *J'ai peur.*

« *Si vous n'avez pas de nouvelles de moi dans deux heures,* ai-je dit à tatie Betty avant de la quitter, *appelez la police et dites-leur de venir à la maison. Ensuite, appelez Fynn et demandez-lui de vous rejoindre à l'hôpital.* » Il reste un quart d'heure. Dans quinze petites minutes, elle fera ce que je lui ai demandé.

De ma main tremblante, je tourne la poignée de la porte.

Un jeune garçon pas plus grand que Zane se tient debout devant moi. Sa peau est d'un blanc d'albâtre, ses cheveux bouclés de la même couleur que les taches de rousseur qui parsèment son nez. Ses yeux sont d'un vert vif, et il est habillé comme s'il allait traîner avec ses potes du quartier (cossu) : sweat à capuche griffé, jean taille basse griffé et casquette de base-ball estampillée NYC – le tout flambant neuf et ridiculement trop grand pour lui.

« Oui ? » Je m'attends à ce qu'elle se jette sur moi, à ce qu'elle apparaisse à côté de lui sur le pas de la porte et déboule comme un bélier s'apprêtant à pulvériser une porte barricadée.

« La dame m'a dit de vous donner ça. » Il brandit une enveloppe crème.

« Quelle dame ? lui demandé-je sans prendre l'enveloppe.

— Une dame. Je la connais pas, réplique-t-il en haussant les épaules.

— Si tu ne la connais pas, pourquoi est-ce que tu as accepté quelque chose d'elle ?

— Parce qu'elle m'a filé un billet de cinq.

— On ne t'a jamais dit qu'il ne fallait jamais rien accepter de la part d'étrangers ? » Je cherche à gagner du temps, naturellement. Plus je parle avec lui, plus je repousse le moment où l'inévitable va se produire.

« C'était un billet de cinq, me dit-il.

— Pourquoi est-ce que tu as un accent cockney ?

— J'en sais rien. » Haussement d'épaules. « Vous la prenez ou pas ? »

Non, me dis-je. *Absolument pas.* D'une main tremblante, je lui prends l'enveloppe des mains.

« Pour toi et pour les gens qui t'aiment, évite de parler à des inconnus, d'accord ?

— Ouais, O.K. », me répond-il. Il pense que, dans cette histoire, l'imbécile, c'est moi. Pas la personne qui l'a payé pour me remettre une lettre, pas lui pour l'avoir fait et ne pas s'être contenté de partir en courant avec l'argent, mais moi.

La lettre est lourde entre mes mains parce qu'elle contient tout le poids de ma peur croissante ; elle contient le message final.

Tentant vainement d'arrêter les tremblements de mes mains, j'entreprends de l'ouvrir, et, ce faisant, je m'aperçois que la maison n'est plus vide. Je ne suis plus seule. Après en avoir extirpé une unique feuille de papier, je laisse tomber l'enveloppe par terre : j'ai besoin de mes deux mains pour déplier le message qui m'est adressé.

SURPRISE !!!

Le mot est inscrit en gros au milieu de la feuille. Très gros et, effectivement, très surprenant.

Laissant tomber par terre le morceau de papier crème, je me dirige vers la cuisine. Je sais ce qu'il va se passer une fois que j'y serai. Si la maison ne me semble plus vide, c'est parce que quelqu'un m'y attend.

Je devrais tourner les talons et m'enfuir à toutes jambes. Je devrais penser à mes enfants. Que deviendront-ils sans moi ? Mais je poursuis mon chemin, justement parce que je pense à eux. Si ce n'est pas moi, ce sera eux. Et comme tatie Betty l'a si bien fait remarquer, je ferais n'importe quoi pour mes enfants, sans me poser la moindre question.

Je la connais. C'est l'une de ces personnes que vous croisez dans la rue, derrière laquelle vous faites la queue aux caisses automatiques du parking, contre le chariot de laquelle vous heurtez le vôtre au supermarché. C'est l'une de ces personnes auxquelles vous adressez parfois un petit sourire confus au cas où vous la connaîtriez, parce qu'elle vous évoque vaguement quelque chose, mais, malgré tous vos efforts, vous n'arrivez pas à vous rappeler son nom.

Elle est toutes les personnes dont vous n'avez jamais fait la connaissance. Elle est la personne que vous pourriez voir tous les jours de votre vie sans jamais la remarquer.

Comme je l'avais imaginé, elle est dans la cuisine, debout devant la porte de derrière. La capuche de son haut noir est tirée, mais elle n'ombre pas vraiment son visage. Dans sa main droite, tout près de sa jambe, la lame pointant vers le bas, je discerne un couteau de cuisine au manche noir. Un couteau du même type que celui qui a servi à tuer mon mari.

« Ne cours pas », me dit-elle. Sa voix est normale, ordinaire, comme elle. Je m'attendais à moitié à un croassement de sorcière ou à une voix caverneuse de méchante de dessin animé. Mais elle est ordinaire.

Et je souris. Mon sourire ne se voit peut-être pas à l'extérieur, mais il est bien là à l'intérieur. Comment peut-elle me dire un truc aussi ridicule ? Courir est la dernière chose que j'envisage de faire.

61

L'année de mes quarante et un ans, une femme s'est introduite dans ma maison pour venir me tuer. Après avoir tué mon mari, elle avait décidé d'en finir avec moi. Je lui ai donné l'occasion d'entrer en laissant la porte de derrière ouverte pendant que j'allais ouvrir celle de devant. Je savais qu'elle n'était pas du genre à frapper à la porte d'entrée, mais plutôt à se faufiler furtivement dans la maison, pour essayer de mettre fin à mes jours comme elle avait mis fin à ceux de mon mari.

Je suis quasiment certaine qu'elle pensait qu'en le tuant, elle mettrait un terme définitif à son existence. Ça n'a pas été le cas, naturellement, et c'est cela qui a fini par la rendre folle. Il était toujours en vie, à travers ses enfants, son épouse, sa famille, ses amis. Sa vie ne s'était pas achevée, il n'avait pas totalement cessé d'exister. Elle avait exercé le pouvoir ultime d'ôter la vie et elle pensait que cela ferait d'elle la personne la plus importante du monde. Que les gens devraient nécessairement passer par elle pour penser à lui, que Joel ne pourrait continuer d'exister pour les autres s'ils ne pensaient pas à elle également.

Comme je l'ai déjà dit, ça ne s'est pas passé comme ça. Sa femme a continué d'aller travailler, ses enfants ont continué d'aller à l'école, sa tante s'est installée avec eux pour se rapprocher de sa famille, ils n'ont pas participé à l'appel à témoins, ils n'ont pas passé tout leur temps à se morfondre sur sa tombe. Ils ont poursuivi leur chemin comme il aurait souhaité qu'ils le fassent, sans qu'elle se retrouve au centre de leur vie. Et c'est ça qui lui a déplu.

Elle a passé une année à se cacher en France, à attendre qu'on vienne frapper à sa porte, qu'on vienne la chercher. Mais personne n'est venu. L'anniversaire de sa mort est arrivé, l'anniversaire de sa mort est passé, et personne n'est venu la chercher. Personne n'est venu l'interroger, mis à part pour lui demander pourquoi elle l'avait appelé ce matin-là. « Je voulais lui parler d'une recette de notre cours de cuisine », a-t-elle répondu, et personne n'a cherché à creuser davantage. Phoebe n'a pas dit qu'elle avait vu Joel avec elle ce jour-là.

Elle a attendu, attendu et attendu encore. Mais il ne s'est rien passé. Alors elle est revenue en Angleterre. Revenue à sa maison, à la vie qu'elle avait avant. Elle a même retrouvé un emploi, et les choses ont repris leur cours normal. Mais elle, elle n'était pas normale, elle n'était pas ordinaire. Elle était « quelqu'un », désormais. Elle était la femme qui avait commis cet acte dont tout le monde avait parlé pendant des mois dans les journaux. Elle avait tenu la vie d'un autre entre ses mains. Et dans ces circonstances, comment quoi que ce soit aurait-il pu être pareil qu'avant ?

Mais il n'y avait que pour elle que cela signifiait quelque chose. Sa femme dormait avec ses stores ouverts comme s'il ne s'était rien passé ; elle ne ressentait pas le besoin de se barricader dans sa maison la nuit. Quand sa femme allait au supermarché, elle ne fondait pas en larmes devant certains aliments ; contrairement à elle, quand elle voyait des ingrédients qu'ils avaient utilisés ensemble pendant leur cours. Sa femme laissait ses enfants rentrer seuls de l'école comme s'ils ne couraient aucun danger. Sa femme l'avait même regardée en face devant la plage de Brighton, et elle lui avait adressé ce petit sourire qu'on adresse aux étrangers qui attirent vaguement notre attention parce qu'on a l'impression de les avoir déjà vus quelque part. Rien n'avait changé pour sa femme, la personne qui était censée l'aimer plus que tout au monde. Sa femme était la raison pour laquelle tout cela était arrivé, mais rien n'avait changé pour elle.

Il fallait faire en sorte que si.

Sa femme devait savoir qui elle était. Et ensuite, elle devait avoir peur. Et ensuite, il fallait qu'elle soit éliminée. Mais pas sans savoir qu'une fois qu'elle serait partie, elle ne pourrait rien faire pour protéger ses enfants. L'assassinat du mari avait été passionnel et horriblement brutal. Celui de la femme devrait se dérouler très lentement et d'une manière aussi terrifiante que possible. Tout était sa faute, après tout.

L'année de mes quarante et un ans, j'avais deux enfants et mon mari était décédé, et une femme un peu plus jeune que moi se tenait dans ma cuisine et elle voulait me tuer.

Les premiers mots qu'elle m'a dits ont été : « Ne cours pas. »

Et je lui ai souri. Je lui ai souri parce que courir était la dernière chose que j'envisageais de faire.

62

« Ne cours pas, me dit-elle.

— Et pourquoi courrais-je ? » répliqué-je. J'ai l'air courageuse, sûre de moi. Mais je suis complètement terrorisée. La terreur empêche mon cœur de battre normalement. Je ne tremble même pas. Je voudrais concentrer mon regard sur la tache de mûres, mais je ne peux pas le détacher du sien, pas même une seule seconde, parce que je suis certaine qu'elle profiterait de cette seconde d'inattention pour me tomber dessus. « Je ne sais même pas qui vous êtes.

— Il faut que je te tue. Tu comprends ça, hein ?

— Euh… pas vraiment, non. Pourquoi feriez-vous ça ? Qui êtes-vous ?

— Ç'aurait dû être toi. C'est toi que j'aurais dû tuer, pas lui. Si c'était toi qui étais morte, j'aurais pu le consoler. Il serait tombé amoureux de moi. Et nous aurions pu vivre ensemble.

— Je croyais qu'il était déjà amoureux de vous. En tout cas, c'est ce que vous m'avez écrit dans vos lettres. Vous disiez que vous étiez amants.

— Oui, il était amoureux de moi.

— Mais il l'ignorait, tout comme il ignorait que vous étiez amants, c'est ça ? »

Brusquement, elle avance vers moi, puis s'immobilise à nouveau : elle ne m'a pas encore dit tout ce qu'elle avait à me dire.

Le temps est presque écoulé. Tatie Betty devrait appeler Fynn et la police d'une seconde à l'autre, maintenant.

« Tout est ta faute. Sans toi, il serait encore en vie.

— C'est ce que pensent ses parents. Ils sont persuadés que s'il ne m'avait pas rencontrée, il aurait épousé une gentille petite femme qui l'aurait poussé à devenir médecin ou je ne sais quoi, et qu'il serait toujours en vie. Je suis vraiment navrée d'apprendre que vous pensiez la même chose que ses parents. » J'entends dans ma tête la voix de Phoebe commenter : *Tu sais de quoi t'as l'air quand tu dis des trucs comme ça ?*

« Tu ne me crois pas quand je te dis que je vais te tuer. » Elle m'adresse un sourire mauvais, et je comprends qu'elle va le faire. Mon temps est écoulé. L'attente est terminée.

« Vous ne le ferez pas, dis-je. Je ne pense pas que vous ayez tué Joel, et je sais que vous n'allez pas me tuer.

— Ah oui ? Alors, comment se fait-il que j'aie ses clefs ? »

Mon cœur a un raté, et ma respiration se bloque dans ma poitrine.

Elle fait un petit pas déterminé dans ma direction. « Comment se fait-il que je sache que le couteau a été retourné dans sa poitrine, avant d'être tiré vers son ventre ? »

Je serre mes dents endolories pour me barricader et me protéger de ses mots ; je n'ai pas envie d'entendre ça.

Nouveau pas en avant. « Comment se fait-il que je sache qu'il a été abandonné sur Montefiore Road, parce qu'il n'y a de caméras de surveillance ni sur cette route ni sur les rues adjacentes ?

— Je n'ai pas envie d'entendre ça », dis-je à travers mes dents serrées, les yeux enflammés par des larmes sèches d'indignation.

Nouveau pas en avant. « Comment se fait-il que je sache qu'il pensait avoir perdu son téléphone ? Si tu veux la vérité, toute la vérité, quand il est allé ramener sa fille à l'école, il l'a oublié dans ma voiture. Je l'ai récupéré, je l'ai éteint et je l'ai gardé.

— Je n'ai pas envie d'entendre ça. »

Nouveau pas en avant. « Tu n'as pas envie d'entendre que je voulais qu'il vienne chez moi et que je l'ai même conduit jusqu'à ma maison ? Tu n'as pas envie d'entendre qu'il ne voulait pas y aller, qu'il voulait juste récupérer sa voiture ?

— Non, je n'ai pas envie d'entendre ça. » Je ne *peux pas* entendre ça.

Nouveau pas en avant. « Tu n'as pas envie d'entendre que je l'ai déposé au garage pour qu'il aille chercher sa voiture, mais que je savais qu'il comprendrait où il avait laissé son téléphone, et que, par conséquent, il retournerait chez moi pour venir le chercher ?

— Je… Je n'ai pas envie d'entendre ça. S'il vous plaît, arrêtez. »

Nouveau pas en avant. « Tu n'as pas envie d'entendre que, même quand nous nous sommes retrouvés seuls, il n'a pas pu se résoudre à admettre qu'il y avait quelque chose entre nous ? Qu'il a recommencé à me dire tout ce que tu lui avais dit de me dire ? »

Nouveau pas en avant. Elle s'approche de la tache laissée par les mûres.

« S'il vous plaît, arrêtez. Je ne peux plus entendre ça. »

Nouveau pas en avant. « Tu ne peux plus entendre ça ? Toi, tu ne peux plus ? Et moi, tu y as pensé ? Tu as pensé au mal qu'il m'a fait en me disant toutes ces choses parce que tu lui avais dit de me les dire ? On aurait pu être tellement heureux tous les deux. Mais non : il a fallu qu'il continue de me dire tous ces trucs. »

Nouveau pas en avant. « Je voulais qu'il comprenne à quel point j'avais mal. Qu'il comprenne l'humiliation que j'avais ressentie, d'abord en public, et ensuite dans ma propre maison. Alors je lui ai montré ce que ça faisait. Avec ça. » Bref mouvement de la main qui tient le couteau.

Nouveau pas en avant. « Et il a très bien compris. »

Nouveau pas en avant. Elle est sur la tache ; à l'endroit où tout a commencé pour moi. « Ç'aurait dû bien se terminer, il serait encore en vie si tu n'avais pas été là. Il a cherché à me convaincre, oui, même quand son sang se répandait partout, qu'il fallait l'emmener à l'hôpital, que si je le faisais, il ne leur dirait pas que c'était moi qui lui avais fait ça. »

Nouveau pas en avant. Elle est tout près de moi maintenant. « Et dans la voiture, il a essayé de t'envoyer un message. C'est pour ça que je me suis arrêtée et que je l'ai traîné dehors. C'est pour ça que je l'ai abandonné là, en jetant son téléphone hors de sa portée, parce qu'il ne méritait pas de vivre si tout ce qu'il voulait, c'était toi. Mais qu'est-ce que tu as de si spécial ?

— Je ne peux plus entendre ça », lui dis-je. Assez. Elle m'en a assez dit. Un mot de plus et c'est moi qui lui sauterai à la gorge. C'est moi qui vais la tuer.

Nouveau pas en avant. Trois de plus, et elle pourra me poignarder. Trois de plus, et je pourrai l'étrangler.

«La dernière chose qu'il a faite a été de t'écrire qu'il t'aimait dans un message que je ne lui ai pas permis de t'envoyer; c'était une insulte de trop.

— Vous n'aviez pas besoin de faire ça.» Les mots butent contre mes dents serrées. «Vous n'aviez pas besoin de le tuer.

— Non. Mais toi, j'ai besoin de te tuer.»

Soudain, elle lève la main qui tient le couteau, son visage se déforme sous l'effet d'une rage que je n'ai jamais eu l'occasion de voir jusqu'ici, et la porte de derrière explose sous l'effet d'un puissant coup de pied. Brusquement, brutalement, le monde alentour se met à résonner d'un chœur mal synchronisé de voix qui ordonnent, crient, hurlent simultanément: «RESTEZ OÙ VOUS ÊTES!» «POSEZ CE COUTEAU!» «LÂCHEZ VOTRE ARME!»

Et tout à coup, l'inspecteur Clive Malone apparaît devant moi, entre moi et la femme qui, les yeux grands ouverts, paraît à la fois stupéfaite et furieuse. Il veut me protéger au cas où, ignorant les avertissements, elle se jetterait sur moi.

Elle ne le fera pas, cependant. Parce qu'elle a été beaucoup trop surprise par ce qu'il vient de se passer. «LÂCHEZ CE COUTEAU! MAINTENANT!» hurle de nouveau quelqu'un, et ses yeux me transmettent toute la haine que je lui inspire au moment où, comme dans un film, elle lève lentement les mains au-dessus de la tête, avant de laisser tomber le couteau de cuisine au manche noir. Il émet un claquement sec en percutant le sol, et creuse une petite entaille, à côté de la tache; une nouvelle cicatrice sur la peau de ma vie. Une nouvelle marque pour me rappeler, cette fois-ci, l'endroit où tout cela s'est terminé, où la boucle a été bouclée.

Nous nous regardons l'une l'autre au moment où ils lui passent les menottes.

« Vous pensiez vraiment que je vous laisserais vous en tirer comme ça, après ce que vous avez fait à Joel, à moi, à Phoebe, à ma famille ? lui dis-je. Vous pensiez vraiment que je vous laisserais pénétrer dans ma maison, mon foyer, pour me détruire, sans même chercher à répliquer ? Vous êtes complètement folle, vous savez ? Pathétique et folle. »

Elle se penche brusquement vers moi, mais est retenue par le petit officier de police qui se trouve à sa gauche et par sa grande collègue qui se trouve à sa droite. Nous continuons de nous jauger l'une l'autre pendant que les policiers l'informent de ses droits et l'entraînent vers l'extérieur. Et même une fois la porte passée, elle tourne la tête pour continuer de me regarder, de me transmettre sa haine jusqu'à ce que son cou ne puisse plus supporter cette torsion.

« Vous avez fait un excellent boulot, me dit Clive Malone. Nous avons des aveux complets, et, par conséquent, comme je vous l'avais dit, Phoebe n'aura probablement pas à témoigner. Si nous réussissons à la convaincre de plaider coupable, personne ne saura jamais que votre fille l'a vue ce jour-là. J'imagine que cela a dû être une expérience extrêmement pénible pour vous, mais vous nous avez fourni exactement ce dont nous avions besoin. Vous avez fait un excellent boulot. »

Quatre jours plus tôt (mai 2013)

« Madame Mackleroy, pourriez-vous nous expliquer, dans le cadre de votre déclaration, ce qu'il s'est exactement passé ? » me dit Clive Malone. Il est assis à côté d'un autre officier de police, plus âgé et en civil, qui n'aurait pas pu paraître plus blasé s'il l'avait voulu.

« Il y a dix-huit mois de cela, mon mari a été assassiné, réponds-je. Tout le monde pense que je m'en suis très bien sortie. Mais les gens n'ont aucune idée des choses que j'ai dû faire pour tenir le choc. D'autre part, il y a six semaines, ma fille de quatorze ans a demandé à son professeur principal de m'informer qu'elle était enceinte. L'un de ses amis a avoué être le père, mais j'ai tout de suite compris qu'il s'agissait de quelqu'un de plus âgé, d'assez rompu aux usages du monde pour la manipuler et la convaincre de ne pas utiliser de moyen de contraception. Et c'est à ce moment-là que j'ai reçu la première lettre de la femme qui a tué mon mari. Cela fait six semaines qu'elle m'écrit, désormais. Je sais qui elle est parce que ma fille l'a vue avec mon mari le jour où "ça" s'est passé. Le jour où mon mari a été tué.

« Elle m'espionne, je ne sais pas depuis combien de temps, et elle a essayé de s'introduire chez moi, a vandalisé ma voiture et a répandu des rumeurs horribles sur ma fille.

« J'ai découvert aujourd'hui l'identité de l'homme qui a manipulé ma fille pour abuser d'elle, et j'ai compris ce que je devais faire : me faire arrêter en public pour pouvoir vous expliquer tout cela. C'est pour cette raison que je me suis acharnée sur cette voiture et que j'ai fait ce discours si passionné (dont je pensais chacun des mots, soit dit en passant). Je voulais me retrouver ici où il lui serait impossible de m'espionner. J'ai quand même l'impression de prendre un risque en vous parlant, mais je n'ai pas le choix. Je pense qu'elle va venir me tuer dans les prochains jours, parce que, lorsque je ne suis pas à l'hôpital, je suis seule à la maison.

« Je vous supplie de ne pas chercher à enquêter sur elle dans les jours qui viennent. Et je vous supplie, vraiment, je vous supplie de me laisser reprendre le cours normal de ma vie pour qu'elle ne devine pas que je vous ai parlé. Si elle se doute de quelque chose, je suis certaine qu'elle s'en prendra à un autre membre de ma famille, avant de disparaître pour toujours. Je pense vraiment qu'il serait préférable que vous envoyiez quelqu'un surveiller ma maison pendant que je suis à l'hôpital : si vous la surprenez en train de me laisser une lettre, il vous sera sans doute facile de l'arrêter.

« Voilà ce que j'ai à déclarer, voilà ce qu'il s'est passé. Je ne verse généralement pas dans la violence, mais je n'ai pas envie de mourir en laissant mes enfants derrière moi, et je veux qu'elle soit jugée pour le meurtre de mon mari. »

Ils ont tous deux gardé le silence quand j'ai eu fini de parler. Ce n'était pas ce qu'ils s'attendaient à entendre, et, par conséquent, ils n'avaient rien à dire. Nous sommes restés assis tous les trois en silence pendant cinq bonnes minutes.

« Ah ! », a fini par faire Clive Malone.

« Il ne reviendra pas, n'est-ce pas ? » dis-je à Clive Malone. Du bout de mes pouces, je malaxe mes yeux douloureux. « Durant tout ce temps, j'ai essayé de le maintenir en vie, je me suis accrochée à toutes les petites choses qui étaient à lui, parce que j'étais convaincue qu'il allait revenir. Mais non. Il ne reviendra pas. » Mes jambes refusent de soutenir le poids de mon corps maintenant que j'ai été frappée par cette nouvelle, cette réalité. « Il ne reviendra pas. Je ne le reverrai plus jamais. »

Peu importe ce que je pourrais faire, ce que je pourrais dire, la façon dont je pourrais me comporter, je ne le reverrai plus jamais.

Les policiers quittent lentement la pièce. La prise de conscience continue de s'échapper de mes cellules, de mes os, de mon sang où j'ai toujours su et accepté ce qui était arrivé à Joel, et elle commence à se diffuser dans mes muscles, dans mes organes, dans mon esprit, dans ma mémoire.

Je ne le reverrai plus jamais parce qu'il ne reviendra jamais.

Constatant que je suis désormais seule avec Clive Malone, je me mets à hurler. Ce sont de véritables hurlements, les hurlements que je n'ai jamais été à même de pousser, parce que j'étais toujours entourée par mes collègues, ou par mes enfants, ou par mes amis, ou par le reste du monde.

Je peux le faire, maintenant. Je dois le faire.

Il faut que je me vide de tous les hurlements silencieux que j'ai retenus en moi jusqu'à maintenant, il faut que je les rende concrets et sonores, parce que l'amour de ma vie ne reviendra jamais.

XII

Une femme arrêtée pour le meurtre d'un père de famille à Brighton

Une femme a été arrêtée dans le cadre de l'enquête sur l'assassinat de Joel Mackleroy, poignardé à mort en 2011. Soupçonnée d'avoir assassiné ce père de famille, très aimé de tous, cette femme de trente-cinq ans, résidant à Ramonant Road, à Hove, a été mise en examen hier matin. Un porte-parole de la police a confirmé qu'elle devrait également répondre de plusieurs autres accusations, dont harcèlement, vandalisme et tentative de meurtre. « Nous avons placé en détention provisoire la personne que nous croyons coupable de ce crime, ainsi que de plusieurs autres. Nous révélerons davantage de détails au fur et à mesure de l'avancée de l'enquête », a ajouté le porte-parole.

Extrait du *Brighton & Hove Evening News*

63

« S'il te plaît, ne refais plus jamais ça, Saff », m'implore Fynn devant la porte d'entrée. Il a emprunté le monospace d'un ami pour nous ramener de l'hôpital, un jour plus tard que la date de sortie prévue, parce que les enquêteurs travaillaient toujours sur notre maison le jour où nous étions censés rentrer et parce qu'il fallait que je rachète une porte pour la cuisine.

Fynn n'a pas l'air de se rendre compte de la souffrance que l'on ressent quand une personne qu'on aime évite délibérément de vous regarder.

« De quoi parles-tu ?

— Ce que tu as fait avec la police sans me le dire. Cette femme a tué Joel, elle était extrêmement dangereuse. Si elle avait… Bref, ne refais plus ça, O.K. ? Si je te prends à te remettre en danger de cette façon, je te tords le cou. Est-ce que c'est clair ?

— Parfaitement. Je peux te demander quelque chose ?

— Oui », me répond-il.

Tu savais que Joel ne reviendrait pas ? Voilà ce que j'ai envie de lui dire. Mais voilà ce que je lui dis : « Ne m'appelle plus Saff, d'accord ? »

Son regard se concentre sur moi maintenant, une masse de confusion sous les rides de son front. « Et pourquoi ?

— Il n'y a que mes amis qui m'appellent Saff. Tu ne veux plus être mon ami, alors arrête de m'appeler comme mes amis m'appellent. »

Je le vois porter sa main à sa gorge comme s'il avait du mal à déglutir. Il relève ensuite légèrement la tête pour mieux m'examiner, scruter mon visage afin de déterminer si je suis sérieuse.

Quand t'es-tu rendu compte qu'il ne reviendrait pas ? Est-ce que tu te sens aussi vide que moi maintenant que tu sais que c'est pour toujours ? Voilà ce que j'ai envie de lui demander. Mais voilà ce que je lui demande : « Qu'est-ce qu'il y a ? Je ne fais pas les choses comme il faut ? Tu pensais que j'allais accepter sans rien dire que tu mettes un terme à notre amitié et que tu m'ignores royalement ?

— C'est toi qui... »

Est-ce que ce sentiment de désolation s'atténuera un jour ? Tu m'as dit que j'apprendrais à vivre avec la douleur, mais cette désolation, ce vide, ce néant, est-ce qu'il disparaîtra un jour ? Voilà ce que j'ai envie de dire. Mais voilà ce que je dis : « C'est moi qui voulais que nous en parlions, mais tu as refusé. »

Il baisse le ton : « Que nous parlions de quoi ? Je suis "juste" un ami pour toi. Ce qui s'est passé entre nous, c'était "juste" du sexe. Je ne vois pas ce qu'il y a à dire de plus. »

J'ai simplement besoin de savoir que tout finira par s'arranger. Voilà ce que j'ai envie de le supplier de me dire. Mais voilà ce que je lui réponds : « Écoute, tu sais bien que ce n'est pas aussi simple que ça.

— Nous n'avons plus rien à nous dire, affirme-t-il.

— Je ne suis pas de cet avis. »

Il secoue la tête. Je sais pourquoi il ne veut pas parler. La cause de son silence est la même que celle qui m'empêche d'exprimer mes sentiments : la souffrance que ces questions ravivent est trop difficile à supporter. Je ne suis pas la seule à faire n'importe quoi pour l'éviter ; Fynn est comme ça, lui aussi. « Je ne t'appellerai plus Saff, me dit-il.

— Très bien, répliqué-je. Parfait. »

Il faut que je m'en aille avant qu'il passe le seuil de la maison et referme la porte derrière lui. Je ne pourrais pas le regarder partir à nouveau. Chaque fois, la douleur a été un peu plus forte, et j'imagine qu'elle sera littéralement insupportable maintenant que je sais que je ne peux plus compter sur lui pour me dire que tout finira par s'arranger.

Phoebe est installée dans le canapé sous sa couette imprimée de paysages marins, de gros oreillers blancs calés derrière son dos, la télécommande argentée fermement calée dans la main. Zane, qui ne la quitte pas d'une semelle depuis son retour de chez ses grands-parents il y a deux jours, est assis à côté d'elle, aussi près que possible. Quant à tatie Betty, elle s'est assoupie dans le fauteuil qui se trouve près de la baie vitrée. Ces quelques jours passés à l'hôpital ont été très fatigants pour elle. Je ne pense pas qu'elle savait qu'elle avait cela en elle : elle s'est portée volontaire pour visiter les malades à l'hôpital et pour collecter des fonds afin de créer une bibliothèque mobile pour les patients. Elle envisage de commencer avec ses propres livres, mais, en pratique, ce sera naturellement moi qui fournirai les fonds et qui l'emmènerai et irai la chercher au « travail », comme elle dit.

Pour la première fois depuis que je la connais, je l'ai vue plusieurs jours d'affilée sans perruque. Même quand elle a été hospitalisée pour sa fracture de la hanche, dès que sonnait l'heure des visites, elle ne manquait jamais de se coiffer de sa perruque et de se farder le visage. Désormais, ses cheveux courts et naturels enveloppent son visage comme de duveteux nuages noirs striés de gris. Bien que ses yeux et ses lèvres soient toujours maquillés, elle a l'air d'une personne totalement différente. Elle a cessé de se cacher derrière son maquillage, me suis-je rendu compte depuis ces deux derniers jours ; elle se sert désormais des fards pour mettre ses traits en valeur, et plus pour les modifier. Tatie Betty est enfin prête à affronter le monde, me semble-t-il.

En cet instant précis, sa tête est renversée en arrière, sa bouche grande ouverte, ses dents, avec leur mosaïque de plombages gris-noir, exposées aux yeux de tous. Elle ne remplit pas totalement le fauteuil de cuir marron, contrairement à Joel, dont c'était « la » place. À une époque, je l'aurais encouragée à aller se reposer ailleurs, prétextant qu'elle y serait plus à son aise. Mais cette époque est révolue, et je vais la laisser tranquille. Peu importe puisqu'il ne reviendra pas. Il ne s'assiéra plus jamais dans ce fauteuil. Puisqu'il est parti pour toujours.

« Qui voudrait un thé/chocolat chaud/café/jus de pomme ? Faites votre choix », dis-je.

Un silence retentissant pour seule réponse.

« Très bien. Je vais boire toute seule, alors, grommelé-je.

— O.K., maman, murmure Phoebe.

— Tout finira par s'arranger, tu sais, maman ? » s'exclame inopinément Zane.

Surprise, je tourne la tête vers mon fils.

« C'est vrai, tu sais ? ajoute Phoebe en hochant la tête.

— Oui. » Je jette un œil à tatie Betty, m'attendant à moitié à ce qu'elle renchérisse avec quelque chose de tout aussi poignant. Un petit ronflement s'échappe de ses narines.

Les enfants éclatent de rire, et je ne peux m'empêcher de sourire.

« *Tout finira par s'arranger, tu sais, maman ?* » Ces mots colonisent mon esprit toute la journée. Et au moment où je vais me coucher, je ne me contente pas de regarder le côté de Joel, je m'allonge dessus, j'essaie de toucher les deux rebords du lit en étendant mes bras de chaque côté de mon corps.

« *Tout finira par s'arranger, tu sais, maman ?* »

Mes doigts sont bien loin de leur objectif, mais je continue d'essayer, je m'étire autant que je le peux, parce que j'ai désespérément besoin de toucher les bords. J'ai désespérément besoin de réussir l'impossible. Parce qu'il me semble impossible que tout finisse par s'arranger. Que la vie reprenne son cours normal alors qu'il ne reviendra pas.

Je finis par abandonner, par cesser de m'étirer, cesser de tenter l'impossible, et je m'immobilise.

Immobile, j'écoute de nouveau ces mots :

« *Tout finira par s'arranger, tu sais, maman ?* »

Et je rêve de pouvoir entendre Joel ajouter :

C'est vrai, Frony. Je te promets que tout finira par s'arranger.

64

Fynn, torse nu devant la porte de sa maison, est en train d'embrasser une femme.

Je l'observe depuis le bout de l'allée pavée de dalles noires et blanches qui mène au perron pavé. Il vit à Hove, sur l'une des avenues perpendiculaires à la rue qui longe le front de mer, dans un grand pavillon divisé en quatre appartements. Il n'a donc absolument aucune raison de faire cela dehors ; il pourrait parfaitement le faire à l'intérieur, au pire sur le palier.

C'est une femme vraiment jolie. Aussi grande que lui dans ses escarpins à talons hauts de créateur, extrêmement mince, vêtue d'un tailleur bleu marine bien coupé, et ses longs cheveux soyeux noir de jais retombent en cascade jusqu'au milieu de son dos. Elle a une main sur son visage, lui a la main nichée dans le creux de ses reins, et ils s'embrassent à pleine bouche comme deux personnes qui ne cherchent pas à cacher qu'elles ont passé la plus grande partie de leur nuit à faire l'amour. Et probablement remis ça le matin.

Je n'ai pas envie de les regarder. Je ne sais pas si c'est sa nouvelle petite amie ou juste une fille qu'il a « pécho » pour un soir, mais je n'ai pas envie de voir ça. Je crois que l'on peut dire objectivement qu'il s'agit là de la confirmation que je ne lui ai pas manqué, malgré les quatre semaines qui se sont écoulées depuis la dernière fois que nous nous sommes vus. Il se fiche complètement que nous ne soyons plus amis. Notre nouvelle relation, qui ne l'empêche pas de parler régulièrement aux enfants et à tatie Betty et de leur envoyer des textos, lui convient parfaitement. Il a tout simplement poursuivi son chemin sans moi.

Le couple sensuel se sépare et s'échange des sourires. Elle commence à descendre les marches et, au moment où elle me voit, elle sourit, son regard bleu clair dirigé droit sur moi. Elle a remis ses vêtements de la veille au soir, mais elle s'est lavée et remaquillée ; le parfum qu'elle porte, vaguement boisé et musqué, fait partie de ceux que j'ai souvent eu l'occasion de sentir sur Fynn. Je lui rends son sourire ; je suis polie. Tellement, d'ailleurs, que je réussis même à sourire à l'homme qui se trouve en haut des marches noires et blanches.

Il me répond par un pincement de lèvres glacial, accompagné d'un regard noir, mais quand, me tournant le dos, il retourne chez lui, il ne referme ni la porte d'entrée ni la porte palière.

Son appartement est partiellement plongé dans l'obscurité, parce que les stores du salon ont été tirés, de même que ceux de la chambre, je suppose. Comme toutes les portes qui donnent sur le couloir sont fermées, l'espace paraît très sombre, presque noir. Il a été marié pendant deux ans, et ni lui ni elle n'ont jamais su expliquer pourquoi ils avaient décidé d'officialiser leur union (à Vegas) ni pourquoi ils avaient rompu. Je l'appréciais, mais elle a déménagé après leur divorce et elle n'a pas tenu à garder le contact avec moi. « J'ai besoin de couper les ponts pour prendre un nouveau départ, m'avait-elle envoyé par texto. Je suis certaine que tu comprendras. »

Au moment où j'entre dans l'appartement, Fynn a, heureusement, enfilé un T-shirt. Passant d'une section à une autre de sa baie vitrée, il tire sur les ficelles des stores pour les ouvrir. Et une fois cette tâche effectuée, il remonte la fenêtre à guillotine aussi haut que possible. L'appartement a besoin d'être aéré ; il empeste le sexe.

Comme si je n'étais pas là, il continue de se déplacer dans le salon, qu'il entreprend de débarrasser des traces des activités de la nuit passée : il ramasse les verres à vin sur la table devant la télévision et les rapporte à la cuisine. Il revient chercher les verres à apéritif et la bouteille de whisky presque vide. Et tout en écrasant d'une main un paquet de biscuits vide et en ramassant de l'autre le paquet de préservatifs qui était en partie dissimulé sous la table basse, il consent enfin à me parler : « Bon, tu es venue pour me regarder faire le ménage ou pour me parler des autres trucs que je ne peux plus faire parce que nous ne sommes plus amis ?

— Ni l'un ni l'autre… Je suis venue pour… » Je lève le sac en papier blanc que je tiens à la main et dans lequel se trouve le muffin que j'ai fait en pensant à lui. Toutes les saveurs que je sais qu'il aime. « Regarde, je t'ai apporté un muffin : farine blanche, sucre blanc, chocolat blanc, noix de coco, blanche bien sûr, le tout dans un sac en papier blanc. En fait, il y a aussi des myrtilles, et la noix de coco a été légèrement grillée, mais, symboliquement, c'est une pâtisserie qu'il faut voir comme un drapeau blanc. » J'agite le sac devant moi. « Cessez-le-feu ? »

Toujours penché au-dessus de sa table basse, il me fusille quelques instants du regard avant de se redresser pour se diriger vers la cuisine. Ses pieds nus émettent un claquement presque comique sur le dallage.

Sans réfléchir, je lui emboîte le pas. Je sais qu'il est blessé, mais je le suis, moi aussi. Le monde ne me semble pas juste sans lui et sans Joel ; je n'arrive pas à croire qu'il n'ait pas la même impression.

« Ça ne te fait pas bizarre que nous ne nous soyons pas parlé depuis un mois ? » lui demandé-je.

L'air méprisant, il se contente de hausser les épaules, avant de se tourner vers le robinet pour remplir d'eau la grande chope que Joel et lui avaient rapportée de l'*Oktoberfest* de Munich en 1997. Joel m'avait confié que cela avait été les pires vacances de toute sa vie, parce que, pour la première et la dernière fois, il avait bu au point d'en perdre la mémoire, et il détestait l'idée de ne pas se souvenir de ce qu'il avait fait.

« Tu ne me dis pas comment s'appelle ton amie ? » tenté-je encore pour essayer de le faire parler.

À ces mots, il éloigne la chope de ses lèvres et tourne violemment la tête vers moi. L'espace d'une seconde, je pense qu'il va me hurler de sortir de chez lui, de sortir de sa vie, et je me prépare à cela. « Tu te fous de moi ou quoi ? » finit-il par m'assener.

Peut-être n'était-ce pas une si bonne idée que cela, tout compte fait. « Non, rétorqué-je. Ça m'intéresse, c'est tout. » Je prends une profonde inspiration pour essayer d'apaiser la panique qui s'accumule en moi.

Je fais beaucoup d'efforts en ce moment pour ne plus utiliser l'autre moyen que je connais d'étouffer la panique. Je ne veux plus être cette femme. Mes efforts ne se sont pas tous révélés payants, mais, tout de même, j'en suis là : je suis venue ici affronter la panique ; j'ai arrêté de fuir.

« Ça t'intéresse ou tu es jalouse ? me dit-il d'un air de défi.

— Je suis jalouse, avoué-je. Naturellement que je suis jalouse. » La panique s'accroît en moi. Je baisse les yeux vers le sac que je tiens dans ma main. J'ai envie de l'engloutir. J'ai envie de le déchirer d'un coup sec et de fourrer le muffin tout entier dans ma bouche pour me réduire au silence, pour m'empêcher de faire ça. Aussi calmement que possible, je pose le sac sur le plan de travail derrière moi, en dehors de mon champ de vision.

La surprise de Fynn est évidente, mais il garde le silence.

Je dois détourner mon regard de lui pour continuer. « Tu sais bien que je suis jalouse. Tu sais bien que je… Écoute, Fynn, avoir envie de toi, coucher avec toi, tout ça n'a jamais été un problème.

— Ce n'est pas ce que tu m'as dit.

— Je sais, c'est juste… que j'ai été prise de court. Je ne suis pas très douée pour exprimer mes sentiments. Si je l'étais, j'aurais sûrement moins de problèmes. Tout récemment, je me suis retrouvée contrainte de parler de ça à de nombreuses reprises, mais ce n'est pas une seconde nature. J'ai peur. Je panique. Je voudrais toujours que tout soit parfait et j'ai tellement la trouille de me planter que je n'arrête pas de penser à toutes les choses qui pourraient mal se passer et, du coup, je me retrouve complètement paralysée. Mis à part ceux des quelques semaines qui viennent de passer, tous les problèmes que j'ai eus au cours de ma vie n'ont toujours pas trouvé de solutions. Ç'a été… Ç'a été vraiment difficile. Et avec toi, j'ai paniqué, parce que, dans nos conversations, nous abordons souvent des sujets extrêmement délicats. »

Je prends une très profonde inspiration, laisse échapper un très long soupir. « Je veux que tu reviennes dans ma vie. J'ai besoin de toi.

— Tu as Lewis.

— Mais ce n'est pas toi.

— Qu'est-ce que tu essaies de me dire, Saff, pardon, Saffron ? Je ne comprends pas. »

Luttant contre les tremblements qui continuent de m'agiter, je lui retire sa chope des mains pour la placer sur le plan de travail à côté de l'évier. « Fynn… » La panique grandit en moi, des feuilles et des feuilles de panique duveteuse qui s'entassent et qui vont me remplir totalement.

Tout doucement, je pose mes mains tremblantes sur son visage. Je veux pouvoir le voir quand je lui dirai ça. Je veux qu'il puisse me voir, me regarder parler. De cette façon, il comprendra.

« Fynn… Je… Je t'aime. Je t'aime tellement. Je sens mon cœur se serrer quand je pense à tout l'amour que j'ai pour toi. Tu n'es pas juste un ami. Tu n'as jamais été “juste” quoi que ce soit pour moi. Oui, c'était du sexe. Mais je n'aurais pas pu faire ça avec quelqu'un d'autre. » Je serre fort les paupières, tente de repousser la panique, la chasser hors de moi, la libérer avec chacun des mots que je prononce. Et une fois que j'ai retrouvé mon courage, j'ouvre à nouveau les yeux. «Je t'aime sincèrement, et si je devais avoir d'autres enfants, naturellement que je voudrais que tu sois leur père. D'ailleurs, tu es déjà comme un père pour Phoebe et Zane. Et je dois admettre que, dans un petit coin de mon esprit, moi aussi, j'ai déjà envisagé que nous vivions un jour ensemble tous les quatre.»

Silencieux et manifestement circonspect, il me regarde parler.

«Mais je ne peux pas vivre avec toi.» La panique continue de s'échapper de mon corps. «Tu lui ressembles trop. Tu parles comme lui, tu penses comme lui, tu ris des mêmes choses que lui. Tu réagis comme lui, et, comme lui, tu n'hésites pas à te mettre en quatre pour les gens que tu aimes. Tu es quelqu'un de génial. Tout comme lui. Vous vous ressemblez tellement.

«Si nous nous mettions ensemble, je le perdrais à nouveau. Je l'ai déjà perdu une fois. J'ai fait tout ce que je pouvais pour le retrouver en finissant son livre de cuisine, pour le faire revenir. Mais ça n'a pas marché. Et puis quand il y a eu tous ces problèmes avec Phoebe, j'ai dû arrêter de faire les choses à sa façon pour les faire à la mienne, et j'ai dû abandonner encore un peu de lui. Je ne peux pas en abandonner davantage. Pour quelque raison que ce soit.

«Être avec toi reviendrait à l'estomper et, au bout du compte, à l'effacer. Je ne saurais plus où il commence ni où il finit. Cela se produirait lentement, sans doute sans que je m'en rende compte tout de suite, mais, à un moment ou à un autre, j'essaierais de me souvenir de quelque chose qu'il aura dit ou fait, et ça se mélangerait avec ce que toi tu dirais ou ferais, et, très vite, il ne resterait plus rien de lui. Je ne veux pas laisser ça se produire. »

Fynn prend mon visage entre ses paumes comme s'il essayait de faire pousser une fleur dans le berceau de ses mains, et, avec ses pouces, il se met à sécher doucement les larmes qui ont coulé sur mes joues. Je retiens brièvement les siennes du bout de mes doigts, mais elles finissent par continuer leur chemin.

La panique, la terreur ne sont plus aussi sonores désormais ; elles ne me semblent plus aussi accablantes et dangereuses ; maintenant que je me suis montrée honnête, je n'ai plus l'impression qu'elles pourraient m'étouffer dans leurs plis blancs et épais. « Tu comprends ? »

Il hoche la tête, forçant ses lèvres roses à se serrer l'une contre l'autre pour former un triste sourire.

« Est-ce que tu comprends aussi pourquoi je n'ai pas pu te dire ça dès le départ ? Ç'a été extrêmement difficile pour moi d'admettre qu'à peine deux ans plus tard, j'étais tombée amoureuse de quelqu'un d'autre, et ç'aurait été plus difficile encore de l'admettre devant toi, alors que j'avais désespérément envie d'être avec toi, mais que je savais que c'était impossible. »

Nouveau hochement de tête triste.

« Excuse-m...

— Chut, murmure-t-il. Tu n'as pas à t'excuser. Pas pour ça. Pour d'autres choses peut-être, mais pas pour ça. »

Au même moment, nous écartons nos mains de nos visages. Un instant plus tard, il appuie ses paumes sur ses yeux, avant de s'essuyer les joues d'un revers de main pour sécher ses larmes. Une traînée de marques rouges apparaît alors sur sa peau. « Mais pourquoi est-ce que je pleure toujours quand je suis avec toi ? Ce n'est pas bon pour ma réputation, tu sais ? Tu n'es vraiment pas une femme pour moi.

— Si tu veux tout savoir, tu n'es pas le premier homme à me dire ça. »

Le visage couvert de rougeurs, il s'approche de nouveau de moi pour glisser son bras autour de ma taille. « Qu'est-ce que tu dirais d'aller faire un petit tour au lit en souvenir du bon vieux temps ? » dit-il sur le ton de la plaisanterie. Je sais qu'il plaisante, que cette petite boutade a en réalité pour but de nous ramener sur un terrain plus sûr. Il souhaite, tout comme moi, revenir là où nous en étions avant que ma tentative de trouver un autre moyen de faire taire la douleur m'amène à l'embrasser un soir où je ne voulais pas qu'il parte. Avant qu'il me rende mon baiser, et que nous nous retrouvions presque irréversiblement blessés dans l'enchaînement des événements. Il voudrait retrouver le brin de paille de nos identités dans les décombres des vingt derniers mois de nos vies. Nous savons tous deux que nous étions amis, avant toute chose, et nous croyons tous deux que nous pouvons le devenir à nouveau.

Je me mets à rire et secoue fermement la tête tout en essayant de me composer une expression adaptée au tournant qu'a pris la conversation. « Euh..., corrige-moi si je me trompe, mais est-ce qu'il n'y aurait pas l'ADN d'une autre femme partout dans ton lit ? Partout dans ton appartement, même, devrais-je dire ?

— Des détails, Saff, des détails. Mais tu n'as pas tout à fait tort. »

Tout en fermant les yeux, il m'attire plus près de lui et, le visage niché dans mon cou, murmure contre ma peau: «Je t'aime. Pour toujours.» Les mots s'imprègnent en moi comme un tatouage invisible que je porterai désormais toute ma vie.

Pour me laisser l'occasion de répondre, il s'écarte un peu de moi. «Je t'aime, murmuré-je en retour. Pour toujours.»

Il me sourit, avec toute la gentillesse et l'affection dont j'ai l'habitude. Un sourire sincère et naturel, typique de Fynn.

«Est-ce que tu vas redevenir mon ami? demandé-je.

— Bien sûr.

— Merci.» Je m'interromps, prends une profonde inspiration pour faire autant de place que possible au courage que je pourrai rassembler. «Et tu sais, je vais me faire soigner.» Si je le dis à voix haute, je vais le faire. Je vais le faire. «Pour mes... Pour mes troubles de l'alimentation. Je vais me faire aider et je vais guérir.»

Il me regarde prudemment, mais ne me répond pas. Il doit probablement avoir peur que je ne dise ça que parce que je sais qu'il a envie de l'entendre, et non parce que j'ai vraiment l'intention d'agir.

«J'envisage de me faire soigner, vraiment.

— Est-ce que Joel savait?» me demande-t-il.

Je hoche la tête. «C'est la seule chose pour laquelle nous nous sommes jamais disputés.»

Sans me répondre, il prend le sac qui contient le muffin. Je l'ai fait en forme de cœur, au cas où je ne serais pas parvenue à me montrer suffisamment claire quant à la nature exacte de mes sentiments. «Et si je goûtais à ça? dit-il. C'est bon?»

Il cherche à me tester. « Je n'en sais rien, avoué-je. Je n'ai pas goûté. »

D'un geste déterminé, il arrache un morceau de muffin ; de minuscules miettes se déversent dans le sac. Il le met dans sa bouche et commence aussitôt à mâcher. Comme si mettre quelque chose dans sa bouche et mâcher c'était la chose la plus naturelle du monde. Après avoir brièvement fermé les paupières, il ouvre les yeux. « Waouh, les saveurs qu'il y a là-dedans ! s'exclame-t-il. Incroyable. » Il reprend un autre petit morceau, qu'il semble savourer tout autant que le premier. « Il faut vraiment que tu goûtes ça, Saff », me dit-il. Et là-dessus, il détache un autre morceau, dont il prend le temps de humer les arômes avant de le porter à mes lèvres.

« Goûte, m'encourage-t-il. Essaie.

— Je ne peux pas.

— Essaie. »

Fermant les yeux et ouvrant la bouche, je finis par me laisser faire. Des larmes de terreur s'échappent de mes yeux fermés. Je ne peux pas faire ça.

« Quelle est la saveur que tu préfères ? » me demande Fynn.

Il faut absolument que je recrache, que je retire ce poison de ma bouche.

Goûte, Frony, m'aurait dit Joel, j'en suis certaine. *Je sais que tu peux le faire, vas-y, goûte.* C'est beaucoup plus fréquent encore depuis que j'ai hurlé et pleuré dans la cuisine : je peux l'entendre, le sentir, c'est comme s'il était revenu à moi. Ce n'est plus comme quand je tombais dans des failles temporelles où j'étais avec lui ; je pressens vraiment ce qu'il aurait dit, je ressens sa présence chaque fois que j'ai besoin de lui. *Goûte, Frony.*

Je prends une bouchée, *mâche* et les saveurs explosent doucement dans ma bouche : le goût crémeux du chocolat blanc, la saveur acidulée des myrtilles encore un peu vertes, une subtile pointe de noix de coco. Cela fait tellement longtemps que je n'ai pas goûté quelque chose : j'engloutis de la nourriture, je vomis de la nourriture, mais il est rare que je mange, que je savoure, que je comprenne que je suis rassasiée.

Cela fait très longtemps que je n'ai pas été présente pendant que je mangeais. Et c'est bien dommage. Parce que savourer ce que l'on mange est quelque chose de tout simplement merveilleux.

« Alors, quelle est la saveur que tu préfères ? » me redemande Fynn.

Je hausse les épaules comme Phoebe, fronce les sourcils comme Zane. « Toutes, je crois. »

Novembre 2013

(Cela fait environ deux ans et un mois)

65

« Je ne sais pas exactement ce que tu as envie de savoir. Ou si, là où tu es, tu sais déjà. Les enfants vont bien. J'ai fini par prendre sur moi et les emmener consulter un psychologue. J'aurais dû le faire beaucoup plus tôt, mais ça y est, maintenant, alors j'essaie de ne pas trop m'en vouloir d'avoir tant tardé à prendre cette décision. Phoebe va beaucoup mieux. Elle sort plus ou moins avec Curtis, mais ils sont avant tout amis, d'après ses dires. Je pense que je dois m'attendre à d'autres problèmes existentiels d'adolescents dans les mois à venir. J'essaie de ne pas péter les plombs quand elle m'explique qu'elle ne sait pas encore s'ils doivent ou non reprendre leur relation physique. Ce ne sont pas des choses faciles à entendre, mais le principal, c'est qu'elle m'en parle. Je lui ai trouvé un nouveau collège. Il est un peu loin de chez nous, c'est sûr, mais elle a l'air heureuse là-bas et elle s'est fait de nouveaux amis. Elle me parle parfois de sa grossesse, c'est un sujet qui continue de la préoccuper, mais l'essentiel, à mes yeux, c'est qu'elle ait quelqu'un avec qui parler de ça. Je suis très fière d'elle, tu sais, Joel ? Très fière de la maturité que lui a conférée cette expérience.

« Zane est toujours à St Caroline ; en définitive, j'ai pensé qu'il valait mieux ne pas lui faire quitter cette école où il s'était toujours senti bien et en sécurité. Il a l'air beaucoup plus heureux, maintenant. Dommage que tu ne puisses pas voir ça. Il parle comme avant, il s'est remis à rire et il passe régulièrement des week-ends chez tes parents. Je ne pourrais pas convaincre Phoebe d'y aller, même si je la payais pour ça, mais c'est son droit, et je le respecte.

« Ernest et Zane sont toujours amis. Il y a quelques semaines, Ernest a dit à Zane que son papa n'habitait plus à la maison, alors je suppose qu'Imogen et Ray ont fini par rompre. Connaissant Imogen, et la crainte que lui inspire le concept même de mère célibataire, je pense qu'elle a dû beaucoup prendre sur elle pour accepter ça. Mais peu m'importe, désormais. Nous nous disons bonjour devant l'école, et c'est tout. Elle a ses problèmes ; j'ai les miens.

« Tatie Betty est toujours dans les combles, et toute sa vie tourne désormais autour de l'hôpital. Je perds beaucoup de temps à l'y emmener et à aller la chercher. Mais quand je ne peux pas, c'est Fynn qui s'en charge. C'est un peu comme si nous étions les parents divorcés d'une adolescente. Amusant de penser que celle qui se définissait elle-même comme la femme la plus égoïste de la terre ait fini par trouver sa véritable vocation dans le bénévolat et l'assistance apportée aux autres.

« Fynn est égal à lui-même. J'imagine que tu vois ce que je veux dire. Je suis sûre qu'il passe beaucoup de temps à te parler, mais ce que je peux ajouter, c'est que nous prenons soin l'un de l'autre et que nous sommes redevenus les meilleurs amis du monde, ce qui signifie qu'il a parfois tendance à me rendre complètement folle, mais c'est à ça que ça sert, l'amitié, non ? Je l'aime autant que tu l'aimais. Il m'a aidée à mettre en place une serre là où se trouvait jadis le carré de légumes, afin d'éviter les orgies de limaces.

Par ailleurs, je me suis mise à économiser pour lui rembourser la cabine de plage.

« Lewis et moi nous voyons régulièrement en qualité d'amis, et je trouve ça sympa. Une relation qui n'ira nulle part, malgré tous ses efforts, mais ça ne me gêne pas, parce que je trouve ça cool. Parce que je le trouve cool.

« Et moi, dans tout ça ? Eh bien, je me sens mieux depuis qu'*elle*, Audra, a été condamnée. Elle a plaidé coupable pour ton homicide, comme nous l'avions espéré, mais aussi pour la tentative d'homicide dont j'ai fait l'objet, et, par conséquent, il n'y a pas eu de procès. Elle a écopé d'une peine de vingt-cinq ans de prison. Et on lui a fait comprendre que si elle cherchait à me contacter à nouveau, les charges qui pesaient contre elle pour harcèlement seraient réexaminées. Donc, avec un peu de chance, je ne devrais plus entendre parler d'elle. Cela a fait beaucoup de bien à tout le monde, de la savoir là où elle est et de savoir qu'elle y resterait très longtemps. Le monde paraît désormais moins incertain, moins effrayant.

« Au bureau, ça se passe beaucoup mieux aussi, maintenant que Kevin et Edgar sont partis. J'essaie toujours d'effacer cette image de Gideon de ma tête. Mais je ne devrais pas tarder à y arriver, maintenant que j'ai récupéré mon ancien poste et que j'ai retrouvé l'espoir de pouvoir un jour évoluer.

« Et... Et... le squelette dans le placard. L'autre truc. À vrai dire, je ne m'en sors pas si mal. Cela fait six mois que je me fais aider et cela fait trois mois que je ne me suis pas purgée. J'ai parfois l'impression que les progrès ne sont pas assez rapides, et, dans ces moments-là, j'ai envie d'abandonner, de revenir à ce que je connais, et je dois lutter de toutes mes forces pour me rappeler à moi-même que je ne dois pas faire ça. Que cette façon de vivre, de survivre, de me cacher était en train de me tuer. Mais je sais désormais que je dois me montrer bienveillante et patiente envers moi. Que je dois croire à ma guérison et accepter le fait qu'il faudra du temps pour l'obtenir.

« Et toi, mon beau Joel, comment vas-tu ? J'espère que tu es bien entouré. J'espère que tu as la chance d'être toi-même, où que tu sois. J'espère que tu te trouves dans un endroit paisible, mais qui te permet tout de même d'être cet homme dynamique et énergique que tu as toujours été. Et j'espère que tu ne te fais pas de souci pour nous. Parce que nous allons bien. Tous.

« Je suis toujours furax contre toi. Je suis toujours incroyablement en colère que tu ne sois pas là et que je doive poursuivre mon chemin sans toi, mais ce n'est plus le seul sentiment que j'éprouve désormais. Je ressens d'autres choses, merveilleuses pour certaines, horribles pour d'autres, mais je ressens de nouveau des choses, et je trouve ça très bien. Je trouve ça super.

« *Les Saveurs de l'amour* continue d'avancer, comme moi, comme la plupart des choses de la vie, je suppose. J'apprends à connaître les plats que j'aime en les cuisinant et les goûtant, et je n'arrête pas d'écrire des recettes. J'en aurai des centaines, je crois, quand j'aurai ajouté les miennes aux tiennes, mais, de cette façon, ce seront les nôtres. Quelque chose que nous pourrons partager, même si nous sommes séparés.

« Je vais devoir partir, maintenant. Il faut que nous allions chercher le petit ami de tatie Betty à la poste pour l'emmener dîner. Nous tous : tatie Betty, Fynn, Phoebe, Zane, Curtis et moi. Il ne le sait pas encore, le pauvre. Il va se demander ce qu'il lui arrive.

« Tu me manques. Je t'aime. Et je dis ça pour de vrai. À bientôt. »

Épilogue

Je rentre à la maison demain.

Je ne sais pas si je veux revenir à cette vie que j'avais là-bas. Je ne sais pas si je peux faire ça. Peut-être devrais-je tout simplement rester là. J'adore Lisbonne, j'adore ses rues pavées de galets, ses bâtiments couleur de grès qui ne s'élèvent pas très haut et vous donnent l'impression d'être là pour vous réconforter, vous câliner. Peut-être devrais-je rester ici et laisser tous mes problèmes à la maison. Je suis normale ici. J'ai beau être seule, je me sens moins paniquée et effrayée, je ne me sens pas tout le temps sur les nerfs et terrifiée.

Je n'ai plus assez d'argent, mais si je rentre à la maison, si je prends cet emploi à Brighton et que je continue de vivre à Worthing, je pourrais peut-être le refaire. Je pourrais revenir et, peut-être, visiter davantage le Portugal. Et si je me mettais à voyager ? Oui, je pourrais recommencer à économiser pour partir à nouveau. Ça me semble être une bonne idée. La panique disparaîtra peut-être si je prends le temps de parcourir le monde, de le découvrir par petits morceaux à taille humaine ?

L'air chaud et parfumé porte en lui la promesse d'une averse légère. À l'angle de l'Avenida da Liberdade, je bifurque vers la petite rue sinueuse qui mène à mon hôtel. Le garçon de l'avion, celui qui m'a tenu la main pendant ces horribles turbulences, est assis sur le rebord de la grande jardinière en céramique remplie de conifères qui se trouve en face de l'entrée de l'hôtel. Il se lève en me voyant approcher. Depuis que je suis arrivée, je les ai croisés je ne sais combien de fois, lui et sa petite amie, qui est de toute évidence mannequin. C'est presque comme si nous nous pistions les uns les autres.

Il sourit en s'approchant de moi, et je lui souris en retour.

« Salut, me dit-il.

— Salut, rétorqué-je, un peu déstabilisée.

— Écoute, tu vas peut-être trouver ça cucul, mais si tu apprends à me connaître, comme j'espère que tu le feras, tu comprendras que je ne suis pas comme ça. Bref, il y a quelque chose en toi… Je crois que tu fais partie de mon futur. Je sais que ç'a l'air idiot et bizarre, dit comme ça, et, sincèrement, je n'ai jamais cru en toutes ces histoires de bonnes femmes mais… je crois que tu fais partie de mon futur. »

Je le regarde fixement : il est grand et musclé, et je sais qu'il est fort à cause de la façon dont il m'a tenu la main dans l'avion. Ses pommettes sont légèrement proéminentes, ses yeux sombres, de la couleur que prendrait l'acajou si on pouvait le rendre liquide. Et ses lèvres, pleines et appétissantes, s'étirent pour me sourire. Il y a quelque chose en lui qui me fait croire qu'il pourrait avoir raison.

« Ça n'a pas l'air aussi tordu que ça le devrait, répliqué-je.

— Tu le penses vraiment ? Tu dis ça pour de vrai ?

— Tu n'as pas de petite amie ?

— Euh… plus. J'ai échangé mon billet pour rentrer ce soir, trois jours avant la date prévue, parce qu'elle m'a jeté. Apparemment, je passais trop de temps à te regarder. Elle m'a dit qu'elle avait une trop haute opinion d'elle-même pour rester avec un type qui n'arrêtait pas de regarder une fille qui ne savait même pas qu'il existait. J'ai essayé de lui expliquer que c'était parce que je voyais mon avenir avec toi, mais, malheureusement, elle ne l'a pas très bien pris.

— Je peux comprendre.

— Ouais, je sais. J'ai un petit problème avec l'honnêteté.

— C'est un bon problème, ça.

— Je peux te donner mon numéro ? Tu m'appelleras, quand tu seras rentrée ?

— Oui.

— Tu dis ça pour de vrai ?

— Euh… oui, pour de vrai. Je m'appelle Saffron.

— Saffron. *Saffron*. Fron. *Frony*. J'aime bien. J'adore.

— Jamais personne n'avait fait ça avec mon nom.

— Cool, hein ?

— Oui, cool.

— Ravie de te rencontrer, Saffron. Je m'appelle Joel. »

Remerciements
(Où Dorothy devient dithyrambique)

Merci à vous, lecteur, d'avoir acheté ce livre, d'avoir pris le temps de le lire et, si l'envie vous en prend, de me faire savoir ce que vous en pensez. Votre soutien me fait toujours du bien.

Merci également:

À mon adorable famille et ma tout aussi adorable belle-famille sur qui je peux toujours compter. Une pensée spéciale pour la véritable tatie Betty, qui m'a permis d'utiliser son nom et certaines des anecdotes qu'elle m'a racontées.

À mes fantastiques amis, si compréhensifs, qui continuent de me soutenir même quand je reste tapie dans l'ombre pour terminer un livre.

Aux extraordinaires Ant et James, toujours là pour donner de bons conseils et tenir des discussions intéressantes. Je vous adore, les gars.

À la merveilleuse équipe de Quercus, composée de gens si… fabuleux.

À la brillante Jenny pour sa sublime couverture et à la brillante Emma pour son extraordinaire communiqué de presse; continuez de faire ce que vous faites si brillamment.

Au divin Jo Dickinson (vous devriez vraiment vous faire appeler comme ça) pour absolument tout. Merci de continuer à m'encourager, de croire en moi et de me faire confiance pour terminer à temps, sans exiger de garantie.

Aux différents professionnels qui m'ont aidée : Nathalie Patey pour les recettes ; l'équipe de Victim Support, et notamment Mark Hazelby, pour les informations sur la procédure en cas d'homicide ; l'équipe de B-eat, pour les informations sur les troubles de l'alimentation ; et toutes les femmes courageuses qui m'ont généreusement fait part de leurs histoires personnelles pour m'aider à construire ce livre.

Et enfin…

À E, G & M. Je ne suis pas sûre qu'il y ait assez de mots dans le monde pour exprimer la gratitude que m'inspire le soutien que vous m'assurez, mais je continuerai de chercher. C'est à vous que va tout mon amour.